黑龙江省精品图书出版工程

海洋工程丛书

海 洋 结 构 工 程

白 勇 著

U0292964

HEUP 哈尔滨工程大学出版社

内 容 简 介

本书由结构设计原理、极限强度、疲劳断裂、结构可靠性、结构风险评估共五篇三十四章组成。有限元分析和动态/疲劳分析的广泛使用、计算机和信息技术的迅猛发展以及风险和可靠性方法的应用是本书写作的基础。

本书适用于从事结构设计的海洋结构工程师、船舶设计师、机械工程师和土木工程师使用。随着基于可靠性的极限状态设计在结构工程领域得到日益广泛的应用,本书亦可为其他领域的结构工程师提供参考,例如建筑、桥梁和航天器等领域。

图书在版编目(CIP)数据

海洋结构工程/白勇著. —哈尔滨:哈尔滨工程大学出版社,2016.5
　ISBN 978 - 7 - 5661 - 1241 - 5

　　Ⅰ. ①海⋯　Ⅱ. ①白⋯　Ⅲ. ①船舶结构②海洋建筑物 - 建筑结构　Ⅳ. ①U663②P754

　　中国版本图书馆 CIP 数据核字(2016)第 075989 号

选题策划　史大伟
责任编辑　叶　津
封面设计　恒润设计

出版发行　哈尔滨工程大学出版社
社　　址　哈尔滨市南岗区东大直街 124 号
邮政编码　150001
发行电话　0451 - 82519328
传　　真　0451 - 82519699
经　　销　新华书店
印　　刷　哈尔滨工业大学印刷厂
开　　本　787mm × 1 092mm　1/16
印　　张　29.25
字　　数　752 千字
版　　次　2016 年 5 月第 1 版
印　　次　2016 年 5 月第 1 次印刷
定　　价　98.00 元
http://www.hrbeupress.com
E-mail:heupress@ hrbeu.edu.cn

前　言

本书适用于从事结构设计的海洋结构工程师、船舶设计师、机械工程师和土木工程师使用。有限元分析和动态/疲劳分析的广泛使用、计算机和信息技术的迅猛发展以及风险和可靠性方法的应用是本书写作的基础。作为斯塔凡格大学海洋工程专业的教授，我将本书用于我讲授的硕士和博士课程 TE6076"海洋结构"和 TE6541"海洋结构的风险和可靠性分析"。面向油气业工程师的 IBC/Clarion 行业培训课程"浮式生产系统的设计和建造"也使用了本书。

随着基于可靠性的极限状态设计在结构工程领域得到日益广泛的应用，本书也可为其他领域的结构工程师提供参考，如建筑、桥梁和航天器等领域。

在此要感谢曾经给予我指导和鼓励的人，他们是美国船级社（ABS）执行副总裁 Donald Liu 博士、挪威科技大学（NTNU）的 Torgeir Moan 教授、加州大学伯克利分校的 Robert Bea 教授和 Alaa Mansour 教授、丹麦技术大学的 Preben Terndrup Pedersen 教授、大阪大学的 T. Yao 教授以及广岛大学的 M. Fujikubo 教授。在整理本书所用的资料时，上述杰出科学家和工程师的友谊和技术指导起到了至关重要的作用。

在担任 JP Kenny 挪威分公司先进工程部经理和美国船级社海洋技术部经理期间，我有幸结识了石油公司、设计/咨询公司、船级社及承包公司的许多行业领导人。通过 ISSC，IBC，SNAME，OMAE，ISOPE，OTC 等学术会议及行业（ISO/API/Deepstar）委员会，我获得了行业应用和研究领域的最新进展信息。

与 Ruxin Song 博士和 Tao Xu 博士的长期合作使我在结构可靠性和疲劳领域的研究获益良多。本书涉及的极限响应、管状构件屈曲、浮式生产储卸装置船体梁强度和可靠性的内容是根据我发表在 SNAME，OMAE，ISOPE 等期刊上的论文所撰写的，论文的合著者为 Preben Terndrup Pedersen 教授、T. Yao 教授、Yung Shin 博士、C. T. Zhao 博士和 H. H. Sun 博士。

Qiang Bai 博士和博士研究生 Gang Dong 协助整理了书稿。

本书在 Rameswar Bhattacharyya 教授、Elsevier 高级出版编辑 James Sullivan 和 Nick Pinfield、ABS 高级副总裁 James Card 的不断鼓励下得以完成。

感谢我的妻子 Hua Peng、孩子 Lihua 和 Carl，为我在不同文化和工作环境中写作本书的五年多时间里营造了良好的氛围。

感谢上述所有组织和个人，以及许多未提及的朋友和作者，谢谢你们的支持和鼓励！

白　勇

2015 年 11 月 12 日

目　　录

第一部分　结构设计原理

第二部分　极限强度

第三部分　疲劳断裂

第四部分　结构可靠性

第五部分　结构风险评估

第一部分
结构设计原理

第1章 概　　述

1.1　结构设计准则

1.1.1　介绍

本书内容涉及海洋结构物设计与研究的现代理论。海洋结构物包括船舶和近海结构物(Ships and offshore structures)等。本书不但总结了当前最新的设计理念、工程应用和研究成果,并且涉及有限元分析、风险可靠性评估方法的应用等内容。

海洋结构物设计的第一个阶段是波浪载荷和组合载荷的计算。在结构设计和分析中,结构工程师需要了解波浪、运动和设计载荷等基本概念。动态系统的极值问题属于另一个领域,在过去的十多年中取得了很大的进展,其对于确定浮式海洋结构物、立管、锚泊系统以及张力腿平台的张紧系统等的运动和强度的设计值起到了非常重要的作用。

功能要求和载荷确定后,初始结构的尺寸就可通过船级社的规定以及设计准则进行确定。通过分析梁及板壳单元在静水压、弯矩及集中载荷下的应力,可以对结构进行初步基础设计。

海洋结构物的设计包括以下三个层次:

(1)规范设计;

(2)分析设计;

(3)性能指标设计。

直到20世纪70年代,结构设计的规则才根据规范里现有的经验绘制表格和进行公式设计。这些基于公式的设计大部分是直接对动载荷和有限元分析的计算。当前有限元(FEM)研究方法已经得到充分的发展,它非常适用于船舶和近海结构物的设计。基于有限元的结构分析法已经提供了相应的结果,能帮助设计者进行最优化设计。此分析设计方法现已应用于整个设计过程。

目前,有限元分析普遍应用于海洋结构物的强度和疲劳分析。在结构设计过程中,结构的形状和尺寸都要加强、优化,并且附带进行结构分析,直到强度和疲劳指标达到所需要求。由于计算机和信息技术的飞速发展,FEM方法的使用也得到了快速的推广。船舶与近海结构物中,信息技术已经广泛地应用于结构分析、数据收集、进程管理、拟合以及设计、操作和维修等领域。计算机和信息技术的运用,使我们能进行复杂的结构分析和结果处理。为了进行有限元的辅助设计,人们开发了各种类型的软件工具,例如:用于制图的 CAD 软件,用于结构设计和分析的 CAE 软件,以及用于辅助制造的 CAM 软件。

1.1.2　极限状态设计

在极限状态设计中,设计要验证结构在受到各种极限载荷的情况下,确保结构物在最大载荷和结构的最小承载能力足够大时,能够承受极限载荷及疲劳破坏。

基于设计理念,极限设计标准中包括各种破损模式,例如:

(1)可维护性的极限状态;

(2)材料的极限状态(包括屈曲/坍塌和断裂);

(3)疲劳极限状态;

(4)偶然发生的极限状态(逐步崩溃极限状态)。

每一种破损都可以通过一系列的设计标准得到有效的控制。极限设计标准的应用,主要基于极限强度和疲劳分析,以及利用风险可靠性评估的方法。

设计标准向来是以设计工作应力(WSD)或容许应力设计(ASD)来表达的,其中只有一个安全系数是用来确定许用极限的。近年来,越来越多地使用载荷和抗力因素的设计(LRFD),通过这些载荷因素和承载能力因素来反映结构的不确定性和安全要求。

一般地,LRFD 格式表示为下面的关系:

$$S_d \leqslant R_d \tag{1.1}$$

式中 S_d——表示设计载荷影响,$S_d = \sum S_K \cdot \gamma_f$;

R_d——表示设计阻力,$R_d = \sum R_K / \gamma_m$;

S_K——特征载荷效应;

R_K——特征反力效应;

γ_f——载荷系数,主要指不确定载荷;

γ_m——材料系数,即逆阻力系数。

图 1.1 中描述了载荷系数和承载系数。为了方便起见,图中只用一个载荷系数和一个承载系数来描述。为了说明强度参数的不确定性,设计承载 R_d 定义为特征反力 R_K 与材料系数的乘积。此外,特征载荷效应 S_K 与 γ_f 成正比。

载荷系数 γ_f 与材料系数 γ_m 在设计规范中给出定义,而且已被校准能够满足规范中的设计工作压力的标准和固有安全水平。安全校准可以使用结构可靠性的方法进行,这允许我们将可靠性水平 LRFD 标准和 WSD 标准进行相互矫

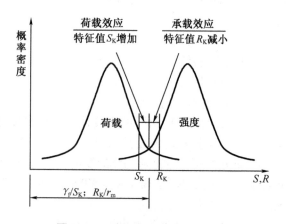

图 1.1 阻力系数和载荷系数曲线

正,并保证可靠性水平高于或等于可靠性目标。尽管 LRFD 方法是在不确定性载荷和结构能力的基础上进行的一种研究结构可靠性的方法,但其优势是简便易行(相对于直接使用结构可靠性的方法而言),LRFD 也称为部分安全系数的设计方法。

虽然部分安全系数方法是利用结构可靠度方法来校核的,但是失效结果也可能是由选择目标可靠性水平导致的。当失效后果发生的可能性较高时,安全系数还应该取更高。根据同一种设计规范,使用 LRFD 标准,可以为整体结构或局部结构提供统一的安全水平。

1.2 强度和疲劳分析

在海洋结构设计中,考虑的主要因素包括:

(1)静水和波浪载荷,以及其可能的组合;

(2)结构单元和系统的极限强度;

(3)关键结构节点的疲劳/断裂。

理解流体力学、屈曲/塑性破坏、疲劳/断裂是分析结构工程的关键。

1.2.1 极限强度标准

在设计规范中,极限强度标准通常包括多种基本结构单元,例如:

(1)圆柱或圆柱梁;

(2)板和加筋板;

(3)壳体和加筋壳体;

(4)结构连接物;

(5)船体梁。

图 1.2 是固定柱压缩的欧拉屈曲强度图。由于轴压和初始挠度的合成,当轴向压缩接近临界值时,该柱可能发生屈曲,即

$$P_{CR} = \frac{\pi^2 EI}{l^2} \tag{1.2}$$

式中 l——柱体的长度;

EI——柱体的截面抗弯刚度。

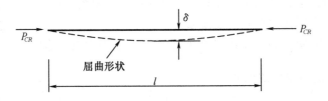

图1.2 两端固定圆柱的屈曲强度图

失稳通常发生在构件的最大承载部位。伴随极限屈服传播,结构的弯曲刚度下降,进而导致屈曲。对于结构单元以外的其他无加强的薄壁,当弹性屈曲达到极限强度时,该结构将发生屈曲。

船舶和海洋结构物的单元设计,主要是基于相关船级社规范和 API,ISO 规范。船级社规范适用于远洋船舶、移动式海上钻井单位(模块)和浮式结构。对于海洋结构设计,API 和 ISO 更加适用。

应该指出,极限强度分析应该包括最终的断裂情形。评估的最后断裂主要是基于断裂力学的标准,如英国标准 PD6493(或 BS7910)和美国石油学会代码 API579。事实上,屈曲强度分析和断裂强度分析有很多相似之处,其比较见表1.1。

表 1.1 屈曲强度分析和断裂强度分析的比较

项目	屈曲强度分析	断裂强度分析
载荷	压缩/剪切力	拉伸载荷
缺陷	几何和焊接残余应力等	制造缺陷和疲劳载荷
线性解	弹性屈曲	线性断裂机制
设计标准	曲线拟合理论方程	曲线拟合理论方程

一般来说,强度标准规范的开发可使用下列办法:

(1)得出基于塑性、弹性和弹性稳定理论的分析方程;

(2)对单元强度进行非线性有限元分析;

(3)收集力学试验结果;

(4)利用有限元分析和力学测试,比较分析方程的结果;

(5)基于有限元的结果修改分析方程;

(6)通过最终数值和力学测试的比较,进行公式优化;

(7)根据设计标准进一步校准,导出强度方程。

根据以上结论,显然,理论知识和实际设计经验对于极限强度标准研发的成败至关重要。作为规范的可选择标准,力学测试和有限元分析可用于确定结构单元极限强度。对于简单的结构单元,有限元分析和规范的标准通常与力学测试结果很接近。因此,力学测试可以作为这些经验和知识的积累。

今后的课题中,值得研究的极限强度分析包括以下几点:

(1)给出混合载荷的强度方程;

(2)利用风险评估和结构可靠性分析校准局部的安全系数;

(3)标准化的有限元模型和基准模型;

(4)基于测试有限元分析和强度设计的方法,开发程序来确定安全系数。

1.2.2 基于随机载荷的设计方法

船舶和近海结构的设计中应考虑以下随机载荷:

(1)船舶碰撞和近海下降物体的影响;

(2)船舶搁浅;

(3)火灾/爆炸;

(4)畸形波。

随机载荷是指意外载荷,可能导致一场灾难,造成经济、环境等一系列后果,甚至造成人员伤亡。从某种意义上说,极限载荷和随机载荷是不同的,极限载荷规模和频率可以影响到一个小范围的结构设计,而积极控制则可能影响到意外载荷的频率和程度。随机载荷设计包括在考虑风险的情况下确定设计载荷、使用刚/塑性分析或非线性有限元分析预测结构响应和基于风险的验收标准。传统的刚/塑性分析在设计随机载荷时得到普遍应用,因为在事故发生时,随机载荷导致材料大塑性变形通常是吸收能量的结果。近年来,非线性有限元分析已应用于模拟结构在意外情况下的反应和设计结构的性能标准。使用有限元分析,我们能够处理复杂的意外情况,并更好地预测结构的反应。

1.2.3 疲劳设计

疲劳损伤和缺陷可能会威胁到海洋结构的完整性,这将产生昂贵的维修费用,并会在生产中增加损失。由于存在使用高强度材料、恶劣的环境条件和优化结构方面的问题,疲劳设计已成为一个重要的问题。最近几年,利用分析技术预测疲劳载荷、循环应力、疲劳/断裂和抗破坏能力标准的方法得到很好的发展。疲劳强度的评估方法,一般使用 $S-N$ 曲线或断裂力学方法。$S-N$ 曲线所建立的应力控制疲劳试验,通常表示为

$$N = K \cdot S^{-m} \tag{1.3}$$

式中 N——破损周期的数量;

S——应力区;

m,K——材料常数,取决于环境和测试条件。

$S-N$ 曲线的方法主要是应用在确定设计的疲劳强度之中,它包括两个关键组成部分:确定热点应力和选择适当的 $S-N$ 曲线。双向线性 $S-N$ 曲线如图 1.3 所示,其中 X 轴和 Y 轴分别表示破损周期和压力范围。曲线的斜率变化由 m 至 r,其中循环的次数为 N_R(钢的值为 5×10^6)。

人们已经认识到不同分析师预测或采用不同的分析方法所得到的热点差异。因此,最重要的是获得最佳的和规范的分析程序,作为部分规

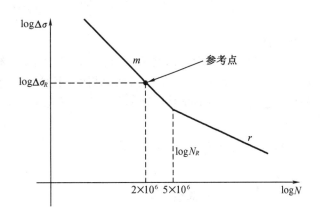

图 1.3 疲劳评估 $S-N$ 曲线

范的研发资料。最近几年,出现了大量的标准化 $S-N$ 曲线。在这方面,国际焊接学会(IIW)已出版了若干关于选择 $S-N$ 曲线和确定热点应力的指导性文件。根据 IIW 规范,$S-N$ 曲线可根据相当于循环次数 2×10^6 的参考应力范围确定 $\Delta\sigma_R$。

随着越来越多地使用有限元分析,基于热点应力的设计方法将会更加受到人们的欢迎。疲劳的不确定因素主要有以下几种:

(1)选择环境条件,如海平面状态及其各种组合状态;

(2)热点处导出疲劳应力;

(3)选择设计规范,如选择 $S-N$ 曲线和进行应力计算;

(4)涡激振动和安装导致的组合波性疲劳与疲劳损伤;

(5)选择安全系数和检查/修复方法。

结构连接的累积疲劳损伤的生命周期通常利用 Miners 规则评估,并应总结造成损害的单独应力范围区块。

$$D = \sum \frac{n_i}{N_i} \leqslant D_{\text{allow}} \tag{1.4}$$

式中,n_i 和 N_i 指在 i 区块中的循环应力次数,以及在恒幅应力作用下第 i 次发生疲劳破坏的次数;D_{allow} 为再设计规范中的许用极限值。简化的疲劳分析可能承担的压力范围符合韦伯分布。这样的分析已被广泛应用于船级社评估船舶结构疲劳强度。韦伯应力分布参数已

通过对服役船舶的疲劳数据加以验证,并由疲劳分析方法使之更加完善。韦伯参数的值可以从船级社规范中获得,作为一个船舶的功能长度和利益最佳点。另外,在离岸设计规范的 API RP2A 中,简化的疲劳分析也假定浪高遵循韦伯分布。韦伯参数中,浪高可以从 API RP2A 的墨西哥湾海洋结构物规范中获得。

以下三种方法可以用于预测累积疲劳损伤,并且得到波散射图:

(1)频域(如谱疲劳分析的基础上 Rayleigh 模式或双模型);

(2)时域(适用于土结构相互作用引起的非线性摩擦和接触摩擦);

(3)混合物的频域和时域方法(如使用压力范围谱频域疲劳分析和雨流计数的方法总结个别海况的疲劳损伤)。

作为替代 $S-N$ 曲线的方法,断裂力学现已用于评价裂纹结构连接的剩余强度和检查焊接连接点之中。裂纹增长速率和 ΔK 有近似的线性关系:

$$\frac{\mathrm{d}a}{\mathrm{d}N} = C(\Delta K)^m \tag{1.5}$$

式中,$\Delta K = K_{\max} - K_{\min}$。

$K_{\max}$ 和 $K_{\min}$ 是应力强度系数的最大值和最小值,其分别是循环载荷的上限和下限。材料特性 C 的值和 m 可以从用于海洋结构和其他各种类型的钢结构设计规范的典型材料中找到。应力强度系数可从手册简化的几何结构和缺陷以及载荷中获得。

1.3 结构可靠性应用

1.3.1 结构可靠性概念

组件可靠性是关于失效概率模型的一个极限状态功能。因为所有的海洋结构都是由组件组成的,所以结构可靠性分析是一个基本组成部分。结构可靠性的概念如图 1.4 所示,其中负载和强度这两个模型都作为随机变量。当负载超过其强度时,故障发生。载荷和强度的概率密度函数分别定义为 $F_S(x)$ 和 $F_R(x)$,破损概率可以表示为

$$P_f = P(S \geqslant R) = \int_0^\infty F_S(x) F_R(x) \mathrm{d}x \tag{1.6}$$

研究系统的可靠性的评价失效概率,要考虑至少一个以上的极限状态函数的两种类型的基本系统:串联系统和并行系统。当任何一个单元损坏的时候它都损坏的系统叫作串联系统。这些系统通常被称为最弱的链接系统。一个典型的例子是海洋管道和立管。并行系统只有在所有单元都破损的时候才破损。

海洋结构的生命周期成本包括以下三种:

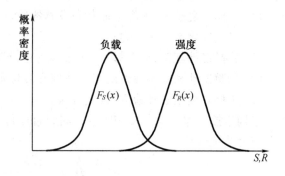

图 1.4 结构可靠性的概念

(1)有关钢铁质量和制造工艺的初始投资;

(2)维修费;

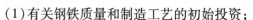

（3）损害或失败、风险造成的损失支出。

一种退化或失败的结构性的系统可能会导致减少/关闭和损失/损坏结构。所有者或建设者要求较低的初始成本、最高的运营利润率，以及可以伸缩作业期的结构物。基于概率的经济生命周期成本模型可能是一个有用的工具，以改善设计分析、检查和维修。图1.5进一步说明了初始投资的总费用和维修费用，以及结构性损坏/失败造成的损失。另外，图中也说明了可靠性和成本的关系。如果它的价值高于监管机构所要求的值，可以在估计成本优化的基础上来确定可靠性的水平。

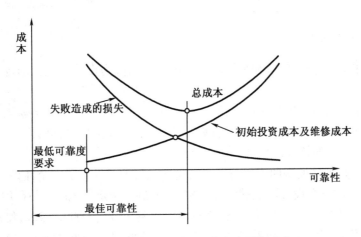

图 1.5 目标可靠性和最小的生命周期成本

1.3.2 基于可靠性检验设计系数

在应用结构可靠性校准安全系数的结构设计中，其检验过程可以一定程度上辅助提高安全性。安全系数一旦确定，就可以检测各种情况下的失败概率，并且是它尽可能接近的安全水平。当进行基于可靠性检测时应进行下列步骤：

$$N = K \cdot S^{-m} \tag{1.7}$$

（1）给出当前设计下的潜在失败模型；
（2）定义设计方程；
（3）建立极限功能状态；
（4）检测极限功能状态下随机变量的不确定性；
（5）估计失败的可能性；
（6）确定安全水平目标；
（7）计算安全系数；
（8）评估设计结果。

载荷系数和抗力系数（安全系数）的设计标准的检测，可以使用风险可靠性评估。

1.3.3 当前结构重获资格

重新获得现有船舶和结构物的使用资格，是运营中一个很重要的项目。当出现设计的环境条件改变，结构由于腐蚀、疲劳或在随机载荷的作用下导致的能力下降等情况时，都要重新认证工作资格。由缺陷造成的腐蚀，可能会大大减少极限强度和结构的疲劳强度。人们建立各种数学模型来预测结构的腐蚀发展,如管道和立管。各种方法已应用到行业中,用来衡量腐蚀缺陷的数量、位置和形状,因为所有这些都对强度和疲劳评估极为重要。

在许多情况下,利用非线性分析的载荷和结构响应以及风险/可靠性方法,需要满足使用的设计利润率。重获资格的过程可能会使用强度和疲劳公式,以及这本书讨论的风险/可靠性方法。

1.4 风险评估

1.4.1 风险评估中的应用

风险评估和安全管理、健康和环境的保护(HSE)已成为设计与施工活动的一个重要组成部分。

在近海工业中使用风险评估要追溯到 19 世纪 70 年代的后半期,伴随当时几个先驱项目进行,以及分析方法的发展和数据的收集,风险评估的方法最终得以发展起来。当时,这个方法和数据所涉及的领域,只是核能工业和化学行业。

1981 年是风险评估发展的第二阶段。当时挪威石油局发布了安全性评价准则,这些准则要求,对所有新的概念设计阶段的海上设施,须开展一个定量风险评估(QRA)。1988 年,由于 Piper Alpha 平台发生若干事故,卡伦随之发起英国政府对此的需求,使风险评估有了长足的发展,卡伦建议将定量风险评估落实到英国立法中。在此十年前,挪威就已经完成了该立法。

1991 年,挪威石油协会规定风险评估取代了在 1981 年发表的安全性评估准则。1992年,安全监管规定在英国定稿,并且在英国近海工业中,风险评估已作为现有的和新的结构物的安全评估的一部分。1997 年海事组织正式通过了安全评估作为一种新的工具来评估航运业安全的条例。

1.4.2 风险检验(RBI)

基于风险的措施,发展一个系统级的、基于风险的检查过程涉及优先次序的系统、子系统和要素,以及发展一种检查战略(即频率、方法和范围/样本大小),这一进程还包括保养和维修。基于风险的检验方法也可使用检测结果更新、检查战略的一个特定的系统、子系统或组件/元素。

基于风险的检验方法的最重要特点包括以下几种:

(1)使用多个学科的、自上而下、系统水平启动的办法,重点检查单元层面;

(2)使用具有弹性的"灵活"的过程,以追求完整性为目标,并且可以容易实施;

(3)采用定性和定量的风险措施;

(4)使用有效的和有效率的分析方法,此方法提供了良好的结果,并且检查人员熟悉此方法。

基于风险的检验方法可以在评价结构性能的基础上研究结构的疲劳/腐蚀、断裂力学、防腐工程、结构可靠性和风险评估等工作。

统计表明,80% 以上的失败是最初的人力和组织因素所造成的。图 1.6 显示的是结构、人力、组织和管理制度之间的相互影响,人的行为、组织文化和管理的 HSE 都将影响结构安全。

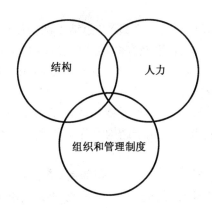

图1.6　结构安全中的人力－组织因素(HOF)

1.5　本书的布局

基于风险的极限状态设计,是以有限元法和概率分析为基础的结构分析方法,考虑到该行业安全设计的成本效益和安全运行的海洋结构要求,该方法将被广泛接受和使用。本书编写的目的是对这些技术的发展进行总结,以促进产生更先进的结构设计。本书与现有书籍的区别是把重点放在有限元法、动力响应、风险/可靠性和信息技术上。图1.7说明了结构设计基于有限元分析和风险/可靠性的方法的程序。

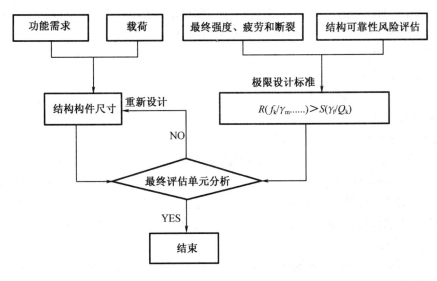

图1.7　当前的海洋结构物设计

目前,几本知名的有关海洋/离岸流体力学的图书包括 Bhattacharyya(1978),Sarpkaya 和 Isaacson(1981),Chakrabarti(1987),Faltinsen(1990),CMPT(1998),Jensen(2001)和 Coastal Engineering Manual(CEM,2003)等,然而,却很少有关于海洋/海洋结构物设计、最终强度、疲劳评估和风险可靠性评估的书籍。本书以综合的方式处理现代理论的结构设计/

分析、极限强度和疲劳标准以及实际工业应用的风险性和可靠性的方法,共由 5 大部分组成:

第一部分——结构设计原理(第 1 ~ 7 章)　总结了结构设计中的船舶和海洋结构的水动力载荷以及船体的大构件结构,还涉及在海洋结构设计中应用有限元技术。设计的分析程序也称为直接设计方法。工程设计实践中,主要讨论船舶、固定平台、浮式生产储油装置、张力腿平台、半潜式平台的设计。

第二部分——极限强度(第 8 ~ 15 章)　提出适用于屈曲和弹塑性的理论,以及非线性有限元公式。非线性有限元分析也适用于结构设计中的偶然载荷,如船舶碰撞、搁浅、火灾和爆炸。

第三部分——疲劳断裂(第 16 ~ 22 章)　解释疲劳机制、疲劳阻力、疲劳载荷和应力,简化疲劳分析、疲劳谱分析和断裂评估。基本的疲劳断裂由有限元分析和结构工程师所提供。

第四部分——结构可靠性(第 23 ~ 28 章)　提供简化的适用于船舶及海洋结构物应用结构可靠性理论的方法。其目标是深入浅出地解释复杂的理论,概述了分析软件和相关工具,为读者提供参考和更多的信息。

第五部分——结构风险评估(第 29 ~ 34 章)　总结了最近的风险分析以及降低海洋结构物和力学构件风险的方法。风险分析和可靠性广泛应用于减少经济、环境甚至人命的损失。

1.6　怎样使用本书

作者编写本书的目的,是利用它来教授"海洋结构工程(Marine Structure Design)"课程。本书可以作为数理学硕士或博士课程的参考用书,如:

(1)船体结构设计;

(2)浮式生产系统;

(3)海洋结构物的最终强度;

(4)疲劳和断裂;

(5)海洋结构物的风险可靠性评估。

本书主要阐述海洋和近海工程应用的钢结构理论,也涵盖土木工程钢结构设计的知识(例如 Salmon 和 Johnson,1995 年),此外还涉及流体力学、船舶应用和疲劳断裂知识。相对于航天器结构设计的书籍(例如 Sarafin,1995 年),本书更详细地描述了有限元方法和风险可靠性方法的应用,因此,它也引起工程师和从事土木工程(钢结构及海岸工程)和航天器结构研究的人员的关注。

欲了解更多的有关基于极限状态设计的风险可靠性的方法,可以参考" Pipelines and Risers"(Bai,2001),该书同时介绍了有关实际设计和浮式生产系统的结构等问题。

参考文献

［1］ Koenig D,Klante H E J. Design and construction examples of loading terminals and floating production systems［J］. Soc. Pet. Eng. ,1984:(5)124 – 144.

［2］ Bhattacharyya R. Dynamics of marine vehicles［M］. London:John Wiley & Sons Inc,1978.

［3］ Chakrabarti,Subrata K. Hydrodynamics of Offshore Structures［C］. London:［s. n. ］,1987.

［4］ Anon. Floating Structures:a guide for design and analysis［M］. ［s. l. ］:Oilfield Pubns Inc,1998.

［5］ Faltinsen O M. Sea loads on ships and offshore structures ［M］. New York:Cambridge University Press,1990.

［6］ Jensen J J,Kgs D K,Lyngby. Elsevier Ocean Engineering Book［M］. New York:［s. n. ］,2001.

［7］ Salmon C G,Johnson J E. Steel structures design and behavior［J］. Journal of Spacecraft & Rockets , 1990,31(1)101 – 105.

［8］ Vignjevic R. Spacecraft structures and mechanisms :from concept to launch［J］. Journal of Spacecraft & Rockets,1995,34(3):408 – 409.

［9］ Sarpkaya T,Isaacson M,Wehausen J V. Mechanics of Wave Forces on Offshore Structures［M］. London: ［s. n. ］,1992.

第 2 章　船舶设计中波浪载荷和分类

2.1　概述

船舶设计的一个主要方面是计算船舶结构的波浪载荷。计算这一载荷的困难主要是波浪的不确定性。为了解决这个问题,一些技术被研发出来。这些技术使海浪以数学形式表达出来,可以用来计算船舶的波浪载荷和船舶对波浪载荷的最终响应。

船舶设计时,船级社使用公式来计算波浪载荷和船舶的响应。然而,船舶设计师应该有一些统计的理论知识和利用统计测定波负载的技术。新型船舶设计也存在类似问题,除了使用以规则为基础的公式以外,还涉及需要广泛地统计、估算波浪载荷的情况。

海洋结构设计以此为基础,本章的三个目标包括:

(1)给出各种海浪频谱与波浪统计;

(2)讨论波浪诱导载荷、砰击、静水负载、船舶的响应;

(3)列出船级社计算船舶设计载荷的规范。

欲了解更多有关作用在船体上的波浪载荷,可以参考 Bhattacharyya(1978),Hughes(1988)和 Jensen(2001)的相关论述。

2.2　波浪和波浪统计

2.2.1　概率论与随机过程的基本要素

获得海浪数据需要使用不同的统计与概率要素。因此,参考统计要素与概率要素是处理波负载的首选。

在统计中,一个随机变量 X 是一个事件的所有可能结果。如果可能出现的结果是一个连续的区域,即 $-\infty < x < \infty$,并且所有事件的结果都属于此区间,概率密度函数记为 p_x,则在图 2.1 中,介于 X 和 $X + dx$ 的概率为 $p_x(x)$。从这一结果中,我们也可确定平均值 μ_X 如下:

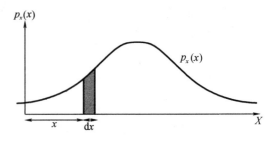

图 2.1　概率密度函数

$$\mu_X = \int_{-\infty}^{\infty} x p_x(x) \, dx \tag{2.1}$$

$$\text{Var}[X] = (\sigma_X)^2 = E[(X - \mu_X)^2] \tag{2.2}$$

　　统计的另一个重要方面是随机过程的分布,它叙述了一个随机过程发生的可能性。最常见的随机分布是正态分布或高斯分布。图 2.2 所示为高斯分布的典型形式。高斯分布最重要的特点是它可由两个参数确定:数学期望 μ_x 和方差 σ_x^2。

　　由海浪构成的海况,通常使用有效波高和周期这两个参数来描述。这两个参数遵循 Log – normal 正态分布,也就是说,$Z = \ln X$ 的自然对数关系遵循高斯分布。在海洋中,在任何时候海面升高都是一个随机变量,遵循期望为零的高斯分布。

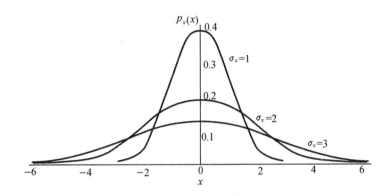

图 2.2　高斯分布的概率密度函数($\sigma_x = 1, 2$ 或 3;$\mu_x = 0$)

　　该参数用来描述海浪的随机过程,在时间上是连续的过程。因此,在不同时期测量相同的参数时,得到的结果可能有很大差异。有关描述海洋波的数据,是由在不同时间段收集的样本来确定的。为了保证数据的有效性,必须确保每一个样品的收集都是在同一条件下进行的。对于海浪,其中的每一个参数都要受到若干因素的影响,如海平面升高要受风速和风向等因素的影响。为了确定在不同样品中的相对恒定的量,数据收集应该在较短的时间内完成。

　　如果这一进程不会随着时间改变,那么这个随机过程的统计特性是平稳的,这意味着平均值和每一时刻的值是一致的。海洋样本数据的收集,通常跨越的时间段为 30 分钟到 3 个小时,因为在此期间数据被认为是恒定的。

　　确定样本平均数的随机过程有两种方法:集合法和时间法。集合法是处理在一瞬时获得的一系列样本;时间法是研究某一样本在一段时间内的变化,如海浪的随机过程,由单一样本所确定的时间平均值与集合平均数是等效的,这称为一个遍历随机过程。

　　一个随机过程的特征可认为是窄带或宽带的。简单来说,窄带过程是波频率位于狭窄的范围内,而宽带过程包括频率相差很大的波。海洋波数据表明,一个位于大洋中部,由风力产生的,得到全面发展的波(如没有增长或衰减,不受沿海的影响),实质上是窄带波。当然,有一些波元,这些波具有不同的波高频率,但这些往往是波长较小和波高较低的,对船舶影响不大。有趣的是,船好比一个过滤器,只有窄带波频率影响船舶的运动和船体梁载荷。因此,船的响应频率比大海本身的窄带更窄,同海浪一样,这种反应通常也称为高斯平稳过程。

　　本书的第 24 章包含更多的随机变量的信息。

2.2.2　海面的统计表示

本节讨论完整海面的表示。当然,由于各种条件,如平静或暴雨天气,海面高度是不规则的和随机的。然而,人们发现,这个随机过程可以准确地由一系列不同高度、长度、方向和阶段的规则波叠加进行表示。

Pierson(1952), St. Denis 和 Pierson(1953),Pierson, Neumann, 和 James(1955)发表的三篇论文,为进一步描述海洋表面铺平了道路。他们证明,海洋表面可能是由不同频率的规则正弦波叠加而成的。典型的正弦波公式如下:

$$\zeta(x,t) = a\sin(-kx - \omega t + \theta) \tag{2.3}$$

式中　a——波幅;

　　　k——波数,$k = 2\pi/\lambda$;

　　　λ——波长;

　　　ω——圆频率,$\omega = 2\pi/T$;

　　　T——周期;

　　　θ——波面角。

Pierson, Neumann 和 James(1955)也假设不规则表面波的波高 $h(x,t)$ 可以表示为

$$h(x,t) = \lim_{N\to\infty} \sum_{i=1}^{N} a_i\sin(-k_i x - \omega_i t + \theta_i) \tag{2.4}$$

如何描述海面,现存有不同的程序进行说明,并且 Jensen(2001)已经提供了描述表面波详细的分析说明方法。

2.2.3　海浪谱

多年来,人们已收集了关于海浪的大量资料。这些数据的用处是确定可以航行的海况。关于收集海浪数据最全面的书籍,由 Hogben, Dacunha 和 Olliver(1986 年)编写出版。该数据来自 104 个海洋区域,被称为 Marsden 领域,涵盖了所有的主要航线。

海洋数据的代表性可能会以一些不同的方式进行。Bretschneider(1959 年)提出,某一海况的波谱可以由两个参数描述——有效波高(H_s)和模态波频率(ω_m)。模态波频率是最高频率,即最大高度处的波频谱。其中,使用最普遍的谱由 Pierson 和 Moskowitz(1964 年)给出。这个频谱是基于无限水深和无限水域的假设。对于沿海水域,联合北海波项目(JONSWAP)使用的频谱是由 Hasselman(1973 年)和 Ewing(1976 年)给出的。

Chakrabarti(1987)对不同的波谱给出了数学描述,例如:

(1)Phillips;

(2)Neumann Spectrum;

(3)Pierson – Moskowitz Spectrum;

(4)Bretschneider Spectrum;

(5)ISSC Spectrum;

(6)ITTC Spectrum;

(7)Unified Form;

(8)JONSWAP Spectrum;

(9)Scott Spectrum;

（10）Liu Spectnun；

（11）Mitsuyasu Spectrum；

（12）Ochi – Hubble Spectrum。

Pierson – Moskowitz(P – M)谱给出了充分发展海域海浪的可解析表达式，即

$$S(\omega) = \frac{\alpha g^2}{\omega^5} \exp\left[-0.74\left(\frac{\omega V_W}{g}\right)^{-4} \right] \tag{2.5}$$

式中　$S(\omega)$——波谱，$cm^2 \cdot s$；

　　　g——重力加速度，cm/s^2；

　　　ω——圆频率，$1/s$；

　　　$\alpha = 0.008\,10$；

　　　V_W——风速，cm/s（海平面以上 19.5 m）。

Bretschnerder 频谱采用双参数法，其中，要分别确定波高和许可周期，表达形式为

$$S(\omega) = 0.168\,7H_s^2 \frac{\omega_s^4}{\omega^5} \exp\left[-0.675(\omega_s/\omega^4) \right] \tag{2.6}$$

式中，参数 A 和 B 由频率 ω_0 和方差 E 决定。

$$\omega_s = \frac{2\pi}{T_s} \tag{2.7}$$

$$T_s = 0.946T_0 \tag{2.8}$$

式中，T_s 和 T_0 分别为显著周期和最高周期；H_s 为有意波高。JONSWAP 谱可以写成以下的形式：

$$S(\omega) = \frac{\alpha g^2}{\omega^5} \exp\left[-1.25(\omega/\omega_m)^{-4} \right] \gamma^{\exp\left[-\frac{(\omega - \omega_m)^2}{2\sigma^2 \omega_m^2} \right]} \tag{2.9}$$

式中　$\gamma = 3.3$；

　　　$\sigma = \omega$ 和 ω_m 分别为 0.07 和 0.09；

　　　$\alpha = 0.076\bar{x}^{-0.22}$；

　　　$\omega_m = 2\pi \dfrac{3.5\bar{x}^{-0.33}g}{V_{W10}}$；

　　　V_{W10}——海平面 10 m 以上的风速；

　　　$\bar{x} = \dfrac{gx}{V_{W10}^2}$。

然而，Ochi 6 参数能谱提供了一个更好的方法来描述各个阶段海洋风浪形成的过程：

$$S(\omega) = \frac{\left(\frac{4\lambda + 1}{4}\omega_m^4\right)^{\lambda} H_s^2}{4\Gamma(\lambda)\omega^{4\lambda+1}} \exp\left[-\frac{4\lambda + 1}{4}(\omega_m/\omega)^4 \right] \tag{2.10}$$

式中，$\Gamma(\lambda)$ 是 Gamma 函数；参数 H_s 为有意波高；λ 为形状参数，当 $\lambda = 1$ 时，Ochi 6 为参数诱导的 Bretschnerder 形式。通过增加形式，Ochi(1978)得到了 Ochi 6 - 参数谱的形式为：

$$S(\omega) = \sum_j \frac{\left(\frac{4\lambda_j + 1}{4}\omega_{mj}^4\right)^{\lambda_j} H_{sj}^2}{4\Gamma(\lambda_j)\omega_j^{4\lambda_j+1}} \exp\left[-\frac{4\lambda_j + 1}{4}(\omega_{mj}/\omega)^4 \right] \tag{2.11}$$

式中，$j = 1,2$ 分别代表低频和高频单元波。尺度参数为 H_{s1}，H_{s2}，w_{m1}，w_{m2}。λ_1 和 λ_2 的值可以确定，以减少和从波谱中得到的值的差异。图 2.3 中所示为 Bretschneider 和 JONSWAP 波

浪谱通过不同形状进行比较(H_s 和 T_p 的值不变)的情况。这两种方法都常用作最大值和疲劳破坏的计算。

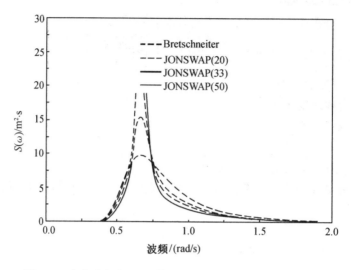

图 2.3　波浪谱密度函数($H_s = 8.5$ m,$T_p = 9.5$ s,$m_0 \approx 4.4$)

图 2.4 通过波谱给出了时域解和频域解之间的关系。

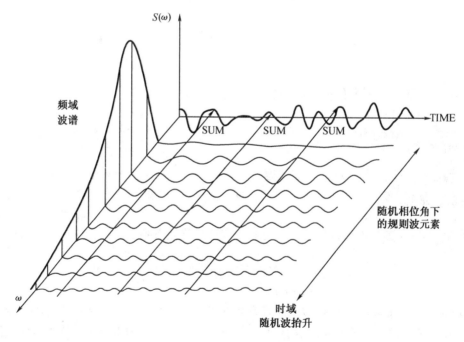

图 2.4　在短周期和长区域的频域和时域关系(Faltinsen,1990)

2.2.4　矩谱密度函数

矩谱密度函数 $S(\omega)$ 可以表示为(Bhattacharyya,1978):

$$m_n = \int_0^\infty \omega^n S(\omega)\,\mathrm{d}\omega \qquad (2.12)$$

式中,n 是整数。零时刻,m_0 表示能源密度谱曲线围成的面积。

$$m_0 = \int_0^\infty S(f)\,\mathrm{d}f = \int_0^\infty S(\omega)\,\mathrm{d}\omega \qquad (2.13)$$

式中,f 为循环频率,值为 $2\pi\omega$。因此得到下面的表达式:

$$S(f) = 2\pi S(\omega) \qquad (2.14)$$

$$m_n(f) = \int_0^\infty f^n S(f)\,\mathrm{d}f = (2\pi)^{-n} m_n \qquad (2.15)$$

2.2.5　统计测定浪高和周期

在时域研究中,有义波高 H_s 是指所有最高波高三分之一的平均值,亦可记为 $H_{1/3}$。

$$H_{1/3} = \frac{1}{N/3} \sum_{i=1}^{N/3} H_i \qquad (2.16)$$

式中,N 为波的数量;H_i 为每一个波的波高。在频域研究中,有意波高 H_s 是以初始值 m_0 为基础来确定的,m_0 为该区间的能源密度谱曲线对应的面积。

$$H_s = 4\sqrt{m_0} \qquad (2.17)$$

在时域分析中,波高的平均根值为

$$H_{\mathrm{rms}} = \sqrt{\frac{1}{N} \sum_{i=1}^{N} H_i^2} \qquad (2.18)$$

在频域分析中,H_{rms} 定义为

$$H_{\mathrm{rms}} = 2\sqrt{2m_0} \qquad (2.19)$$

在时域分析中,$H_{\max}$ 为记录中最大的波高;在频域分析中,发生概率最大的波高 $H_{\max}$ 在 Longuet – Higgins 下定义为在波能谱中的窄带,公式如下:

$$H_{\max} = \left(\sqrt{\ln N} + \frac{0.2886}{\sqrt{\ln N}} \right) H_{\mathrm{rms}} \qquad (2.20)$$

在时域分析中,平均 Zero – upcross 周期 $T_{0,2}$ 的值为记录的总时间除以 Zero – upcrossings 的数量。平均洪峰周期 $T_{0,1}$ 为总的时间段除以洪峰周期的个数。

在频域分析中,平均波浪周期定义为

$$T_{0,1} = 2\pi \frac{m_0}{m_1} \qquad (2.21)$$

$$T_{0,2} = 2\pi \sqrt{\frac{m_0}{m_2}} \qquad (2.22)$$

2.3　随机波浪中的船舶响应

2.3.1　概述

在船舶的生命周期中,一旦得到了船舶遭遇海况的数据,船舶结构上的波浪诱导载荷和船舶响应就可以进行计算。在船舶周期中,把作用在船体上的力分为以下四组:

（1）船体自身受力，如重力和惯性力；

（2）由于事故和衍射波导致的船体动载荷；

（3）由于流体引起的附加质量惯性力（包括海洋和船体内部舱室液体）；

（4）由波浪辐射引起的惯性力和阻尼力。

在建立船舶与海洋的相互作用时，这些因素均需要考虑在内。这个模型包括一系列描述波浪、船舶运动以及它们两者之间相互影响的方程。由于自然波浪的随机性和不规则性，导致方程是非线性的。为了简化这一结果，人们花费了大量的时间和金钱来分析探索，以便取得满意的方法。图 2.5 所示为船舶和浮式系统运动的六个自由度。

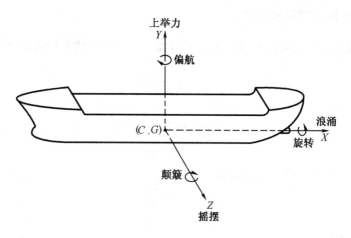

图 2.5　船舶和浮式系统运动的六个自由度（Charkrabarti，1987）

Bhattacharyya（1978）给出了一个易于后续讨论的波浪载荷，如水平/垂直弯曲运动、剪力和砰击载荷等。其中，最流行的方法就是被称之为细长体理论的技术，它的使用是为了简化船舶和海洋模型的相互作用。带状理论中，假设船体是细长体。作用在船舶上的力，可以用二维流动理论计算，其忽略了在不同部分由于速度和形状引起的纵向影响。船舶的剪切力和弯曲运动可以通过船长方向不同部位的叠加得到。细长体理论名字的由来，是根据所研究的船舶可分为若干棱柱或带状而得到的。细长体理论起源于 Korvin - Kroukovsky（1955）及 Gerritsma and Beukelman（1964）。由于细长体理论的有效性，现在仍得到普遍应用，但是，它仍有不足之处，其不足是缺乏三维运动的影响，对水面以上的船体分析不稳定，没有艉端速度校正，且忽略了黏性的影响。所有的这些方法都假设船舶是一个刚性梁。Bishop and Price（1979）研究了一种柔性梁理论，目的是当处理个别分割部分的兼容性时，便于说明剪切刚度和船体弯曲。对于砰击载荷，这种理论可以估算船体扭曲的高频响应。然而，这仍属于线性分析，极端响应并没有很好地建立起模型。

2.3.2　波浪诱导力

Jensen and Pedersen（1979）对频域中的动力塑性进行分析，提出了 Second Order Strip 理论假设。他们的理论主要给出了动水力和围绕静水面的静水力系数，也包括 Second Order Stokes' Waves 带来的偶然压力。此研究中，用来估算船舶作用力的方程与下式类似：

$$F(x,t) = F_H(x,t) + F_B(x,t) \tag{2.23}$$

由于一些参数本身的非线性因素,导致了求解上述方程的复杂性。以下只是给出了方程(2.23)中参数的理解性解释。

方程(2.23)右侧由两部分组成。其中,第二部分为浮力,即 Froude – Krylov 浮力。

$$F_B(x,t) = - \int_{-T}^{-\eta} B(x,y) \left(\frac{\partial p}{\partial y} \right)_{y+V} \mathrm{d}y \tag{2.24}$$

式中　B——船舶型宽;

y——由船底部垂直方向向上移动的轴向距离;

V——船体的瞬时垂直位移;

η——静水面和波高的距离;

x——由船尾到船首的水平距离;

t——时间;

T——静吃水;

p——由伯努利方程给出的压力。

$$p(y,x,t) = \rho \left[\frac{\partial \varphi}{\partial t} + gy + \frac{1}{2} (\boldsymbol{\nabla}\varphi)^2 \right] \tag{2.25}$$

式中　ρ——流体密度;

φ——速度势,它由 First and second – order terms 组成,Jensen and Pedersen(1979)对速度势的产生给出了很好的描述;

g——重力加速度。

方程(2.23)中右侧的第一部分为船舶的动载荷:

$$F_H(x,t) = - \frac{\mathrm{d}}{\mathrm{d}t} \left[m(x,\eta) \frac{\mathrm{d}\eta}{\mathrm{d}t} \right] - N(x,\eta) \frac{\mathrm{d}\eta}{\mathrm{d}t} \tag{2.26}$$

式中　m——单位长度的附加质量;

N——单位长度的阻尼力;

$\dfrac{\mathrm{d}}{\mathrm{d}t}$——对时间的全导数(物质导数)。

近年来,基于平板理论的衍射波和放射波理论得到广泛的认可(Faltinsen, 1990)。

当前更先进的理论包括完全非线性时域研究方法。Cao 等(1991)使用 Desigularized 方法,其中源面板位于域以外的流体中,因此,控制方程中的核心就是 Desigularized。这种方法是为了研究更一般的流体速度势的边值问题,同时也用于计算时域中的非线性波浪。Jensen 等(2000)在研究船体梁载荷中,详细地讨论了理论与实验的差异和吻合之处。Beck and Reed(2001)给出了近 50 年来的有关船舶适航性基本理论的准确解释,对当前应用的计算方法也给出了准确的阐述。

大波幅运动程序 FREDYN(De Kat 和 Pauling,1989)和 LAMP(Lin 等,1997)可以用来计算极限载荷、倾覆性、适居性和船员工作的效率。其他常用的软件有 WAMIT(WAMIT, 1999)和 SWAN(Sclavounos 等,1997)。

2.3.3　结构响应

只要我们计算出作用在船舶上的外力(或载荷),船体主梁的响应就可以确定。一般情况下,分析船体梁就是计算船舶的总纵弯曲强度,这主要在船体梁假设的基础上进行的,即船体是刚性的。然而,很多情况下,船舶应考虑成是可以弯曲的梁的情况,因此,这会使求

解变得更加复杂,并且在求解过程中,要进行波浪诱导的动力学分析。假设船舶是可弯曲梁的情况,有如下例子:

(1)在船舶工作过程中,船体因周期足够小,会导致船体显著振动(共振效应);

(2)当船舶对砰击和甲板上浪的响应需要调查研究时,在垂向弯曲的柔性梁响应的微分方程中,动力载荷 $F(x,t)$ 分布为

$$EI \frac{\partial^4 v}{\partial x^4} + m_s \frac{\partial^2 v}{\partial t^2} - m_s r^2 \frac{\partial^4 v}{\partial t^2 \partial x^2} = F(x,t) \tag{2.27}$$

式中　　E——杨氏模量;

　　　　I——垂向弯曲时的转动惯量;

　　　　v——船体梁挠度;

　　　　m_s——单位长度的船舶质量;

　　　　r——剖面 m_s 沿着过型心的水平横轴旋转的回转半径。

本部分所述的理论和方程是用于计算波浪诱导弯曲的。这种弯曲同时伴随着静水弯曲,这样就可以计算船舶的纵向强度,它同时应用于船舶的大构件设计中。参考第4章将会更加有助于获得船体弯曲的描述和大构件设计的有关知识。

船舶的压力分析可以参考 Pedersen(1983)的著作。

2.3.4　砰击和甲板上浪

迄今为止,我们只讨论了波浪载荷的遭遇频率。然而,由于船体和海面的相互作用,还可以导致更高频率的载荷,如砰击和甲板上浪。砰击是指在船舶艏部出水时,船首撞击海面所引起的。如果砰击是在较高航速的情况下发生的,可能会对船体造成一定的损害,因为这样会在船首构件上产生一个较大的冲击载荷。甲板上浪是指甲板被水淹没。甲板上的水可能损害甲板室、甲板上的设备和货物等。由于砰击和甲板上浪的危害,在船舶的营运周期中,要尽量避免甲板上浪和砰击的发生。诱导砰击和甲板上浪的运动一旦发生,可能会导致失速和航向的改变。

砰击和甲板上浪都是船舶和与之相应海面的相对运动所导致的。船体发生砰击要满足两个条件:第一,相对的垂向运动,$\eta(x,t)$ 应该比相应处的吃水要大;第二,相对速度,$d\eta/dt$ 应该大于极限速度 v_0。

$$\eta_T \equiv \frac{d\eta}{dt} = \frac{\partial \eta}{\partial t} - V \frac{\partial \eta}{\partial x} \geqslant v_0 \tag{2.28}$$

在一个带有随机波浪的航道中,η 和 η_T 是两个服从期望为零的正态分布。因此,通过计算 η 和 η_T 的概率,就能确定船舶发生砰击的可能性,进而可以计算船舶的合成载荷。伴随砰击产生的截面力 $q_{SL}(x,t)$ 与相对速度 η_T 近似成正比。

$$q_{SL}(x,t) = \alpha \eta_T^2 \tag{2.29}$$

在研究全球性的船舶波浪载荷时,方程(2.29)可能包括方程(2.23)。方程(2.29)用于描述已知船首的外飘区砰击载荷,当船舶艏部撞击海面时,上述砰击现象发生。另一种砰击形式是底部砰击,是指船舶底部撞击海面。这种类型的砰击不能用方程(2.29)来描述,因为底部砰击不是直接由船舶与海面的相对水平和垂直速度引起的,它是分析船舶起始的两个点,进而分析到方程(2.29)的。在船底砰击的情况下,我们可以利用经验公式及参考 Zhao 和 Faltinsen(1993)。

对于甲板上浪的产生机理,船舶浸泡的相对深度要大于甲板干舷的高度。由于流体的复杂性,船舶甲板上浪对甲板的载荷是很难估计的。Wang,Jensen 和 Xia(1998)为了计算由甲板上浪作用在船舶上的作用力 $q_{GW}(x,t)$ 推导了下面的方程:

$$q_{GW}(x,t) = -gm_{GW}(x,t) - \frac{D}{Dt}\Big[m_{GW}(x,t)\frac{Dz_E}{Dt}\Big] \tag{2.30}$$

式中　m_{GW}——甲板上浪处剖面的质量;

　　　　Z——Smith 修正系数和沿 z 轴相对垂向运动的修正值。

方程(2.30)右侧的第一部分表示重力。方程右侧的第二部分表示模拟的砰击作用力。方程(2.30)和(2.23)同样是用于全球海域的波浪。

甲板上浪已经对艏部的上层建筑和 FPSO 沿船长方向的水线以上部分造成了损害。甲板上浪的预测理论和机理已经由 Zhou,De Kat 和 Buchner(1999)得到。甲板上浪和甲板淹湿是高度非线性的。Wang,Leitch 和 Bai 假定了甲板上浪对 FPSO 作用的设计过程,具体如下:

(1)利用经验和近似方法确定甲板上浪的可能性。如果一些基础分析通过计算机软件来完成,那么可以得到更加可靠的估计。

(2)如果得到估计,甲板上浪将会在一个重要行为中发生,此时应该进行船模实验。船模的甲板上浪实验可以作为船模实验的一部分。标准参数值应该在船模实验的计划阶段给出。如果经试验判断出甲板上浪是一个很严重的问题的话,就必须对其进行设计,认真地衡量高度、发生频率以及甲板上浪产生的压力影响。

(3)如果船模实验没能给出标准参数的有效值,那么就以一些互补的数值模拟软件为基础,来确定设计中应该考虑的参数值标准。

(4)通过船舶实验和数值模拟来判断设计中是否需要特殊考虑甲板上浪的影响。如果很难从船模实验和数值模拟中得到直接的结果,那么利用风险分析可以帮助决策。

(5)如果认为甲板上浪应该考虑,那么船模实验的结果应该应用到设计中。如果得不到合适的船模实验结果,也可以通过一些近似的公式来进行计算。由于甲板上浪的复杂性和公式计算的简化性,我们得到的结果未必精确。

(6)如果使用特殊的措施来防止甲板上浪,我们可以利用以往经验,如增加干舷,使用较好的外飘船首和附加一些防护设施等。

我们应该发现,第一步骤和第三步骤可以用一个简单的步骤代替,例如,如果未来能得到一个可靠的预测方法的话,那么可以利用先进的数值分析方法。近些年来,尽管我们在努力地研究这种方法,但是仍没有一个满意的结果。因此,设计中,只能利用船模实验的结果。

基于风险评估的方法将更加有助于设计决策。Wang,Leitch 和 Bai(2001)研究的可能性分析方法通过推广和修正,可能会得到这样的一个基于风险的评估方法。然而,舰船面对的概率涉及相当数量的研究工作和必要的船模实验。此外,船舶吃水的概率也很难精确地计算,因为它是功率、装载率、压载物等的耦合函数。

2.4　船舶设计规范

2.4.1　船舶响应的设计值

确定波浪载荷和船舶响应的目的就是得到船舶响应的设计值。这里包括预测船舶生命周期中可能遇到的最恶劣海况。影响船舶响应设计值的确定的有四个因素：

(1)严重的海况、有波高、发生的频率和每一级的严重情况,这些数据习惯被用来确定船舶在不同恶劣海况下的时间；

(2)每种海况的波能谱形状；

(3)船头方向的海况；

(4)不同浪向和海况的船舶航速。

我们总体的目标是确定在最严重的波浪载荷的叠加情况下导致的最大响应值,其中,波浪载荷在船舶营运周期中是有一定概率(α)的。设计值α是设计者用来计算船舶结构响应的风险参数。α的值一般取 0.01。

下面用两种方法来确定这种设计值。

第一种方法假设船舶在最严重海况下将可能遭遇的最大波浪。这也称为"设计波浪法"。因此,这个值就作为船舶设计中伴随一系列最严重海况的设计值。人们认为这种方法不精确,原因在于不是很严重的海况也可能出现较大的波浪。然而,除非要求更精确地确定设计值,否则,此方法是省时的,也是优先选择的。

第二种方法需要估计船舶营运周期中全部可能遇到的情况。这是一种设计船舶遭遇所有海况的全部以及其加权的复杂分析。这种以大量计算为基础的方法是昂贵的,但也是最现实的分析方法,可以参考第4章。

一旦方法确定,设计波浪载荷就确定了,并且可以在此基础上对船舶构件进行评估。

2.4.2　规范的设计载荷

1. 总则

结构分析可以分为以下三部分：

(1)建立设计载荷；

(2)定义可接受的标准；

(3)进行强度评估。

建立一个被广泛接受的标准相对来说比较简单,这主要归功于多年的知识积累和船东、建造者、船级社和研究部门的专业知识。一旦载荷和标准确定,船体结构的评估将更加简单。然而,最具有挑战性的任务是计算船舶面承受的不同载荷。困难之处就是船舶要遭遇不同的海况,以及不同的货物载荷形式。

船级社已经提出了计算船舶载荷和评估船体完整性的技术。

2. 负荷组件

详细设计包括以下两个步骤：

(1)大构件的初步设计；

(2)更加详细的设计,即用有限元的方法来评估船体载荷以及它们对船体结构的影响。

在船舶结构设计中,我们需要考虑三种组件的载荷:

(1)主梁承受的载荷,它是由静水或者波浪诱导的弯矩和剪力构成;

(2)外部压力,由静水力、动水力和冲撞砰击载荷所组成;

(3)内部载荷,它是由船舱内的液体所引起的。

这个压力主要是指液体的动压力,压头的改变主要是由于液体的上扬和旋转运动,以及由于流体加速度引起的液柱惯性力导致的。

3. 船体梁载荷

用从北大西洋测得的波浪的规范长度来确定波浪载荷。因此,船舶的名义设计值代表着北大西洋 20 年内的长期极值,该值对应的发生概率大于 10^{-8}。全球海浪谱模型给出了不同海浪谱和波高的数据。

当船舶面对不同方向和频率的正弦波时,在船舶全局的结构分析中,结构的波浪响应主要通过船舶响应幅值(RAOs)来计算。

船舶结构的完整性,主要通过计算一定数量的混合载荷、波浪周期和入射角来保证。每一种情况的载荷都要计算,如外部的波浪压力、货仓和压载舱液体的加速度、沿船长方向的不同站位的加速度、沿船长方向波浪诱导的弯矩和扭矩所合成的剪力,以及船舶运动中的旋转和上扬模式。

船舶的短期响应是通过海浪谱获得的,海浪谱是假定海浪在几小时的时间段内是稳定的情况下得出的。长期响应和额外载荷的概率都是通过评估短期载荷获得的。

船体梁载荷的计算来自不同的几个部分。最重要的部分是静水运动和由船体质量、货物和仓容引起的剪力。相比之下,较次要的船体梁载荷为动力诱导载荷,它包括垂向和水平弯矩、剪力和扭矩。这些从载荷都是由于船舶的运动遭遇波浪所引起。

我们常用船级社规范来确定静水弯矩和剪力,因为他们主要与船舶的装载有关。当确定船体梁的动载荷时,我们需要更详细的分析计算。这种分析是基于船舶在生命周期里遭遇的海况。正常情况下,我们通常选择服务年限为 20 年,其间遭遇的所有海浪作为分析数据。根据分析结果确定的最大值,作为计算船体梁的设计值。

当确定船体梁载荷后,我们首先要计算的是垂向弯矩和剪力。然后,用表格和其他数据资源计算垂向弯矩占追平弯矩和剪力的比例。这些比率通常取决于船舶的主尺度和装载情况。

4. 外部载荷

确定作用在船体的外部载荷过程要比计算船体梁载荷复杂很多。这主要是因为影响外部载荷的参数较多,如船型、波浪运动性质、船速、航向角等。计算船舶外部载荷的方法和理论,都是建立在一定假设的基础上的,例如,初 - 边值问题、船舶的微量运动和无黏性立体假设。因此,预测外部载荷时需要小心仔细。

作用在船舶上面的外载荷初步分为两部分。船中占船长 40% 左右的压力,不同类型的船舶基本相同。因此,计算这部分区域的压力就相对直接,并用油轮或散货船等较丰满船型的适航性分析结果来确定。公式用于计算船体其他部分的压力,因为船型不同,压力会有显著的差异。

下面是外部载荷 P_E 的一种简单的表示形式(ABS,2002):

$$P_E = \rho g(h_s + k_U h_{DE}) \tag{2.31}$$

式中　ρg——海水的重度;

　　　h_s——静水压头；

　　　k_U——压力系数；

　　　h_{DE}——波浪诱导静水力压头。

　　压力的分布可以在船长方向和横向方向确定。为了进行这样的计算,我们需要从船舶适航性分析中获得数据。

　　水舱内部的压力,即船舶承载液体舱室的压力,由三部分组成:

　　(1)静水压力,大小为ρgh;

　　(2)由于船舶升沉和旋转运动导致的压头改变;

　　(3)由于船舶加速运动导致的液柱的惯性力。

　　舱室内部压力的计算,是利用一系列由不同形状舱室分析得到的公式进行的。舱室形状有多种,如J形、矩形和U形。其他影响舱内压力的因素为舱室内液体数量的多少、舱室的位置以及排气管的数量。

　　例如,由下面的简化公式确定载有液体的舱室对船体的内部压力,具体如下(ABS,2002):

$$P_I = \rho g(\eta + k_v h_D) \tag{2.32}$$

式中　　η—— 在局部坐标中,测量范围为舱室边界到舱室顶部的垂向距离；

　　　　k_v——船舶加速运动导致附加液柱惯性力的附加系数；

　　　　h_D—— 波浪诱导压头,包括惯性力和附加压力。

参考文献

[1] ABS. Rules for building and classing steel vessels[S]. 2002.

[2] Bhattacharyya R. Dynamics of Marine Vehicles[M]. New york:[s. n.],1978.

[3] Bishop R E D,Price W G. Hydroelasticity of ships[J]. Hydroelasticity of Ships,1979(2):137 – 151.

[4] Bretschneider C L. Wave variability and wave spectra for wind-generated gravity waves[D]. College Station:Texas A & M University,1959.

[5] Cao Yusong,Schultz W W,Beck R F. Three-dimensional desingularized boundary integral methods for potential problems[J]. International Journal for Numerical Methods in Fluids,1991,12(8):785 – 803.

[6] Chakrabarti,Subrata K. Hydrodynamics of Offshore Structures[C]. London:[s. n.],1987.

[7] Kat J,Paulling J R. Simulation of ship motions and capsizing in severe seas[J]. Transactions-Society of Naval Architects and Marine Engineers,1989,97:139 – 168.

[8] Ewing J A. Wave Prediction:Progress and Applications[C]//Proc. of 6,International Ship Structures Congress. Boston:[s. n.],1976.

[9] Faltinsen O M. Sea loads on ships and offshore structures[M]. New York:Cambridge University Press,1990.

[10] Gerritsma J,Beukelman W. The Distribution of Hydrodynamic Forces on a Heaving and Pitching Shipmodel in Still Water[M]. London:[s. n.],1964.

[11] Hasselmann K. Measurements of wind-wave growth and swell decay during the Joint North Sea Wave Project[M]. London:[s. n.],1973.

[12] Anon. Global wave statistics[J]. Wave Height,1986(2):37 – 56.

[13] Hughes O F. Ship Structural Design:A Rationally-based,Computer-aided Optimization Approach[M]. London:[s. n.],1971.

[14] Jensen J J. Wave-induced bending moments in ships—a quadratic theory[J]. Hulls, 1978(3):37 – 56.

[15] Jensen J J, Kgs D K, Lyngby. Load and global response of ships[J]. Elsevier Ocean Engineering Book, 2001(3):171 – 181.

[16] Korvin-Kroukovsky B V. Investigation of ship motions in regular waves[M]. New York:SNAME, 1955.

[17] Lin W M, Shin Y S, Chung J S, et al. Nonlinear predictions of ship motions and wave loads for structural analysis [C]//Proceedings of the international conference on offshore mechanics and arctic engineering. American Society of Mechanical Engineers, 1997:243 – 251.

[18] Denis M, Pierson W J. On the Motions of Ships in Conhsed Seas[J]. Trans. SNAME, 1953(2): 171 – 181.

[19] Pierson W J, Neumann G, James R W. Practical Methods for Observing and Forecasting Ocean Waves by Means of Wave Spectra and Statistics[M]. New York:[s. n.], 1971.

[20] Pierson W J, Moskowitz L. A proposed spectral form for fully developed wind seas based on the similarity theory of S. A. Kitaigorodskii [J]. Journal of Geophysical Research, 1964, 69 (24): 5181 – 5190.

[21] Sclavounos P D, Kring D C, Huang Y, et al. A computational method as an advanced tool of ship hydrodynamic design[J]. Sname Transactions, 1997(2):131 – 141.

[22] Watanabe I, Ueno M, Sawada H. Effects of Bow Flare Shape to the Wave Loads of a container ship[J]. Journal of the Society of Naval Architects of Japan, 1989(166):259 – 266.

[23] Wang M, Leitch J, Bai Y. Analysis and Design Consideration of Greenwater Impact on Decks and Topsides of FPSO[M]. New York:[s. n.], 2001.

[24] Zhao R, Faltinsen O. Water entry of two-dimensional bodies[J]. Journal of Fluid Mechanics, 1992(1): 593 – 612.

[25] Zhou Z, Kat J D, Buchner B. A non-linear 3 – D approach to simulate green water on deck[C]. New York:[s. n.], 1999.

[26] Jensen J J, Beck R F, Du S, et al. Extreme hull girder loading [C]//Proceedings of the 14th international ship and offshore structures congress (ISSC'2000). Elsevier Science, New York, 2000, 2: 263 – 320.

[27] Beck R F, Reed A M. Modern computational methods for ships in seaway[J]. Transactions-Society of Naval Architects and Marine Engineers, 2001(7):101 – 109.

第3章　海洋结构物载荷和动态响应

3.1　概述

海洋结构物设计最关键的问题就是勘测结构物周围的环境,如运输路线和安装地点的环境等。此外,还需确定在运输、安装、操作中的自存和极限情况下的环境载荷。我们可以从 API RP 2T 以及其他的规范中获得相应环境参数的定义。

结构强度的评估需要预测极限载荷。现在已有多种方法可以确定极限载荷值(Ochi, 1981,1990)。在本章中,将介绍如何研究长期和短期(风暴)波浪数据的方法。

本章的目的是给出海洋结构物设计的环境情况和载荷的整体面貌,以及详细说明当前预报极限响应的进展情况。现在,人们已经研发了分析海洋结构物结构的系统方法,通过此方法可以预测波浪中结构物的极限响应和进行评估疲劳。

振动以及与之相关的动力影响,同样是结构设计和振动控制中的重要因素。本章的附录将介绍振动分析的基础知识。

在本章中,Zhao,Bai 和 Shin 负责修订有关极限载荷的内容(2001)。

3.2　环境影响

3.2.1　环境标准

为海洋结构物设计、收集和挑选环境标准是船东的责任。为了精确描述环境条件,统计模型是必不可少的。所有重要的环境现象都必须考虑在内,如风、浪、流、潮汐等。总之,下列的环境条件在设计中应该被考虑到(API RP 2T,1997):

(1)风;

(2)浪;

(3)流;

(4)潮汐;

(5)冰;

(6)地震;

(7)海面上升。

下面将详细介绍上面的部分环境条件。

1.风

风是设计中的重要因素。在设计中,有关风的条件应该通过收集风的数据确定,并要与其他相关环境参数保持一致。设计中通常用两种方法来评估风的影响:

（1）常风力，风力是个常数，即一分钟内平均风力的大小。

（2）脉动风力，脉动风力的计算是基于其稳定部分的，一小时内的平均风速加上已经测得的阵风谱中随时间变化的部分。

方法的选择取决于系统的参数和分析的目的。每种方法都会给出比其他方法更大的载荷，这主要取决于系统的系泊和所使用的风谱。设计风速应该参考海平面以上 10 m 处的风速，并且，在设计中还要考虑风向的大幅度改变和结构物导致的动载荷等因素。

2. 浪

风诱导的波浪是作用在海洋结构物上的主要外力。这类波浪是随机的，它们有不同的波高和波长，并且在不同方向上同时靠近海洋结构物。由于具有随机特性，海况通常用一些波浪的统计参数进行描述，如有意波高、高峰期谱、谱形状、方向等。

计算波浪的极限载荷及其影响时，通常选用短期的海况。这一做法的目的是为了估计载荷及其影响，也就是考虑发生概率大于 10^{-2} 和 10^{-4} 的情况，而不是进行全面长期的分析。这种设计原则也就是所谓的设计风暴概念。

风暴设计的有效性就是把有意波高和高峰期集中起来在 H_{m0} 和 T_p 中绘制成等高线。我们可以利用不同的方式绘制等高线。绘制概率水平为 10^{-2} 的等高线的最简单的方法就是先估算此概率下伴随平均 T_p 值的 H_{m0} 值。这时，等高线的估计就可以通过使用常概率密度来连接概率模型 H_{m0} 和 T_p。图 3.1 给出了有关这种等高线的一个例子。这样，估计一个发生概率在 10^{-2} 的载荷及其影响就可以通过沿着等高线确定各种海况适当的极值进而得到的最大值来获得。

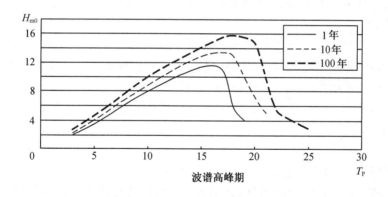

图 3.1　$H_{m0} - T_p$ 等高线例子

3. 水流

最常见的水流通常可分为：

（1）潮流，它常常与天文流相关；

（2）循环流，它常常与海洋循环流尺度有关；

（3）风暴产生的流；

（4）循环和涡流。

这些水流的矢量和即为总的流。不同海拔的流速和流向可以利用流速分布线表示。流速分布线中有关风暴海况的极限条件应该在设计中说明。在某一确定的地理位置，流载荷可以认为是一种可控制的设计载荷。因此，在选择适当的流速分布线时要仔细斟酌。

有关风和流的更详细的信息可以参考 Chakrabarti（1987）和 CMPT（1998）。

3.2.2　规则波

规则波理论适用于描述水粒子的速度和加速度。通常使用的波浪理论包括
(Chakrabarti,1987):

(1)线性艾瑞波理论(微幅波浪理论是最简便,也是最重要的理论);

(2)斯托克斯有限振幅波理论;

(3)椭圆函数波理论;

(4)流函数波理论;

(5)驻波理论。

3.2.3　不规则波

真实的海况通常并不具备规则波的特性,而是具有不规则波的特性。在海况变化较缓慢
的区域,可以假设在短时间内海况是稳定的,此时间段大约取 3 到 4 个小时。海况一般由波谱
的某些参数描述,例如有效波高 H_s、周期 T、高峰期 T_P 和跨零周期 T_Z。短期的海况只能用来
描述一个波谱。在使用短期方法确定极限响应时,基于长期波浪统计的短期最大风暴波谱常
用作短期海况。Bhattacharyya(1987)给出一个有关不规则波和最大可能波幅的讨论。

3.2.4　浪频分布图

对于不断变化的海况,需要长时间地研究。波频分布图给出了某一地点波高和表征周
期的联合概率分布。Beck 等(1989)对波浪数据的收集方法进行了概述:

1. 视觉估计

通过专业的观察者在气象船甲板上观测波高和周期进行视觉统计。Hogben 和 Lu 在
1953 年至 1961 年期间,通过英国的 500 艘船,记录了世界范围内的波浪情况。

2. 使用船舶的航程(Ship borne meter)来确定点谱

Pierson 和 Moskowitz(1964)专门估计了波浪的产生过程和完全发展谱。

3. 定向谱

略。

4. 美国海军有关波的预报

作为一种可以选择的波浪数据,它是为了全面地通过风数据来计算谱。并且,该风数
据已经涵盖了全世界重要贸易航道全年的风信息,可以参考 Bales 等(1982)。

图 3.2 比较了北海(W156)和墨西哥湾(W139)观测点获得的频点谱的轮廓线。由观测可
知,W156 观测点的海况比 W139 严重得多。为了得到频点图,我们已经收集了很长一段时间
内(10 或 20 年)的很多短期数据和包括不同组合对(H_s,T)的平均统计值。

基于长期的统计值来描述海况,通常称之为长期(Long term)。与波频谱表格相应的波浪
方向概率也应该给出来。图 3.3 通过把观察区分成 24 个网格来给出两个观测区(W156 和
W139)的波浪方向的概率分布。在图 3.3 中,每个方向的半径表示该方向发生波的概率。图
3.4 所示为波网格浪潮数据库和双样本服务路线。

表 3.1 给出了 Northern North Sea 的二维频点图的例子。

波浪的散点图只是针对同一个区域给出了波浪的长期描述。为了估计船舶在过去服
务中的疲劳破坏,还需要获得额外的航道波浪信息。基于此目的,我们利用全球波浪数据

库可以得到全球任意区域的波浪数据。

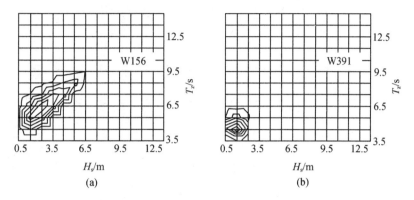

图 3.2　两地波散射图的图形比较(Zhao, Bai 和 Shin, 2001)

(a)北海;(b)墨西哥湾

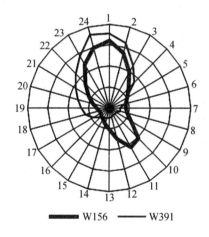

图 3.3　波浪方向概率分布(Zhao, Bai 和 Shin, 2001)

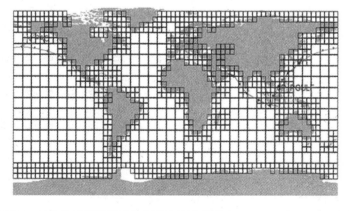

图 3.4　波网格浪潮数据库和双样本服务路线(Zhao, Bai 和 Shin, 2001)

表 3.1　波浪散点图 [①]

Significant wave height (m) (upper limit of interval)	Spectral peak period (s)																			Sum
	3	4	5	6	7	8	9	10	11	12	13	14	15	16	17	18	19	21	22	
1	59	403	1 061	1 569	1 634	1 362	982	543	395	232	132	74	41	22	17	7	4	2	2	8 636
2	9	212	1 233	3 223	5 106	5 814	5 284	4 102	2 846	1 821	1 098	634	355	194	105	56	30	16	17	32 155
3	0	8	146	831	2 295	3 896	4 707	4 456	3 531	2 452	1 543	901	497	263	335	67	33	16	15	25 792
4	0	0	6	85	481	1 371	2 406	2 960	2 796	2 163	1 437	849	458	231	110	50	22	10	7	15 442
5	0	0	0	4	57	315	898	1 564	1 879	1 696	1 228	748	398	191	84	35	13	5	3	9 118
6	0	0	0	0	3	39	207	571	950	1 069	885	575	309	142	58	21	7	2	1	4 839
7	0	0	0	0	0	2	27	136	347	528	533	387	217	98	37	12	4	1	0	2 329
8	0	0	0	0	0	0	2	20	88	197	261	226	138	64	23	7	2	0	0	1 028
9	0	0	0	0	0	0	0	2	15	54	101	111	78	39	14	4	1	0	0	419
10	0	0	0	0	0	0	0	0	2	11	30	45	39	22	8	2	1	0	0	160
11	0	0	0	0	0	0	0	0	0	2	7	15	16	11	5	1	0	0	0	57
12	0	0	0	0	0	0	0	0	0	0	1	4	6	5	2	1	0	0	0	19
13	0	0	0	0	0	0	0	0	0	0	0	1	2	2	1	0	0	0	0	6
14	0	0	0	0	0	0	0	0	0	0	0	0	0	1	0	0	0	0	0	1
15	0	0	0	0	0	0	0	0	0	0	0	0	0	0	0	0	0	0	0	0
Sum	68	623	2 446	5 712	9 576	12 799	14 513	14 454	12 849	10 225	7 256	4 570	2 554	1 285	594	263	117	52	45	100 001

① 该数据代表 Nortern North Sea

3.3　环境载荷和漂浮动力学分析

3.3.1　环境载荷

根据 API RP 2T(1997),在海洋结构物设计中应考虑的环境载荷包括:
(1)风载荷;
(2)流载荷;
(3)波浪载荷;
(4)冰载荷;
(5)波浪冲击载荷;
(6)地震载荷;
(7)偶然载荷;
(8)火灾和爆炸载荷。

3.3.2　细长体的海洋载荷

对于诸如 Jackets、自升式平台、海底管道、立管和锚泊线等的细长体结构,考虑黏流现象是很重要的。我们可以利用莫里森方程来确定作用在细长体上的波浪载荷,可以参考 Sarpkaya,Isaacson(1981)和 Chakrabarti(1987)。莫里森方程假定波浪力就是惯性力与拖曳力的合力。

当波或流产生的频率与结构的自然频率相接近且导致共振时,就会发生涡激振动(VIV)。对于管道和立管的设计,有必要计算波浪诱导疲劳和涡激振动诱导疲劳(Bai,2001)。

3.3.3　大体积结构的海洋载荷

当结构的尺寸和波长差不多时,结构上的压力可能改变结构附近的波场。在计算波浪载荷时,如果结构发生运动,那么有必要关注从结构表面衍射的波和从结构上辐射出去的波(Charkrabarti, 1987)。

一阶势流载荷:Panel 方法(Sink-source methods,也称作边界单元法或积分方程法)是一种普遍用于研究线性稳定规则波的大体积结构响应技术。该理论基于势流理论。它假设流体振幅和体积相对于截面尺寸是微量的。该方法只能用于预测辐射波和附加值带来的阻尼力,但是忽略了黏性效应。在响应和幅值分析中,载荷和响应是与波浪的幅值和响应频率成正比的,且主要与波浪频率成正比。

二阶势流载荷:二阶分析认为,附加速度和响应与波浪振幅的平方成正比。二阶力包括稳定力、大范围的低频力(它可以激发涌浪、摇摆和漂浮锚泊系统的偏移)和高频力(它可能激发滚动及 Pitch 和 TLP 的沉浮运动)。处理非线性波浪 – 结构问题最普遍的方式是使用扰动分析,并且认为波幅为微量参数。一般非线性问题都通过二阶方法来处理(Faltinsen,1990)。

此外,边界元法、有限元法或它们的混合方法(BEM&FEM)都可以开发一种普遍的几何形体来作为商业规范。其他的特殊简化方法也针对一些特殊几何形体研发了更有效的数学方法。当黏性力相对较重要时,就需要用衍射和莫里森的混合方法。在该方法中,拖曳力的计算是在基于流动的不受干扰的假设前提下进行的,但是较深层次的计算方法更适用于由于衍射而导致的流速改变。

在深海中,各种高阶波浪作用的影响也显得尤为重要(CMPT,1998)。伴随着高度非正弦波更高阶势流和拖曳力导致的振动,水表面部分结构的影响会导致底部砰击和兴起波浪(垂直表面附近)。特定位置砰击压力的周期是毫秒级的,且压力峰值随时间的改变,其位置也发生改变。

Bhattacharyya(1978)给出了一种全面且容易分析波浪载荷、甲板淹湿性、砰击等的方法,并对砰击对船体梁弯矩造成的影响进行了讨论。

3.3.4　漂浮结构的动力分析

海洋结构物的动力响应包括船舶在波浪中的适航运动、结构振动及锚泊系统的响应。海洋结构物的响应,根据不同频率可做如下分类:

波频响应:响应周期在 5~15 s 范围内。这是舰船常见的运动,可以利用一阶运动理论来计算。

缓慢响应:响应周期在 100~200 s 范围内。这是带有锚泊系统的舰船漂移运动。缓慢响应与一阶线性运动一样,在锚泊系统和立管系统的设计中很重要。风通过较长的自然周期可以导致海洋结构物的缓慢震荡。这也是由于阵风在单位时间内会产生很大能量的原故。图 3.5 给出了波浪频率和漂浮系统漂移的各组成部分。

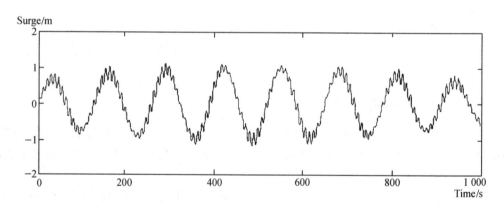

图 3.5　带有锚泊舰船的时间响应、波浪频率和漂移

高频响应:响应周期远远低于波浪周期。对于海船而言,高频弹力可以激起结构高频率的震动,即间断性击打(Termed whipping;Bhattacharyya,1978)。由于轴向连锁的加强,TLPs 升沉、回转和纵摇的固有周期为 2~4 s。弹性也是谐振动的一种共振形式(CMPT,1998)。

脉冲响应:当船体和水之间产生具有峰值的脉冲压力时,船舶和平台底部会产生砰击。TLPs 的绳索系统对脉冲载荷是瞬时响应的。高频响应和脉冲响应不能认为成结构响应的两个不相干的部分。水弹性是一个很重要的课题。

系统在谐振中,阻尼力是很重要的,它与结构的固有频率相协调,循环地作用在系统上。它包括流体动力阻尼、结构阻尼和土壤/基座阻尼等。

以上仅是漂浮系统动力分析中的一个基本思路,本书的宗旨是研究结构设计。运动载荷更详细的计算可以参考 Bhattacharyya(1978), Beck 等(1989), Faltinsen(1990)和 CMPT(1998)。

3.4　结构响应分析

3.4.1　结构分析

对于 FPSO 结构的分析,ZHAO BAI 和 SHIN(2001)给出了如下的基本过程:

(1)给出一个基于操作运行工况的主要服务简介,这对于局部甲板和储藏室载荷以及整体运动响应都有重要的影响,典型工况包括正常作业、风暴自存、装载情况和空载情况。

(2)基于服务要求,确定基本的静态甲板和舱室装载模式 Λ_l。

(3)计算带有锚泊和立管系统的 FPSO 的整体运动以及对于每个 Λ_l 作用在 FPSO 上的水动力载荷。

(4)在各种模式下的船体梁载荷、波浪频率、波浪载荷应该包括以下部分(Zhao, 1996;ABS, 1992):

①甲板静态载荷和内部舱室载荷;

②结构静载荷;

③静力载荷;

④动力载荷;

⑤运动诱导的静恢复力;

⑥运动诱导的结构惯性力和内舱室液体摇晃产生的载荷;

⑦锚泊和立管载荷;

⑧剪力、弯矩和结构边界的扭曲。

(5)结构性能分析就是计算每种波浪频率 ω,波高 a_k 和装载模式 Λ_l 下 FRFH(ω, a_k, Λ_l) (ω, a_k, Λ_l) 的每种组合形式,它们都是结构分析中不同的情况。有限元方法或者是其他的简化分析方法都可以用于不同水平的研究,相关知识可以参考第 6 章。例如,在船体强度中计算甲板和底板的强度时,利用垂向弯矩和剖面模数就可以得到满意的结果。

表 3.2 给出了一种装载模式的例子(ABS,1992):

表 3.2　装载模式举例

序号	舱室装载描述	
1	均质满载荷	设计吃水
2	正常压载	轻压载
3	部分载荷	完全吃水的33%
4	部分载荷	完全吃水的50%
5	部分载荷	完全吃水的67%

动力载荷主要由随机波浪力、衍射波浪力、运动诱导的辐射波浪力(附加质量力和阻尼

力)组成。基于边界元理论的势流理论使用源分布法,其适用于流体动力学的数值计算。当前,动力学分析软件包括三维(首选)和二维,已经被广泛使用。更进一步的有关数值分析的讨论以及其他载荷的影响,如涌浪的拍击、底部砰击、甲板上浪、冰载荷和偶然载荷,已经超过本章节的叙述范围,相关内容可参考 Faltinsen(1990)波高 a_k 基于 FPSO 给出的定义(图3.6)。基于锚泊系统的不同类型,某方向波高 a_k 概率需要转化为与 FPSO 的局部坐标相一致。例如,如果采用转塔式锚泊系统,就应该考虑天气情况,进而一些波高就可以忽略。

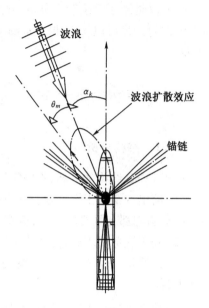

图 3.6　FPSO 系统和浪向与波浪传播的局部坐标

3.4.2　响应幅值算子

波浪散点图给出了某一特定区域长时间的波浪描述。确定压力频率响应函数(FRF)和响度幅值算子(RAO),$H(\omega, a_k, \Lambda_l)$ 是强度估计中的主要部分,因为它可能把激起的波浪转化成结构响应。这种线性动力理论适用于所有谐振载荷(波浪、阵风、机械振荡等)和所有类型的响应(运动、张力、弯矩、压力、张紧力等)。

线性系统响应函数中的波浪频率可以写成:

$$Response(t) = RAO \cdot \eta(t)$$

式中,$\eta(t)$ 表示波形对时间的函数。我们可以利用实验或者计算的方法确定 RAO(Bhattacharyya,1978)。基本上所有的计算理论都忽略了黏性影响,从而使用势流理论。

该结构可以认为是一个大的"黑盒子",见图3.7。输入的就是载荷的时间历程,输出的为该时间历程下的结构响应。RAO 理论遵循线性假设,它能够实现在叠加输入基础上的叠加输出。在此种情况下,任何波形的规则振动载荷都可以通过把载荷表达成傅里叶级数来得到,进而就可以通过估计傅里叶级数来分析每种响应的成分。图3.8表示了一种典型的 RAO,它是驳船在 Beam seas 的 RAO。RAO 通过运动振幅的度数来表示(或 m/ft),波幅的单位每米表达为波浪周期(s)的函数。我们可以利用一阶波浪理论作为波浪频率响应来计算 RAO。

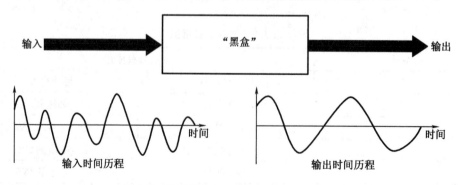

图 3.7　结构的 RAO 理论(CMPT,1998)

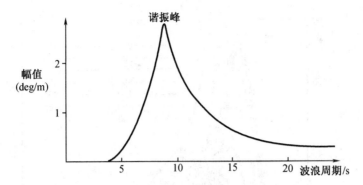

图 3.8   驳船在横浪中回转运动的 RAO(CMPT,1998)

另一种适用 RAO 的方法就是计算不规则波的载荷。Bhattacharyya(1978)提出,舰船在不规则波的航道上的总响应就是各种线性成分响应的叠加,它们可以利用 RAO 来确定。

在计算 $H(\omega, a_k, \Lambda_l)$ 时,我们要使用适当的波频段、适量的频点和波向(Wave heading)。在 FPSO 的分析中,经常使用的参数包括:

(1)频率范围:$0.20 \leq \omega \leq 1.80$ rad/s;

(2)单位增加频率值:0.05 rad/s;

(3)波向:0°到 360°,每 15°取一个数值。

如果使用有限元方法,动力载荷的压力分布应该转化成有限元模型 $N_\Lambda \times N_F \times N_H$,其中,$N_\Lambda$ 为载荷模式的数量;N_F 为频点数;N_H 为波向数。

图 3.9 表示中横剖面的甲板板。我们利用二维(2D)谱法计算了随机波 24 个方向(图 3.10)的压力 FRFs。三维动力学方法和有限元的方法可以用于更普遍的结构计算。

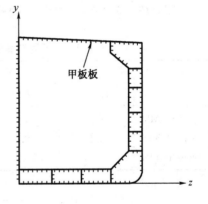

图 3.9   中横剖面的甲板板

利用散点图和 FRF 可得到波谱的响应密度函数,可以通过下式计算:

$$S_x^{ijkl}(\omega) = \sum_m \overline{H} \cdot H(\omega, \alpha_k + \theta_m, \Lambda_l) S_\omega^{ij}(\omega, \theta_m) \tag{3.1}$$

式中 $S_x^{ijkl}(\omega)$ ——X 响应的谱密度函数;

$S_\omega^{ij}(\omega, \theta_m)$ ——波向的谱密度函数;

$\Theta(\theta_m)$ ——波向函数。

$$\Theta(\theta_m) = C_n \cos^{2n}(\theta_m) \ (\ |K\theta| \leq \pi/2, \ n = 1,2,\cdots) \tag{3.2}$$

由 (H_S, T) 和 $\Theta(\theta_m)$ 确定的波谱密度函数可表示为

$$S_\omega^{ij}(\omega, \theta_m) = S_w^{ij}(\omega) \Theta(\theta_m) \tag{3.3}$$

式中

$$C_n = \frac{\Gamma(n+1)}{\sqrt{\pi} \Gamma\left(n + \frac{1}{2}\right)} = \frac{2^{2n} (n!)^2}{\pi (2n)!} , \Gamma(\ )$$ 为 Gamma 函数

图 3.11 说明了在 $\alpha_k = 0$ 的情况下的压力谱密度函数。表 3.3 中给出了 JONSWAP 和 Bretschneiders 所对应的宽带参数 ε。

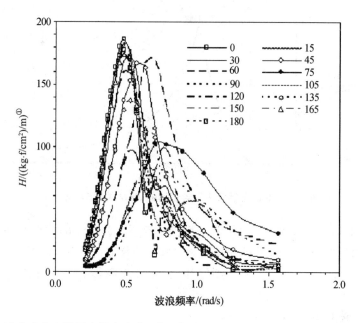

图 3.10　13 个方向上的压力频率响应函数(由 $\alpha = 0°$ 到 $\alpha = 180°$; Zhao, Bai 和 Shin, 2001)

表 3.3　不同波浪和谱响应比较(Zhao, Bai 和 Shin, 2001)

	波谱				谱响应	
	H_s/m	T_p/s	M_0/m^2	ε	$M/(kg/cm^2)^2$	ε
JONSWAP	8.5	9.5	4.4	0.59	2.17×10^5	0.32
($\gamma = 3.3$) Bretschneider	8.5	9.5	4.4	0.59	2.33×10^5	0.36

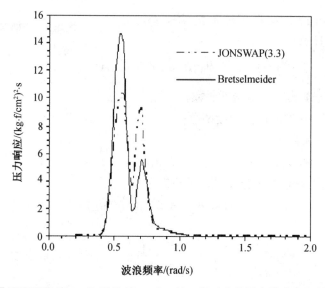

图 3.11　使用 JONSWAP($\gamma = 3.3$) 和 Bretschneider 谱对应的压力谱密度函数(Zhao, 2001)

---

① 1 kg·f ≈ 9.8 N

3.5　极限分析

3.5.1　概述

强度分析主要包括评估屈服强度、屈曲强度、极限强度和疲劳强度,相关知识可参考本书的第二部分和第三部分。屈服、屈曲和极限强度直接与压力响应极值有关系,这也是本章要讨论的内容。

图 3.12 显示了利用短期和长期的方法说明极限响应和强度分析的过程。Ochi 和 Wang(1979,1981)指出短期和长期方法的预测都是很接近极值的。或者说,使用一种方法貌似就已经足够了,但这只是在理想状态下才可以。事实上,由于以下原因,无论哪种方法都不能给出实践中的保守设计。

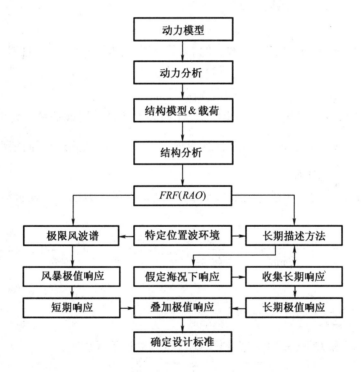

图 3.12　极限响应和强度分析过程(Zhao,Bai 和 Shin,2001)

(1)不能利用一组(H_s,T)波浪的定义来准确预测极限风暴的波谱。例如,即使在 H_s 的值是一样的情况下,不同发展阶段和地区所形成波浪的特性也是不一样的。

(2)结构响应主要依赖于随机波高和波频。显然,在极限风暴情况下,结构是不会发生最大响应的。

(3)由于散点图数据的缺失,极限响应和强度分析过程不能完全表达恶劣的风暴特征,然而,长期的极值预测对描述这些风暴是很重要的。

因此,如果可能,我们要同时使用短期和长期的方法来进行保守设计。

3.5.2　短期极值方法

我们可以利用已知的最初极值来估计短期极值。对于期望为零的高斯随机响应,概率分布密度函数的极值可以用下面的 Rayleigh 代替:

$$P(x) = \frac{x}{m_0}\exp\left(-\frac{x^2}{2m_0}\right) \quad x \geq 0 \tag{3.4}$$

它是在窄带 ε 假设下得出的,其中

$$\varepsilon = \sqrt{1 - \frac{m_2^2}{m_0 m_4}}$$

m_0,m_2,和 m_4 分别为谱响应的零阶、二阶、四阶概率密度函数,则积分得到的概率分布为

$$P(x) = \int_0^x p(\xi)\mathrm{d}\xi = 1 - \exp\left(-\frac{x^2}{2m_0}\right) \tag{3.5}$$

可能极值(PEV)可由下式计算:

$$x_{\mathrm{PEV}} = \sqrt{2\ln N} \sqrt{m_0} \tag{3.6}$$

有时,在超过小概率 a(风险参数)的情况下也可能发生极值响应,可以表达成(Bhattacharyya,1978):

$$x_{\mathrm{ext}}\big|_a = \sqrt{2\ln(N/a)} \sqrt{m_0} \quad (\varepsilon \leq 0.9) \tag{3.7}$$

式中,N 为循环次数;x_{PEV} 代表超过观察次数 N(循环次数)时,可能的最值大小。

x_{PEV} 发生的几率应该超过 $\frac{1}{a}$ 次,并且其应该大于 $x_{\mathrm{ext}}\big|_a$。适用于不同情况时,设计者应该慎重考虑 $a(\leq 1)$ 的选择。

对于有限的 ε 值的响应谱,方程(3.4)的最大概率密度函数可以表示为(Zhao,Bai 和 Shin,2001)

$$P(x) = \frac{2}{1 + \sqrt{1 - \varepsilon^2}}\left[\frac{\varepsilon}{\sqrt{2\pi m_0}}\exp\left(-\frac{x^2}{2\varepsilon^2 m_0}\right) + \sqrt{1 - \varepsilon^2}\,\frac{x}{m_0}\exp\left(-\frac{x^2}{2m_0}\right)\varphi\left(\frac{\sqrt{1 - \varepsilon^2}}{\varepsilon}\,\frac{x}{\sqrt{m_0}}\right)\right]$$
$$(x \geq 0) \tag{3.8}$$

式中,$\varphi(r) = \dfrac{1}{\sqrt{2\pi}}\displaystyle\int_{-\infty}^r \exp\left(-\frac{r^2}{2}\right)\mathrm{d}r$。

与方程(3.6)和方程(3.7)类似,PEV 响应可以通过下式表示:

$$x_{\mathrm{PEV}} = \sqrt{2\ln\left(\frac{2\sqrt{1 - \varepsilon^2}}{1 + \sqrt{1 - \varepsilon^2}}N\right)} \sqrt{m_0} \quad (\varepsilon \leq 0.9) \tag{3.9}$$

并且,在 a 概率水平下的极值响应为

$$x_{\mathrm{ext}}\big|_a = \sqrt{2\ln\left(\frac{2\sqrt{1 - \varepsilon^2}}{1 + \sqrt{1 - \varepsilon^2}}\,\frac{N}{a}\right)} \sqrt{m_0} \quad (\varepsilon \leq 0.9) \tag{3.10}$$

Ochi(1981)指出,在短期方法中,预测的正极大值的数量可以用以下的表达式计算:

$$N = (60)^2 \frac{T_s}{4\pi} \cdot \frac{1 + \sqrt{1 - \varepsilon^2}}{\sqrt{1 - \varepsilon^2}} \sqrt{\frac{m_2}{m_0}} \tag{3.11}$$

式中, T_s 为波浪数据的时间长度,以每小时为一个时间段。

图 3.13 说明了 ε 和峰值谱周期在散点图中的独立性,以及描述了 ε 的范围,即压力响应在 0.25 到 0.40 之间。通过方程(3.11),在忽略 ε 的情况下可以确定相对计数误差。表 3.3 中列出的海况中,其相对计数误差已经和表 3.4 做了比较。由此可知, ε 的值很接近 0.4,并且可以得知,在忽略 ε 的情况下,要引进 5% 到 10% 的计数误差。因此,修正系数 ε 应该被使用。

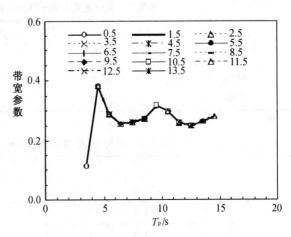

图 3.13　Bandwidth 压力响应随着 T_p 和 H_s 的变化
（使用的波谱:JONSWAP;波浪位于 W156）
（Zhao, Bai 和 Shin, 2001）

通过方程(3.11),方程(3.9)和方程(3.10)可以写成:

$$x_{\text{PEV}} = \sqrt{2\ln\left(\frac{(60)^2 T_s}{2\pi}\sqrt{\frac{m_2}{m_0}}\right)}\sqrt{m_0} \tag{3.12}$$

$$x_{\text{ext}}\big|_a = \sqrt{2\ln\left(\frac{(60)^2 T_s}{2\pi a}\sqrt{\frac{m_2}{m_0}}\right)}\sqrt{m_0} \tag{3.13}$$

方程(3.12)和方程(3.13)与 ε 没有直接关系。

表 3.4　相对计数误差的比较(Zhao, Bai 和 Shin, 2001)

	波谱		响应谱	
	ε	误差	ε	误差
JONSWAP	0.59	11.8	0.32	2.7
Bretschneider	0.59	11.9	0.36	3.7

在应用短期方法时,极限风暴情况下的设计波谱,常常要涉及长期极限分析中的 H_s 和 T。Ochi's(1981)结果表明,(H_s,T)概率密度函数服从双边的对数正态分布。一种常用的方法就是通过确定长期极值 H_s,进而得到与条件概率分布 $P(T\mid H_s)$ 伴随的 T,或者根据波浪的坡度找到 H_s 和 T 之间的简单公式。

表 3.5 列出了在长期方法中,不同周期下, H_s 的可能极值,其中, H_s 的计算可以利用长期的方法计算,相关内容我们在下章讨论。在短期方法中,需要已知的 T_p 来确定环境波浪的极值(此例中涉及波谱的两个参数)。表 3.6 列出了不同 H_s 的波普族。 T_p 值可以利用 $P(T\mid H_s)$ 在 0.5,0.75,0.85,0.95 等不同置信水平分别计算。在波谱族中,每一个 H_s 都有与之相关的 T_p,并且它们可以用来确定响应图谱,进而得到短期极值。

表 3.5　有义波高极值(Zhao, Bai 和 Shin, 2001)

波浪	H_s/m 逆程周期		
	20 年	50 年	100 年
W156	17.0	18.2	19.1
W391	10.2	11.6	12.6

表 3.6　不同 H_s 的波谱族(Zhao, Bai 和 Shin, 2001)

	H_s/m			加权因数
	17.0	18.2	19.1	
T_p	13.1	13.4	13.5	0.050 0
	13.8	14.1	14.3	0.050 0
	14.8	15.0	15.2	0.087 5
	15.7	16.0	16.2	0.187 5
	16.6	16.8	17.0	0.250 0
	18.4	18.7	18.9	0.187 5
	19.7	19.9	20.1	0.087 5
	20.7	21.0	21.2	0.050 0
	22.1	22.4	22.6	0.050 0

在应用方程(3.12)和(3.13)时,m_0 和 m_2 需要合理地进行计算。表 3.7 比较了利用两种不同方法得到的短期极值。方法一利用表 3.6 列出的加权因数来计算 m_0 和 m_2 的平均值。方法二使用的是表 3.6 中的波谱族来计算的,也就是所谓的最大值:

$$x_{PEV} = \max_j \{ x_{PEV}(H_s, T_j) \} \tag{3.14}$$

后者计算的极值要比前者大 16%。这是可以理解的,因为第二种方法的样本值比较大。此例中,对于 $a = 1$ 时,H_s 的极值可以直接应用。显然,最终的响应极值主要取决于设计者对 H_s 的斟酌和选择。

表 3.7　甲板板动压力短期极值(Zhao, bai 和 Shin, 2001)

方法	波浪	谱	逆程周期/年		
			20	50	100
方法一	W156	JONSWAP	2 021.0	2 135.4	2 139.6
	W156	Bretsch	1 991.9	2 121.4	2 156.2
	W391	JONSWAP	1 288.6	1 446.9	1 527.6
	W391	Bretsch	1 211.0	1 372.7	1 467.4
方法二	W156	JONSWAP	2 304.1	2 468.7	2 565.7
	W156	Bretsch	2 081.3	2 226.6	2 334.0
	W391	JONSWAP	1 381.3	1 568.0	1 714.7
	W391	Bretsch	1 248.9	1 412.8	1 547.2

3.5.3　极值计算的长期方法

在利用长期方法估算极值时,我们需要获得长期的响应概率函数(通过累计获得) $P(x)$。由于海况的复杂性,尽管难以确切地估计出函数 $P(x)$,但是可以通过短期的统计分析来估计长期的函数。一般地, $P(x)$ 可以写成:

$$P(x) = 1 - \exp[-q(x)] \quad (q(x) \geqslant 0) \tag{3.15}$$

韦伯分布和对数分布,一般都应用在 $P(x)$ 上。韦伯积分概率分布可以写成:

$$P(x) = 1 - \exp\left[-\left(\frac{x-\gamma}{\beta}\right)^m\right] \quad (\beta, m > 0) \tag{3.16}$$

式中,参数 m, β 和 γ 可以利用最小二乘法处理观察到的数据获得。Ohci(1981)同时指出一种普遍的形式来获得更高精度的曲线。

$$q(x) = cx^m \exp(-\rho x^k) \tag{3.17}$$

式中, c, m, ρ 和 k 这四个常参数可以利用非线性最小二乘法获得:

$$Q = \ln[-\ln(1 - P(x))] = \ln c + m\ln x - \rho x^k \tag{3.18}$$

一旦方程(3.15)中的 $P(x)$ 得到了数学表达式,PEV 就可以用下面的式子确定:

$$1 - P(x_{\text{PEV}}) = \frac{1}{N} \tag{3.19}$$

$$1 - P(x_{\text{ext}}|_a) = \frac{a}{N} \tag{3.20}$$

式中, a 为方程(3.7)和方程(3.10)中的概率水平; N 为观察的数量或者是与逆程周期相关的循环数。在海洋结构物设计中,逆程周期通常取 100 年。

当使用波浪三点图时,方程(3.15)中的 $P(x)$ 就可以利用概率密度函数最大值的定义来获得:

$$
\begin{aligned}
P(x) &= \frac{\sum\limits_{i,j,k,l} n_{ijkl} Pr(w_{ij}) Pr(\alpha_k) Pr(\Lambda_l) p_{ijkl}(x)}{\sum\limits_{i,j,k,l} n_{ijkl} Pr(w_{ij}) Pr(\alpha_k) Pr(\Lambda_l)} \\
&= \frac{1}{N_s} \sum_{i,j,k,l} n_{ijkl} Pr(w_{ij}) Pr(\alpha_k) Pr(\Lambda_l) p_{ijkl}(x) \\
&= \frac{1}{\bar{f}_s} \sum_{i,j,k,l} f_{ijkl} Pr(w_{ij}) Pr(\alpha_k) Pr(\Lambda_l) p_{ijkl}(x)
\end{aligned}
\tag{3.21}
$$

式中　$Pr(w_{ij})$——$(H_s(i), T(j))$ 的联合,或者是散点图中的每一点 w_{ij}, $\sum\limits_{i,j} Pr(w_{ij}) = 1$;

　　　$Pr(\alpha_k)$——在方向 α_k 下波的概率, $\sum\limits_k Pr(\alpha_k) = 1$;

　　　$Pr(\Lambda_l)$——服务中载荷模式的概率, $\sum\limits_l Pr(\Lambda_l) = 1$;

　　　N_{ijkl}——T_s 在散点图中的 ω_{ij} 波向 a_k 和载荷模式 Λ_l 下的平均响应次数, n_{ijkl} 可以通过方程(3.11)来计算;

　　　f_{ijkl}——每一段时间内散点图中的 ω_{ij} 波向 a_k 和载荷模式 Λ_l 下的平均响应次数, $f_{ijkl} = n_{ijkl}/T_s$;

　　　$P_{ijkl}(x)$——在散点图中的 ω_{ij} 波向 a_k 和载荷模式 Λ_l 下的短期响应的概率密度函数,如果考虑波的传播影响,这部分应该包含在方程(3.8)中;

$\overline{N}_s$——在长期方法中,观察响应 T_s 的次数。

$$\overline{N}_s = \sum_{i,j,k,l} n_{ijkl} Pr(w_{ij}) Pr(\alpha_k) Pr(\Lambda_l) = T_s \sum_{i,j,k,l} f_{ijkl} Pr(w_{ij}) Pr(\alpha_k) Pr(\Lambda_l) \quad (3.22)$$

通过 $\overline{N}_D$ 表示基于长期方法下观察的 T_D 的平均响应次数,这时

$$\overline{N}_D = \frac{T'_D}{T_s} \overline{N}_s = T'_D \bar{f}_s \quad (3.23)$$

式中,T_D 是以年为单位计算的服务期;T'_D 是以小时为单位计算的服务期。

图 3.14 展示了在长期方法中,压力分布函数 $P(x)$ 对 W156 和 W391 的响应。在长期分布中,显然波浪是一个占主导的环境因素,即使波谱形状的影响不重要。

在通过使用方程(3.18)和方程(3.21)拟合的曲线,确定了方程(3.17)中的 $q(x)$ 的表达式之后,我们就可以利用方程(3.19)和方程(3.20)来计算极值。表 A3.1 列出了动压力极值的每一个元素。

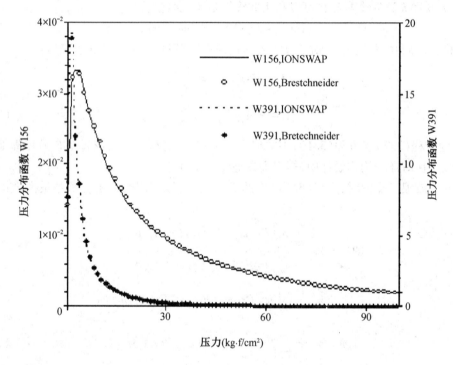

图 3.14　甲板板压应力的(长期方法中)概率密度函数(Zhao, Bai 和 Shin, 2001)

3.5.4　非高斯过程最可能极大值的预测

对一个短期的高斯过程来讲, 可用简单的方程来估计极限值。而对零均值,窄频带的高斯随机过程中的最可能极大值可由式(3.6)得出,因为此公式有大量的观测数据。在这部分,非高斯过程是基于 Lu(2001,2002)等人的研究,所以我们应该对最可能极大值的预测进行讨论。

由于非线性拖曳力和自由表面的存在,导致诱发载荷产生的波浪和海流也是非线性的。响应中的非线性可由二阶影响引起,这是因为存在大型结构的运动和水压力的衰减,而这两种情况是由水分子和结构间的相对速度引起的。此外,桩腿与壳体的连接以及土壤

结构的影响均可引起非线性。因此,即使随机波浪的提升可被看作是一个高斯过程,此响应也是非线性的(例如,与波浪高度有关)非高斯过程的。

一般而言,预测程序就是选择一类具有合适等级的概然模型,从而模仿讨论中的问题,然后给离散样本安装上概然模型。在自升式钻井平台的设计中,TR 推荐 4 个模型,从时域模型和美国空军的统计结果方面来预测最可能的极大值。

1. 拖曳/惯性参数方法

拖曳/惯性参数方法是基于对极值的假设而得出的,这种假设是一种可被计算的标准过程,具体是把程序分割成拖曳和惯性两部分,评估各个极值,以及两两之间的相互关系系数,然后组合成公式:

$$(m_p m_R)^2 = (m_p m_{R1})^2 + (m_p m_{R2})^2 + 2\rho_{R12}(m_p m_{R1}) \cdot (m_p m_{R2}) \tag{3.24}$$

水动力响应的极值可由准静态响应以及惯性响应得出,事实上,这两种响应之间有异同点。准静态响应和惯性响应的相关系数可由以下公式计算:

$$\rho_R = \frac{\sigma_{Rd}^2 - \sigma_{Rs}^2 - \sigma_{Ri}^2}{2\sigma_{Rs}\sigma_{Ri}} \tag{3.25}$$

行业公报建议准静态响应的极值可用下面 3 个方法得到:

方法 1:从梳理准静态响应到莫里森公式的拖曳阶段,以及准静态响应的极限和莫里森公式的惯性阶段,从而预测静态极值。

方法 2:比尔(1992)建议静态极值可使用非高斯方法来预测。结构响应是非高斯和非线性的。非线性的程度以及高斯过程的背离可由阻力惯性参数得出,而其是一种水压力参数的方程和海况情况。此参数可由拖曳力到惯性力的比率定义,而这种比率影响着单元长度的结构组成。

$$K = (2C_D\sigma_V^2)/(\pi C_M D\sigma_A) \tag{3.26}$$

作为一个工程假设,单位长度的密度函数可用来预测其他结构响应,而此函数是由时域模仿中的恰当值得到的。K 值可由响应的标准偏离得出,这是由于拖曳力和惯性力都是唯一的。

$$K = \sqrt{\frac{\pi}{8}} \frac{\sigma_R(C_M = 0)}{\sigma_R(C_D = 0)} \tag{3.27}$$

方法 3:另外,K 值可由结构响应的峰态估计:

$$K = \left[\frac{(\kappa - 3) + \left\{ \frac{26(\kappa - 3)}{3} \right\}^{1/2}}{(35 - 3\kappa)} \right]^{1/2} \tag{3.28}$$

由于估计值仅仅是基于峰值而没有低阶时刻的考虑,第三种方法有可能不太可靠。正如海格梅杰在 1990 年的解释:这种方法忽略了自由表面变化的影响。在水下区域,伴随着时间的变化,将会在结构响应(基地剪力)的概率密度函数中产生非零偏移,而这种响应是不能在方程中解释的,这是因为对水下单元长度元素的有力作用。Hagemeijier 同样指出由短期模仿估计的偏移和峰态也是不可靠的。

2. 韦伯尔分布

韦伯尔分布是基于结构响应的分布而来的,而这种响应可与韦伯离散分布匹配。

$$F_R = 1 - \exp\left[-\left(\frac{R - \gamma}{\alpha} \right)^\beta \right] \tag{3.29}$$

一个具体的超过数概率的极值可由以下公式计算:

$$R = \gamma + \alpha[-\ln(1 - F_R)]^{1/\beta} \tag{3.30}$$

使用这种方法的关键在于计算 α, β, γ 参数,这三个参数可由衰减分析、极大似然估计、静态时刻来估计。对于一个三小时风暴模仿,N 大约是 1 000。时间序列记录实现了标准化。

$$R^* = \frac{R - \mu}{\sigma} \tag{3.31}$$

通过提升次序来分类所有正的峰点。

图 3.15 显示韦伯分布适合自升式平台的静态基本剪应力。

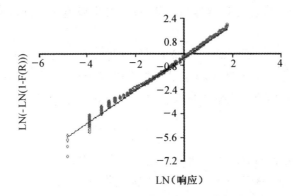

图 3.15　韦伯分布适合自升式平台的静态基本剪应力

正如 SNAME 公告所建议的那样,只有一小部分所观测的循环适用于曲线拟合法,同时,只有最少的方形衰减分析适用于估计威布尔分布。可以肯定的是,在预测静态极值时,上等的尾部数据远比低等的尾部数据重要。然而,用于衰减分析而提取的高端数据的比例是很难估计的。

3. 耿贝尔拟合

耿贝尔拟合是基于一个广泛的母体分布的假设而得出的,形式如下:

$$F(X) = 1 - \exp[-g(x)] \tag{3.32}$$

关于 x 的单调增函数,极值分布的耿贝尔函数是如下形式:

$$F(x_{\text{extreme}} \leq X_{\text{MPME}}) = \exp\left[-\exp\left(-\frac{1}{\kappa}(X_{\text{MPME}} - \psi)\right)\right] \tag{3.33}$$

可能极大值对应于增加量的概率,也就是一个分布函数单独峰值的 1/1 000,或是一个极限分布函数的 63%。所以它的响应可这样计算:

$$X_{\text{MPME}} = \psi - \kappa \cdot \ln\{-\ln[F(X_{\text{MPME}})]\} \tag{3.34}$$

现在的关键是要以响应信号的时域仿真的记录为基础估计参数 ψ 和 κ。在 SNAME 规范中建议选取响应信号的最大模拟值,并通过最大似然估计法来计算参数。同样,也可类似对最小值的处理。尽管总是能够运用最大似然法,但在复杂的计算分析中,设计者通常使用矩量法(如下所述),涉及与最大似然程序相关联的 I 类型分布。

对于 I 型分布,均值、方差可由以下确定 :

均值:$\mu = \psi + \gamma \cdot \kappa$,其中,$\gamma$ 为欧拉常数(0.577 2)

方差:$\sigma^2 = \pi^2 \kappa^2 / 6$

参数 ψ 和 κ 也可以直接使用拟合法得到:

$$\kappa = \frac{\sqrt{6}\,\sigma}{\pi}, \ \psi = \mu - 0.577\,22 \cdot \kappa \tag{3.35}$$

4. 温特/詹森法

根据温特(1988)或詹森(1994 年)的基本分析原理可知:这个非高斯过程可以作为一个多项式(例如,电源系列或正交多项式的零均值,窄带高斯)来表示进程(在这里代表符号 ü)。一般情况下,温特使用的正交多项式是 Hermite 多项式。在这两种情况下,后截断方差如下:

(1)温特(Winterstein)

$$R(U) = \mu_R + \sigma_R \cdot K[U + h_3(U^2 - 1) + h_4(U^3 - 3U)] \tag{3.36}$$

(2)詹森(Jensen)

$$R(U) = C_0 + C_1 U + C_2 U^2 + C_3 U^3 \tag{3.37}$$

在此框架内,求解基本上分为两个阶段。首先,得到温特格式中的松弛系数,即 K, h_3, h_4,以及詹森格式中的系数 $C_0 \sim C_3$。随后,替代方程(3.36)(3.37)的极值 U,确定了这个问题的 MPME。詹森的计算格式似乎非常简单。

Ochi(1973)提出了一个随机过程,满足广义瑞利分布(即广带瑞利法)。随机变量带宽 ε 位于零级、第二和第四谱矩之间。当 ε 小于 0.9 时,短期可能极值 U 为

$$U = \sqrt{2\ln\left(\frac{\sqrt{1 - \varepsilon^2}}{1 + \sqrt{1 - \varepsilon^2}} \cdot 2N\right)} \tag{3.38}$$

对于窄带分析,当 ε 趋于零时表示为

$$U = \sqrt{2\ln N} \tag{3.39}$$

比较(3.38)和(3.39),结果表明,U 一个高斯过程中带宽的选取可能会导致可能值的降低。

Lu 等(2001 年,2002 年)比较了在 SNAME 规范中推荐的四种方法,并研究了每个方法随机因素的影响,介绍了动态响应对各种参数的影响,例如,船体的操纵性、德尔塔效应和基础的稳定性。在这次研究中采用的结构模型,反映了两个千斤顶在钻机中的服务。这些设备被刻意挑选,代表最广泛的抬高设计,可用于不同类型的腿、两个不同的和弦类型和不同水深的设计。这四种方法的比较,提出了计算极值条件和各自的动态放大因子(DAF)。从设计的观点看,温特/詹森方法更为可取。如果采用大量的数据进行拟合,耿贝尔拟合方法在理论上是最准确的。一般要求取十个值,而在特殊情况下这还不够。

3.6　小结

本章介绍了环境条件和海洋结构设计载荷的整体情况,并详述了在极限情况下预估实现的最新发展。对海洋结构安全系统分析的方法已开始用于判断极端海况的影响以及在海浪情况下进行疲劳评估方面的研究。为使结构分析更简便,还简要概述了振动频率分析。本章总结如下:

海洋结构设计高度依赖于波状况。极端海况的影响和疲劳寿命会明显受到站点特定波环境的影响。收集准确的波形数据是设计的重要组成部分。

波频谱形状对疲劳寿命有显著的影响。应在满足时间要求的情况下,根据相关的数据选择合适的频谱。

带宽参数 ε 只依靠谱周期 H_s,对 ε 的影响是微不足道的。

在预测极端的反应时,首先选用长期方法,因为它有较低的不确定性。但是,使用长期方法时,建议根据短期的保守结果来确定长期方法。

短期极端的方式取决于极端波浪谱长期的预测以及选用适当的波谱系,它不比长期的方法简单。

欲了解更多有关环境条件和海洋结构载荷分析的详细信息,读者可参考 API RP 2T (1997),Sarpkaya and Isaacson(1981),Chakrabarti(1987),Ochi(1990),Faltinsen(1990) and CMPT(1998)。船舶波浪载荷和结构分析,读者可参考 Bhattacharyaa(1978),Beck 等 (1989)and Liu 等(1992)。

3.7　附录 A:弹性梁的振动

为了进行疲劳评估以及振动和噪音的控制,通常需要对自然频率和结构振动模式进行估计。在本节中,通过梁和板的振动来描述基本动力分析。

3.7.1　振动的弹簧/质谱系统

考虑一个质量为 m 的系统,弹簧常数为 k,无阻尼和外部力的影响,系统平衡条件可以表示如下:

$$m\ddot{u} + ku = 0 \tag{A3.1}$$

式中,u 是位移。在自由振动中,方程(A3.1)可表示为

$$u = u_0\cos(\omega_1 t + \alpha) \tag{A3.2}$$

自然频率 ω_1 表示为

$$\omega_1 = \sqrt{\frac{k}{m}} \tag{A3.3}$$

式中,u_0 和 a 是在时间为 t_0 的初始条件下决定的。

假设一个周期力 $F_0\cos\omega t$ 作用于系统,均衡条件可以表示如下:

$$m\ddot{u} + ku = F_0\cos\omega t \tag{A3.4}$$

上述方程也可表示如下:

$$u = \frac{F_0/k}{1 - (\omega/\omega_1)^2}\cos(\omega t - \varphi) \tag{A3.5}$$

φ 的值可记为 $0(\omega \leqslant \omega_1)$ 或 $\pi(\omega > \omega_1)$。通解是自由振动特解的叠加,当 $\omega \to \omega_1$ 时,u 值将远大于 F_0/k,这种现象被称为"共振"。在现实生活中,振动位移 u 的增加可能需要时间,但阻尼总是存在的。

假定阻尼力与速度成正比,可以得到另一个系统的平衡条件:

$$m\ddot{u} + c\dot{u} + ku = F_0\cos\omega t \tag{A3.6}$$

上述方程的通解为

$$u = \frac{F_0/k}{((1 - (\omega/\omega_1)^2)^2 + 4\zeta^2(\omega/\omega_1)^2)^{1/2}}\cos(\omega t - \varphi) \tag{A3.7}$$

式中

$$\zeta = \frac{c}{2m\omega_1} \tag{A3.8}$$

$$\tan\varphi = \frac{2\zeta(\omega/\omega_1)}{1 - (\omega/\omega_1)^2} \tag{A3.9}$$

共振时($\omega = \omega_1$)位移表示为

$$u = \frac{F_0/k}{2\zeta}\cos(\omega t - \varphi) \tag{A3.10}$$

3.7.2　弹性梁振动

梁的弹性振动对于管道及其他结构疲劳分析非常重要,如船舶的总体振动。梁的固有频率可以被写为

$$\omega_i = a_i \sqrt{\frac{EI}{ml^4}}\ (\text{rad/sec}) \tag{A3.11}$$

式中　EI——梁横截面的抗弯刚度;

　　　l——梁长;

　　　m——质量,包括梁的附加质量;

　　　a_i——一种振动模式 i 的系数。

表 A3.1 是特定边界条件下的固有频率 a_i 的取值。

表 A3.1　测定梁的固有频率系数

	固定－自由	无转角－无转角	绞支－铰支	固定－固定	固定－无转角
a_1	3.52	$\pi^2 = 9.87$	22	22	15.4
a_2	22	$4\pi^2 = 39.5$	61.7	61.7	50
a_3	61.7	$9\pi^2 = 88.9$	121	121	104
a_4	121	$16\pi^2 = 158$	200	200	178
a_5	200	$25\pi^2 = 247$	298.2	298.2	272

参考文献

[1] Liu D,Spencer J. Dynamic load approach in tanker design[J]. Tankers,1992(4):26-32.

[2] Stringer P. Fatigue of Offshore Steel Structures : University College London, September 30 - October 2 1981[J]. International Journal of Fatigue,1982,4(1):50-52.

[3] Vigneswaran N,Wu J,Sacks P,et al. API recommended practice for planning,designing,and constructing fixed offshore platforms[J]. Journal of oral pathology &medicine : official publication of the International Association of Oral Pathologists and the American Academy of Oral Pathology,2005,34(2):77-86.

[4] Morrison J E. Extreme value statistics with applications in hydrology and financial engineering[J]. Bell & Howell Information and Learning,2001(5):17-41.

[5] Bai Y,Shipping A B O. Pipelines and Risers[M]. London:[s. n.],2001.

[6] Bales S,Cummins W,Comstock E,et al. Potential impact of the twenty year hindcast wind and wave

climatology on ship design[J]. Hulls,1980(3):45 – 55.

[7] Lewis E V. Principles of Naval Architecture:Motions in waves and controllability[M]. London:[s. n.], 1989.

[8] Collu M. Dynamics of Marine Vehicles with Aerodynamic Surfaces[D]. [S. l.]:Cranfield University,2009.

[9] Kim M H. Hydrodynamics of Offshore Structures[J]. Developments in Offshore Engineering,1999(2): 336 –381.

[10] Ang H S,Cheung M C,Shugar T A, et al. Reliability-based fatigue analysis and design of floating structures[J]. Marine Structures,2001,14(1):25 – 36.

[11] Faltinsen O M. Sea loads on ships and offshore structures[M]. New York:Cambridge University Press, 1990.

[12] Hagemeijer P M. Estimation of drag/inertia parameters using time-domain simulations and the prediction of extreme response[J]. Applied Ocean Research,1990,12(3):134 – 140.

[13] Anon. Ocean Wave Statistics[J]. Journal of Navigation,1975,28(1):116.

[14] Elsevier. Proceedings of the 14th international ship and offshore structures congress [C]. London: [s. n.],2000.

[15] Jensen J J. Dynamic amplification of offshore steel platform responses due to non-Gaussian wave loads [J]. Marine Structures,1994,7(1):91 – 105.

[16] Liu D,Spencer J. Dynamic load approach in tanker design[J]. Tankers,1992(2):18 – 32.

[17] Lu Y J,Chen Y N,Tan P L, et al. Prediction of most probable extreme values for jackup dynamic analysis[J]. Marine Structures,2002 (15):15 – 34.

[18] Naess A. The Effect of Correlation on the Prediction of Extreme Values[J]. Physical Review of Nuclear Physics,2015 (1):398 – 414.

[19] Ochi M K. Wave statistics for ships and structures[C]. London:[s. n.] ,1978.

[20] Huang H,Tsai J J. Probabilistic approach to initial dilution of ocean outfalls[J]. Water Environment Research,1994,66(6):787 – 793.

[21] Ochi M K. Principles of Extreme Value Statistics and their Application[J]. Extreme Loads Response Symposium,1981.

[22] Ochi M K. Applied probability and stochastic processes :in engineering and physical sciences[M]. London:[s. n.],1993.

[23] Pierson W J,Moskowitz L. A proposed spectral form for fully developed wind seas based on the similarity theory of S. A. Kitaigorodskii[J]. Journal of Geophysical Research,1964,69(24):5181 –5190.

[24] Sarpkaya T,Isaacson M,Wehausen J V. Mechanics of Wave Forces on Offshore Structures[M]//Anon. Mechanics of wave forces on offshore structures. London:[s. n.],1991,231 –236.

[25] Jones D E,Bennett W T,hoyle M J. The joint industry development of a recommended practice for the site specific assessment of mobile jackup units[M]. London:[s. n.],1993.

[26] Steven R W. Nonlinear Vibration Models for Extremes and Fatigue [J]. Journal of Engineering Mechanics,1988,114(10):1772 – 1790.

[27] Cui W. Recent Research Trends in Ship Structural Mechanics:an Introduction to and a Critical Review of PRADS' 98[J]. Journal of Ship Mechanics,1999.

[28] Matsui T,Sakoh Y,Nozu T. Second-order sum-frequency oscillations of tension-leg platforms:prediction and measurement[J]. Applied Ocean Research,1993,15(2):107 – 118.

[29] Zhao C,Bai Y,Shin Y. Extreme Response and Fatigue Damages for FPSO Structural Analysis[M]. London:[s. n.],2001.

第4章 根据规范确定船体尺寸

4.1 概述

在本章中,"Scantling"指结构部材或结构体系(例如:壁厚和局部的舱室)几何尺寸的确定。最初的船体尺寸的设计对于整个结构设计来说是一项非常重要并具有挑战性的工作。

在签订合同之后,就开始进行船体尺寸的设计并自始至终贯穿于设计过程,直到设计被业主、船厂、船级社以及其他海事机构批准。在最初的设计阶段要确定船体形式、辅助系统设计参数、结构尺寸以及最终船舱的布置。船体结构尺寸的设计本身就是一个非常复杂和迭代的过程。

近十年来,确定船体结构尺寸的进程发展迅速。首先,这得益于基于船级社规范的现代信息技术的应用,其使得常规尺寸的计算自动化。与此同时,近年来,应用有限元法进行合理的水动压力分析和直接计算得到越来越多的关注。

为了开发一个令人满意的船体结构,通常进行最初的结构设计以建立各种尺寸的结构部材。就纵向和横向的挠度、扭矩和剪力而言,这将保证结构可以抵抗船体梁在静水和波浪中的载荷。这个过程可以有效地包含各个零部件。此外,每一部件都要承受货物或乘客所施加的质量载荷、水动压力、冲击力,以及像船面舱室和重型机械那种叠加的局部载荷。

总体来讲,本章介绍基于IACS(国际船级社组织)的油轮设计的要求和船级社规范。

4.2 船舶稳定和强度的基本概念

4.2.1 稳性

两个合力作用于自由浮动的船体,重力作用向下,而浮力向上,重力(W)通过重心(C_G)这一点起作用,而浮力(B)通过浮心(C_B)起作用。通过阿基米德原理,我们知道浮力等于漂浮物体排水的重力,因此浮力中心就是被排液体部分的重心。

当船体位于平衡状态并稍稍偏离其初始位置时,有三种情况,如图4.2所示(Pauling,1988),船体可能会:

(1)返回到初始位置,这种情况称为正稳定性;

(2)停留在新的位置,这种情况称为中稳定性;

(3)远离初始位置,这种情况称之为负稳定性。

船舶应该是正稳定的,比如在受波浪作用迫使其离开初始位置后,它才会恢复到初始位置而不至于翻船。

　　浮体的稳定性,比如船舶,取决于重力 W 与浮力 B 之间的相互作用,如图 4.1 所示。当船体平衡时,两种力通过重心 C_G 和浮心 C_B 起作用,两种力是均衡的(图 4.1(a))。如果船体从 WL 旋转到 W_1L_1,(图 4.1(b)和图 4.2(a)),两种力的相互作用可以产生一个恰当的力矩使得船体回到最初的平衡状态,如图 4.1(b)所示。这是正稳定性的一种情况。如果重力与浮力的相互作用导致船体更进一步偏离初始位置,这就是负稳定性的一种情况,如图 4.2(b)所示。因此,在设计船舶时,保证重心和浮心在一个点上产生正稳定性是非常重要的。

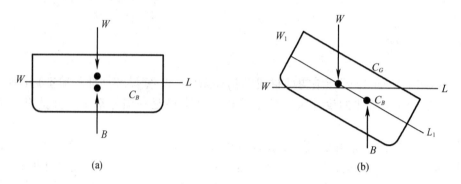

图 4.1　重力与浮力的相互作用

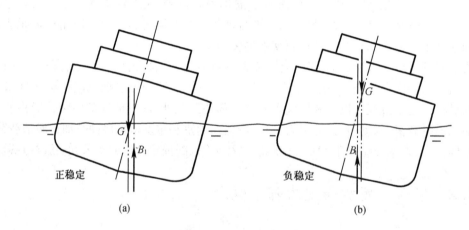

图 4.2　正负稳定性

4.2.2　强度

　　船舶设计的另一个重要方面就是船舶的强度。这涉及船舶结构承受施加在它上面的载荷的能力。最重要的强度参数之一就是船舶的纵向强度,用船体可能承受的最大纵向压力来估计。剪力是另一相关的参数。

　　船体结构的纵向强度是根据施加在船体上的挠度力矩和剪力来估计的。在分布式载荷作用下,可以把船舶考虑成横梁,在 X 处的剪力可以表示为

$$V(X) = \int_0^X (b(x) - w(x)) \, dx \tag{4.1}$$

式中,$b(x)$ 和 $w(x)$ 分别表示在 X 轴方向的浮力和重力,在 X 处,弯矩 $M(X)$ 是剪力曲线中

不可或缺的。$M(X)$可以表示为

$$M(X) = \int_0^X V(x)\,\mathrm{d}x \tag{4.2}$$

图 4.3 进一步表明了在静水(如港口)中的船舶所承受的力。根据图 4.3(b)所示的重力和浮力曲线可知,具有连续横截面和密度空载的驳船在水中受到与自身长度相等的分布式重力和浮力,如图 4.3(a)所示。如果驳船中部有负载,如图 4.3(c)所示,重力分部将会改变,结果见图 4.3(d)。这种重力和浮力曲线的差异将导致弯矩依据船舶的长度而分配,这种弯矩被认为是静水弯矩 M_S,如图 4.3(e)所示的负载驳船。

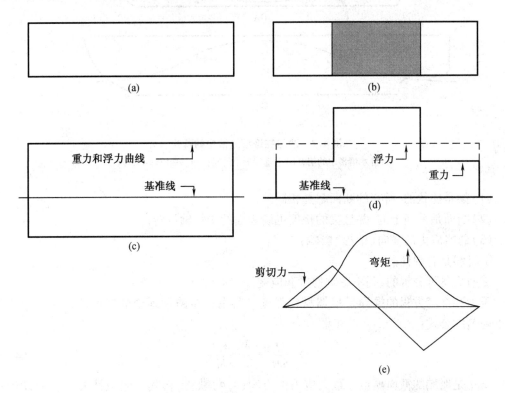

图 4.3　矩形驳船在静水中的弯矩变化
(a)矩形驳船(空载);(b)空载驳船的重力和浮力曲线;(c)驳船(半载荷);
(d)负载驳船的重力和浮力曲线;(e)负载驳船的静水剪切力和弯矩曲线

对于在波浪中的船舶,将弯矩进一步分解成两种:

$$M = M_\mathrm{S} + M_\mathrm{W} \tag{4.3}$$

式中,M_S,M_W分别表示静水和波浪中的弯矩。图 4.4 表示船舶在等于其船长的波浪中的情况。图 4.4(a)表明船舶在静水中只受到静水弯矩作用。图 4.4(b)表明波浪的波谷处于船腹(即船体舯部),这将会给船尾分配更大的浮力使得船舶遭受下沉状态,在这种状态下,船舶甲板受压力,而底部受张力。

图 4.4(c)表明波浪的波峰位于船腹。在这种情况下船腹的浮力要明显大于船尾,因此导致中拱。中拱是指船舶中部弯成拱形,于是甲板受张力,而船底受压力。

为了估算由水平和垂直弯矩产生的主要压力和挠度,应用伯努利-欧拉的梁基本理论。当估计船舶结构梁理论的适应性时,重申下面的假设是有用的:

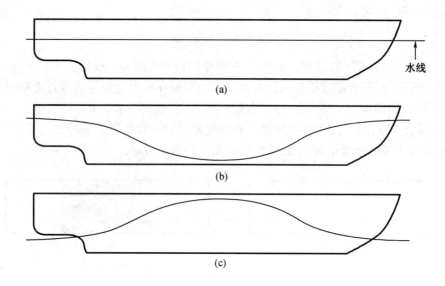

图 4.4　驳船在连续波浪中的弯矩

(a)静水情形中的船;(b)下垂情形中的船;(c)拱曲情形中的船

(1)梁是柱状的,所有的断面都是相同的;

(2)断面是平面上的,并且梁的挠度也绕断面的中性轴旋转;

(3)忽略应力的横向(泊松)影响:

①材料是有弹性的;

②剪力是可分解的,并不影响挠度和应变。

压力和挠度方程的推导是根据材料强度教科书中单跨梁理论的假设而得到的。给出以下著名的公式:

$$\sigma = \frac{M}{SM} = \frac{M_S + M_W}{SM} \tag{4.4}$$

式中,SM 是船舶的截面模量。最大应力由方程(4.4)获得,将其与船级社关于船舶设计所允许的最大允许应力相比,如果最大应力大于最大允许应力,则应增大船舶的截面模量,改变设计图。最大弯矩通常在船舶的舯部,因此船舶舯部的纵向强度是非常关键的。

一般而言,最大剪应力由式(4.5)给出:

$$\tau = \frac{F_T S}{tI} \tag{4.5}$$

式中,F_T 是总的剪应力;t 和 I 指船体大梁的腹板厚度和船体的惯性力矩;S 指水平中轴附近的有效纵向区域的第一力矩。

4.2.3　腐蚀额度

船舶设计规则中的强度必要条件基于船舶入级要求做出的,无关船舶的设计与维护寿命,由于船材尺寸与船级社认可的最小强度要求一致,因此就涉及船舶的腐蚀额度的设计。除了所有压载舱的涂层保护,电镀和船体构件上也需要运用到最小腐蚀额度,如图4.5所示。

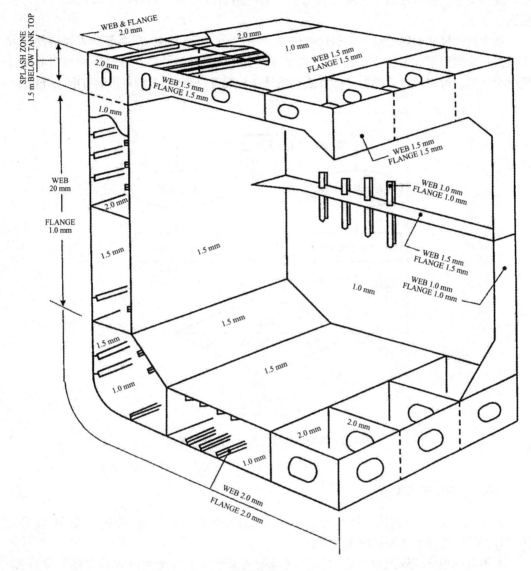

图 4.5　舱室的腐蚀额度设计(ABS,2002)

　　船体构件腐蚀率更高,对于主要的和关键的船体构件需要考虑额外的设计余量,这将减少船舶使用生命周期中的维护成本。

4.3　纵向强度的初始船材尺寸标准

4.3.1　引言

　　为了评估船舶的结构强度,期望载荷的最小基本尺寸是必须确定的。负载对船舶的作用可以分为一次应力和二次应力。所谓一次应力,即船体梁应力,涉及由船体梁弯矩引起的总反应。与此相反,二次应力指局部应力,涉及由局部压力或集中负载引起的局部反应。

设计规则要求船体构件的一次应力和二次应力的组合效应要降至各种失效模式的允许极限强度之下。

　　基本构件尺寸的确定是一个迭代的过程,如图 4.6 所示。图的左半部分表明构件尺寸是根据其功能要求和工程经验确定的,右半部分表明这些基本构件尺寸是根据适当的设计规则而定的。可以通过合理的分析方法来估计结构强度,比如第 5 章介绍的有限元分析法。

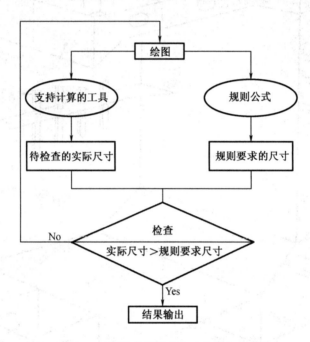

图 4.6　结构尺寸设计进程中的数据流程

4.3.2　船体梁强度

　　大多数情况下,一次应力计算包含的结构元件是纵向连续元件,如甲板、舷侧、底部壳体、纵向舱壁、连续有效的纵向刚性元件。

　　大多数的设计规则通过指定船体梁横截面的最小部分性能要求来控制船体梁强度。部分性能要求是基于船体梁载荷和船腹平行机构船体梁的最大允许应力(即横截面相同的区域)计算的。

　　1.纵向应力

　　为了限定船体梁截面模数为船腹的 $0.4L$,船级社规则要求在以下的方程中选择更大的值:

$$SM = \frac{M_S + M_W}{\sigma_p} \tag{4.6}$$

$$SM = 0.01C_1L^2B(C_b + 0.7) \tag{4.7}$$

式中,σ_p 为名义允许弯曲应力,可取为 17.5 kN/cm^2;第二个方程用来计算最小截面系数;常数 C_1 取决于长度;C_b 是指模块系数。

　　如果顶部或底部由法兰构成,或者两者均由高强度材料组成,则其截面系数将因乘以一个因数 Q 而降低,即为以下方程:

$$SM_{hts} = Q \cdot SM \qquad (4.8)$$

式中，Q 依赖于抗弯曲强度，对 H32 等级的材料来说为 0.78，对 H36 等级的材料来说为 0.72。在船级社的规定中，对于计算静水弯矩、船腹波浪弯矩、波浪切应力以及波浪弯矩的分布因数来说，方程和图表都是可得的。

2. 剪应力

侧面以及舱壁切应力的分布是非常复杂的，因此很难用简单的公式表示出所要求的厚度。每个船级社都有其基于自己经验的切应力公式及其纵向分布。净厚度的一般方程为

$$t = \frac{(F_S + F_W) \cdot S}{I \cdot \sigma_s} \qquad (4.9)$$

式中，F_S 是静水切应力；F_W 是波浪的垂直切应力（在港口条件下为零）。

镀层侧面壳体净厚度由下式给出

$$t_s \geqslant \frac{F_t \cdot D_s \cdot S}{I \cdot \sigma_s} \qquad (4.10)$$

纵向舱壁的厚度由下式给出

$$t_i \geqslant \frac{(F_t + R_i) \cdot D_i \cdot S}{I \cdot \sigma_s} \qquad (4.11)$$

在上述式子中，I 是所考虑位置处净船体梁的惯性力矩，S 是所考虑的净船体梁位于决定剪切应力的垂直高度和垂直端点之间中轴线上的一阶力矩。如上所述，σ_s 为海中和港口条件下的允许切应力，在海况条件下，它等于 14.96 除以 Q，在港口条件下，它等于 10.87 除以 Q。Q 是材料转换因子，由材质决定，D 是剪力分布因子，视纵向舱壁的设计而定。

4.4　横向强度的初始船材尺寸标准

4.4.1　引言

船体两侧和底部要受到静态的和动态的液体压力，同时也要承受船体内部货物带来的载荷，如图 4.7 所示。横向载荷将会引起横向舱壁、楼层、侧架和甲板横梁的变形，如图 4.7 中虚线所示。一般而言，货船船体以横向系统为基础，其横向力可以用二维框架来模拟。二维框架受流体压力，其载荷取决于货物质量，如图 4.7 所示。其切应力也由纵向元件传递。

4.4.2　横向强度

二维框架分析可以用于计算横向强度，可以从典型的有关结构分析或有限元方法的书中选择应用解析方程来处理框架分析。

在一些情况下，构架分析可以基于二维的水平应力分析做出，船级社规范中的方法和应力分析定义了横向强度的允许应力，横向构架的典型布置也可以在船级社规范中找到。

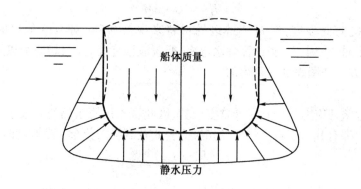

图 4.7　船体的横向载荷

4.5　局部强度的初始船材尺寸标准

4.5.1　梁的局部弯曲

一级和二级结构元件的局部强度通过由局部载荷产生的应力来估计,如侧向压力和集中载荷。此外,计算扶强材和梁的应力与挠度时要用到基本的伯努利－欧拉梁理论。薄板理论用于板材,应力和挠度方程的发展应用的是与初级梁理论或薄板理论相同的假设,我们可以在有关材料强度的书中找到这些理论,比如 Timoshenko(1956)的书。

独立结构元件的尺寸,如图 4.8 所示。关于局部弯矩和剪切强度的内容将在这一部分进行叙述。

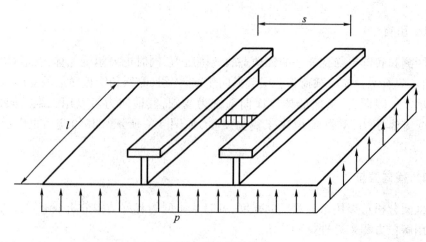

图 4.8　独立结构元件

1.扶强材

扶强材(图 4.9)尺寸的最低要求由扶强材截面模数、加强材间距、加强筋跨度、设计压力和允许应力确定。

根据梁理论,要求扶强材的截面模量为

$$SM = \frac{M}{\sigma} \qquad (4.12)$$

考虑两端固定的扶强材,其最大弯矩为

$$M = \frac{ql^2}{12} \qquad (4.13)$$

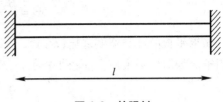

图 4.9　扶强材

扶强材将会对附在其上的平板产生侧压力,载荷宽度等于扶强材间距。因此,扶强材的分布载荷 $q(\mathrm{N/mm})$ 可由下式计算:

$$q = p \cdot s \qquad (4.14)$$

式中,s 是扶强材间距,p 为设计压力,单位是 $\mathrm{N/mm^2}$。

把式(4.13)、式(4.14)代入式(4.12),可得

$$SM = \frac{p \cdot s \cdot l^2}{12\sigma} \qquad (4.15)$$

船级社规范包含了在侧向压力作用下梁设计的等式。

2. 梁

梁(图 4.10)遵从与扶强材截面模量相同的尺寸标准,同时要考虑由梁高度而引起的切应力。以下等式代表了关于梁的横断面面积的尺寸标准:

$$\tau = \frac{Q}{A} \qquad (4.16)$$

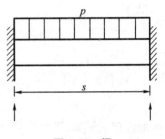

图 4.10　梁

式中,τ 指梁两端的剪应力,单位为 $\mathrm{N/m^2}$;A 指梁的横断面面积,单位为 $\mathrm{m^2}$,梁的两端各承受一半的载荷。Q 的定义如下:

$$Q = 0.5 \cdot p \cdot b \cdot S \qquad (4.17)$$

式中,p,b 分别表示作用在梁上的设计压力(单位:$\mathrm{N/m^2}$)和载荷宽度(单位:m);s 为梁的跨度。将式(4.17)代入式(4.16),可得

$$\tau = \frac{Q}{A} = \frac{0.5 \cdot p \cdot b \cdot S}{A} \qquad (4.18)$$

根据式(4.18),所需截面面积由下式可得

$$A \geqslant \frac{0.5 \cdot p \cdot b \cdot S}{\tau_{\mathrm{all}}} \qquad (4.19)$$

允许剪应力为 τ_{all},取决于梁。此外,梁还要满足腹板厚度、梁腹板区域以及法兰厚度与法兰宽度之比的要求。

4.5.2　板的局部弯曲强度

在设计规范中,要求的最小板厚取决于加强筋间距、设计压力和允许应力。其标准可由平板理论得到。两扶强材之间的板窗格和梁可以简化为所有边缘固定且承受相同侧压力 p 的矩形板。

基于平板理论,最大应力由下式给出:

$$\mathrm{Max}\{\sigma\} = \frac{-\beta_1 p \cdot s^2}{t^2} \text{(位于长边的中点)} \qquad (4.20)$$

$$\sigma = \frac{\beta_2 p \cdot s^2}{t^2} （\text{中心处}） \tag{4.21}$$

如果平板的高和宽度之比(l/s)大于2,那么$\beta_1 = 0.5$,$\beta_2 = 0.25$可作为平板高宽比的修正因子。为对应最大应力而将平板的高宽比设计成大于2,则平板所需最小厚度为

$$t = \frac{0.5s\sqrt{p}}{\sqrt{\sigma}} = \frac{s\sqrt{p}}{\sqrt{4\sigma}} \tag{4.22}$$

式中,σ为所允许的局部弯曲应力;s是间距。实际设计中,应该把允许腐蚀量算入厚度中。允许弯曲应力的确定应该考虑到平板所处的位置、钢化系统以及材料的强度。每个船级社都有其自己定义的许容应力。

在船级社规范中,有可用于在侧向压力下设计电镀的公式以及确定平板厚度的公式。在船级社规范中,对不同的腐蚀方式有不同的处理方式。

4.5.3　舱壁、甲板、底部结构设计

对舱壁上的每一独立的纵向或垂直/水平加强筋,在加上电镀膜后,附加的净截面模量不可低于

$$SM = \frac{M}{\sigma_b} \quad （\text{cm}^3） \tag{4.23}$$

式中

$$M = \frac{1\ 000}{12} c_1 c_2 p s l^2 \quad （\text{N·cm}） \tag{4.24}$$

c_1依加强板的纵向、横向和垂向的取向而不同;c_2取决于船舶设计载重;l是纵向之间或有效支持点之间的加强板跨度;p是设计压力;σ_b是许用弯曲应力,由加强筋的类型和位置而定。

4.5.4　板面屈曲

屈曲是结构设计的主要问题之一。结构单元在承受应力时,可能在达到屈服应力之前失稳。所以应该对板面进行计算,以避免加强筋板之间的屈曲。本节讨论在考虑屈曲应力的前提下,纵向结构单元在屈曲控制条件下的设计。

1. 弹性压缩屈曲应力

弹性屈曲应力是原始平板上平面压应力的最高值。在平板的中间部分可能存在非零的平面外的挠度。布莱恩公式给出了弹性阶段的压缩屈曲应力的解决方案,对于一个矩形板,其承受单向的压力可以表示为

$$\sigma_{el} = k_c \frac{\pi^2 E}{12(1 - v^2)}\left(\frac{t}{s}\right)^2 \quad (4.25)$$

板受力情况如图4.11所示,t表示除去腐蚀层的净厚度,屈曲系数k_c是板纵横比$\alpha = l/s$、边界条件和载荷的函数。假定板的其中两对边受到匀布载荷,四边简支,则k_c可写作

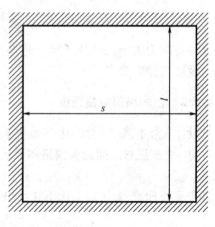

图 4.11　板

$$k_c = \left(\frac{n}{l} + \frac{l}{n} \right)^2 \tag{4.26}$$

式中,n 表示屈曲板在纵向上的半波数。

图 4.12 为一宽高比 $\alpha < 1$ 的横向加筋板。当 $n = 1$ 时,可得到一个更方便的板的弹性屈曲应力表达式:

$$\sigma_{el} = \frac{\pi^2 E}{12(1 - v^2)} \left(\frac{t}{s} \right)^2 (1 + \alpha^2)^2 \tag{4.27}$$

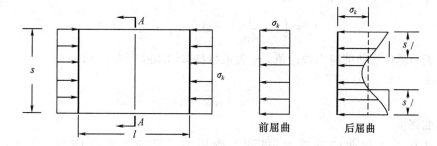

图 4.12　板的屈曲

图 4.13 为一纵向加筋板, k_c 约为 4,所以弹性临界应力为

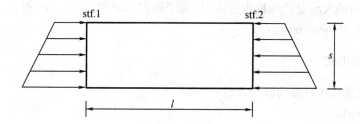

图 4.13　横向加筋板

$$\sigma_{el} = \frac{\pi^2 E}{3(1 - v^2)} \left(\frac{t}{s} \right)^2 \tag{4.28}$$

图 4.14 所示为纵向加筋板。

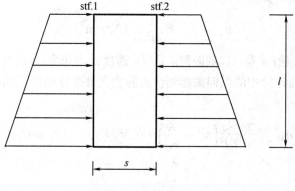

图 4.14　纵向加筋板

临界屈曲应力 σ_c 为

$$\sigma_c = \sigma_{el} \qquad \left(\sigma_{el} < \frac{\sigma_y}{2} \right) \tag{4.29}$$

$$\sigma_c = \sigma_y \left(1 - \frac{\sigma_y}{4\sigma_{el}} \right) \qquad \left(\sigma_{el} > \frac{\sigma_y}{2} \right) \tag{4.30}$$

同理,弹性剪切屈曲应力 τ_e 为

$$\tau_c = \tau_{el} \quad \text{且} \quad \tau_{el} < \frac{\tau_y}{2} \tag{4.31}$$

$$\tau_c = \left(1 - \frac{\tau_y}{4\tau_{el}} \right) \quad \text{且} \quad \tau_{el} > \frac{\tau_y}{2} \tag{4.32}$$

式中, τ_{el} 表示弹性屈曲剪应力理论值; τ_y 表示材料剪切屈服应力,记作

$$\tau_y = \frac{\sigma_y}{\sqrt{3}}$$

2. 屈曲评价

在上述板受力屈曲的基础上,得到了受压力和剪应力组合应力下的综合模式(Bannerman and Jan,1980):

$$\left(\frac{\sigma}{\sigma_c} \right)^2 + \left(\frac{\tau}{\tau_c} \right)^2 \leqslant 1.0/SF \tag{4.33}$$

式中, σ 和 τ 表示最大压应力和最大剪应力(源于轴向压缩和弯曲); σ_c 和 τ_c 表示极限压应力和极限剪应力; SF 表示安全因数。

4.5.5　屈曲形式

轴向压缩屈曲形式可分为以下几种:
(1)侧向屈曲模式;
(2)扭转屈曲模式;
(3)梁腹与轮缘屈曲模式。
横向加筋梁应另外考虑。
弹性屈曲应力将在接下来讨论。

1. 侧向屈曲模式

根据屈曲理论,横向弹性屈曲应力为

$$\sigma_{el} = n \cdot E \frac{I_A}{Al^2} \quad (\text{N/mm}^2) \tag{4.34}$$

式中, I_A 是纵向转动惯量; A 是纵向截面积; l 是纵向跨度; n 为屈曲系数(通常取 $n = 0.001$)。

应当指出,在屈曲评价中的纵向截面特性应除去允许腐蚀的净截面积。

2. 扭转屈曲模式

$$\sigma_{el} = \frac{\pi^2 E I_W}{10^4 I_p l^2} \left(m^2 + \frac{K}{m^2} \right) + 0.385E \frac{I_T}{I_P} \quad (\text{N/mm}^2) \tag{4.35}$$

且

$$K = \frac{Cl^4}{\pi^4 E I_W} \times 10^6 \tag{4.36}$$

式中，I_W 是加强筋和板连接处的屈曲常数，单位是 cm^4；I_p 是加强筋和板连接处的纵向极惯性矩，单位是 cm^4；l 为纵向跨度，单位是 m；I_T 为横截面的圣维南惯性矩（不含附加板），单位为 cm^4；m 为半波数（通常在 1 到 4 之间）；C 是支持板面板施加的弹性刚度。

3. 梁腹与轮缘屈曲模式

纵向板梁腹的弹性屈曲应力为

$$\sigma_{el} = 3.8E\left(\frac{t_W}{h_W}\right)^2 \quad (N/mm^2) \tag{4.37}$$

式中　t_W——梁腹厚，mm；

　　　h_W——梁腹高，mm。

对于 T 形梁和角缘处的轮缘，应满足以下条件：

$$\frac{b_f}{t_f} \leqslant 15 \tag{4.38}$$

式中　b_f——轮缘宽；

　　　t_f——轮缘厚。

式(4.29)～式(4.33)不仅可用来求解屈曲主应力，还可进行屈曲评价。请参阅本书的第二部分了解更多关于屈曲评价和安全系数的知识。

参考文献

[1] American Bureau of Shipping. Rules for Building and Classing Steel Vessels[S]. 2002.

[2] Bannerman D B, Jan H Y. Analysis and Design of Principal Hull Structure[C]. [S. l.]: SNAME. 1980.

[3] Paulling J R. Strength of Ships[C]. [S. l.]: SNAME, 1988.

[4] Timoshenko S. Strength of materials[M]. New York: [s. n.], 1930.

第 5 章　船体设计分析

5.1　概述

　　船级社规范一直以来都是船舶设计实践的支撑。这些规范最初是半经验的,并被通过校核确保能够有成功运作的经验。它们具有明显优势,形式简便而且为广大船舶设计者所熟知。然而,在过去的 20 年里,由于船舶尺度急剧增加,船舶设计也发生了相应的显著变化。传统的设计方法,依赖于规范,正面临非传统船舶形式和复杂船舶结构发展的严峻挑战,例如高速艇、超大容量的大开口集装箱船、大型 LNG(液化天然气)船、钻井船、FPSO(浮式生产储油系统),等等。传统设计规范公式涉及一系列的简化假设,因而只能在一定的限制范围内使用。此外,基于规范的船型设计不一定是最具成本效益的设计。因此,合理利用有限元方法来进行应力分析已获得造船工业界越来越多的关注。随着信息技术的迅速增长,复杂计算不再是一大难题,数值计算的效率也不再是设计过程中的关注点。实际的设计方法包括静态与动态载荷的全部强度分析和所有关键结构节点的疲劳寿命评估。这种方法提供了一个精心设计和统一利用的结构,这比以前的结构都能够保证具有更高的可靠性。

　　本章介绍合理的分析过程,从设计载荷、强度标准、有限元分析、直至对所获得的计算结果进行评估。同时本章对有限元分析进行了详细的讨论,包括建模、加载、设置边界条件、选择单元、后处理。强度分析过程概述见图 5.1。

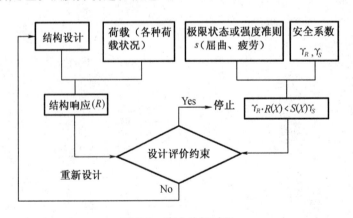

图 5.1　应力分析过程

5.2　载荷设计

作用于船舶整体结构的设计载荷包括静态和动态负载两种。静态负载包括如静水载荷和活负载,例如静水载荷和风载。动态负载包括潮汐引起的水动力载荷、船舶运动引起的惯性载荷和冲击载荷。结构分析中,通常需要调查各种工况和形式,以获取最大局部和全局载荷。晃动和砰击载荷也应适时地予以考虑。对于远洋船舶设计,环境载荷通常是基于航区的全球海况标准。然而对于海洋结构,环境负荷是根据特定的设计航线和地理数据计算的。

Liu 等(1992)制订了一套船舶设计的动态载荷方法(DLA),计算了油轮所受载荷,包括波浪诱导载荷、船舶运动、内部结构及货物的惯性载荷,等等,分析了三种工况,即满载工况、压载工况和部分负载工况。

5.2.1　静载

船体梁剪力和弯矩的分配是通过提供每种工况下船体几何型线(即钢结构质量、舾装和机器质量)和总载重量(即货物和消耗品,如燃油、水和备用品)来计算的。同时为了考虑到全船质量分布的非连续性,需要对船长方向的典型分段进行分析。

5.2.2　水动力系数

各种装载工况都需要水动力系数,以确定船舶的运动和动态载荷。在计算中,要考虑波浪频率具有广泛的范围。

5.2.3　船舶运动与短期/长期响应

船舶运动应当采用适宜的方法进行分析,例如:线性耐波性理论和切片理论。各种工况下都应计算频率响应函数。短期响应可以通过频率响应与波谱相乘获取。长期响应则由短期响应和波浪统计数据计算取得。这些波浪统计数据是由波浪散点图构成的。

5.3　有限元法强度分析

5.3.1　建模

原则上,使用有限元方法的强度分析应包括以下几种模型层次。

5.3.2　整船分析

整船分析的整体结构采用相对粗糙的网格。对于类似船舶的大型结构物,整船模型必须使用粗网格,否则过多的自由度可能会占用不必要的工时,并导致计算困难。总刚度和船体主要构件的总应力应体现在结构的主要特征之中。由于网格尺寸通常与加强筋间距相比较大,加强筋可以集中处理。准确描述所有构件在纵向和横向的平面刚度也是重要的。这种模型应该用来研究在功能和环境载荷的影响下结构的整体响应,计算船体梁的总纵弯曲应力,并为局部有限元模型施加边界条件。设计载荷应考虑相关操作模式引起的极限中垂和中拱状态,如载运、操作、抗风暴生存力及安装等。

5.3.3　局部结构模型

例如,船体结构物的货舱和压载水舱模型可以按照入级规范进行分析。

5.3.4 货舱和压载舱模型

对于货舱和压载舱区域的主要船体结构,其局部响应应依据相关的内外载荷工况组合对相关的内部和外部载荷组合进行分析。结构模型的范围应视结构布置和装载工况而定。通常情况下,所涵盖的范围是舱体本身以及所讨论结构两端各半个舱体(图5.2)。

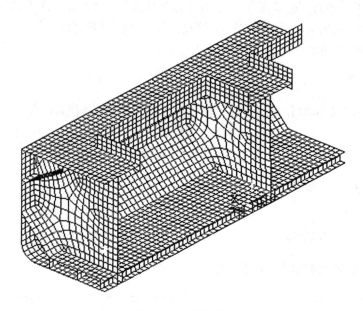

图5.2 船体模型

细网格的确定取决于装载方法。该模型一般包括外板、加强筋、梁、桁、肋骨框架和主要壁架。对于具有上层建筑的结构应考虑附加刚度,同时在舱段建模中也应予以考虑。

从整船分析结果看,货舱和压载舱模型的边界条件可以定义。货舱或压载舱模型的分析结果可以作为框架和梁模型的边界条件。

模型中应考虑以下基本载荷:

(1)货物与压载的静态与动态载荷;

(2)外部海水压力的静态与动态载荷;

(3)固定载荷、甲板载荷与惯性载荷。

5.3.5 框架和梁模型

框架和梁分析用于分析主框架和梁系的应力和变形。计算应包括弯曲、剪切与扭转所引起的结果。最低要求是分析一类船舶的功能,而在货舱或压载舱前段应包括至少一个横框架(图5.3)。

该模型既可以运用在包括货舱和压载水舱模型中,也可以利用模型分析中的边界条件单独进行运算。

5.3.6 应力集中区域

应力集中区域采用局部细网格模型,并以基于整体分析结果之上的力或强迫变形为边界条件。此外,也可采用子模型、超单元技术或直接网格加密。

此时应特别注意以下区域:

(1)大开口区域;

(2)横向舱壁与舱壁两边肋骨框架之间的纵向加强筋;

(3)水平桁加强的横舱壁内底板与甲板连接处的垂向加强筋;

(4)垂直桁加强的横舱壁内底边板与纵舱壁连接处的水平加强筋(图5.4);

(5)波形隔板连接处。

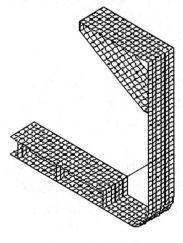
图 5.3　框架模型

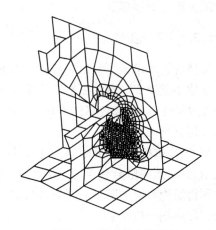
图 5.4　应力集中模型

5.3.7　疲劳模型

如果考虑疲劳问题,应分析关键结构部位。下列区域的关键结构部位应当建立细网格模型:

(1)肋骨框架的关节;

(2)顶部支撑;

(3)月池细节部位;

(4)其他承受纵向载荷的单元;

(5)纵向舱壁中断处;

(6)加强筋中断处;

(7)浮桥与支柱或支柱与甲板连接处;

(8)刚度发生巨变时的其他过渡区域。

该模型的大小应该满足:计算的热点应力不会受到边界条件假设的显著影响。应力集中区域的单元尺寸应保持与板厚在同一数量级。通常,分析中尽量使用壳单元。由于只有动态载荷影响结构的疲劳寿命,模型仅施加动态载荷。诸如总纵弯曲、外部和内部压力、甲板加速度等不同载荷之间的相关性也应在疲劳评估阶段考虑。

5.3.8　边界条件

定义边界条件是有限元分析极其重要的步骤之一。对于局部分析模型而言,周边结构所施加的边界条件应当以整体模型分析计算所获得的变形或受力为基础。

对于整体模型,边界条件是为了限制刚体运动。模型两端固定其6个自由度应该足够。总负载也必须是平衡的,以便边界处的反作用力趋近于零。

建模时,船舶结构模型的长度应足以减少分析区域以外边界条件的影响。ABS(2002)要求油轮、散货船及集装箱船模型应包括三个货舱,LR《直接计算指南》(1996)规定,散货船模型应覆盖两个货舱模型。所有纵向连续单元应在船体梁总纵弯曲作用下保持为平面。此外,如果计算的变形或受力在模型的自由端并不可用,则应固定单元关于垂直轴的转动。有限元模型的两端应采用对称条件。对称平面关于两轴线的转动应当受到限制,如中心线对称或是模型的端部。

5.3.9　单元类型

选择合适的单元类型以便能够准确地描述结构的变形和应力分布。传统的框架分析可能会使用梁单元。它在模型简易性及计算效率方面存在着显著的优势。然而,由于计算机功能日渐强大,计算效率已不再是一个值得关心的问题,更加精细而又准确的单元类型可以应用到建模之中。

在ISSC机构的Zillottto等人进行的一项研究中,九种不同的有限元模型应用于不同的单元组合中,这些组合包括梁、桁架、杆、膜、面和壳单元。观察的结果表现出相当的离散性。所得结论是对于所有不同类型的结构物和船舶,横框架中所有单元的变形与应力分析都应当使用细网格模型。

英国LR(1996)在《直接计算指南》中建议,所有金属外板区域应使用壳单元建模,次要的加强筋用线单元(杆元或梁元),双层底桁材和内底板采用至少三块或更多的板单元,边板采用板单元或梁单元。通常情况下,如果结构没有受到侧向弯曲作用,则可以应用膜及杆单元建模。否则,应使用同时承受弯曲和薄膜阻力的板单元和梁单元。单元类型的选择取决于许多方面,诸如结构类型、加载方法、分析类型、产生的结果,以及预期精度。当然,工程判断也无可替代。

5.3.10　后处理

设计是一个复杂和反复的过程。在此过程中,建立和求解有限元模型仅仅是第一步。更重要的步骤是:如有必要,设计人员可利用他们的知识和判断分析结果,重新设计或加强结构。

首先,工程师必须确保其有限元程序计算的结果是合理可信的,并且模型和加载方法是正确的。这些可以通过绘制应力等值线图、变形反应与施加载荷云图、受力与弯矩图等方法检验。下一步是检查结构强度是否符合有关设计标准。载荷工况组合和应力组合并不总是直截了当的。通常,在建立模型和求解模型过程中需要做出一定程度的假设。设计者必须牢记这一点,并熟悉使用有限元程序,以便解释所用假设,评估计算结果,并在必要时修改结果。

5.3.11　屈服检验

屈服检验确保每一构件的应力水平低于许用应力。许用应力是由材料的屈服极限与安全系数的比值确定的。通过结合不同模型计算出的应力,推导出等效冯米塞斯应力,进而评估其是否低于屈服极限。构件应力都应进行评估,其中包括轴向应力、弯曲应力、X方向法向应力、Y 方向法向应力、剪应力以及复合应力等。整体和局部应力组合构成实际应力分布和阶段。如果各阶段信息有限或不确定,每一构件的最大设计值可能会根据最坏情况综合考虑。由于有限元分析中简化假设所引起的可能的载荷抵消,应计入应力组合。

5.3.12　屈曲检验

受压力载荷作用的结构构件通常在达到屈服极限之前发生屈曲现象。对各种屈曲模式应该进行评估。通常公认有四种不同的屈曲模式。

(1)模式 1:加强筋与横梁之间的板平面的简单屈曲。

(2)模式 2:独立的加强筋以及某种程度上类似于简单圆柱有效宽度内的弯曲屈服。

(3)模式 3:侧扭或绊倒模式,加强筋扭转强度比较低,其失效可能是从扭曲开始的,并且加强筋无法侧向移动。

(4)模式 4:整体板架屈曲。

若要获取更多信息,可以参看本书第二部分。为确保直接作用于加强筋的局部弯曲应力符合屈曲检验标准,侧压力及有限元分析计算所得的膜应力应明确列入检查内容。相关的屈曲载荷检验应当包括对作用于平板两边的相应侧向应力的评估。整体模型与局部模型求解所得的压应力将相互叠加。每个结构构件的设计必须能够承受最大屈曲载荷组合,其中的关键载荷工况和波浪相位可能会区别于屈服检验的工况和相位。

5.3.13　疲劳损伤评估

1. 概述

在高动态应力区域,焊接接头(结构元件)的疲劳强度需要评估,以确保结构完整,优化评估工作。疲劳强度分析应基于载荷、材料性能和缺陷等的综合影响。在整体设计阶段,船体梁构件的疲劳强度检查可以根据筛选的目的进行。在最后设计阶段,须考虑缺口、保险装置、支架脚趾和部分结构的突然变化。

基于 $S-N$ 曲线常用的疲劳分析中的应力类型分析包括:标称应力、热点应力和缺口压力。这些方法都有具体适用的条件。虽然例子中使用的仅有标称应力,分析方法并不限于任一类型压力。

基于 $S-N$ 曲线的谱疲劳分析(SFA)和 Palmgren – Miner 的累积损伤假说已被广泛应用于海洋结构物的疲劳损伤评估,详见本书的第三部分。图 5.5 显示出谱疲劳评估程序。

2. 疲劳检验

疲劳分析是仅与循环载荷相关的分析。因此,静态负载应从总设计载荷中扣除。疲劳分析中的环境负荷可能不同于屈服和屈曲分析。随机亦或是简化的疲劳分析都可行。当采用简化疲劳分析时,首先计算相应回报期等于设计寿命的应力范围,然后基于 $S-N$ 曲线计算疲劳寿命。如果使用随机疲劳分析,相应于波浪散布图中各个海况的应力范围可以通过有限元分析程序计算,而各个应力范围内的疲劳寿命可通过 $S-N$ 曲线查询。然后,累积疲劳损伤就可使用 Miner – Palmgren 假说计算。

$$D = \sum_i \frac{n_i}{N_i} \tag{5.1}$$

式中　n_i ——指在 $\Delta\sigma_i$ 与 $\Delta\sigma_{i+1}$ 应力区间内的第 i 个应力间隔区间的循环次数;

　　　N_i ——$(\Delta\sigma_i + \Delta\sigma_{i+1})/2$ 应力区间内发生失效的循环次数,可从 $S-N$ 曲线中得到;

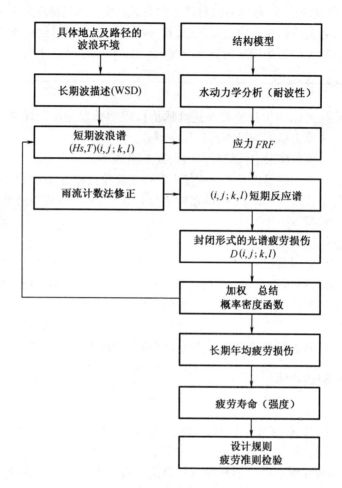

图5.5 谱疲劳分析程序

D——指许用累积损伤,该值随着不同结构构件而变化,通常应小于1。

通常,Miner – Palmgren 假说采用重要的安全系数,并且根据结构类型、构件强度重要性以及检查的可行性等,D 通常小于 0.1,0.3 或 0.6。若要获得更多关于疲劳评估方面的信息可以参看本书的第三部分。

参考文献

[1] Shipping ABO. Rules for building and classing steel vessels[S]. 1979.

[2] Liu D, Spencer J. Dynamic load approach in tanker design[J]. Tankers,1992.

[3] Alisbury C, Foster N E, Bishop A, et al. "PhysioDirect" telephone assessment and advice services for physiotherapy:protocol for a pragmatic randomised controlled trial[J]. BMC Health Services Research, 2009,9(1):1 – 11.

[4] Ziliotto F, Ebert J, Hakala M, et al. Comparison of different finite element analyses of the transverse frame of a 350000 TDW tanker[J]. Marine Structures,1991,4(3):231 – 255.

[5] Zhao C, Bai Y, Shin Y. Extreme Response and Fatigue Damages for FPSO Structural Analysis[M]. London:[s. n.],2001.

第6章　海洋结构分析

6.1　引言

6.1.1　概要

本章主要描述包括在初始设计和随后的结构分析中,设计工程师应该注意的问题。本章中,"结构"是指包括从水面漂浮船型到底部坐底平台在内的所有类型的海洋平台。本章重点为船形结构,同时也考虑到柱形支持结构(例如,半潜平台、张力腿平台(TLPs)、Spars和系泊浮体),还有钢底部坐底海洋结构,如固定钢套。

UK 的 HSE 对北海某海洋结构进行了研究,表明其大约 10%～15% 的失误与初始设计阶段或设计的后续升级中的设计不当有关。设计中的不足包括缺乏运行考虑,未能评估所有的结构因素和设计公式的不正确使用。

在设计过程中,设计师主要关注生命、结构、环境及项目经济性。因此,相关的设计规范和标准应采用适当的安全系数,以减少风险,但又不能过于保守。

整章重点放在采用有限元进行分析的设计过程上,海洋结构设计中使用的公式参考不在本章内转载,但可在本书第二、第三部分和参考资料中查找。

6.1.2　设计规范

设计师要根据大量的规则、法规、标准和规范来描述结构系统的一般方法和结构组成的详细设计,这些文件由以下机构制作和分发:

(1)政府;

(2)认证委员会;

(3)技术标准委员会;

(4)企业、大学或专业个体。

本章对于不同的负荷和安全因素,给出了不同的设计方法,包括载荷设计方法和许用应力设计方法,并通过测试或观察进行设计。

6.1.3　政府要求

政府制定了使用其港口或领海必须遵循的海洋结构物设计法律规范。其中一些法规,特别是那些有关船只往来的法规在国际上应保持一致,以避免在过境时,发生同时经过几个国家而法规不同的问题。然而,大多数国家的法规中,关于海洋结构物的设计、施工和运营却因国而异,分别反映当地环境、健康和安全的法律要求、专业知识和经验的差异,包括从以往的主要事件和事故中学习的经验。

政府认可的制定机构包括：

（1）挪威石油董事会（NPD）；

（2）英国卫生和安全执行局（HES）；

（3）美国矿产管理服务局（MMS）。

政府要求是法律问题，需要满足具体的设计方法和标准。此规则主要考虑项目经理和客户代表，其应确保相关法律要反映在设计基准中（见 6.2.2 节）。

6.1.4　认证/分类机关

历来，认证/分类机关（CA）都作为一个介于船舶设计师、建设者、所有者、经营者和保险公司之外的独立公司存在。为减少生命和环境遭受海事意外的风险，政府就更加需要建立 CAs，并提供政府政策和法律的专业知识指导。

CAs 包括：

（1）美国运航局（ABS）；

（2）法国船舶检验局（BV）；

（3）挪威船级社（DNV）；

（4）英国劳氏船级社（LR）；

（5）日本船级社（NK）。

船舶和移动式近海钻井平台（MODU）从某区域航行到另一区域，CA 服务可避免许多国家政府的重复审批。近年，人们开始质疑 CA 中的固定（基座支撑）结构物规范，因为它在一个国家领海中整个生命期内均保持在一个位置。

CAs 作为一个独立的第三方，对整个结构设计进行结构评估，以确保它符合要求。这可能包括审查设计报告和独立结构分析，特别是越来越多地使用计算机辅助 FEM。CAs 可根据以下进行选择，如其办公地点相对于结构设计、制造或操作的位置，其结构类型方面的专业知识，客户的建议，以及他们的能力满足成本和时间预算的要求。

CAs 颁布规则强调安全目标，同时优先考虑安全因素、事故等级和设计的一般规范。因此，所有设计工程师应熟悉有关 CA 的规则，以确保认证符合要求。

6.1.5　法规和标准

法规和标准详细规定了结构应如何设计、建造和运营。

法规和标准之间的区别是，法规应更严格地被遵循，而标准则应该被严格地遵守。现在，这种差异在很大程度上被忽略，例如，欧洲钢铁设计规范，其已被列为国家标准。

全球性法规和标准的适用范围很广。然而，这些文件的重要特点是，它们都具有国界性或在某些情况下才有国际地位。海洋钢结构设计的法规和标准包括：

（1）ANSI/AWSD，结构焊接规范；

（2）API RP2A（工作应力设计、海上固定平台规划及设计和建造的推荐做法）；

（3）欧洲规范 3（NS – ENV 1993 1 – 1 Eurocode 3）；

（4）海洋结构设计 ISO 规范；

（5）NORSOK 标准 N – 004，钢结构设计；

（6）NS3472；

（7）BS5750。

对海上钢结构设计的重新评估将根据上述文件中的一个或多个进行。对设计团队的所有成员来说,应用软件是必不可少的工具。然而,对于设计过程中有限元方法的使用,没有文件给出优先或推荐技术的全面评估。

NS3472 和 BS5750 标准提供基本方程,以确定各种情况下钢铁部件的应力。NORSOK N－004 和 API RP2A 文件,符合有关基本方程,以及对特殊海洋结构的要求,又符合设计限制条件规定的安全系数。NORSOKN－004(NTS,1998)给出了设计浮动和固定海洋结构的最先进的规范。它是基于 NS3472,Eurocode 3、石油公司的钢结构设计规范及技术论文的。

API RP 2A(2001)已经广泛应用于固定平台的设计和建造中,并作为海洋结构设计的基础文件。

API RP 2T(1987)主要应用于张力腿平台。其为设计标准、环境力、全面设计分析、船体和甲板结构设计、系统设计、地基设计分析、立管系统、设备设计、制造、安装和检查及结构材料提供综合指导。

最近,API PR 2FPS(2001)因浮式生产系统而发布。其为浮式生产系统,如半潜平台、圆筒船、浮式生产储油船的设计分析,以及现有结构的更换、再利用提供了高级规范。该规范规定了环境设计标准、事故负荷、设计载荷情况下的火灾爆炸载荷和指定设计要求、船体和甲板的结构设计、疲劳评估、质量控制、水密性和稳性、过境条件和制造公差。API RF 2FPS(2001)也为固定和锚系统、钻井和作业流体控制、运输系统和输出系统、设施、制造、安装和检验、材料、焊接和腐蚀保护以及风险管理提供了一般指导。

6.1.6　其他技术文件

在设计或重新评估海洋钢结构时,可参照专门文件。形式可能包括:

(1)公司规范,专业知识程序,内部开发设计师检验结果,分包商为有限元、风险评估及可靠性或其他工程工具提供参考的客户手册;

(2)报告、会议记录、在一个特定领域进行深入设计的技术刊物;

(3)进行压力和张力计算的钢铁设计书。

上述文件不仅可作为基础设计的参照标准,也可作为设计团队的参考资料。

6.2　项目规划

6.2.1　概述

为达到良好的成本预算和时间安排,在设计初期进行充分的规划是十分重要的。

"设计基础"是规划设计的主要成果,不仅描述了施工标准及"设计纲要",还描述了应遵循的程序和使用的软件。特别是对于较小的项目,将收集到的所有信息加入到一个简洁的文件中可能更好。

理论上,在与客户商定阶段,设计基础和设计纲要应该被写出并征得客户同意,但在实践中是不可能的。在这种情况下,应印发包含相关项目初步实施细节的文件草案。这将使项目小组依据标准而进行设计,它是整个设计中的关键。

随着项目最新问题的出现,设计基础和设计纲要将不断被更新。相关的团队成员要认识到这种变化。

6.2.2 设计基础

此节列出了相关结构的设计标准,包括单元描述及主要计量尺寸。

结构包括:

(1)整体结构,包含主要尺寸和通风/水深;

(2)主要结构图;

(3)服务和设计寿命;

(4)位置结构(如果固定);

(5)单位聘用规范。

1. 条例、规则及守则

设计规范和相关项目文件包括:

(1)环境设计标准,包括风力、波浪、海流、雪、冰和每年发生概率为 10^{-1},10^{-2},10^{-3} 的地震;

(2)固定结构设计的土壤/基础标准、系泊/抛锚、管道和立管;

(3)设计温度。

2. 稳定和隔离

稳定和有关条件隔离设计准则包括:

(1)外部和内部的水密完整性;

(2)其他结构或基础接口的边界影响;

(3)轻量级故障报告;

(4)设计工况和全局质量分布;

(5)损坏情况。

3. 材料与焊接

焊接材料和设计标准包括:

(1)屈服和抗拉强度;

(2)可以接受的腐蚀允许范围;

(3)防腐保护系统或涂层;

(4)材料塑性和脆断的避免;

(5)裂纹生长特性;

(6)焊接规范和疲劳分类;

(7)焊后热处理;

(8)最低准入焊接;

(9)海浪增长的类型和厚度。

4. 临时阶段

临时阶段的有关设计标准包括:

(1)限制条件、变量、环境和屈服准则;

(2)建筑程序,包括主要的起重作业;

(3)基本设计与临时阶段相关参数;

(4)意外极限状态(ALS)。

5.业务设计标准

有关业务阶段的设计标准包括：

(1)限制条件、变量、环境和屈服准则；

(2)甲板负荷说明(极大和极小)；

(3)从属波动加速度；

(4)系泊行动；

(5)施工船负荷标准；

(6)疲劳与断裂准则；

(7)空气间隙的要求；

(8)偶然事件。

6.检查和维修

结构检查和维修包括：

(1)检验标准；

(2)进行检查和维修；

(3)冗余和零部件临界工作状态。

7.重新评估

重新评估包括：

(1)检查记录；

(2)制作与焊接记录；

(3)破裂和损坏部件的详细概括；

(4)更换或加固组件的详细概括；

(5)现场测量的详细概括；

(6)防腐措施和海洋生长物状态的详细概括。

6.2.3　设计简介

本节列出了最初设计过程的程序：

1.分析模型

包括：

(1)全局分析模式；

(2)当地分析模式；

(3)进行工况分析。

2.程序分析

包括：

(1)临时条件评价；

(2)突发事件审议；

(3)疲劳评价；

(4)气隙评价；

(5)动态响应估计(包括动态响应的因素及相关参数)；

(6)内置压力；

(7)局部压力(如操作手册中提到的船舶压力分布等)；

（8）冗余结构审议。

3．结构评价

评价过程包括：

（1）全局和局部响应评价程序；

（2）疲劳评价（包括疲劳、$S-N$ 曲线、应力集中系数等）；

（3）核查过程程序描述。

6.3　有限元分析的使用

6.3.1　概述

1．有限元法的基本思路

有限元方法是一个强大的计算工具，在过去几十年中，被广泛应用在复杂的海洋结构设计中。有限元方法的基本思想是将整体结构划分成有限、大量的单元体，这些单元有一维、两维或三维的。有限元模型可以是在某一个节点上的结合体，也可以是用大量单元结合体代表整个结构，也可以是特别复杂和重要的结构组成部分。

不规则形板，例如，确定特定的物质和边界条件，在施以载荷时，可以计算位移和应力。这里我们感兴趣的是位移。有限元方法求得的是每个单元节点的位移，而不是确定板中每一个点的位移。在有限元计算中使用局部坐标下建立的插值函数来计算每个变量的变化（如位移）。通过对节点位移的插值计算，设计人员可以计算任何区域内的应力变化。

2．基于有限元的计算

商业软件在基于有限元理论的分析方面取得了长足的发展。至于软件的输入数据，设计人员定义了每个节点的坐标、单元类型、材料属性和边界条件。一般而言，划分的单元越多，计算也越精确，但计算的时间和成本也随之增加。只有开发出基于有限元理论的经济性软件，高速计算机才能进行大规模的有限元计算。

在有限元计算中，有很多的单元类型（杆、梁、板和块体），它们分别具有不同的精确度和计算运行时间。然而，在某些特定结构的有限元分析中，还没有具体的经验以确定网格密度和单元类型。

计算机程序在确定了每个节点的位移时，也会确定每个单元的应力。有限元分析的一项主要任务是对计算结果进行分析，称作后处理。设计师可以以表格或图形的形式来查看结果，甚至建立确定区域的图形视图以分析节点的走向趋势。如果不是这样，整个结构的物理数据可能太大，无法对结构进行评估。

3．有限元在海洋方面的应用

工程师可使用有限元分析结果来加强材料的强度，例如：增加结构材料强度、附加额外支撑体、改变加载路径或边界条件。

对于集中受力点、应力集中区域、复杂的连接处，应进行网格加密或有限元模型的合理选择。只有对特定参数设定后，计算才会得到理想的有限元分析结果。还有，有限元计算的局限性也应考虑在内，它同样会影响到结果的正确性。

近年来，远洋运输面临的问题是巨大的散装货轮舱壁上的脆性断裂。而有限元模型可以很轻易地解决这一问题。从前设计的重点是增加节点处刚度，而忽略了材料特性和塑性的重要性。

下面推导出二维和三维梁单元刚度矩阵,说明海洋结构的有限元分析方法,为第 12 章至第 15 章的学习打下理论基础。

6.3.2　二维梁单元矩阵

图 6.1 为一梁单元。x 轴定义为梁的中性轴,y 轴定义为梁的惯性主轴。在本节中,将在 xy 平面中讨论梁的弯曲问题。

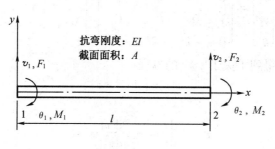

图 6.1　梁单元

与梁的长度相比,如果梁的弯曲很微小,则满足伯努利 - 欧拉假定(图 6.2),即变形后中性轴与中性轴的横截面垂直。在这一假设下,图 6.1 中的横截面顺时针旋转 θ 角可以表示如下。

$$\theta = -\frac{\mathrm{d}v}{\mathrm{d}x} \tag{6.1}$$

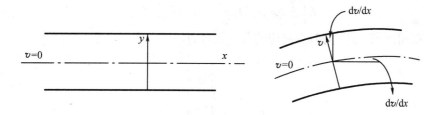

图 6.2　伯努利 - 欧拉假定

若中性轴 Y 方向位移定义为 $v(x,y)$,点 (x,y) 的变形表示为 $u(x,y)$,$v(x,y)$,则有

$$u(x,y) = -y\frac{\mathrm{d}v(x)}{\mathrm{d}x} \tag{6.2}$$

$$v(x,y) = v(x) \tag{6.3}$$

此位移可表示为 3 阶多项式

$$v = a_1 + a_2x + a_3x^2 + a_4x^3 \tag{6.4}$$

若单元的两节点定义为 1 和 2,自由度表现为弯曲和旋转,则梁的两节点位移矢量有 4 个自由度。

$$\{d\}_e = \begin{Bmatrix} v_1 \\ \theta_1 \\ v_2 \\ \theta_2 \end{Bmatrix} \tag{6.5}$$

式中,小标是节点号。节点位移可求得式(6.4)中的系数 a,表示为

$$\begin{Bmatrix} v_1 \\ \theta_1 \\ v_2 \\ \theta_2 \end{Bmatrix} = \begin{bmatrix} 1 & 0 & 0 & 0 \\ 0 & -1 & 0 & 0 \\ 1 & 0 & l^2 & l^3 \\ 0 & -1 & -2l & -3l^2 \end{bmatrix} \begin{Bmatrix} a_1 \\ a_2 \\ a_3 \\ a_4 \end{Bmatrix} \equiv [A]\{a\} \tag{6.6}$$

为了求解方程(6.6),得到了关于 $\{a\}$ 的方程:

$$\{a\} = [A]^{-1}\{d\}_e$$

应变表示为

$$\varepsilon_x = \frac{\mathrm{d}u}{\mathrm{d}x} = -y\frac{\mathrm{d}^2 v}{\mathrm{d}x^2} \equiv y\kappa_x \tag{6.7}$$

式中,应变曲率 κ_x 表示为

$$\kappa_x = -\frac{\mathrm{d}^2 v}{\mathrm{d}x^2} = 2a_3 + 6a_4 x = \begin{bmatrix} 0 & 0 & 2 & 6x \end{bmatrix}\{a\}$$

$$= \begin{bmatrix} 0 & 0 & 2 & 6x \end{bmatrix}[A]^{-1}\{d\}_e \equiv [B]\{d\}_e$$

得应力 σ_x

$$\sigma_x = E\varepsilon_x = -Ey\kappa_x$$

根据虚功原理,得

$$E\int_0^l \int_A \delta\varepsilon_x \sigma_x \mathrm{d}A\mathrm{d}x = \{\delta \quad d\}_e^{\mathrm{T}}\{f\}_e \tag{6.8}$$

式中, A 为截面面积, $\{f\}_e$ 为节点对应的节点矢量力。

$$\{f\}_e = \begin{Bmatrix} F_1 \\ M_1 \\ F_2 \\ M_2 \end{Bmatrix} \tag{6.9}$$

式中, F_α, $M_\alpha (\alpha = 1,2)$ 分别表示节点的剪应力和弯矩,方程(6.8)可写作

$$\{\delta_d\}_e^{\mathrm{T}} \int_0^l [B]^{\mathrm{T}}EI[B]\mathrm{d}x\{d\}_e = \{\delta \quad d\}_e^{\mathrm{T}}\{f\}_e$$

式中, I 为截面惯性矩,表示为

$$I = \int_A y^2 \mathrm{d}A$$

式中, $\{\delta \quad d\}_e$ 为任意值,则单元刚度矩阵方程表示为

$$\{f\}_e = [K]_e\{d\}_e \tag{6.10}$$

式中,刚度矩阵 $[K]_e$ 为

$$[K]_e = \int_0^l [B]^{\mathrm{T}}EI[B]\mathrm{d}x = \frac{EI}{l^3}\begin{bmatrix} 12 & 6l & -12 & 6l \\ 6l & 4l^2 & -6l & 2l^2 \\ -12 & -6l & 12 & -6l \\ 6l & 2l^2 & -6l & 4l^2 \end{bmatrix} \tag{6.11}$$

6.3.3　三维梁单元刚度矩阵

在图 6.3 中, $\bar{x}$, $\bar{y}$ 记为局部坐标系, x, y 记为全局坐标系。图 6.4 所示为三维梁单元节点力。θ_1 和 θ_2 对应的弯矩 M_1 和 M_2 可看作矢量。因此, 在局部和全局坐标系中的转换方程可写作:

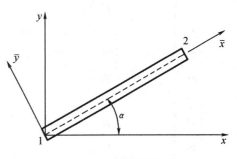

图 6.3　二维斜梁单元

$$\{\bar{f}\} = [T]\{f\}$$
$$\{f\} = [T]^{\mathrm{T}}\{\bar{f}\} \tag{6.12}$$

式中, 局部坐标系的 $\{\bar{f}\}$ 和全局坐标系的 $\{f\}$ 定义为

$$\{\bar{f}\} = \begin{Bmatrix} \bar{F}_{1x} \\ \bar{F}_{1y} \\ \bar{M}_1 \\ \bar{F}_{2x} \\ \bar{F}_{2y} \\ \bar{M}_2 \end{Bmatrix}, \quad \{f\} = \begin{Bmatrix} F_{1x} \\ F_{1y} \\ M_1 \\ F_{2x} \\ F_{2y} \\ M_2 \end{Bmatrix}$$

转换矩阵 $[T]$ 为

$$[T] = \begin{bmatrix} \lambda & \mu & 0 & 0 & 0 & 0 \\ -\mu & \lambda & 0 & 0 & 0 & 0 \\ 0 & 0 & 1 & 0 & 0 & 0 \\ 0 & 0 & 0 & \lambda & \mu & 0 \\ 0 & 0 & 0 & -\mu & \lambda & 0 \\ 0 & 0 & 0 & 0 & 0 & 1 \end{bmatrix} \tag{6.13}$$

式中, $\lambda = \cos\alpha$, $\mu = \sin\alpha$。

同样, 位移的转换方程写作

$$\{\bar{U}\} = [T]\{U\}$$
$$\{U\} = [T]^{\mathrm{T}}\{\bar{U}\}$$

式中

$$\{\bar{U}\} = \begin{Bmatrix} \bar{U}_1 \\ \bar{V}_1 \\ \bar{\theta}_1 \\ \bar{U}_2 \\ \bar{V}_2 \\ \bar{\theta}_2 \end{Bmatrix}, \quad \{U\} = \begin{Bmatrix} U_1 \\ V_1 \\ \theta_1 \\ U_2 \\ V_2 \\ \theta_2 \end{Bmatrix}$$

在局部坐标系中, 根据刚度方程有

$$\{\bar{f}\} = [\bar{K}]\{\bar{U}\} \tag{6.14}$$

则全局坐标系中的刚度方程为

$$[K] = [T]^{\mathrm{T}}[\bar{K}][T] \tag{6.15}$$

若将应力和唯一矢量记作

$$\{\bar{f}\} = \begin{Bmatrix} \bar{F}_{1x} \\ \bar{F}_{1y} \\ \bar{F}_{1z} \\ \bar{M}_{1x} \\ \bar{M}_{1y} \\ \bar{M}_{1z} \\ \bar{F}_{2x} \\ \vdots \end{Bmatrix}, \{\bar{U}\} = \begin{Bmatrix} \bar{U}_1 \\ \bar{V}_1 \\ \bar{W}_1 \\ \bar{\theta}_{1x} \\ \bar{\theta}_{1y} \\ \bar{\theta}_{1z} \\ \bar{U}_{2x} \\ \vdots \end{Bmatrix}$$

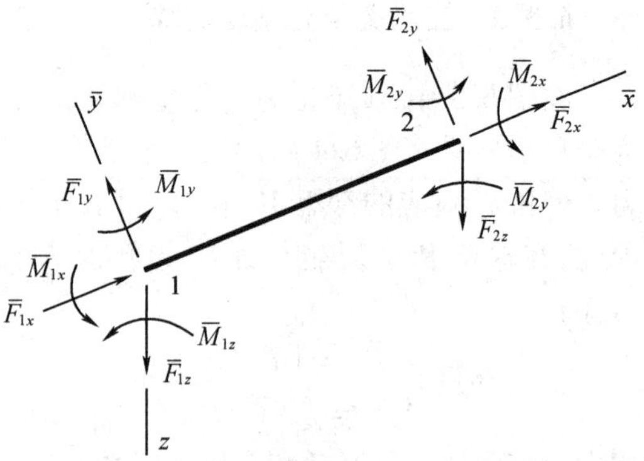

图 6.4　三维梁单元节点力(局部坐标系)

(6.16)

利用转换矩阵 $[T]$,则 $[\bar{K}]$ 和 $[K]$ 的转换关系为

$$[\bar{K}] = [T]^{\mathrm{T}}[\bar{K}][T] \tag{6.17}$$

式中

$$[\bar{K}] = \begin{bmatrix}
\dfrac{EA}{l} & & & & & & & & & & & \\
0 & \dfrac{12EI}{l^3} & & & & & & & \text{对称} & & & \\
0 & 0 & \dfrac{12EI}{l^3} & & & & & & & & & \\
0 & 0 & 0 & \dfrac{GJ}{l} & & & & & & & & \\
0 & 0 & -\dfrac{6EI}{l^2} & 0 & \dfrac{4EI}{l} & & & & & & & \\
0 & \dfrac{8EI}{l^2} & 0 & 0 & 0 & \dfrac{4EI}{l} & & & & & & \\
-\dfrac{EA}{l} & 0 & 0 & 0 & 0 & 0 & \dfrac{EA}{l} & & & & & \\
0 & -\dfrac{12EI}{l^3} & 0 & 0 & 0 & -\dfrac{6EI}{l^2} & 0 & \dfrac{12EI}{l^3} & & & & \\
0 & 0 & -\dfrac{12EI}{l^3} & 0 & \dfrac{6EI}{l^2} & 0 & 0 & 0 & \dfrac{12EI}{l^3} & & & \\
0 & 0 & 0 & -\dfrac{GJ}{l} & 0 & 0 & 0 & 0 & 0 & \dfrac{GJ}{l} & & \\
0 & 0 & -\dfrac{6EI}{l^2} & 0 & \dfrac{2EI}{l} & 0 & 0 & 0 & \dfrac{6EI}{l^2} & 0 & \dfrac{4EI}{l} & \\
0 & \dfrac{6EI}{l^2} & 0 & 0 & 0 & \dfrac{2EI}{l} & 0 & -\dfrac{6EI}{l^2} & 0 & 0 & 0 & \dfrac{4EI}{l}
\end{bmatrix}$$

对于管状梁,I, J, A(外径 D_e,内径 D_i)记作:

$$I = \frac{\pi}{64}(D_e^4 - D_i^4), \quad J = \frac{\pi}{32}(D_e^4 - D_i^4), \quad A = \frac{\pi}{4}(D_e^2 - D_i^2)$$

式中,转换矩阵 $[T]$,子矩阵 $[L]$ 和 $[0]$ 表示为

$$[T] = \begin{bmatrix} [L] & [0] & [0] & [0] \\ [0] & [L] & [0] & [0] \\ [0] & [0] & [L] & [0] \\ [0] & [0] & [0] & [L] \end{bmatrix} \tag{6.18}$$

且

$$[L] = \begin{bmatrix} \lambda_x & \mu_x & \nu_x \\ \lambda_y & \mu_y & \nu_y \\ \lambda_z & \mu_z & \nu_z \end{bmatrix}, \quad [0] = \begin{bmatrix} 0 & 0 & 0 \\ 0 & 0 & 0 \\ 0 & 0 & 0 \end{bmatrix} \tag{6.19}$$

式中，λ_x 表示坐标轴 x 和 $\bar{x}$ 之间的夹角，μ_x 表示坐标轴 y 和 $\bar{x}$ 之间的夹角，ν_x 表示坐标轴 z 和 $\bar{x}$ 之间的夹角，等等。

根据系统结构的各个子单元的刚度矩阵可确定系统的整体刚度矩阵。一旦整体刚度矩阵确定了，加上边界条件即可求解单元整体位移与应力。同时，也可确定局部坐标系中的节点力和位移。

6.4　设计载荷与载荷校验

6.4.1　恒载

结构质量可根据结构模型材料的密度和数量直接计算得到。此类载荷由有限元程序自动施加为节点力或不均匀载荷。而设备或其他载荷则表现为表面力或集中力的形式。

6.4.2　综合载荷

在对结构各种构件的分析中，应对各类载荷和质量进行分析，以便求得载荷极值。

6.4.3　海水静压

作用于每个舰船的海水静压，有限元模型中通常是以表面负荷的形式来计算求解的，比如舰船底部的表面压力和侧面板表面的线性压力。

6.4.4　波浪诱导载荷

由于舰船移动产生的波浪诱导水动力载荷和惯性负载，通常被认为是低频率动态负载，一般应用准静态方法进行分析。通常借用切片理论分析。

船舶：应用全天后海况载荷对结构物进行分析，并采用保守性假设，假定船体的移动来计算惯性载荷。

海洋结构物：应采用不同的分析方法，并且需要考虑以下因素：

（1）特定地点的波动状况；

（2）波在消退与扩增期的传递函数；

（3）结构在冻胀共振期间的传递函数。

全球性波频率：对结构激励响应分析应建立一个适当的方法，例如：

（1）定常波分析；

（2）设计波浪分析；

（3）随机波动分析。

一旦选定了极端海波,波浪诱导载荷可用商业程序来计算,如 AQWA，WAMIT 等。应选择合理的波相位角。结构的组成构件也应承受起各个阶段波的诱导极限载荷。

6.4.5 风载

通常认为风力载荷是静态负荷,根据实际面积与风压大小即可计算,即

$$F_{\text{wind}} = P_{\text{wind}} \cdot A_{\text{wind}} \tag{6.20}$$

$$P_{\text{wind}} = v^2 \cdot C_h \cdot C_s \tag{6.21}$$

式中　　v ——风速;

　　　　C_h ——高度系数;

　　　　C_s ——形状系数;

　　　　A_{wind} ——垂直于风向的投影面积。

船级社规范中规定了特定高度和形状系数。准静态抗风压方程(6.21)可根据理想流体的 Bernoull 方程求得,即

$$P_{\text{wind,dynamic}} = \frac{1}{2}\rho v^2 \tag{6.22}$$

式中,ρ 表示流体质量密度。若结构面是规则的,那么风载荷可看作是表面载荷,在大多数情况下,被当作集中载荷对待。

6.5　结构模型

6.5.1　概述

本节给出了海洋结构物有限元建模技术设计的一般准则,提到了在 NORSOK N－004 (NTS, 1998)中描述的一些原理,而这本书是关于海洋结构设计有限元建模的指导用书之一。本节包含了固定平台和浮式生产装置的建模内容。

6.5.2　Jacket 结构

Jacket 结构是由一个侧向支撑系统支撑的包含垂直或张力腿的焊管空间框架结构。Jacket 的功能是支持上部设施,为指挥者和其他附属装置等提供支撑,并作为基础系统的模板。Graff(1981) 和 Dawson(1983)介绍了 Jacket 结构的设计与分析,包括环境载荷的基本模式、基础建模、有限元分析、动态响应和应力验收标准。一般的设计活动包括:

（1）确定项目需求;

（2）评估环境条件和土壤条件;

（3）制订初步设计方案,重点是安装方法;

（4）评价安装方法的技术和经济的可行性、施工和安装面临的挑战、基础和成本等方面要求;

（5）在钻孔、生产、工作、组合等操作过程中,使结构尺寸能够承受当地载荷;

（6）评估设计,以确保它能够抵抗从制造地运输到安装地点的意外载荷,比如超载、海上运输、安装、连接和组装等;

(7)报废后结构的处理费用;

(8)符合质量和 HSE 要求。

1. 分析模型

平台的整体分析始于界定结构构件的几何与材料特性、基础属性和功能、环境和意外负荷。

结构分析包含两种类型:

(1)基于行业规范(如 API RP 2A),应用线性分析理论,以检查极限强度和疲劳。

(2)进行结构非线性分析(如船舶碰撞、物体坠落、火灾、爆炸、地震),还包括波浪载荷的激烈响应非线性分析。

6.3 节给出有限元线性分析的基本程序。非线性有限元分析,详见本书第 12 章。

Jackets 结构的有限元分析包括:

(1)载荷

①功能载荷,如重力载荷;

②环境载荷,如风力、海浪、海流、地震;

③使用过程中可能出现的意外载荷。

应考虑海浪上升产生的海洋水动力和重力响应。结构的水动力模型应包括指挥塔、附属物、I 形管和立管、沉箱、梯子和楼梯、发射箱和登陆船。附属物可显著提高整体波浪力,此外,某些附属物对于结构构件也很重要。主要结构的非焊接附属物在建模中一般作为非结构构件,只用于波浪力计算。

(2)基座

在永久性的基础安装之前进行的临时性的基座系统,应根据不同的环境条件,使之具有足够的稳定性。在整个分析中,结构到地面的连接应能够满足基座响应。它们一般可使用线性刚度矩阵进行模拟。有限元分析模型应明确地模拟轴向和侧向土地基系统。

(3)结构

应对甲板的结构刚度建立足够详细的模型,以确保甲板与 Jacket 设计能够兼容。在线性分析中,通常一种单元分析一个构件。然而,为了计算构件屈曲和局部的动态响应,根据不同的单元格式和应力分布,应用不止一个梁柱单元对构件进行分析。携带构件的主要偏心载荷应作为模型中的刚性约束。

2. 极限强度建模分析

工作载荷包括:钻孔、生产、工作模式或综合状况。根据 NTS(1998),分析包括:

(1)Jacket 支撑体的波浪载荷或当前响应的最大底部剪力;

(2)标注 Jacket 腿和基础系统的最大倾覆力矩;

(3)极限局部构件载荷,其除了会导致极限整体载荷外,还可能出现在波的位置。

3. 疲劳建模分析

疲劳分析包括所有线性或非线性操作设计中的疲劳损伤。在疲劳损伤的计算过程中,波浪砰击与涡脱落局部影响,如果相关的话也应考虑在内。

而在浅水域中,Jackets 结构的动态响应十分明显,非线性波理论和自由表面效应也很重要。通常应进行确定性的分析。对于深水 Jackets 结构,动态影响十分重要,需在一定频域中(动态随机分析)进行疲劳分析。为了将非线性土壤响应线性化,应根据相应的波高建立结构－土刚度矩阵,这有助于分析明显的疲劳损伤。

4. 当前平台评估

假如设计条件有所改变,应对现有的平台重新评估,如:

(1)额外设施的增加使现有平台大大超出原来的工作负荷;

(2)由于疲劳和腐蚀损失导致结构性能退化改变;

(3)在不同的运作环境和工作条件下工作,结构体产生非常大的空气间隙;

(4)生命安全水平变得更加苛刻。

API RP2A(1997)做了一个关于勘测、海况、地震、冰载荷、结构分析方法和评价标准以及解决办法的综合评估。

5. 火灾、爆炸和意外载荷

API RP2A(1997)提出了基于火灾、爆炸和意外载荷的结构风险评估,包括以下内容:

(1)对于选定的平台,进行一个关于人员生命、财产损失及平台生存能力的评估;

(2)对于一事故,评估事故发生的概率;

(3)确定所选平台可能面临的风险及事故;

(4)进行进一步的研究和分析,以便更好地了解事件发生概率及其后果,研究降低成本的方法,并基于 ALARP 准则建立最可行的验收标准;

(5)重新分配平台裸露物,降低风险及事故发生的概率。

为了评估平台特定事故的风险性,需进行详细的结构完整性评估,比如:基于火灾、爆炸、意外载荷进行的详细非线性有限元分析和实验测试。

ISSC(1997)给出了对于预防火灾和爆炸载荷的参考设计指导。ISSC(1997)的 V. 2 报告陈述了设计与评估的原则、火灾的预防和保护措施、火灾载荷及载荷影响、爆炸载荷及载荷影响、概率分析和设计评估等方面的要求。

6.5.3　浮式生产储存卸货装置(FPSO)

1. 结构设计概述

FPSO 的设计需符合分类要求和行业标准,如 NORSOK(NTS, 1998)和 API RP 2FPS。FPSO 注册在哪个国家,就应该遵循哪个国家当局的有关规定。

远洋船舶与 FPSO 的主要区别在于:

(1)FPSO 使用系泊和锚定系统驻在某一区域,并受到当地环境条件的影响;

(2)目前,FPSO 的工作寿命不低于 20 年;

(3)通过立管口或 I 型管、立管与该 FPSO 船体连接;

(4)顶部设施,如运动区/绿化区/安全区,应具备更严格的要求,而生活区则要求更高;

(5)每周 FPSO 会进行一次离岸卸载;

(6)FPSO 没有进行严格检查/保养和维修的干船坞。

FPSO 的设计与分析,包括以下几个方面(Bai 等,2001):

(1)船体配置选择;

(2)设计载荷定义;

(3)稳性及密封性;

(4)整体性能;

(5)淡水;

(6)综合生命力,包括转运、临时环境、极端作业环境和生存环境中的性能;

（7）在受损情况下的结构强度状况；

（8）系泊及立管系统；

（9）顶部设施额外要求。

设计载荷包括：

（1）当地工作条件：环境载荷（百年一遇）、海岸线（转塔式系泊）或干舷、管道及系泊系统的各种载荷状况；

（2）生存条件：百年一遇的生存要求，由于干舷和损坏状况导致的最恶劣载荷状况（对于稳性和强度）；

（3）交通条件：十年一遇海况、压载情况、干舷高和海岸线；

（4）安装和吊装：选定好的气象窗口和压载、干舷高和特定海域海岸线。

在开发设计标准的过程中，应考虑具体地点的特定服务，下列因素可能会对船体工作行为产生影响：

（1）特定地点的环境条件；

（2）系泊系统的影响；

（3）长期在一个固定区域的服务；

（4）前方接近狭窄区域的海洋环境；

（5）零航速状态；

（6）工作载荷环境的范围；

（7）舰船检验要求；

（8）与正常贸易油轮所不同的运行周期。

对于远洋船只，关于腐蚀控制、涂料要求、防腐设备/操作及规定壁厚等规则的制订都应满足至少 20 年运行寿命的要求。对于 FPSO 构件壁厚还有额外要求，如：

（1）FPSO 可能要求更长的生命周期；

（2）FPSO 不需要干坞检验；

（3）船舶维修及生产减产的成本是很高的。

2. 分析模型

船体结构有限元分析的建模分为五个等级，包括：

（1）全局结构模型（1 级）；

（2）货舱模型与 FPSO 的塔架模型（2 级）；

（3）框架与梁模型（3 级）；

（4）局部结构分析（4 级）；

（5）应力集中模型（5 级）。

三维有限元模型，包括以下内容：

（1）船中货物区；

（2）突出区域，包含支持照明灯的结构；

（3）模块支持物及支承结构；

（4）起重机底座的主要支承结构；

（5）生产/注射立管的框架及出口立管，包括其支撑结构和拽拉结构的支撑体；

（6）系泊构件。

有限元模型中应反映出结构设计的高空作业、管道及系泊连接所施加的载荷，主应力包括：

（1）由于船体梁弯曲产生的主应力；

（2）由于舱壁板弯曲产生的次应力；

（3）由于框架之间局部板弯曲产生的第三应力。

3. 极限强度分析建模

有限元分析，可进行整体纵向应力和整体剪应力的计算。对于 FPSO 装置，很有必要预测开口处的应力分布，特别应对甲板、底部或纵向受力构件的开口处进行分析。

在分析过程中应考虑所有相关的差异，并且应在操作手册中清楚地反映出来。有限元分析中，包含以下应力分量：

（1）局部横向和纵向应力；

（2）网络框架的横向应力；

（3）双层壳与双层底板应力；

（4）面板局部剪应力。

对于实际应力方向和协调，应考虑整体和局部应力的组合影响。但是，若协调信息有限或不确定，每个组件的最大设计值应满足"最坏情况"的方案要求。图 6.5 为一个典型的应力分量的组合。

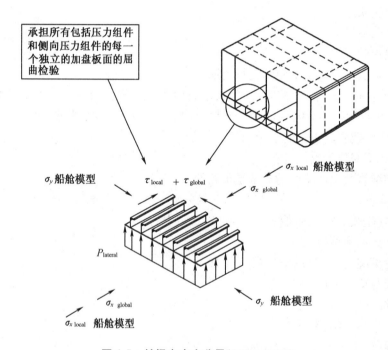

图 6.5　舱梁主应力分量(NTS，1998)

可用简化公式计算静态或动态的内部压力。

在对极限状态评估的过程中，有时应采用加密的网格有限元模型检验最大峰值应力与反复疲劳屈服的可能性。

应对船体梁的强度进行校验，确认能承受静水与波组合诱导产生的弯矩或剪力。在分析中也应考虑到极端挠曲和下垂情况，同时也应考虑特定的环境数据。

抗弯强度是指船体抵抗侧向压力和货仓纵向影响的能力。横向舱壁、网状框架、梁、桁架能提供这种抵抗力。应选用一船体特定部分的有限元模型来校验横向强度,同时也应考虑甲板设备的影响。

通常,依据 NTS(1998),API 2V 或标准规范对板或加强板的屈曲和极限强度进行评估。在本书第 10 章中会介绍关于板和加强板的典型标准。这种结构强度校验主要是针对主体结构、次体结构和支撑船体结构的附属物而言的。

在某些情况下,FPSO 船体也是为碰撞而设计的,这样,在与供应船、穿梭油轮碰撞时就不会导致侧面或内部纵向舱壁的渗透。也应考虑供给船和穿梭油轮的船首、船尾碰撞的影响。关于消防、防爆保护和热保护设计的风险评估请见本书第五部分。

ABS(2001)给出了关于浮式生产储油系统(FPSO)的安全动态加载方法(DLA)。安全动态加载方法介绍了一种增强结构分析的方法来评估结构设计的安全能力和自我修复力。使用 DLA 的一个先决条件是船体结构的设计应以规范要求为基础。对 DLA 的分析结果不能用来缩减船体结构尺寸。但是,假如要通过 DLA 分析确定基本结构尺寸的增加,这种增加需符合 DLA 要求。

以下为 DLA 分析步骤(ABS, 2001):

(1)建立海上漂浮物分析模型;

(2)收集船体装载情况和建立静水载荷;

(3)获取和验证环境数据;

(4)分析船舶运动,以及预测波浪诱导载荷或 DLP(Dominant Load Parameters,如船中梁的垂向弯矩)的极限值;

(5)推导每个 DLP 等效波;

(6)建立波浪诱导载荷影响效应;

(7)进行加载情况下的结构分析;

(8)进行整体与局部的结构分析;

(9)参考标准核查结构分析结果。

DLA 有限元分析的优点包括:增强安全性(提高薄弱区域结构),减少可能失效延展,并在紧急情况下可以迅速建立结构分析模型。

4. 网格划分与稳定性模型

进行网格划分和稳定性评估,对 FPSO 产生的不利影响包括:

(1)环境变化;

(2)相关损失情况;

(3)刚体运动;

(4)自由表面影响;

(5)边界相互影响(如系泊和立管系统)。

为了确定船舶的质量和重心位置,在船舶建造接近完成时需进行倾斜试验。该船重心记录在操作手册上。

水密结构上开口数量应该保持最低限度。安排通道、管道、通风口、电缆等时,应确保结构的水密完整性。

FPSO 的稳定应满足相关规范要求。稳定性要求在 IMO 条例(第 A167,A206 和 A502,取代 A749(18))、IMO MODU Code(1989 年发表)和入级规范中给出。对所有的在役和临时阶段的海洋结构物应确保其有足够的稳定性。稳定性评估应考虑完整和损坏的情况。

5. 疲劳分析模型

应记录疲劳敏感部位和选取的材料,并确保在运输过程中和在工作地点时有足够的疲劳强度。可以进行三个层次的疲劳分析:

(1)桁材疲劳检查基于简单的应力公式(主要目的是连接船体结构纵向加强板和横向网络框架),见 19.6 节。

(2)假设长期应力范围符合韦伯分布,用简化疲劳评估来检查许用应力范围,见第 19.3 节。

(3)基于首要原则的光谱疲劳评估,见第 20 章。

光谱疲劳评估利用波散射图检查安装地的工作地点条件和运输阶段具体路线的波条件,见第 3 章。波散射图表确定各种海上状态的发生概率,定义各种海上状态的有效波高和周期。分析还需考虑相对船头的海上方位和浪涌条件。

尤其注意的连接部位包括如下:

(1)系泊系统与船体结构的一体化;

(2)主船体底部、舷侧和甲板;

(3)连接横向框架和舱壁的主船体纵向加强筋;

(4)主船体附件、基座、支架等;

(5)主船体开口;

(6)横向框架;

(7)灯塔;

(8)立管接口;

(9)主要工艺设备的基座。

任何炮塔结构都将处于高动态行为,炮塔结构疲劳设计应始终注意以下行为:

(1)系缆张力动态波动;

(2)立管的动态行为(张力和弯矩);

(3)当地不同的动压力,由波动和船舶运动产生的各种局部流体压力;

(4)由其他影响产生的承载结构运动;

(5)船舶运动加速度,包括内部流体压力变化产生的惯性运动;

(6)管道变形产生的热和压力引起管支撑的脉动行为。

局部应力范围决定板上动态压力、设备和顶部的加速度代理。其他环境变化也影响到部分结构及有限范围内的局部载荷。

动压力的传递函数可以结合总应力传递函数,直接用于计算局部应力传递函数,也可以计算长期压力分布。至少应考虑以下动压力部件:

(1)由舱壁间双壳剖面弯曲产生的双壳体应力;

(2)由加筋板面板弯曲产生的面板应力;

(3)由局部板弯曲产生的板弯曲应力。

应结合全局和局部应力,给出可能的总应力范围。全球和地方应力分量具有不同振幅、相位和位置。结合相应的方法,这些压力的疲劳损伤计算将取决于所在地的结构细节。

局部应进行详细的有限元分析(如非典型应力分布的非常规细节),以确定局部应力分布、适当的边界约束和疲劳评价中的假定应力。在这样的评估中,应记录和考虑板厚方向的动应力变化。

疲劳评估中,小单元网格模型可能会产生严重的应力集中点,不符合公认标准给出的应力集中系数。模型大小的确定,应是使边界条件不显著影响关键点的应力计算。对于应力集中分析,单元大小应和板厚在同一数量级上。通常情况下,可以用壳单元进行分析。

疲劳关键点应力,可通过全船梁弯曲、二级和三级弯曲及局部施加载荷的应力分量相加得到。应力集中系数,可利用参数方程或关键点小网格有限元分析获得。主应力可用于疲劳损伤评价。$S-N$ 曲线和疲劳损伤评估方法的选择,将在本书第三部分中详细讨论。

6.5.4 TLP,Spar 和半潜平台

稳定柱形结构(半潜平台或 TLP)的定义:由甲板结构和大量广泛分布、连接在悬浮体上的大直径支撑柱体构成的浮动设备。

稳定柱形结构的特殊结构包括:

(1)环浮体(连续浮体);

(2)双浮体;

(3)多腿支撑体;

(4)张力腿(TLPs)。

这种结构使用被动系泊系统(如锚系)、主动锚泊系统(如推进器),或两者兼用来保持稳定。

近年来,Spar 结构成为一种受欢迎的浮动装置,用于墨西哥湾时水深超过 1 000 m。生产立管由船体中央月池的充气浮力罐支撑。对于桁架 Spar,其下半部由管状桁架和垂荡板结构构成。

概念设计阶段,TLP,Spar 和半潜平台设计分析包括:

(1)建立设计基础;

(2)选择设备并进行系统设计;

(3)确定布局;

(4)确定船体尺寸并估计整体性能;

(5)设计上部及船体结构;

(6)设计立管及基底,如锚桩或系链桩;

(7)估计质量、建造安装的时间安排和费用;

(8)审查 HSE 守则和质量保证。

深水领域开发能否取得成功取决于一支经验丰富的团队,应使用一种系统方法来选择一个概念,例如浮动设施。Dorgant 等(2001)为三个主要领域发展项目的系统选择推出了首要推力系统,并讨论了替代设施系统(TLP, Spar, FPSO 和半潜平台)的技术、经济性、可行性、管理等问题。

Demirbilek(1989)为设计分析 TLP,编辑了几篇受关注文章的各种设计专题,如环境标准、水动力载荷、结构分析和标准、基底设计和分析、立管分析、张力分析、疲劳设计和断裂力学分析、材料选择、模型试验和测量。

浮动设备可在一些模式下设计性能,例如迁移、运行和续航。极限设计标准包括下列项目有关因素:

(1)完整状态下的结构强度;

(2)破损状态下的结构强度;

(3)气隙;

(4)舱室分割与稳定。

有限的或不存在直接经验的新兴结构设计,应进行相关的分析和模型试验,以确定得到一个可接受的安全等级。

在单元生命周期各个阶段可能发生状况时,结构设计应抵制相关运动,包括:

(1)制造;

(2)位置移动;

(3)衬垫;

(4)海上运输;

(5)安装;

(6)退役。

通常更实际有效地分析一系列模型的不同影响,需综合每个模型的结果及相关的因素。

简化模型可用于初步设计、确立近似设计和预测结构将如何运动。

整体分析模型的目的是评估整体运动所产生的影响。这种模型的实例,如图6.6所示。对于大型薄壁结构,三维有限元模型通常需要建立壳有限单元(或膜有限单元)。对于细长结构构成的空间框架结构,建立结构的三维空间框架模型是适当的。

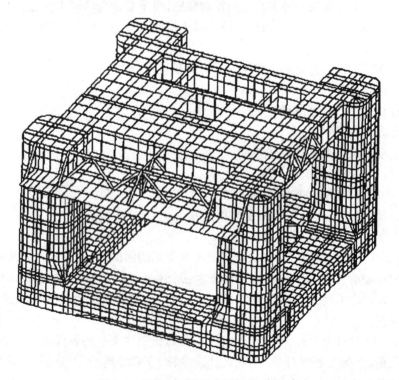

图 6.6　整体分析模型实例(NTS,1998)

主要结构连接部位(如浮桥 – 圆柱或圆柱 – 甲板)的刚度应详细模仿,以表现出连接部位的刚度。水动力模型可直接映射到结构模型上。

通常情况下,在一系列柱体载荷条件下,建立结构的简化空间框架模型,以获取柱上应力的最大范围。这些负载条件包括全浮和空浮,代表最高限度和最低限度的下垂和上拱条件。

整体和局部分析模型产生的相同响应,一般可用适当的负荷因素线性叠加计算得到。

在屈曲和极限强度检查时,相关侧压力与工作地点受力相适应。镀金结构、加强板和硬化壳的标准可参考入级规范和工业标准,如 NORSOK N – 004(NTS, 1998), API 2U 和 API 2V,见第 10 章和第 11 章。

在外部压力、紧张和弯曲联合作用下的极限强度标准,可用于指导 TLP 系链的设计。这些强度标准可根据 20 世纪 90 年代为深水管道和立管强度设计提出的陈述进行修改。

TLP,Spar 和半潜平台的疲劳评估类似于 FPSO 的描述,详见本书第三部分。

参考文献

[1] Shipping ABO. Guidance Notes On Safehull-dynamic Loading Approach For Floating Production,Storage And Offloading (fpso) Systems[S]. 2001.

[2] Institute A P. Recommended practice for planning,designing,and constructing fixed offshore platforms : Working stress design : upstream segment [M]//Anon. Global Engineering Documents. London: [s. n.],2000.

[3] Petrauskas C,Heideman J,Berek E. Extreme Wave-Force Calculation Procedure for 20th Edition of API-RP-2A[M]. London:[s. n.],1993.

[4] Cepowski T. The modeling of seakeeping qualities of Floating Production,Storage and Offloading (FPSO) sea-going ships in preliminary design stage[J]. Polish Maritime Research,2011,17(4):3 – 12.

[5] Koenig D,Klante H E J. Design and construction examples of loading terminals and floating production systems[J]. Soc. Pet. Eng,1984(2):124 – 134.

[6] Dawson T H. Offshore structural engineering[J]. Prentice Hall Inc OldTappan Nj,1982.

[7] Demirbilek Z,Housner G W. Tension Leg Platform:An Overview of the Concept, Analysis, and Design [C]//ASCE. TensionLeg Platform State of the Art Review. London:[s. n.],2015.

[8] Dorgant P,Balint S,Rodenbusch G,et al. System selection for deepwater production installations[J]. Proceedings of Salt,2013(3):22 – 31.

[9] Cepowski T. The modeling of seakeeping qualities of Floating Production,Storage and Offloading (FPSO) sea-going ships in preliminary design stage[J]. Polish Maritime Research,2011,17(4):3 – 12.

[10] Schröder A,Tajimi M,Matsumoto H,et al. Advances in the design of offshore structures for damage-tolerance[C]//London:[s. n.],1900.

[11] Porembski G,Kozak J. Simulation of damage process of containership's side structure due to collision with a rock[J]. Polish Maritime Research,2008,15(Special):18 – 21.

[12] Nezamian A,Clarke E,Nezamian A,et al. Optimised Fatigue and Reliability RBI Program for Requalification Life Extension and Integrity Management of Offshore Structure [C]. London: [s. n.],2014.

[13] Zienkiewicz O C. The Finite element method in engineering science[M]. London:[s. n.],1971.

第7章 海洋结构极限状态设计

7.1 引言

本节介绍了极限状态设计的概念,需要考虑下列极限状态:

(1) ULS——极限状态——极限强度行为;

(2) FLS——疲劳极限状态——疲劳与断裂行为;

(3) SLS——可维护性极限状态——位移和变形;

(4) ALS——偶然极限状态——碰撞、火灾、爆炸、坠落物体,等等。

一般情况下,结构需要检查所有的极限状态,以确保结构的最大负荷和最小阻力有足够的安全差额。

在极限状态设计下,一般安全格式表示为

$$S_d \leqslant R_d \tag{7.1}$$

式中 S_d —— 设计行动效应,$S_d = \sum S_k \cdot \gamma_f$;

R_d —— 设计阻力,$R_d = \sum \dfrac{R_k}{\gamma_m}$;

S_k —— 特征行动效应;

R_k —— 特征阻力;

γ_f —— 行动(负载)系数;

γ_m —— 材料系数(逆阻力系数)。

负载系数和阻力系数可能包括若干子系数,反映负载效应和阻力的不确定性和安全要求。

有限元分析需要特别注意负载系数和阻力系数的正确使用,尤其注意几个模型同时使用的情况,并且结果可线性叠加。

在进行海洋结构具体有限元程序分析时,分析师可挑选相关的规范。这将允许分析师在结果处理之前,选择适当的设计公式和定义材料系数。用户一般都在定义负荷组合和确保列入材料系数之前,选择负载系数。

利用细网格模型进行局部详细分析时,可进一步简化分析载荷和边界条件,这可能会包括负荷因素或可提供不确定因素。因此,建议所有基本负荷,同考虑限制状态的适应因素列表。在此表中,应当明确指出负载因素是否已包括在基本负荷内。

7.2 极限状态设计

规范一般要求,结构的极限状态要符合两个条件:ULS – A(反映固定环境条件下的极限永久载荷)和 ULS – B(反映极端环境条件的大型永久载荷)。可使用线弹性、简化刚性或弹性进行结构分析。

7.2.1　韧性和脆性断裂预防

柔性失效模式允许结构根据结构模型重新分配受力。然而,无论使用什么分析方法,该模型都将无法充分表现重新分配受力。结构重新分配受力将避免脆性断裂方式,或至少验证其防止韧性失效模式的过剩能力。

脆性断裂应考虑以下几个方面:

(1)脆性材料、高局部应力和焊接缺陷相结合所产生的不稳定性断裂;

(2)有限塑性变形达到极限而产生整体脆性。

几何结构、断裂韧性、焊接缺陷和应力等级不利组合情况下可能会出现不稳定断裂,并且这种事故的风险,在高厚度钢(≥40 mm)产生变形时最大。

总体来讲,钢结构满足足够韧性的要求如下:

(1)满足材料的韧性要求;

(2)避免高局部应力和不确定焊接缺陷的组合;

(3)设计允许发生塑性变形;

(4)变形没有超过最大值,组件性能没有急剧下降;

(5)避免局部屈曲和整体屈曲的相互影响。

允许的最大缺陷尺寸可以根据总应力或应变计算,使用断裂力学设计断裂韧性。应该指出,制造时未被发现的最大缺陷和疲劳加载时超过结构设计寿命的最大裂纹尺寸,应比最高允许缺陷尺寸小。

7.2.2　板块结构

板块结构应考虑的失效模式包括:

(1)板件屈曲;

(2)压应力和侧向压力产生的细长板的屈曲;

(3)修补板集中载荷产生的板的屈曲。

板面板可构成箱梁、浮体、船体、完整甲板,或仅仅是一个简支梁的梁腹或法兰。加强筋面板的例子如图 7.1。

所有结构构件的纵向和横向强度都应进行极限强度的校验。检查的结构构件有所有板和连续加强板,包括以下结构:

(1)主甲板、外底和内底;

(2)船舷、内部船舷和纵向舱壁;

(3)弹簧和纵向梁;

(4)炮塔基底和上部结构;

(5)横向舱壁;

(6)横向板架。

有限元分析中,板块结构一般将形成一个简单的面板要素。如果面板是加强的,在初步评估时应忽略加强,以避免所有构件与部分或全部的加强板列入后续分析中。虽然这是一个有效的方法,但加强筋的结构延伸效果不应被忽略。此外,如果加入具体的加强后,分

析师应该考虑加强后的制造
与检验。例如,可考虑:"焊工
能否进入该地区?""焊缝类型
是否受限(例如,是否可以仅
单面焊?)""焊缝细节能否造
成局部应力集中?""如果需要
的话,制造和服务后检查焊接
的可能性有多大?",等等。

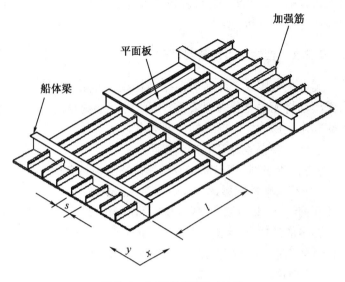

图 7.1　加强筋(NTS,1998)

　　梁镀金部分,如板架和法
兰部分或箱结构的壁板定义
为有限元程序的标准,并用合
适的标准检查,则不需要额外
的手工检查。然而,对于特殊
连接,需要采取有限元分析方
法,并使用手工或电子表格计
算受力,以确定是否存在足够的强度。

　　有限元程序一般对应加强板的面板和加强筋的交点。因此,横向甲板会通过加强板的
中央,而不是加强筋后支撑,如图 7.1。节点可基于钢顶部(TOS)或钢底部(BOS)位置,而
不是板的中线,也可能有一个小的凸起。在这两种情况下,它们可以相互抵消,产生正确的
视觉外观。不过,这时通常不必进行模型应力计算。

　　NORSOK N-004 提供了有用的参考表格,来检查不同加载条件下板面的板屈曲。建议
参考 NORSOK,NS 3472 或 Eurocode 3。当没有必要进行屈曲检查时,下一节的限界值最有
用。这些表格转载于表 7.1。

表 7.1　板面板屈曲检查参考表

描述	载荷	草图	参考规范	限界值
无加强筋板	纵向压	$\sigma_{x,\text{sd}}$ — t — $\sigma_{x,\text{sd}}$, s, l	NORS OK	$s < 1$ 如果 $s/t \le 42\varepsilon$,不需要屈曲检查
无加强筋板	横向压载	$\sigma_{y,\text{sd}}$ — t — $\sigma_{y,\text{sd}}$, s, l	NORS OK	$s < 1$ 如果 $s/t \le 4.5$,不需屈曲检查

表 **7.1**(续)

描述	载荷	草图	参考规范	限界值
无加强筋板	纵向和横向混合压载		NORS OK	$s < 1$ 如果 $s/t \leqslant 4.5$,不需屈曲检查
无加强筋板	纵向和横向混合压载		NORS OK	$s < 1$ 如果 $s/t \leqslant 4.5$,不需屈曲检查
无加强筋板	纯弯曲和剪切		NS3472 或 Eurocode 3	
无加强筋板	集中载荷		NS 3472 或 Eurocode 3	
无加强筋板	均匀横向载荷、平面正应力和剪应力		NORS OK	$s < 1$ 如果 $s/t \leqslant 4.5$,不需屈曲检查
法兰外板	纵向压载		NS 3472 或 Eurocode 3	

表 7.1(续)

描述	载荷	草图	参考规范	限界值
横向加筋板面板	弯矩和剪力	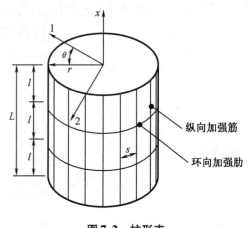	NS 3472 或 Eurocode 3	
纵向加筋板面板	纵向和横向压载,结合剪切和横向负荷		NORS OK	

注:$\varepsilon = \sqrt{235/\sigma_y}$,其中 σ_y 的单位是 N/mm^2。

7.2.3　壳结构

无加强和环型加强圆柱壳受轴向力、弯矩和静水压力,可设计成管状构件,或作为壳结构进行更精确的分析。

空气中管状剖面,直径厚度比超过 60,很可能在轴向应力低于材料屈服强度时产生局部屈曲而失效。局部屈曲而失效的剖面,比厚度上能保持柔性的剖面,表现得更为敏感,其允许弯曲产生的局部应力的再分解作用。剖面的失效通常是与结构脆性有关。这种情况结构可考虑为壳。

薄壁壳结构不可能充分涉及管状剖面和连接的简化,在有限元程序中可将其处理为桁架和梁模型。因此,一般来说,壳不应仅仅被定义为薄壁管材而以同样方法进行处理。相反,应制定和分析更复杂的有限元网格,特别是当壳包括环向或纵向加强时,见图 7.2 。

加筋柱形壳必须根据若干屈曲失效模式确定尺寸。加筋柱形壳的屈曲模式包括:

(1)壳屈曲——环和纵向加强板之间的镀金壳板屈曲;

(2)面板补强板屈曲——壳板包括纵向加强板的屈曲,环为结线;

(3)面板环屈曲——壳板包括环的屈曲,纵向加强板作为结线 ;

(4)一般屈曲——壳板包括纵向加强板和环的屈曲;

(5)柱屈曲——柱形作为柱体的屈曲;

(6)纵向加强板和环的局部屈曲。

屈曲模式和不同圆柱的相关性在表 7.2 中说明。这些失效模型的强度方程在本书第

图 7.2　柱形壳

二部分第 11 章中进行讨论。

进行壳的有限元分析时应谨慎。经验表明,半经验方法给出比理论方法更准确的实验结果。这是因为几何缺陷和残余应力的影响,并准确界定了边界条件。只要可能,建模应考虑实际边界条件、屈曲前边缘的干扰、实际几何缺陷、材料的非线性性质、焊接残余应力和热效应区。请注意,有关强度的标准也可在 API 规则中找到。

表 7.2　不同类型圆柱屈曲模型(NTS,1998)

屈曲模型	结构几何类型		
	环加强 (不加强循环线)	纵向加强	正交加强
壳屈曲			
面板补强板屈曲			
面板环状屈曲			
一般屈曲			
柱屈曲			

7.3 疲劳极限状态设计

7.3.1 引言

海洋结构物会受到自然界中循环的各种负载(如风暴、海浪和潮流)的作用。这些循环载荷在结构上产生循环应变。如果应变足够大,那么,结构的强度、刚度和性能会因疲劳退化而降低。

最大的疲劳问题都与结构制造和建造期间的缺陷(如焊接缺陷、部件失调),或在其运作过程中的缺陷(如腐蚀损伤、坠落物体损坏)有关。因此,疲劳可靠性设计的一个主要方面,是在结构的整个生命周期内对质量的保证和控制(检查、保养和维修)。

一般来说,疲劳可靠性设计针对结构要素,特别是连接部位。这是"防御"疲劳的第一防线。在局部构件和连接处,产生严重的主应力 – 应变增加。但是,由于非常大的不确定因素与循环应变和疲劳强度的预测有关,结构很少获得较高的疲劳可靠性。

结构刚性或结构体系的性能能承受的缺陷没有显著超过其适用性或极限状态,这是第二道防线。结构要有有效的冗余性、延展性和性能。

第三道防线是检查、维护和修理(IMR)。检查、检测意料之外的缺陷和损伤,并验证我们的设计。维护旨在维护结构,使其能够完成预定的目的。修理的目的是提醒工程师,在未来发生损伤和缺陷前有必要恢复结构能力。

大多数海洋结构的当前经验表明,尽管工程师对疲劳失效进行了充分设计,但仍存在明显例外。例如,使用高强度钢时,结构中某些类型的负载和集中压载被忽视。疲劳强度比例增加到屈曲强度是不能预测的。

7.3.2 疲劳分析

从根本上说,疲劳分析方法在工程应用中可细分为以下类别:

(1)基于疲劳分析方法的 $S - N$ 曲线;

(2)局部应力或应变办法,其计算包括局部缺口影响和一般应力集中;

(3)断裂力学方法,给出结构断裂影响。

这些方法在疲劳设计和评估中已得到很好地运用。但是,疲劳极限状态设计仍然是结构设计、评估或重新评估中一个最困难的议题。海洋结构会因环境腐蚀带来额外的复杂化。与疲劳问题相关的根本难点包括:

(1)在微观和宏观层面,缺乏对一些基本现象的了解;

(2)缺乏影响结构疲劳寿命参数的准确信息。

海洋结构分析的一般精确疲劳设计涉及一个复杂的程序。海洋结构循环应力的主要成因是海洋环境。因此,疲劳评估需要说明海洋环境或海况级别,这样结构才可能满足其计划的运行寿命,在潜在裂纹位置(关键点)计算船舶运动、波浪压力、应力传递和疲劳应力(一般表现在各种应力周期范围)。为了描述海洋结构连接的疲劳耐久性,选择 $S - N$ 曲线的实验数据或应用断裂力学模型。使用这种需求和信息通过损坏求和过程(通常应用 Palmgren – Miner 假说)或临界裂纹尺寸来计算疲劳寿命。

本程序概述如下：

(1)海洋环境特征；

(2)水动力响应分析；

(3)结构分析；

(4)应力传递函数；

(5)应力集中系数；

(6)关键点应力传递函数；

(7)长期应力范围；

(8)$S - N$ 曲线的选择；

(9)疲劳分析与设计；

(10)疲劳可靠性分析；

(11)检查、保养和维修计划。

具体描述如下：

(1)海洋环境特征

海洋环境表示各种海况发生的次数，分别确定一套波谱。两参数(有效波高和零增长率)波散点图用来描述海况。所有海况谱可根据皮尔森－莫斯克维兹关系进行定义。波向概率包含在海洋环境特征中。

(2)水动力响应分析

当波选择适当的频率、波峰和方向后，用计算机为各种波条件计算水动力响应和结构载荷。

(3)结构分析

使用整体结构分析，为局部结构确定适当的载荷(单位波幅的载荷传递函数作为频率函数)。在结构关键部位进行局部结构分析，以确定单位负载的应力传递函数。

(4)应力传递函数

各波幅的载荷传递函数率乘以单位负载的应力传递函数，作为波频率函数。

(5)应力集中因素

疲劳评估中确定几何因子 SCF。疲劳筛选分析时，SCF 上限假设为 3.0。详细的疲劳分析采用参数方程或细网格有限元分析(FEA)来确定 SCF。

(6)关键点应力传递函数

应力传递函数乘以应力集中系数，来确定关键点应力传递函数。

(7)长期应力范围

根据波谱、波散点图和关键点单位波幅的应力响应，来确定长期压力范围。用各海况的波振幅谱的纵坐标乘以关键点应力传递函数的纵坐标的平方，来确定应力谱。假设应力范围分布遵循 Rayleigh 分布。通过各海况不同波向的短期 Rayleigh 分布，来确定长期应力范围。

(8)$S - N$ 曲线的选择

分析时，各关键位置的 $S - N$ 曲线应根据结构几何形状、适用载荷和焊接质量选取。

(9)疲劳分析与设计

可以进行多层次的疲劳分析，包括：

①疲劳筛选；

②详细分析；

③焊接改进的再分析；

④设计改进的再分析；

⑤设计和焊接改进的再分析。

（10）疲劳可靠性分析：

可提早预测相当大的不确定性。有很多复杂的相互关联的不确定性和变化。疲劳可靠性分析的主要目的，是按一定逻辑组织这些资料，然后进行定量评价，以确定在给定设计－分析框架内应采用哪些安全因素或可靠性等级。

（11）检查、保养和维修计划

依靠疲劳可靠性分析，根据检查、保养和维修计划，确定合理风险和可靠性，在可接受的疲劳耐久期内尽量降低生命周期的成本。

7.3.3　疲劳设计

关键结构部位（连接）的抗疲劳性可以在 $S-N$ 曲线中表示。可通过实验测试获取 $S-N$ 曲线，对样本循环加载直到最后折断。

谱方法是最重要的疲劳设计分析工具。Weibull 方法目的是简化疲劳分析工具。这些方法将在本书第三部分详述。

疲劳耐久性是一个生命周期问题。只有满足以下情况，才能达到疲劳耐久性。

（1）选择良好的工程结构系统，以尽量减少应力－应变集中（应力集中）和循环变形－应力。这需要在概念设计阶段有高等级的工程质量保证（QA）。

（2）通过使用良好的、实际的材料，制造规范和惯例，尽量减少漏洞（失调、不良材料、孔洞等）。在计划、技术规格和施工期间（包括材料选择、制造、运输和安装），需要高等级 QA。此外，作业期间还需要类似的 QA，以适当地维护系统。

（3）选择好的材料、制造方法和工程设计（如裂纹制止、损伤定位和维修构件），尽量减少局部结构退化。需要注意，当疲劳退化时，应采取合理的预防措施，以限制其发展和影响。注意 QA 发挥了重要作用，特别是在作业期间检测疲劳退化的存在（早期预警）方面。

（4）尽量减少系统等级的退化，这样，当出现局部疲劳退化时，就不会显著地影响系统功能，并能很好地履行职责。良好的疲劳设计要求系统具有较好的健全性（冗余、延性、能力）和 QA 等级。检查和监测整体系统的退化是另一种减少潜在疲劳效果的方法。

循环应变、材料特性、工程设计、规范和生命周期 QA（检查和监测）构成了疲劳方程。这是"失效安全设计"的工程方程，可能会出现疲劳，但结构可以继续保持性能，直到疲劳症状得到检测和修理。

另一种选择是"安全期限设计"——没有出现显著恶化，没有必要进行修理。安全期限设计难以适用于许多长寿命海洋结构物或这些结构物的构件，这是因为疲劳设计和分析存在非常大的不确定性影响。对于大多数海洋系统，安全期限设计一直是疲劳设计的传统做法。检查所有海洋结构类型的疲劳开裂和极端困难，确保较大的安全因素，来完成安全期限设计。出于这个原因，必须尽可能使用失效安全设计。由于视察海洋结构极端困难和未被发现疲劳损害的可能性较高，预期检查会提供备份或需要的防护以保证疲劳耐久性，这通常是不合理的。

参考文献

[1] Institute A P. Recommended practice for planning, designing, and constructing fixed offshore platforms : Working stress design : upstream segment[M]//Anon. Global Engineering Documents. London: [s. n.], 2000.

[2] Toolan F E, Horsnell M R. The Evolution of Offshore Pile Design Codes and Future Developments[M]// Anon. Offshore Site Investigation and Foundation Behaviour. New York: Springer Netherlands, 1993: 751 – 772.

[3] Cepowski T. The modeling of seakeeping qualities of Floating Production, Storage and Offloading (FPSO) sea-going ships in preliminary design stage[J]. Polish Maritime Research, 2011, 17(4) : 3 – 12.

[4] Schröder A, Tajimi M, Matsumoto H, et al. Advances in the design of offshore structures for damage-tolerance[C]. NewYork: [s. n.], 1900.

第二部分
极限强度

第8章　柱和梁－柱的屈曲/失稳

8.1　圆柱的屈曲和极限强度

在其他书籍中已出现屈曲和极限强度的方程和概念,例如 Timoshenko(1961)和 Galambos(2000),本章将不再重复。本章将提供一些独特的公式和实际工程应用。

8.1.1　屈曲

圆柱受轴向力作用,所产生的挠度将使初始缺陷大大增加。

假设柱轴的最初形状方程为式(8.1),见图8.1。

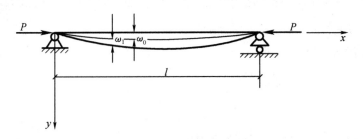

图8.1　正弦挠度下梁柱的坐标和偏移

$$w_0 = w_{0\max}\sin\frac{\pi x}{l} \tag{8.1}$$

最初,梁－柱轴在中间最大值 $w_{0\max}$ 的作用下,形成正弦曲线。如果圆柱受到纵向压缩力 P 的作用,将产生附加挠度 w_1 ,挠度曲线的最终形式为

$$w = w_0 + w_1 \tag{8.2}$$

在任何一点沿柱轴向的弯矩为

$$M = P(w_0 + w_1) \tag{8.3}$$

由初始变形产生的附加挠度 w_1 可由微分方程确定:

$$EI\frac{\mathrm{d}^2 w_1}{\mathrm{d}x^2} = -P(w_0 + w_1) \tag{8.4}$$

将式(8.1)代入式(8.4),可得到

$$\frac{\mathrm{d}^2 w_1}{\mathrm{d}x^2} + k^2 w_1 = -k^2 w_{0\max}\sin\frac{\pi x}{l} \tag{8.5}$$

式中, $k^2 = \dfrac{P}{EI}$ 。

方程(8.5)的通解为

$$w_1 = A\sin kx + B\cos kx + \frac{1}{\dfrac{\pi^2}{k^2 l^2} - 1} w_{0\max} \sin \frac{\pi x}{l} \tag{8.6}$$

对任意 k 值,满足边界条件(当 $x = 0$ 或 $x = 1$ 时,$w_1 = 0$)时,$A = B = 0$。此外,使用符号 α 表示纵向力与临界值的比值:

$$\alpha = \frac{P}{P_E} \tag{8.7}$$

式中,$P_E = \dfrac{\pi^2 EI}{l^2}$。

可得到以下值:

$$w_1 = \frac{\alpha}{1 - \alpha} w_{0\max} \sin \frac{\pi x}{l} \tag{8.8}$$

挠度曲线的最终形式为

$$w = w_0 + w_1 = w_{0\max}\sin\frac{\pi x}{l} + \frac{\alpha}{1 - \alpha}w_{0\max}\sin\frac{\pi x}{l} = \frac{w_{0\max}}{1 - \alpha}\sin\frac{\pi x}{l} \tag{8.9}$$

该方程表明,在梁中间的初始挠度 $w_{0\max}$ 被纵向压缩力的比值 $\dfrac{\alpha}{1 - \alpha}$ 放大。当压力 P 接近临界值,α 接近 8.0 时,挠度 w 将无限增加。

将式(8.9)代入式(8.3),可得到

$$M = \frac{w_{0\max}P}{1 - \alpha}\sin\frac{\pi x}{l} = \frac{w_{0\max}P}{1 - \dfrac{P}{P_E}}\sin\frac{\pi x}{l} \tag{8.10}$$

根据式(8.10),当 $x = \dfrac{l}{2}$ 时,可得最大弯矩为

$$M_{\max} = \frac{w_{0\max}P}{1 - \dfrac{P}{P_E}} \tag{8.11}$$

在 $x = \dfrac{l}{2}$ 处,横截面上的最大应力为

$$\sigma_{\max} = \frac{P}{A} + \frac{M_{\max}}{W} \tag{8.12}$$

式(8.12)还可写为

$$\sigma_{\max} = \frac{P}{A}\left[1 + \frac{w_{0\max}c}{r^2}\frac{P_E}{P_E - P}\right] \tag{8.13}$$

式中　W——剖面模数;

　　　A——横截面面积;

　　　c——中性轴到端面的距离;

　　　r——横剖面回转半径;

　　　s——中心半径,$s = \dfrac{W}{A}$。

用一阶傅里叶公式展开:

$$\frac{P_E}{P - P_E} = 1 + \frac{P}{P_E} + \left(\frac{P}{P_E}\right)^2 + \cdots$$

可得到

$$\frac{P_E}{P - P_E} = 1 + \frac{P}{P_E} \tag{8.14}$$

由式(8.13)和式(8.14)可得最大应力：

$$\sigma_{max} = \frac{P}{A}\left[\left(1 + \frac{w_{0max}}{s}\right) + \frac{w_{0max}}{s}\frac{P}{P_E}\right] \tag{8.15}$$

8.1.2　Perry – Robertson 方程

计算圆柱极限强度的一种简便方法是使用式(8.12)中的 σ_{max}，求解屈服应力 σ_Y：

$$\frac{P_{ULT}}{A} + \frac{1}{W}\frac{w_{0max}P_{ULT}}{1 - \dfrac{P_{ULT}}{P_E}} = \sigma_Y \tag{8.16}$$

式(8.16)可写为

$$\sigma_{ULT}^2 - \left[\sigma_y + \left(1 + \frac{w_{0max}A}{W}\right)\sigma_E\right]\sigma_{ULT} + \sigma_E\sigma_Y = 0 \tag{8.17}$$

式中

$$\sigma_E = \frac{P_E}{A} \qquad \sigma_{ULT} = \frac{P_{ULT}}{A}$$

其解被称为 Perry – Robertson 方程，表达式为

$$\frac{\sigma_{ULT}}{\sigma_Y} = \frac{1 + \eta + \gamma - \sqrt{(1 + \eta + \gamma)^2 - 4\gamma}}{2\gamma} \tag{8.18}$$

式中

$$\eta = \frac{w_{0max}A}{W} \qquad \gamma = \frac{\sigma_\gamma}{\sigma_E}$$

Perry – Robertson 方程中，明确地包含了初始挠度的影响。与更精确的解决方案(如有限元)比较，结果表明，当初始挠度不超过制造公差时，该公式是准确的。由于服务期间的损害，初始挠度可能高达圆柱长度的1%，方程可估算极限强度，也可说明残余应力效应。Perry-Robertson 方程已在欧洲钢铁结构规范中频繁使用。

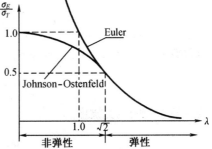

图 8.2　Johnson – Ostenfeld 方法曲线

8.1.3　Johnson – Ostenfeld 公式

使用 Johnson – Ostenfeld 方法(见 Galambos，2000)，通过纠正欧拉屈曲应力计算塑性的影响，如图8.2。

$$\sigma_{ULT} = \sigma_E \qquad \text{当 } \sigma_E/\sigma_Y \leqslant 0.5 \text{ 时} \tag{8.19}$$

$$\sigma_{\text{ULT}} = \sigma_Y \left(1 - \frac{1}{4\sigma_E/\sigma_Y} \right) \quad \text{当} \ \sigma_E/\sigma_Y \geqslant 0.5 \tag{8.20}$$

Johnson – Ostenfeld 方法在 1960 年第一版《金属结构稳定设计标准指南》中提及,并被许多北美结构设计规范采用,可计算适量的缺陷。Johnson – Ostenfeld 公式实际上是在 20 世纪 50 年代通过柱测试得到的一个经验公式。它已被应用于许多结构组件和载荷,见本书第二部分第 10 章和第 11 章。

8.2　梁 – 柱的屈曲和极限强度

8.2.1　梁 – 柱偏心受压

假设梁 – 柱两端偏心 e_1,如图 8.3 所示。平衡方程可写为

$$EI \frac{\mathrm{d}^2 w}{\mathrm{d}x^2} + P(w + e_1) = 0 \tag{8.21}$$

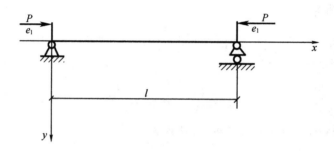

图 8.3　梁 – 柱偏心压载

方程(8.21)的通解为

$$w = A\sin kx + b\cos kx - e_1 \tag{8.22}$$

边界条件为

$$w = 0 \qquad x = \pm \frac{l}{2}$$

$$EI \frac{\mathrm{d}^2 w}{\mathrm{d}x^2} = -Pe_1 \qquad x = \pm \frac{l}{2}$$

可解得积分常数,式(8.21)的解为

$$w = e_1 \left(\sec \frac{kl}{2} \cos kx - 1 \right) \tag{8.23}$$

梁 – 柱中间的最大挠度为

$$w_{\max} = e_1 \sec \frac{kl}{2} \tag{8.24}$$

梁 – 柱中间的最大弯矩和应力为

$$M_{\max} = Pe_1 \frac{1}{\cos \dfrac{kl}{2}} \tag{8.25}$$

$$\sigma_{\max} = \frac{P}{A} + \frac{P w_{\max}}{I} = \frac{P}{A}\left(1 + \frac{e_1 A}{W}\sec\frac{kl}{2}\right) \tag{8.26}$$

方程(8.26)称为正割方程,取方程展式前两项

$$\sec\frac{\pi}{2}\sqrt{\frac{P}{Pe}} \approx 1 + \frac{\pi^2}{8}\frac{P}{P_E} \tag{8.27}$$

将式(8.27)代入式(8.26)中得

$$\sigma_{\max} = \frac{P}{A}\left[\left(1 + \frac{e_1}{s}\right) + \frac{\pi^2}{8}\frac{e_1}{s}\frac{P}{P_E}\right] \tag{8.28}$$

8.2.2　具有初始挠度的梁 – 柱偏心受压

如图 8.4,联立方程(8.9)和方程(8.23),可得梁 – 柱的挠度为

$$w = \frac{w_{0\max}}{1 - \alpha}\sin\frac{\pi x}{l} + \frac{e_1}{\cos\dfrac{kl}{2}}\left[\cos\left(\frac{kl}{2} - kx\right) - \cos\frac{kl}{2}\right] \tag{8.29}$$

最大挠度在梁 – 柱中部,为

$$w_{\max} = w\bigg|_{x = \frac{l}{2}} = \frac{w_{0\max}}{1 - \alpha} + e_1\left(\sec\frac{kl}{2} - 1\right) \tag{8.30}$$

在梁 – 柱任意位置 x 处的弯矩为

$$M = P(e_1 + w) = P\left[\frac{w_{0\max}}{1 - \alpha}\sin\frac{\pi x}{l} + \frac{e_1}{\cos\dfrac{kl}{2}}\cos\left(\frac{kl}{2} - kx\right)\right] \tag{8.31}$$

梁 – 柱中间位置处,弯矩最大为

$$M_{\max} = P\left(\frac{w_{0\max}}{1 - \dfrac{P}{P_E}} + \frac{e_1}{\cos\dfrac{kl}{2}}\right) \tag{8.32}$$

解式(8.15)和式(8.28),得梁 – 柱中间最大应力:

$$\sigma_{\max} = \frac{P}{A}\left[\left(1 + \frac{w_{0\max} + e_1}{s}\right) + \frac{(w_{0\max} + 1.234 e_1)}{s}\frac{P}{P_E}\right] \tag{8.33}$$

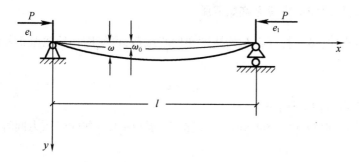

图 8.4　梁 – 柱承载偏心载荷的初始曲线

8.2.3 梁-柱的极限强度

实际设计时,在轴向力和弯矩联合作用下梁-柱极限强度的线性关系可表示为

$$\frac{P}{P_{ULT}} + \frac{M_{max}}{M_{ULT}} \leqslant 1 \tag{8.34}$$

式中,P_{ULT} 和 M_{ULT} 分别为单个力(矩)作用下梁-柱极限强度。

根据方程(8.34),在轴向力和对称弯矩 M_O 联合作用下梁-柱的最大弯矩为

$$M_{max} = \frac{M_O}{\cos \frac{\pi}{2} \sqrt{\frac{P}{P_E}}} \approx \frac{M_O}{1 - \frac{P}{P_E}} \tag{8.35}$$

极限强度关系方程也可表述为

$$\frac{P}{P_{ULT}} + \frac{M_O}{\left(1 - \frac{P}{P_{ULT}}\right)M_{ULT}} \leqslant 1 \tag{8.36}$$

非对称弯矩作用下,不容易确定梁-柱最大弯矩的确切位置。用相当弯矩取代 M_O,$M_{EQ} = C_M M_A$。

$$\frac{P}{P_{ULT}} + \frac{C_M M_A}{\left(1 - \frac{P}{P_E}\right)M_{ULT}} \leqslant 1 \tag{8.37}$$

式中

$$C_M = 0.6 - 0.4 \frac{M_B}{M_A} \geqslant 0.4 \tag{8.38}$$

式中,M_A 和 M_B 为端点弯矩。

梁-柱在外力、压缩力和弯矩联合作用下,极限强度关系方程可表示为

$$\frac{P}{P_{UQ}} + \frac{C_M M_A}{M_{PQ}(1 - P/P_E)} = 1 \tag{8.39}$$

式中,方程(8.37)没有考虑静水压力的影响,使用极限轴向力 P_{UQ} 和塑性弯矩 M_{PQ},取代方程(8.37)中的参数 P_{ULT} 和 M_{ULT}。

8.2.4 其他极限强度方程之初始屈服

如8.2.2节描述,梁-柱存在初始挠度和偏心载荷,可使用初始屈服条件推导极限强度方程:

$$\sigma_{max} = \sigma_Y \tag{8.40}$$

式中,σ_{max} 在方程(8.31)中给出。

Hughes(1988) 把 Perry-Robertson 公式推广到轴向压力和横向压力同时作用下的梁-柱,如下:

$$\frac{\sigma_{ULT}}{\sigma_Y} = \frac{1}{2\gamma}\left[(1 + \eta + \gamma(1 - \mu)) - \sqrt{(1 + \eta + \gamma(1 - \mu))^2 - 4\gamma(1 - \mu)}\right] \tag{8.41}$$

式中

$$\mu = \frac{M_{q max}}{\sigma_Y W} \qquad \eta = \frac{(w_{o max} + w_{q max})A}{W} \tag{8.42}$$

式(8.42)中,可得到最大弯矩和横向压力产生的横向挠度,如下:

$$M_{q\max} = \frac{ql^2}{8} \qquad w_{q\max} = \frac{5ql^4}{384EI} \tag{8.43}$$

式中,q 为梁 - 柱单位长度的横向压力。

应该指出,梁 - 柱结构在压缩力和横向力共同作用下,边界条件的影响是显著的,并且用最大弯矩和横向挠度推导出边界条件。梁 - 柱在轴向力、横向压力和端点弯矩共同作用下,弹性变形的一般解法见本书第 2 部分第 9 章。

8.3　梁 - 柱的塑性设计

8.3.1　梁截面的塑性弯曲

梁由于纯弯曲而处于全塑性状态下时,塑性轴线将横截面积等分为两部分。假设塑性轴线到横截面上半部分和下半部分几何中心的距离分别为 y_U 和 y_L,我们可以导出 M_p 的表达式,如下:

$$M_p = y_U \frac{A}{2}\sigma_y + y_L \frac{A}{2}\sigma_y = \frac{A}{2}\sigma_y(y_U + y_L) \tag{8.44}$$

式中,A 为截面面积;σ_y 为材料的屈服强度。

我们定义塑性模量 Z 为

$$Z = \frac{M_p}{\sigma_y} \tag{8.45}$$

将式(8.44)代入式(8.45)中可得

$$Z = \frac{A}{2}(y_L + y_U) \tag{8.46}$$

可用弹性截面模量 W 定义初始弯曲力矩 M_y:

$$M_y = \sigma_y W \tag{8.47}$$

很容易得到塑性极限弯矩和弹性极限弯矩的比值:

$$f = \frac{M_p}{M_y} = \frac{Z}{W} \tag{8.48}$$

1. 矩形截面

$$Z = \frac{A}{2}(y_L + y_U) = \frac{bh^2}{4} \tag{8.49}$$

$$W = \frac{bh^2}{6} \tag{8.50}$$

$$f = \frac{Z}{W} = 1.5 \tag{8.51}$$

2. 管状截面($t \ll d$)

$$I = \frac{\pi}{8}d^3 t \tag{8.52}$$

$$W = \frac{\pi}{4}d^2 t \tag{8.53}$$

$$f = \frac{Z}{W} = 1.27 \tag{8.54}$$

3. I 型截面($t \ll h$)

$$Z = bth + \frac{sh^2}{4} \tag{8.55}$$

$$W = bth + \frac{bh^2}{6} \tag{8.56}$$

对于一些标准类型的热轧 I 型截面,塑性极限弯矩和弹性极限弯矩的比值在 1.1 ~ 1.8 范围内。

8.3.2　塑性铰及塑性极限载荷

假设两端固支梁受横向均匀压力 p,那么 p 所做的功为

$$W_e = \int_0^l p \mathrm{d}y = 2p \int_0^{\frac{l}{2}} \theta x \mathrm{d}x = \frac{pl^2}{4}\theta \tag{8.57}$$

式中,l 为梁的长度;θ 为两端塑性铰的转角。

塑性铰支在两端和中部做的功为

$$W_i = M_p \theta(1 + 2 + 1) = 4M_p \theta \tag{8.58}$$

横向压力所做的功和铰支所耗的功相等,可以得到

$$M_p = \frac{pl^2}{16} \tag{8.59}$$

塑性极限载荷 $P = pl$,可得

$$P = \frac{16}{l} M_p \tag{8.60}$$

两端简支的梁,塑性极限载荷 P 为

$$P = \frac{8}{l} M_p \tag{8.61}$$

设计规范中,以上两种极端情况下的塑性极限载荷 P 的平均值可用于确定塑性截面模量:

$$P = \frac{12}{l} M_p \tag{8.62}$$

所以塑性截面模量 Z 为

$$W = \frac{Pl}{12\sigma_y} \tag{8.63}$$

8.3.3　轴力及弯矩联合作用的塑性关系方程

本小节推导梁 - 柱在弯矩和轴向力共同作用下,两种最常用横截面的塑性关系方程。

1. 矩形截面

矩形剖面宽为 b,高为 h。处于全塑性状态下时,中间应力将形成简化轴向力 N,上部和下部应力将形成简化塑性力矩 M。假设形成简化轴向力 N 的中部高度为 e,可推导出

$$M = \frac{bh^2}{4}\sigma_Y - \frac{be^2}{4}\sigma_Y = \frac{bh^2}{4}\sigma_Y\left(1 - \frac{e^2}{h^2}\right) = M_p\left(1 - \frac{e^2}{h^2}\right) \tag{8.64}$$

$$N = be\sigma_y = bh\frac{e}{h}\sigma_y = N_p\frac{e}{h} \tag{8.65}$$

联立式(8.64)和式(8.65)得

$$\frac{M}{M_p} + \frac{N^2}{N_p^2} = 1 \tag{8.66}$$

以上方程是在轴向力和力矩共同作用下,矩形截面的关系方程。

2. 管状结构

对于管状结构,在横面塑性弯曲条件下可得到

$$\frac{M}{M_p} = \cos\left(\frac{\pi}{2}\frac{P}{P_p}\right) \tag{8.67}$$

式中,$P_p = \sigma_\gamma A$;$M_p = 2\pi Rt\sigma_\gamma$。其中,$R$ 为截面半径。

8.4　实例

例 8.1　不同边界条件下柱的弹性屈曲分析

问题描述:

基于初始支柱的基本微分方程,推导弹性屈曲强度方程

$$\frac{\mathrm{d}^4w}{\mathrm{d}x^4} + k^2\frac{\mathrm{d}^2w}{\mathrm{d}x^2} = 0 \tag{8.68}$$

解:

方程(8.68)的通解为

$$w = A\sin kx + B\cos kx + Cx + D \tag{8.69}$$

(1)柱端点铰支

两端挠度和弯矩为零:

$$w = \frac{\mathrm{d}^2w}{\mathrm{d}x^2} = 0 \quad (\text{当 } x = 0, x = l \text{ 时}) \tag{8.70}$$

将边界条件代入一般解中,可得

$$B = C = D = 0 \quad \sin kl = 0 \tag{8.71}$$

因此

$$kl = n\pi \quad n = 1 \tag{8.72}$$

由式(8.72)得

$$P_E = \frac{\pi^2EI}{l^2} \tag{8.73}$$

(2)柱端点固定

边界条件为

$$w = \frac{\mathrm{d}w}{\mathrm{d}x} = 0 \quad (\text{当 } x = 0, x = l \text{ 时}) \tag{8.74}$$

将边界条件代入一般解中,可得

$$A = C = 0 \quad B = -D \quad \sin\frac{kl}{2} = 0 \tag{8.75}$$

因此

$$kl = 2n\pi \quad n = 1 \tag{8.76}$$

由式(8.76)得

$$P_E = \frac{4\pi^2 EI}{l^2} \tag{8.77}$$

(3)柱一端固定,一端自由

固定端的边界条件为

$$w = \frac{\mathrm{d}w}{\mathrm{d}x} = 0 \quad (x = 0) \tag{8.78}$$

自由端、弯矩和剪切力必须为零:

$$\frac{\mathrm{d}^2 w}{\mathrm{d}x^2} = 0 \quad (x = l) \tag{8.79}$$

$$\frac{\mathrm{d}^3 w}{\mathrm{d}x^3} + k^2 \frac{\mathrm{d}w}{\mathrm{d}x} = 0 \quad (x = l) \tag{8.80}$$

将边界条件代入一般解中,可得弹性屈曲应力:

$$P_E = \frac{\pi^2 EI}{4l^2} \tag{8.81}$$

(4)柱一端固定,一端铰支

将边界条件代入一般解中,可得

$$P_E = \frac{\pi^2 EI}{(0.7l)^2} \tag{8.82}$$

实例结果可归结为图8.5,显示各种边界条件下的端点固定系数和有效长度。可得到一般屈曲强度方程,如下:

$$P_E = \frac{\pi^2 cEI}{l^2} \tag{8.83}$$

式中,c 为端点固定系数,或

$$P_E = \frac{\pi^2 EI}{l'^2} \tag{8.84}$$

式中,l' 为有效长度。

例8.2 两种极限强度——屈曲和断裂

问题描述:

列表比较两种极限强度问题:屈曲和断裂。

解: 通常情况下极限强度分析为梁–柱、板和壳在初始缺陷下的弹性屈曲分析。但是,应注意最终断裂也是极限强度分析的部分。最终断裂分析主要根据欧洲的 BPD6493,BS7910 和美国的 API 579,见第21章。事实上,屈曲强度分析和断裂强度分析之间存在相似性,如表8.1所示。

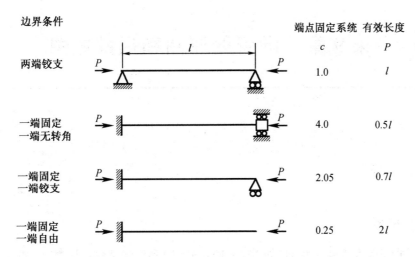

边界条件		端点固定系统 c	有效长度 P
两端铰支		1.0	l
一端固定 一端无转角		4.0	$0.5l$
一端固定 一端铰支		2.05	$0.7l$
一端固定 一端自由		0.25	$2l$

图 8.5　各种边界条件下柱屈曲的端点固定系数和有效长度

表 8.1　屈曲强度分析和断裂强度分析比较

	屈曲强度	断裂强度
载荷	压力、扭转、剪力	拉力
缺陷	由焊接、碰撞产生的几何缺陷和残余应力	由制造和疲劳载荷产生的缺陷
线性求解	弹性屈曲	线性断裂力学
设计标准	用理论方程（Perry – Robertson，Johnson 等）拟合曲线来测试结果	用理论方程（韧性和脆性断裂之间的关系方程）拟合曲线来测试结果
分析目标	(1)确定屈曲载荷； (2)确定许用缺陷； (3)确定刚度及壁厚等尺寸	(1)确定断裂载荷； (2)确定允许缺损尺寸； (3)确定壁厚等尺寸

参考文献

[1] Hill R. A general theory of uniqueness and stability in elastic-plastic solids[J]. Journal of the Mechanics & Physics of Solids,1958,6(3):236 – 249.

[2] Galambos T V. Guide to stability design criteria for metal structures[M]. London:Wiley,1998.

[3] Hughes O F. Ship structural design :a rationally-based,computer-aided,optimization approach[M]. London:[s. n],1983.

第9章 圆管的屈曲和局部屈曲

9.1 引言

9.1.1 概要

圆管屈曲强度方程在一些书(如 Chen,Han,1985)和海洋结构设计规范(如 AISC,1978;API RP 2A)中都有介绍。本章将根据 Yao 等人的研究(1986,1988)来讨论梁 – 柱屈曲模型与局部(壳)屈曲模型之间的关系。

在过去的40年里建造了多种用于油气工业生产的海洋结构,如钻井。半潜式钻井平台是最常用的海洋结构之一,它具有生产效率高和在恶劣海况中仍能良好运作的优点。但是,这种类型的平台没有自航系统,不能在风暴和风浪条件中撤离。因此,该结构必须有足够的强度,以承受极端海况(百年一遇的风暴)。平常或风浪条件下,结构构件不会发生损坏,更不会发生屈曲或塑性失稳。

另一方面,钻井平台的支撑构件会经常承受意外载荷,如小供应船的碰撞和从甲板上坠落的物体。此外,服务期间也可能发生疲劳裂纹。这种损害不仅降低受损结构的承载能力,也会改变非受损结构的内部应力。因此,在风浪条件下,非受损结构和受损结构都可能发生屈曲和塑性失稳。这可能会损失结构系统的完整性。从这个角度来看,应认真评估半潜式钻井平台的管状支撑单元极限强度的限制和承载能力。

在过去十年里,已经完成许多关于圆管的极限强度研究。例如,Chen 和 Han(1985)调查了初始缺陷(如扭曲和焊接残余应力)对圆管极限强度的影响,并提出了切实可行的办法来评价极限强度。Rashed(1980)和 Ueda 等(1984)制订了管结构的理想结构单元(元素),准确模拟了其实际行为,包括整体屈曲和塑性化现象。他们表示,采用这一模型可以在很短的计算时间内获得准确结果。但是,此结果只能用于小直径厚度比的圆管,在 $D/t \leqslant 30 \sim 50$,这是典型的护套和自升式支撑构件。这些单元不必考虑局部壳屈曲。另一方面,半潜式钻井平台有大的 D/t,在70到130之间,正如 Smith 等(1979)和 Bouwkamp(1975)在实验中所观测的,这些结构往往在结构承受极限载荷之前发生局部屈曲。因此,评估这些支撑构件的承载能力,必须考虑局部屈曲引起的极限强度折减。但是,这一现象还未进行过系统的研究。

本章中,首先进行了一系列的实验,使用大规模管状试样,模拟现有半潜式钻井装置的支撑单元。采用偏心的轴向压载。准备小型管状试样,其 D/t 在40和97之间,并在相同负载条件下进行测试。然后,根据实验结果,建立分析模拟圆管在局部屈曲影响下的实际行为的模型。此外,采用这一模式来发展理想化结构单元。当然,提议模型的有效性和有用性必须将计算结果与目前或以往的实验结果进行比较验证。

9.1.2　海洋结构强度评估的安全系数

海洋结构强度设计的基本安全系数由两种条件确定。

(1)静载荷:轴向力和弯曲应力为 1.67,静载荷包括作业质量负载和船质量。

(2)静载荷和环境载荷:轴向力和弯曲应力为 1.25,静载荷结合相关的环境载荷,包括加速度和倾斜力。

根据以上定义,对于轴向张力和弯曲作用的结构,许用应力等于屈服应力除以安全系数。

9.2　实验

9.2.1　试样

现有半潜平台钻井设备的支撑构件的直径见表 9.1,其长细比不同于固定式导管架平台或自升式钻井平台的支撑构件。

表 9.1　现有支撑构件和试样的直径

	长度 L/mm	外径 D/mm	壁厚 T/mm	D/t	L/d	R
现有支撑构件	27 840	1 800	14.5	124	15.5	631.3
试样	8 000	508	6.4	78	15.7	177.4

特别需要注意的是,D/t 临界值为 73。如果 D/t 超过临界比值,在出现塑性之前,产生局部屈曲。显然,现有支撑 D/t 值 124 远高于临界值。

可以得出,当出现局部屈曲时,内部应力达到最大值。选择市场上预计失稳行为与上述支撑构件相近的焊接管作为测样,试样的尺寸列于表 9.1。其直径为 508 mm,长度取 8 000 mm,使其长细比接近现有支撑构件。比例因子为 1/3.5,为大型试样。D/t 为 78,与现有结构相比很小,但是用来研究局部屈曲已足够。

大型试样在图 9.1 中说明。管壁厚为 6.4 mm,但是在两端 750 mm 范围内,壁厚增加到 10 mm,以避免近端点处局部失稳的发生。

对其他尺寸的试样也进行了测试。内径保持为 95 mm,管壁厚分别为 1.0 mm、1.2 mm、1.6 mm 和 2.5 mm。试样的 D/t 在 40~97 之间,并且不特别考虑现有半潜式钻井平台的支撑构件,靠近两端的壁厚不增加。小型试样的尺寸、材料特性和实验结果列于表 9.2。

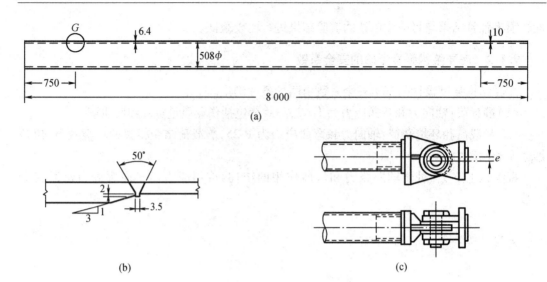

图9.1　大尺度试样及其端点固定

(a)试样;(b)G点细部图;(c)端部夹具

表9.2　小型试样的尺寸和测试结果

试样编号	外径 D /mm	壁厚 t /mm	长度 L /mm	初始缺陷 a_0/mm	载荷偏心 e/D	杨氏模量/ (kg·f/mm)	0.2%屈曲应力/ (kg·f/mm)	极限载荷 /t	屈曲模型
HA0	97.0	1.0	1 430	—	0	19 645	35.25	7.51	DENT
HA2	97.0	1.0	1 635	0.43	1/4	19 645	35.25	5.75	DENT
HA3	97.0	1.0	895	0.13	1/16	19 645	35.25	9.78	DENT
HA4	97.0	1.0	605	0.25	1/16	19 645	35.25	10.08	DENT
HB1	97.4	1.2	1 635	0.10	1/32	19 616	37.50	9.90	DENT
HB2	97.4	1.2	1 430	0.61	1/16	19 616	37.50	9.10	DENT
HB3	97.4	1.2	1 430	1.02	1/8	19 616	37.50	7.95	DENT
HC1	98.2	1.6	1 430	0.44	1/32	19 160	37.00	13.76	DENT
HC2	98.2	1.6	1 430	0.64	1/16	19 160	37.00	11.90	DENT
HC3	98.2	1.6	1 430	1.40	1/8	19 160	37.00	9.99	COS
HD1	100.0	2.5	1 430	0.73	1/32	18 109	33.00	19.70	DENT
HD2	100.0	2.5	1 430	0.63	1/16	18 809	33.00	17.95	DENT
HD3	100.0	2.5	1 430	0.87	1/8	18 809	33.00	14.95	DENT
HD4	100.0	2.5	1 635	1.44	1/4	18 809	33.00	13.46	COS
HD5	100.0	2.5	895	0.35	1/32	18 809	33.00	26.85	COS
HD6	100.0	2.5	575	0.35	1/16	18 809	33.00	30.55	COS
BA1	97.0	1.0	650	—	BENGDING	19 645	35.25	2.75	DENT
BB1	97.4	1.2	650	—	BENGDING	19 616	37.50	3.09	DENT
BB2	97.4	1.2	650	—	BENGDING	19 616	37.50	3.05	DENT
BC1	98.2	1.6	650	—	BENGDING	19 610	37.00	4.68	DENT
BC2	98.2	1.6	650	—	BENGDING	19 610	37.00	4.66	DENT
BD1	100.0	2.5	650	—	BENGDING	18 809	33.00	7.84	DENT

9.2.2　材料试验

制作大型试样是把平板弯曲后焊接成圆管。为避免残余应力对材料性能测试的影响，试件拉伸试样沿焊缝的对面切割。通过拉伸试验，测量杨氏模量 $E = 21\ 180\ kg \cdot f/mm^2$ Plastic，泊松比 $\nu = 0.32$，测量屈曲应力（相当于残余应变为 0.2% 的应力）$\sigma_y = 34.5\ kg \cdot f/mm^2$，材料的名义应力 – 应变关系如图9.2。小型试样包括 4 个不同的 D/t 比率，即 A，B，C 和 D 系列。由于市场上无这些尺寸的管道，试样由壁厚 3.2 mm 管冷加工制得。由于冷加工过程的 Bauschinger 效应，极限拉应力远远高于极限压应力。拉伸试样由圆管沿纵向切割制成。根据材料拉伸试验的工业标准，材料试样的横截面做成矩

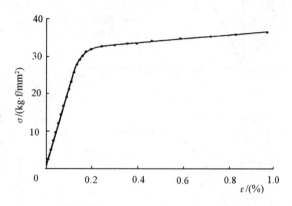

图 9.2　大型试样的拉伸应力 – 应变曲线

形截面。中央横截面的两侧，连接应变仪，其目的是测量应变。A，B，C 和 D 系列试样的名义应力 – 应变关系如图 9.3 中实线所示。由于冷加工过程，材料的延性降低。在应变达到 6% ~ 14% 时会发生拉伸破坏。

试样所测得的横截面、杨氏模量和屈服应力如图 9.3 所示。两种屈服应力的定义：相当于残余塑性应变 0.2% 的屈服强度 $\sigma_{0.2}$，相当于总应变 0.5% 的屈曲强度 $\sigma_{0.5}$。

使用存根管进行压缩材料试验。选择试样长度来避免圆柱屈曲，所有试样长度为 300 mm。试样的中央截面放 4 件双轴应变计。名义应力 – 应变关系为图 9.3 中的虚线。由于壳屈曲发生在边缘之上或之下，测量应力 – 应变关系可达到应变水平的 1%。测得的屈服加强度列于表 9.3 中。

表 9.3　小型试样材料的尺寸和试验结果

试样编号	壁厚 t/mm	D/t (–)	试样横面积 A/m^2	拉伸试验屈服应力 $\sigma_{0.2}$ /(kg·f/mm²)	拉伸试验屈服力 $P_{0.2}$ /kg·f	压缩试验屈服应力 $\sigma_{0.2}$ /(kg·f/mm²)	压缩试验屈服力 $P_{0.2}$ /kg·f	压缩试验屈服应力 $\sigma_{0.2}$ /(kg·f/mm²)	压缩试验屈服力 $P_{0.2}$ /kg·f
A	1.0	97.0	301.59	45.00	13 751.55	35.25	10 631.05	40.00	12 063.60
B	1.2	81.2	362.67	58.00	21 034.86	37.50	13 600.13	44.50	16 138.82
C	1.6	61.4	485.56	54.23	26 341.63	37.00	17 965.72	42.75	20 757.69
D	2.5	40.0	765.76	46.75	35 799.28	33.00	25 270.08	38.25	29 290.32

试样制作时沿纵向进行拉伸，可观察到明显的 Bauschinger 效应，应力 – 应变关系在拉伸时几乎没有应变硬化效应。另一方面，压缩时可观察到明显的应变硬化效应。如应力 – 应变曲线所显示的，材料特性在拉伸和压缩时显现出显著的差异。材料特性的这种差异是导致载荷 – 挠度曲线和载荷 – 杆长缩短量曲线的测量结果与分析解决方案之间差异的主要原因之

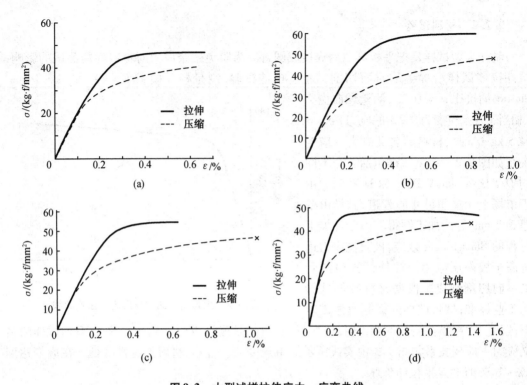

图 9.3　大型试样拉伸应力－应变曲线
(a)小型试样,A 系列应力－应变曲线;(b)B 系列;(c)C 系列;(d)D 系列

一。应使用热处理,以消除材料特性在拉伸和压缩时的差距,并减少 Bauschinger 效应。然而,由于潜在的薄壁管的屈曲,热处理在这里并不适用。

9.2.3　屈曲试验程序

对于大型试样,广岛大学使用 3 000 t 大型模型试验机进行偏心轴向压力加载。两端固定接头模拟为端点简支条件。每个试件的两端通过圆柱插头连接到加载端,如图 9.1(c)所示。轴向载荷的偏心率采用外径的 1/8,1/4 和 3/8。通过改变插件相对加载端的位置来获得这些偏心率。试验机为横向型,试样水平放置。因此,由试样自身质量产生 0.63 mm 的初始挠度。

对于小型试样,采用两种类型载荷:偏心轴向载荷和纯弯曲载荷。偏心轴向载荷采用一个插件和一个球形支持,如图 9.4 所示。纯弯曲采用四点弯曲,如图 9.5 所示。刚性管插入试样的两端,试件在受力点不产生局部变形。试

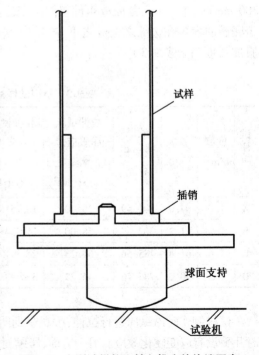

图 9.4　小型试样偏心轴向推力的终端固定

样通过摩擦螺栓连接到刚性管。

在实验过程中,特别是在发生局部屈曲后,要进行多次卸载和重新加载。实验期间,需测量轴向和纵向应变、横向挠度和载重线偏移。

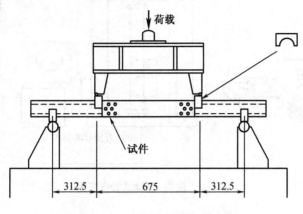

图 9.5　小型试样纯弯曲试验装置

9.2.4　试验结果

1. 使用大型试样的偏心轴向压缩试验

轴向负载与横向偏转关系使用实线表示,如图 9.7 所示。在所有试验情况中,横截面均观察不到显著的变形,直至达到极限载荷。达到极限强度后,负荷随挠度增加而减小,在跨中附近发生局部屈曲,承载能力急剧下降。横截面变形的局部屈曲模型可能近似于余弦模式,如图 9.8(a)所示。局部屈曲模型的波长在圆周方向几乎是半圆,而在轴向上很短。随着横向偏转进一步增加,在初始余弦屈曲波的下部产生局部凹变形,如图 9.8(b)所示。

横向平面部分在截面 $c-c'$ 内部皱起和增长。同时,截面 $a-a'$ 也可观察到类似现象,但有两个凹陷:$A-B$ 和 $A-C$。截面 $c-c'$ 的横向平面部分增长,直到它几乎变成一个半圈,如图 9.8(c)的 $B'-C'$。然后,其他两个凹陷 $A'-B'$ 和 $C'-D'$ 开始成长,如图 9.8(c)中描述。在这个阶段,在横截面 $b-b'$ 可观察到显著的变形。在压缩应变最大的位置产生局部余弦屈曲波,然后在波的两侧形成凹陷。可在所有大型试样的任意偏心率情况下,观察到这种失稳模型。应该注意,充分发展的屈曲波(图 9.8(c)的 $B'-C'$)的长度接近于纯压缩下的壳屈曲。

2. 使用小型试样的偏心轴向压缩试验

测试设备和仪器在图 9.6 中描述。

轴向负载与端点收缩关系绘制为图 9.9(a)(b)(c)和(d)。这些图中省略卸载和重新加载路径。这些图显示:随着偏心率的增加,极限强度降低,并在发生局部屈曲前产生较大的位移。

长度增加时可观察到同样的趋势。如果长度和 D/t 比值相同,在局部屈曲后,载荷-位移路径会收敛到一定值。

对于大型试样,以余弦模式发生局部屈曲。然而,小型试样以余弦模式发生局部屈曲的仅有三个标本,其他 13 个试样的局部屈曲发生在凹陷节点。凹陷的局部屈曲初始凹陷随

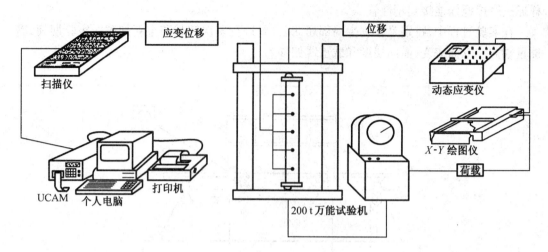

图 9.6　屈曲、失稳试验仪表图

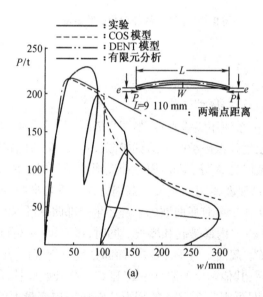

(a)

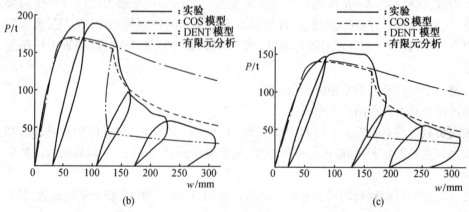

(b)　　　　　　　　　　　　　　　　　(c)

图 9.7　受偏心轴向推力的大型试样负荷侧挠度线

$(a)e/D=1/8;(b)e/D=1/4;(c)e/D=3/8$

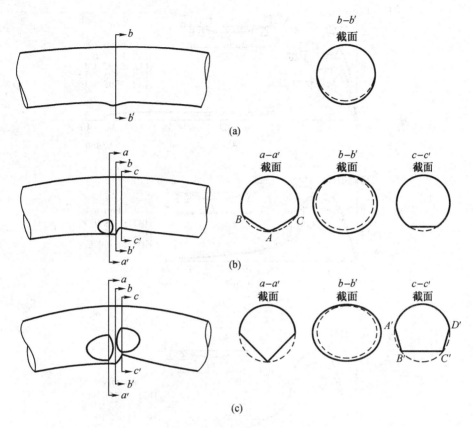

图 9.8　余弦模式的局部屈曲

(a)初始模型;(b)变形后模型 1;(c)变形后模型 2

横向偏转的增大而增长,直到它几乎成为半个圆。然后,在横截面 $b-b'$ 上形成两个凹陷,毗邻初始凹陷,如图 9.10(b)所示。随横向偏转的进一步增加,横截面 $a-a'$ 上其他两个凹陷开始增长,初始凹陷如图 9.10(c)所示。目前尚不清楚局部屈曲将以哪种模式进行。然而,屈曲模式取决于直径 – 厚度比、截面的轴向力和弯矩的组合,以及材料特性。

3. 小型试样的纯弯曲试验

载荷 – 载重线位移关系如图 9.11。对于试样 BD1,局部屈曲发生之前,试样在接近端部的螺栓孔处发生破裂。随负荷增加,观察所有试样横截面的平整度。此外,纹波模式的变形有两个或三个半波时,开始增长接近极限强度,横断面形成涟漪时将达到极限强度。对于薄壁管,波底部的涟漪突变为接近极限强度的凹陷,并且承载能力下降。与此相反,厚壁试样达到极限强度后波变形增大,然后,纹波突变为局部凹陷。

目前尚不清楚,初始局部屈曲是由纹波模式形成的,还是由凹陷形成的。然而,应更多地关注凹陷的形成,因为这会导致承载能力的突然下降。

初步凹陷形成后,新凹陷的形成与偏心轴向压力情况相同。

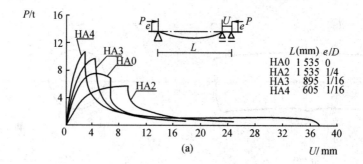

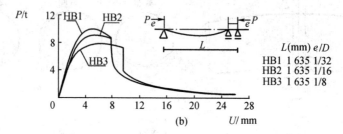

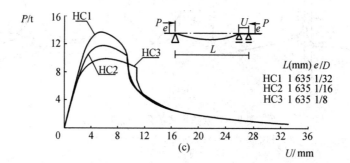

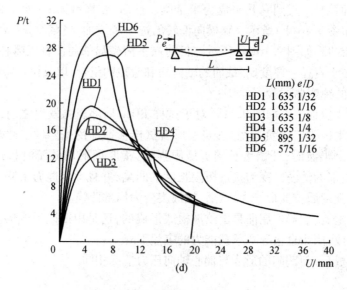

图 9.9　小型试样受轴向偏心力的负载 – 端点收缩曲线

(a)$D/t=97.0$；(b)$D/t=81.2$；(c)$D/t=61.4$；(d)$D/t=40.0$

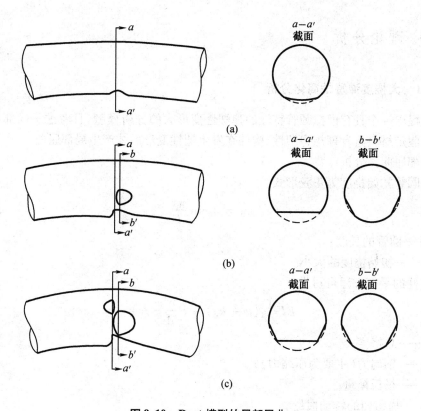

图 9.10　Dent 模型的局部屈曲

(a)初始模型;(b)变形后模型 1;(c)变形后模型 2

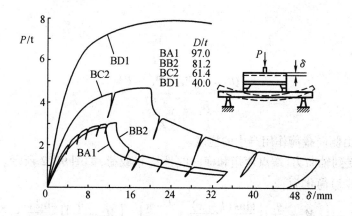

图 9.11　载荷－载重线位移关系图

9.3　理论分析

9.3.1　大挠度弹塑性简化分析

本节提出一个具有模拟圆管特性的弹塑性变形大的分析模型,且考虑了局部屈曲对其的影响。假定材料具有理想弹塑性,构件在发生塑性变形后才产生局部屈曲。

1. 局部屈曲预分析

假设圆管初始挠度为正弦形式:

$$w_0 = a_0 \sin \frac{\pi x}{l} \tag{9.1}$$

式中　l——圆管的长度;

　　　a_0——初始挠度的大小。

梁 - 柱的平衡方程可写为

$$EI \frac{\mathrm{d}^4}{\mathrm{d}x^4}(w - w_0) + P \frac{\mathrm{d}^2 w}{\mathrm{d}x^2} = q \tag{9.2}$$

式中　w——总挠度;

　　　P——轴向力(主要为压缩力);

　　　E——杨氏模量;

　　　I——横截面的转动惯量。

式(9.2)的一般解可表述为

$$w = \alpha_1 \cos kx + \alpha_2 \sin kx + \alpha_3 x + \alpha_4 + Q' \sin \frac{\pi x}{l} + f(q) \tag{9.3}$$

式中

$$k = \sqrt{\frac{P}{EI}} \tag{9.4}$$

$$Q' = a_0 P_E / (P_E - P) \tag{9.5}$$

$$P_E = \pi^2 \frac{EI}{l^2} \tag{9.6}$$

并且$f(q)$代表由侧向载荷作用产生的挠度。

假设结构受到轴向力、端点弯矩和横向线性均布载荷,如图 9.12 所示。如果两端为简单支撑,则式(9.3)简化为

$$w_e = \frac{1}{P}\left\{\left(M_i + \frac{q_i}{k^2}\right)\left[\frac{\sin k(l - x)}{\sin kl} + \frac{l - x}{l}\right] - \left(M_i + \frac{q_i}{k^2}\right)\left(\frac{\sin kx}{\sin kl} + \frac{x}{l}\right)\right\} +$$

$$\frac{a_0 P}{P_E - P} + \frac{1}{p}\left\{-\left[\frac{q_j}{6} + \frac{q_i}{3}\right]lx + \frac{1}{2}q_i x^2 + \frac{1}{6l}(q_j - q_i)x^3\right\} \tag{9.7}$$

式(9.7)中的后缀 e 表示在弹性范围内,并且式(9.7)给出不发生塑性变形时轴向力和横向挠度的关系。使用这个挠度,平均压缩轴向应变可表达为

$$\varepsilon = \frac{P}{EA} + \frac{1}{2l}\int_0^l \left[\left(\frac{\mathrm{d}w_e}{\mathrm{d}x}\right)^2 - \left(\frac{\mathrm{d}w_0}{\mathrm{d}x}\right)^2\right]\mathrm{d}x \tag{9.8}$$

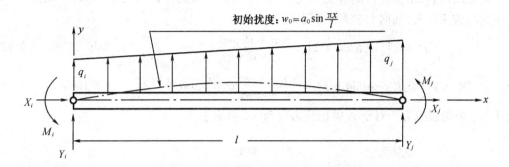

图 9.12　外载荷作用的梁 – 柱单元

在塑性区域内,抗弯刚度沿构件长度方向并非均匀分布。对于这种情况,需引入变形中的塑性部分 w_p。然后,总挠度表示为

$$w = w_e + w_p \tag{9.9}$$

式中,w_p 为塑性挠度增量的积累值,假设有以下几种形式:

$$\text{I} \qquad 0 \leqslant x < l_1 \qquad dw_p = cx/l_1 \tag{9.10}$$

$$\text{II} \qquad l_1 \leqslant x < l_1 + l_p \qquad dw_p = c(\gamma_1 x^2 + \gamma_2 x + \gamma_3) \tag{9.11}$$

$$\text{III} \qquad l_1 + l_p \leqslant x \leqslant l \qquad dw_p = c(l - x)/l_{\text{II}} \tag{9.12}$$

式中

$$\gamma_1 = -\frac{l}{2l_1 l_{\text{II}} l_p} \tag{9.13}$$

$$\gamma_2 = \frac{(l_{\text{II}} l_p + l l_1)}{l_1 l_{\text{II}} l_p} \tag{9.14}$$

$$\gamma_3 = -\frac{l_1^2 l}{2l_1 l_{\text{II}} l_p} \tag{9.15}$$

式(9.10)和式(9.12)代表的挠度模型如图 9.13 所示。塑性挠度的增加使该区域内产生恒定的塑性曲率 $l_p(l_1 \leqslant x \leqslant l_1 + l_p)$,估算 l_p 的方法在以后章节中讨论。

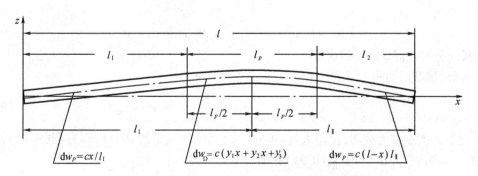

图 9.13　横向变形中的塑性变形部分

塑性分析是一个渐进的过程。式(9.9)中 w_p 的第 n 步分析可表述为

$$w_p(n) = w_p(n - 1) + dw_p(n) \tag{9.16}$$

式中,$w_p(n-1)$ 为第 $(n-1)$ 步塑性挠度增量的积累值;$dw_p(n)$ 为第 n 步的增量。

初始屈曲后,根据受拉侧应变的大小,在横截面上可能存在两种应力分布,如图 9.14。对于这些应力分布,轴向力和弯矩可表达为

$$P = 2\int_0^{\alpha_1} \sigma_y Rt\mathrm{d}\theta + 2\int_{\alpha_1}^{\pi-\alpha_2} \frac{\eta + R\cos\theta}{\eta + R\cos\alpha_1}\sigma_y Rt\mathrm{d}\theta - 2\int_{\pi-\alpha_2}^{\pi} \sigma_y Rt\mathrm{d}\theta \tag{9.17}$$

$$M = 2\int_0^{\alpha_1} \sigma_y R^2 t\cos\theta\mathrm{d}\theta + 2\int_{\alpha_1}^{\pi-\alpha_2} \frac{\eta + \cos\theta}{\eta + \cos\alpha_1}\sigma_y R^2 t\cos\theta\mathrm{d}\theta - 2\int_{\pi-\alpha_2}^{\pi} \sigma_y R^2 t\cos\theta\mathrm{d}\theta \tag{9.18}$$

式中,σ_y 为屈服应力。对于 A 类型应力分布,α_2 可取为 0。

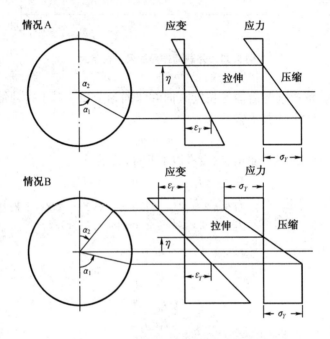

图 9.14　不考虑局部屈曲的弹塑性应力分布

由弯矩平衡方程得出下列方程:

$$P(w_e + w_p + w_0) + Q = M \tag{9.19}$$

式中

$$e_0 = e_i + l_1(e_i - e_j)/l, e_i = M_i/P, e_j = -M_j/P \tag{9.20}$$

Q 为横向分布载荷 q 产生的弯矩。

另外,横截面的曲率可表述为

$$\frac{1}{\rho} = -\frac{\sigma_y}{E(\eta + R\cos\alpha_1)} = \frac{\mathrm{d}^2}{\mathrm{d}x^2}(w_e + w_p - w_0) \tag{9.21}$$

对于 A 类型应力分布,使用方程(9.7)、方程(9.10)、方程(9.11)和方程(9.12),将方程(9.17)、方程(9.19)和方程(9.21)化简为下列方程

$$P(\eta + f_1) = f_2 + c_1\eta \tag{9.22}$$

$$P(w + e_0) = f_3 + (f_4 + f_5\eta)/(\eta + f_1) + f_0 \tag{9.23}$$

$$c_2/(\eta + f_1) = \kappa \tag{9.24}$$

式中

$$f_1 = R\cos\alpha_1$$

$$f_2 = 2\sigma_y R^2 t(\alpha_1 \cos\alpha_1 - \sin\alpha_1)$$

$$f_3 = 2\sigma_y R^2 t\sin\alpha_1$$

$$f_4 = \sigma_y R^3 t(\pi - \alpha_1 - \sin\alpha_1 \cos\alpha_2) \qquad (9.25)$$

$$f_5 = -2\sigma_y R^2 t\sin\alpha_1$$

$$f_6 = q_j(l_1^3/l - ll_1)/6 - q_i(l_1^3/6l - l_1^2/2 + ll_1/3)$$

$$c_1 = 2\pi\sigma_y Rt$$

$$c_2 = l^2\sigma_y/\pi^2 E \qquad (9.26)$$

$$w = (w_e + w_p)\Big|_{x = l_1} \qquad (9.27)$$

$$\kappa = \frac{d^2(w_e + w_p - w_0)}{dx^2}\Big|_{x = l_1}$$

同样,由 B 类型应力分布得出下列方程:

$$P(\eta + f_1) = f_2 + h_1 + (c_2 - h_2)\eta \qquad (9.28)$$

$$P(w + e_0) = f_3 + f_4 + [f_4 - h_3 + (f_5 + h_4)\eta]/(\eta + f_1) + f_6 \qquad (9.29)$$

$$c_2/(\eta + f_1) = \kappa \qquad (9.30)$$

$$\eta = R(\cos\alpha_2 - \cos\alpha_1)/2 \qquad (9.31)$$

式中

$$h_1 = 2\sigma_y R^2 t(\sin\alpha_2 - \alpha_2 \cos\alpha_1)$$

$$h_2 = 4\sigma_y Rt\alpha_2$$

$$h_3 = \sigma_y R^3 t(\alpha_2 + \sin\alpha_2 \cos\alpha_2) \qquad (9.32)$$

$$h_4 = 2\sigma_y R^2 t\sin\alpha_2$$

根据 P, η 和 α_1(或 α_2),对情况 A 解方程(9.22)和方程(9.24),对情况 B 解方程(9.28)和方程(9.31),可分别得到轴向力和横向挠度的关系。

轴向压缩平均应变的弹塑性范围为

$$\varepsilon = \frac{P}{EA} \frac{l - 2R}{l} + \frac{2R}{l} \frac{\eta\sigma_y}{E(\eta + R\cos\alpha_l)} + \frac{1}{2l}\int_0^l \left[\left(\frac{dw}{dx}\right)^2 - \left(\frac{dw_0}{dx}\right)^2\right]dx \qquad (9.33)$$

方程(9.33)右边第二项表示双向应变塑性部分。假设 $\eta\sigma_y/(\eta + R\cos\alpha_1)$ 中的塑性应变在 $2R$ 范围内均匀分布。

2. 局部屈曲的临界条件

根据弹性稳定的经典理论,圆柱壳体轴向压缩时的临界屈曲应变如下(Timoshenko 和 Gere,1961):

$$\varepsilon_{cr} = \frac{1}{3\sqrt{1 - v^2}} \frac{t}{R} = 0.61 \frac{t}{R} \qquad (9.34)$$

此外,Gerard(1962),Batterman(1965)等人给出塑性壳屈曲的临界应变。其中,Reddy(1979)总结得出壳临界屈曲应变在以下范围发生,包括纯弯曲情况:

$$0.2 \frac{t}{R} < \varepsilon_{cr} < 0.4 \frac{t}{R} \qquad (9.35)$$

一般,圆管横截面上存在轴向力和弯矩。因此,横截面上的应变并不一致。本章给出经验公式,用最大弯曲应变与轴向应变的比值 $\varepsilon_b/\varepsilon_a$,及壁厚半径比 t/R 表示临界屈曲应变如下:

$$\varepsilon_{cr} = 0.155[0.25(\varepsilon_b/\varepsilon_a)^2 + 1.0](t/R) \quad (当 \varepsilon_b/\varepsilon_a < 2.5 时) \quad (9.36)$$

$$\varepsilon_{cr} = 0.4t/R \quad (当 \varepsilon_b/\varepsilon_a \geqslant 2.5 时)$$

图 9.15 列出了一系列实验所得临界屈曲应变，由 Reddy(1979)收集整理。根据 $\varepsilon_b/\varepsilon_a$ 的大小，由方程(9.36)得到的临界屈曲应变在 $0.115t/R$ 和 $0.4t/R$ 两线之间。

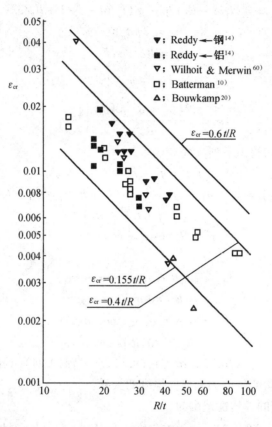

图 9.15　临界屈曲应变

3. 局部屈曲后分析

如 9.2 节描述，余弦模型或凹陷模型会发生局部屈曲。因此，提出两种分析模型：COS 模型和 DENT 模型。

(1)COS 模型

假设在轴向应变超过 ε_{cr} 的区域，发生局部屈曲变形。轴向模式近似于式(9.37)(图 9.16(a))：

$$\varepsilon = (\delta/2)\{1 - \cos(2\pi x/s)\} \quad (9.37)$$

式中，s 表示轴向屈曲波长。根据弹性稳定的经典理论，s 取 0.7 倍弹性屈曲波长，表达式为

$$s = 0.7 \frac{\pi}{\sqrt[4]{12(1 - v^2)}} \sqrt{Rt} = 1.21 \sqrt{Rt} \quad (9.38)$$

管壁发生局部屈曲处的轴向应变可表达为

$$\varepsilon = \varepsilon_{cr} + (1/2s)\int_0^\delta (dw_b/dx)^2 dx = \varepsilon_{cr} + (\pi^2/4)(\delta/s)^2 \quad (9.39)$$

此外，考虑管壁单位宽度上的弯矩平衡条件，可得到以下方程(见图 9.16(b))：

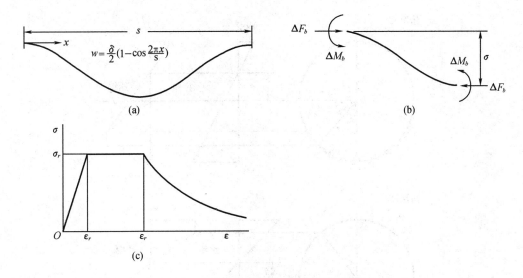

图 9.16　假定的局部屈曲模型的 COS 模型

(a)假定的变形模型;(b)作用在横截面上的力和弯矩;(c)应力应变关系示意图

$$\Delta F_b \delta - 2\Delta M_b = 0 \tag{9.40}$$

推导方程(9.40)时可不考虑条带之间的相互影响。根据之前提到的假设,在塑性区发生局部屈曲。因此,ΔF_b 和 ΔM_b 应满足全塑性相互关系,其表达式为

$$\Delta M_b / M_0 = 1 - (\Delta F_b / F_0)^2 \tag{9.41}$$

式中

$$F_0 = t\sigma_r$$
$$M_0 = t^2 \sigma_y / 4 \tag{9.42}$$

使用方程(9.39)、方程(9.40)和方程(9.41),可获得应力 – 应变和局部横向挠度 – 应力的关系如下:

$$\sigma / \sigma_y = (\sqrt{4 + \mu^2} - \mu)/2 \tag{9.43}$$
$$\delta / t = (1 - \sigma/\sigma_y)^2 / (2\sigma/\sigma_y) \tag{9.44}$$

式中

$$\mu = (4s/\pi t)\sqrt{\varepsilon - \varepsilon_{cr}} \tag{9.45}$$

方程(9.43)表示应力 – 应变关系,在图 9.16(c)中简化表示。使用此模式,发生局部屈曲后的管应力分布如图 9.17。对于 A 类应力分布,可导出下列方程以取代方程(9.22)和方程(9.23)。

$$P(\eta + f_1) = f_2 + f_2' + (c + c_1')\eta \tag{9.46}$$
$$P(w + e_0) = f_3 + f_3' + (f_4 + f_5\eta)/(f_1 + \eta) + f_6 \tag{9.47}$$

式中

$$f_2' = 2\sigma_y R^2 t(g_1 - \alpha)\cos\alpha_1$$
$$f_3' = 2\sigma_y Rt(g_2 - R\sin\alpha) \tag{9.48}$$
$$g_1 = \int_0^\alpha (\sigma/\sigma_y)\,\mathrm{d}\theta$$

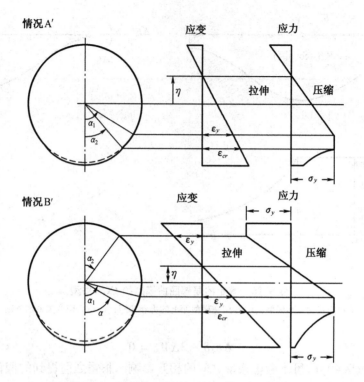

图 9.17   局部屈曲情况下的弹塑性应力分析

$$g_2 = \int_0^\alpha (R + \delta)(\sigma/\sigma_y)\cos\theta\mathrm{d}\theta \tag{9.49}$$

$$c_1' = 2\sigma_y Rt(g_1 - \alpha) \tag{9.50}$$

对于 B 类应力分布,可使用下列方程取代方程(9.28)和方程(9.29)。

$$P(\eta + f_1) = f_2 + f_2' + h_1 + (c + c_1' - h_2)\eta \tag{9.51}$$

$$P(w + e_0) = f_3 + f_3' + h_4 + \{f_4 - h_3 + (f_5 + h_4)\eta\}/(\eta + f_1) + f_6 \tag{9.52}$$

(2)DENT 模型

这个模型参见图9.8横截面 $c - c'$。图9.18描述一个凹陷及单位宽度,根据条带 ij 上作用的力和力矩的平衡条件,可推导出以下方程:

$$\Delta F_b R(\cos\theta - \cos\alpha) - 2\Delta M_b = 0 \tag{9.53}$$

解方程(9.53),并考虑方程(9.41)表述的全塑性条件,推导出 ΔF_b 和 ΔM_b:

$$\Delta F_b = \left[-R(\cos\theta - \cos\alpha) + \sqrt{R^2(\cos\theta - \cos\alpha)^2 + t^2} \right]\sigma_y \tag{9.54}$$

$$\Delta M_b = R(\cos\theta - \cos\alpha)\Delta F_b/2 \tag{9.55}$$

对 ΔF_b 和 ΔM_b 分别积分,可获得作用在凹陷底部的力 F_b 和弯矩 M_b 如下:

$$F_b = 2\int_0^\alpha \Delta F_b \mathrm{d}\theta \tag{9.56}$$

$$M_b = 2\int_0^\alpha \Delta M_b \mathrm{d}\theta \tag{9.57}$$

式中,α 表示半凹角,有一个极限值 α_L 在9.2节提到。在达到 α_L 后,将形成其他两个凹陷,如图9.10(c)。对于本章测试的试样,$\alpha_L = \pi/4$,这与 Toi 等的(1983)计算结果相吻合。

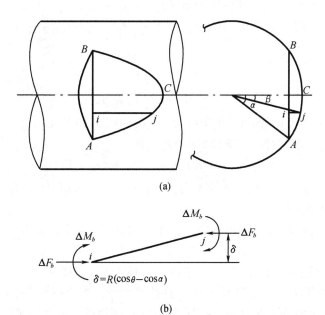

(a)

(b)

图 9.18　假定的局部屈曲模型的 Dent 模型

使用此模型,局部屈曲后的应力分布如图 9.19 所示。图 9.19 中,有一个凹陷的情况称为 A 类分布,有三个凹陷称为 B 类分布。对于 A 类应力分布,方程(9.22)和方程(9.23)写作

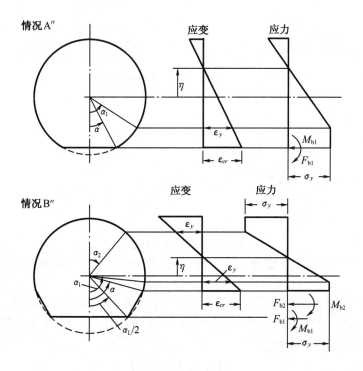

图 9.19　局部屈曲情况下的弹塑性应力分布(DENT 模型)

$$(P - f''_1)(\eta + f_1) = f_2 + c_1\eta \tag{9.58}$$

$$P(w + e_0) = f_3 + f''_3 + (f_4 + f_5\eta)/(\eta + f_1) + f_6 \tag{9.59}$$

式中

$$f''_1 = \sum F_{bi} \tag{9.60}$$

$$f''_3 = \sum M_{bi} + \sum F_{bi}R\cos\beta_i \tag{9.61}$$

式中,β_i 表示垂直中心线到第 i 个凹陷中心的角度,如图 9.19 所示。

对于 B 类应力分布,方程(9.28)和(9.29)写作

$$(P - f''_1)(\eta + f_1) = f_2 + h_1 + (c_1 - h_2)\eta \tag{9.62}$$

$$P(W + e_0) = f_3 + f''_3 + h_4 + \{f_4 - h_3 + (f_5 + h_4)\eta\}/(\eta + f_1) + f_6 \tag{9.63}$$

4. 数值分析程序

直至屈服发生,方程(9.3)给出轴向压载和横向挠度的关系。方程(9.8)用于计算平均轴向压应变。

开始塑化后,使用渐进的方式分析塑性部分的挠度,如图 9.13。方程(9.10)到方程(9.12)表示的挠度模型,给出了区域 I_p 内塑性曲率增量。如果图 9.20(a)实际的塑性区长度 I_d 取为 I_p,降低超出的塑性曲率,特别在塑性区近端点处。为避免这种情况,假设区域 I_d 内塑性曲率增量呈双向线形分布,如图 9.20(b)所示。沿塑性区 I_d 塑性倾斜增量的改变,可表述为

$$d\theta_p = l_p d\kappa_p/2 \tag{9.64}$$

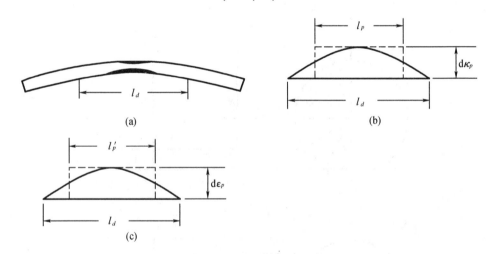

图 9.20　塑性区的等效长度

(a)推力和弯矩共同作用下实际塑性区;(b)塑性曲率增量的分布;(c)塑性轴向应变增量的分布

式中,$d\kappa_p$ 为塑性区中央塑性曲率的增量;$d\varepsilon_p$ 为塑性区中央塑性应变的增量。

另外,假设 $d\kappa_p$ 在塑性区 l_d 内均匀分布,由方程(9.10)和方程(9.12)表明,沿塑性区 I_d,塑性倾斜增量的改变可表述为

$$d\theta_p^* = l_p d\kappa_p \tag{9.65}$$

式中,l_p 确定,则 $d\theta_p^* = d\theta_p$。这相当于两种情况下,塑性区塑性曲率的总值相同,可得

$$l_p = l_d/2 \tag{9.66}$$

上述过程使用估计值 l_p，只是近似解。在 9.3.2 节，将介绍一个更精确的过程。对于挠度计算，为得到精确的塑性区 l_p 的大小，沿跨度取 100 个点进行应力分析，各点的间距和弯矩相同。发生局部屈曲后，塑性变形将集中在局部屈曲区。对于这种情况，可认为 l_p 等于管的外径，这可能是局部屈曲后塑性变形区域的大小。

9.3.2　理想结构单元分析

1. 极限强度预分析

使用理想结构单元分析法进行梁柱分析时，在进入全塑性截面或满足局部屈曲条件前，单元被认为是弹性的。当轴向力为张力时，基于前面屈曲后分析的计算结果，可以给出一个相对精确的极限强度。然而，当轴向力为压力时，极限强度评估准则不是那么准确，因为此准则是由一个半经验公式得来的。在现在的研究中，简化的弹塑性大挠度分析在 9.3.1 节中有所描述，其纳入理想化结构单元，以准确评估轴向压力影响下的极限强度。

理想化结构单元的方法使用增量分析法。先用普通增量计算执行直到初始屈曲发生。初始屈曲的检测是通过评价某一个单元沿跨度分布的弯矩和式(9.9)中所示挠度进行的。当初始屈服被检测到后，在 9.3.1 节中介绍的简化方法将被引入使用。

在这里，假定 $(n+1)$ 步的计算已经完成。因此，与式(9.19)类似，导出下列平衡方程：

$$P(w_e + w_p) + \Delta P(e_m + e_q) + M_i + Q = M \tag{9.67}$$

式中　P——式(9.17)中所给的轴向应力；

　　$\Delta P = P - X_i(\leqslant \Delta X_i)$；

　　M_i——第 n 步末 i 节点的弯矩；

　　Q——分布载荷产生的弯矩；

　　M——式(9.18)中所给的弯矩；

　　X_i——第 n 步末的轴向应力。

$$e_m = \Delta M_i / \Delta X_i \tag{9.68}$$

$$e_q = \Delta Q / \Delta X_i \tag{9.69}$$

式中　ΔX_i——第 $(n+1)$ 步的轴向应力增量；

　　ΔM_i——第 $(n+1)$ 步内 i 节点的弯矩增量；

　　ΔQ——第 $(n+1)$ 步内分布载荷产生的弯矩。

$X_i, \Delta X_i, \Delta M_i, Q$ 和 ΔQ 在 $(n+1)$ 步结束时为已知变量。

考虑到轴线方向的平衡、与斜坡有关的几何条件，以及式(9.67)，可得下面的方程：

A 的应力分布如下：

$$P(\eta + f_1) = f_2 + c_1 \eta \tag{9.70}$$

$$PW + \Delta P(e_m + e_q) = f_3 + (f_4 + f_5 \eta)/(\eta + f_1) + f_6 \tag{9.71}$$

$$c_2/(\eta + f_1) = \kappa \tag{9.72}$$

B 的应力分布如下：

$$P(\eta + f_1) = f_2 + h_1 + (c_1 - h_2)\eta \tag{9.73}$$

$$PW + \Delta P(e_m + e_q) = f_3 + h_4 + \{f_4 - h_3 + (f_5 + h_4)\eta\}/(\eta + f_1) + f_6 \tag{9.74}$$

$$c_2/(\eta + f_1) = \kappa \tag{9.75}$$

在初始屈服产生之后，弹塑性分析的简便方法是用式(9.70)至式(9.72)或式(9.73)至式(9.77)，在理想结构单元法的每一步中进行分析，直至极限强度达到一定的等级。

在这里,可引入一种更准确的方法来确定塑性区长度 l_p。如果轴向力 P 和弯矩 M 给出,则轴向应变 ε 和曲率 $\phi(x)$ 的参数 η,α_1(或 α_2)可由式(9.17)和式(9.18)得出。然后,可以对前一步引起的曲率增量 $\mathrm{d}\phi(x)$ 进行求值。结合该增量,塑性区的长度可由下式给出:

$$l_p = \int \mathrm{d}\phi_p(x)\,\mathrm{d}x / \mathrm{d}\phi_{po} \tag{9.76}$$

$$\mathrm{d}\phi_p(x) = \mathrm{d}\phi(x) - \mathrm{d}M(x)/EI \tag{9.77}$$

公式中, $\mathrm{d}\phi_{po}$ 代表塑性区中最大的塑性曲率增量。

2. 系统分析

采用理想结构单元的系统分析的步骤如下:

(1)每一步的增量计算及弯矩分布的确定,是在轴向力为压力的单元内进行求值的。

(2)基于弯矩和轴向力的分布,可进行应力的计算和单元屈服的校核。

(3)如果在某一步中探测到初始屈服,则可得该单元的初始屈服载荷。然后,弹塑性分析用式(9.70)至式(9.72)或式(9.73)至式(9.75)进行求解,直到 ΔP 转化为 X_i。

在下面的各步中可采用同样的方法在每个发生塑性化的单元进行计算。如果某一单元在某一步中 ΔP 达到其最大值 $\Delta P_{\max}$,而未达到 ΔX_i,则这一单元被认为已经达到了极限强度 $P_u = X_i + \Delta P_{\max}$。然后,将该步所有的增量乘以 $\Delta P_{\max}/\Delta X_i$。

对于已经达到其极限强度的单元,其挠度增加以保持轴向力不变,直到截面弯矩达到最大弯矩,截面满足完全塑性条件。然后,该单元划分为两个单元,截面中插入一个塑性节点。

这种分析的结果以轴向力和弯矩形式在图 9.21 中进行了简要说明。○代表理想化结构单元法的结果,虚线代表简化方法的结果。在第 4 点之前,没有塑化发生。第 4 和第 5 点之间,产生屈服,并在屈服发生的区域使用简化的分析方法进行分析。这一步没有观察到减少。第 5 和第 6 点之间,将达到极限强度。然后,将这一步的增量乘以 $b5/56$,同时

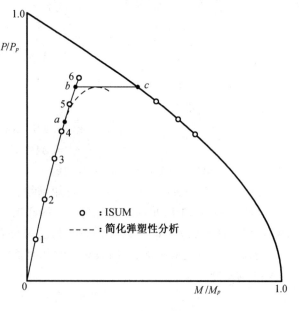

图 9.21　内力示意图

为保持恒定的轴向力,弯矩提升到 c 值,并引入一个塑性节点。在这之后,可应用塑性节点法(Ueda 和 Yao, 1982)。

3. 塑性节点应变估计

在塑性节点法(Ueda 和 Yao, 1982)中,屈服函数通过节点力和塑性势进行确定。因此,塑性变形以节点位移的塑性部分的形式表现出来,同时单元上只有弹性变形。物理上,节点位移的塑性成分相当于节点附近的综合塑性应变分布。如果节点力在塑性节点位移上所做的塑性功和分布应力在塑性应变过程中所做的功相等,则节点位移相当于塑性应变

（Ueda 和 Fujikubo，1986）。然而,节点上的塑性节点位移和塑性应力不存在数学关系。因此,在采用塑性节点方法分析得出结果后,需要采用一些近似方法将塑性节点位移转化为塑性应力。

如图 9.22 中的实线所示,在塑性节点引入后,内力沿着完全塑性的交互作用做曲线运动。另一方面,由有限元进行精确的弹塑性分析得到的结果以虚线表示在图 9.22 中,带圆点的点画线则代表简化方法所得到的结果。

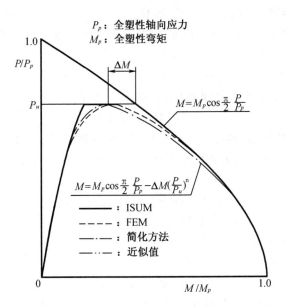

图 9.22　轴力与弯矩的近似关系

达到极限应力之后的弯矩可按下式进行近似计算:

$$M = M_p \cos \frac{\pi}{2} \frac{P}{P_p} - \Delta M \left(\frac{P}{P_u} \right)^n \qquad (9.78)$$

式中

$$M_p = 4\sigma_y R^2 t \qquad P_p = 2\pi\sigma_y Rt \qquad (9.79)$$

其中,ΔM 在图 9.22 中有所表示,而弯矩和轴向力的关系是以带两圆点的点画线在图 9.22 中表示的。

将轴向力和由式(9.79)得到的弯矩分别代入式(9.17)和式(9.18),则可得应变值。若最大应变(轴向应变和最大弯曲应变的和)达到由式(9.36)表示的临界应变,则要进行后局部弯曲分析。

4. 局部屈曲后分析

局部屈曲发生后的完全塑性界面关系表示如下:

$$\Gamma = M - M_d - M_p \cos \left[\frac{\pi}{2} \left(\frac{P}{P_p} - \frac{F_d}{P_p} \right) + \frac{\alpha}{2} \right] + \frac{1}{2} M_p \sin\alpha \qquad (9.80)$$

式中,F_d 和 M_d 表示如下:

COS 模型

$$F_d = 2 \int Rt\sigma \mathrm{d}\theta \qquad (9.81)$$

$$M_d = 2\int Rt\delta\sigma\cos\theta\mathrm{d}\theta \tag{9.82}$$

DENT 模型

$$F_d = \sum F_{bi} \tag{9.83}$$

$$M_d = \sum M_{bi} + \sum F_{bi}R\cos\beta_i \tag{9.84}$$

在上述表达式中，σ 和 δ 在式（9.43）和式（9.44）中已给出；另外，F_{bi} 和 M_{bi} 等于式（9.56）和式（9.67）中第 i 节点对应的 F_b 和 M_b。

在这里，角度 α 代表局部屈曲的程度，同时，α 是轴向应力 e 和横截面曲率 κ 的函数，其表达式如下：

$$\alpha = \cos^{-1}\left[(\varepsilon_{cr} - e)/(\kappa R)\right] \tag{9.85}$$

相同地，F_d 和 M_d 是 e 和 κ 的函数（由 α 表示）。因此，完全塑性界面关系可再写为

$$\Gamma(P,M,e,\kappa) = 0 \tag{9.86}$$

如在 9.3.2 节中描述的，塑性节点与位移节点的塑性应变不存在一一对应关系。然而，塑性应变可能集中于发生局部屈曲的横截面处。因此，该界面的轴向应变和曲率可近似表示为

$$e = P/EA + e_{pcr} + (u_p - u_{pcr})/l_p \tag{9.87}$$

$$\kappa = M/EI + \kappa_{pcr} + (\theta_p - \theta_{pcr})/l_p \tag{9.88}$$

式中，l_p 表示塑性区的长度，在简化方法中，其等于直径 $D(D = 2R)$。考虑式（9.87）及式（9.88），完全塑性界面关系可归纳为

$$\Gamma(P,M,u_p,\theta_p) = 0 \tag{9.89}$$

发生局部屈曲之后的弹塑性刚度矩阵是由式（9.89）表示的完全塑性界面关系推导得出的。维持塑性状态的条件可写为

$$\mathrm{d}\Gamma = \frac{\partial\Gamma}{\partial P}\mathrm{d}P + \frac{\partial\Gamma}{\partial P}\mathrm{d}M + \frac{\partial\Gamma}{\partial P}\mathrm{d}u_p + \frac{\partial\Gamma}{\partial P}\mathrm{d}\theta_p = 0 \tag{9.90}$$

或以矩阵表示：

$$\begin{bmatrix} \boldsymbol{\phi}_i^{\mathrm{T}} & 0 \\ 0 & \boldsymbol{\phi}_j^{\mathrm{T}} \end{bmatrix}\begin{Bmatrix} \mathrm{d}R_i \\ \mathrm{d}R_j \end{Bmatrix} + \begin{bmatrix} \boldsymbol{\psi}_i^{\mathrm{T}} & 0 \\ 0 & \boldsymbol{\psi}_j^{\mathrm{T}} \end{bmatrix}\begin{Bmatrix} \mathrm{d}h_{pj} \\ \mathrm{d}h_{pj} \end{Bmatrix} = 0 \tag{9.91}$$

式中，$\mathrm{d}R$ 和 $\mathrm{d}h_p$ 分别是节点力和塑性节点位移的增量，可见图 9.12 及下式：

$$\boldsymbol{\phi}_i = \{\partial\Gamma/\partial X_i, \partial\Gamma/\partial Z_i, \partial\Gamma/\partial M_i\}^{\mathrm{T}}$$

$$\boldsymbol{\phi}_j = \{\partial\Gamma/\partial X_j, \partial\Gamma/\partial Z_j, \partial\Gamma/\partial M_j\}^{\mathrm{T}} \tag{9.92}$$

$$\boldsymbol{\phi}_{pi} = \{\partial\Gamma/\partial X_{pi}, \partial\Gamma/\partial Z_{pi}, \partial\Gamma/\partial M_{pi}\}^{\mathrm{T}}$$

$$\boldsymbol{\phi}_{pj} = \{\partial\Gamma/\partial X_{pi}, \partial\Gamma/\partial Z_{pi}, \partial\Gamma/\partial M_{pi}\}^{\mathrm{T}} \tag{9.93}$$

式中，将 Γ 考虑为塑性势，塑性节点的位移增量如下：

$$\begin{Bmatrix} \mathrm{d}h_{pi} \\ \mathrm{d}h_{pj} \end{Bmatrix} = \begin{bmatrix} \mathrm{d}\lambda_i & 0 \\ 0 & \mathrm{d}\lambda_j \end{bmatrix}\begin{Bmatrix} \boldsymbol{\phi}_i \\ \boldsymbol{\phi}_j \end{Bmatrix} \tag{9.94}$$

当只有节点 j 为塑性时，则 $\mathrm{d}\lambda_i = 0$。相反的，若节点 i 为塑性的，则 $\mathrm{d}\lambda_j = 0$。

另一方面，节点力的增量用弹性刚度矩阵和节点位移增量的弹性成分形式表示如下：

$$\begin{Bmatrix} \mathrm{d}R_i \\ \mathrm{d}R_j \end{Bmatrix} = \begin{bmatrix} K_{ii}^e & K_{ij}^e \\ K_{ji}^e & K_{jj}^e \end{bmatrix}\left(\begin{Bmatrix} \mathrm{d}h_i \\ \mathrm{d}h_j \end{Bmatrix} - \begin{Bmatrix} \mathrm{d}h_{pi} \\ \mathrm{d}h_{pj} \end{Bmatrix}\right) \tag{9.95}$$

式中,dh 表示节点位移的增量。

将式(9.94)和式(9.95)代入式(9.92),则 $d\lambda_i$ 和 $d\lambda_j$ 可以用 dh 来表示。

再将它们代入式(9.95),则发生局部屈曲的弹塑性刚度矩阵可表示如下:

$$\Gamma(P,M,e,\kappa) = 0 \tag{9.96}$$

若不考虑局部屈曲的情况,则可以给出弹塑性刚度矩阵的具体形式(Ueda 等,1969)。当考虑局部屈曲时,式子(Ueda 和 Yao,1982)分母中的 $\phi_i^T K_{ii} \phi_i$ 和 $\phi_j^T K_{jj} \phi_j$ 将分别替换为 $\phi_i^T K_{ii} \phi_i - \psi_i^T \psi_i$ 和 $\phi_j^T K_{jj} \phi_j - \psi_j^T \psi_j$。

9.4　计算结果

9.4.1　大挠度弹塑性简化分析

为了检查所采纳分析方法的有效性,要对试样进行一系列的计算,其内容列于表 9.4 中,其比较了计算和测量的结果。共进行了三种类型的分析:简化弹塑性大挠度分析;分别结合 COS 模型和 DENT 模型,对所有样本进行分析;采用有限元方法的弹塑性大挠度分析(不考虑局部屈曲)。使用 COS 模型和 DENT 模型计算的结果绘制成图 9.23,实验结果以实线进行绘制。

表 9.4　试样尺寸、材料特性及实验和计算结果

样品号	平均直径	厚度	长度 L/mm	初始变形 a/mm	载荷偏移 e/mm	杨氏模量 E /(kg/mm)	屈服应力 σ_y /(kg/mm)	极限应力 σ_u/σ_y 测量值 计算值		参考值
H1	501.6	6.40	8 000	0.63	63.50	21 180.0	34.55	0.68	0.63	当前的
H2	501.6	6.40	8 000	0.63	127.00	21 180.0	34.55	0.55	0.49	当前的
H3	501.6	6.40	8 000	0.63	190.50	21 180.0	34.55	0.44	0.41	当前的
A1	61.5	2.11	2 150	0.0	0.00	20 496.3	23.25	0.84	0.76	11
A2	61.5	2.12	2 150	0.0	9.84	21 210.1	23.25	0.49	0.43	11
B1	77.8	1.74	2 150	0.0	0.00	20 802.2	19.88	1.00	0.94	11
B2	77.8	1.71	2 150	0.0	10.11	23 351.5	20.29	0.60	0.59	11
C1	100.0	1.66	2 150	0.0	0.00	20 496.3	21.52	1.10	0.95	11
C2	99.9	1.73	2 150	0.0	9.99	21 006.2	28.95	0.58	0.63	11
D1	89.0	1.02	2 150	0.0	0.00	22 535.7	49.46	0.75	0.83	11
D2	89.0	1.01	2 150	0.0	15.13	26 002.8	47.52	0.50	0.47	11
S1	213.5	5.56	4 572	0.0	0.00	20 256.1	41.69	0.84	0.82	5
S2	213.5	5.56	6 096	0.0	0.00	20 256.1	41.69	0.72	0.59	5
S3	213.5	5.56	7 620	0.0	0.00	20 256.1	41.69	0.54	0.41	5
S4	213.5	5.56	9 144	0.0	0.00	20 256.1	41.69	0.32	0.29	5

1. H 系列

该系列是最近测试的。测量和计算的载荷挠度曲线绘制于图 9.7 中。首先,达到极限强度前,由简化方法得到的结果与有限元方法得到的结果之间有一个很好的对应关系。然而随着横向挠度增加,它们开始表现出一些差别,这可能是由于这一阶段内对塑性区域的大小估计过高。

极限强度的计算值低于实验值 7%~10%。这可能是由末端简支条件模拟不佳和材料的应变硬化效应造成的。与此不同的是,采用式(9.33)进行局部屈曲计算得到的值与实测值吻合很好。另外,局部屈曲后的特征也可用 COS 模型模拟得非常好,但 DENT 模型并不满足。应用 DENT 模型所产生的这种测量和计算结果的差异,在所有的已测试样本的分析中均有发现,除了 D 系列。这可能是由于低估了某一凹陷的底部力和力矩。因此,需要对DENT 模型进行深入考虑。

2. C 系列

C 系列实验是由史密斯等人于 1979 年进行的。试样 C1 和 C2 不伴随着撞损(削弱)破坏进行分析。试样 C2 的计算结果及其测量值绘制见图 9.23。史密斯在报告中指出,局部屈曲在末端缩短应变达到屈服应变 ε_y 的 2.5 倍时发生,而在分析过程中它发生在达到应变 ε_y 的 1.4 倍时。然而,局部屈曲开始时的特征,可用所提出的简化弹塑性大挠度分析方法进行很好的模拟。另一方面,试样 C1 的局部屈曲在达到极限强度之后发生,这一现象无论是在试验和分析均有体现。然而,计算所得的极限强度远远低于测量值,如表 9.4 所示。这可能是由于在实验中存在一些问题,测得的极限强度为 1.1 倍的完全塑性强度。

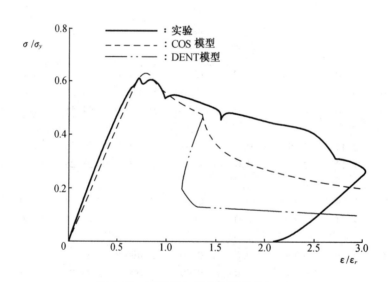

图 9.23 测量值与计算值的比较(C2)

3. D 系列

D 系列实验也是由史密斯等人于 1979 年进行的,采用的分析试样为 D1 和 D2。在这里,试样 D1 的结果绘制如图 9.24 所示,在极限强度和局部屈曲开始阶段,计算和测量结果之间存在良好的相关性。然而,局部屈曲发生后的实验结果和分析计算结果是有所不同的。这可能是由于在这个阶段实验的性能(特征)是动态的,该现象为一种突然穿越现象

（史密斯曾提及）。正因为其在动态行为发生后仍具有承载能力，DENT 模型能给出较 COS 模式更好的估计。

在 D2 样本中也存在类似的结果，但这里计算分析所得的局部屈曲开始时间要早于实验观测的时间。

4. S 系列

该系列为 Bouwkamp（1975 年）进行的实验的一部分。试样 S3 计算和测量结果如图 9.25 所示。首先，测量的极限强度远远高于欧拉弹性屈曲强度。这必定是由于难以模拟末端简支条件引起的。因此，达到极限强度之后将出现不稳定现象，同时动态卸载行为可能会发生。在此之后是一段稳定的平衡曲线。

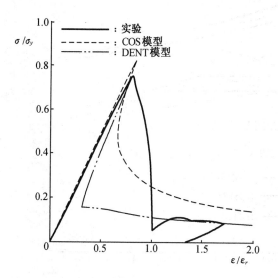

图 9.24　测量值与计算值的比较（D1）

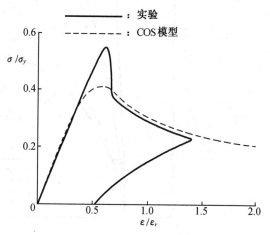

图 9.25　测量值与计算值的比较（S3）

相同的特性也存在于试样 S1，S2 和 S3 中。Bouwkamp 在其报告中提到，局部屈曲发生在达到极限强度之后。然而，在这一系列的分析中，局部屈曲并没有发生。

5. A 系列和 B 系列

A 系列和 B 系列实验是由 Smith 等人于 1979 年进行的，但在实验和分析计算中均未发生局部屈曲。但除了试样 A1，极限强度计算值与测量值十分相符。

9.4.2　理想结构单元分析方法

1. 具有末端旋转约束条件的构件

某结构构件的末端旋转在该结构体系中要受到其他构件的约束。这种约束的影响相当于在该处放置弹簧，若某一构件从系统中单独拿出来分析，则弹簧将对该构件两端的旋转进行约束。在 0 和 ∞ 之间改变弹簧弹性系数，对构件进行一系列的分析。壁厚和外径分别取 20 mm 和 2 000 mm，为了了解提出的理想化结构单元模型的特点，初始挠度设定为试样长度的 1/500。材料的屈服应力取为 30 kg·f/mm²，同时两端弹簧的等级是相同的。该分析中不考虑局部屈曲问题。式 $I/\sqrt{I/A} = 100$ 的计算结果列于图 9.26 和图 9.27 中。图 9.26 代表载荷与横向挠度的关系，图 9.27 代表内力在跨中点和端点的变化。在这些图中，实线和点画线分别表

示采用上述介绍的方法和有限元方法。另外,虚线代表解析方法,其表示如下:

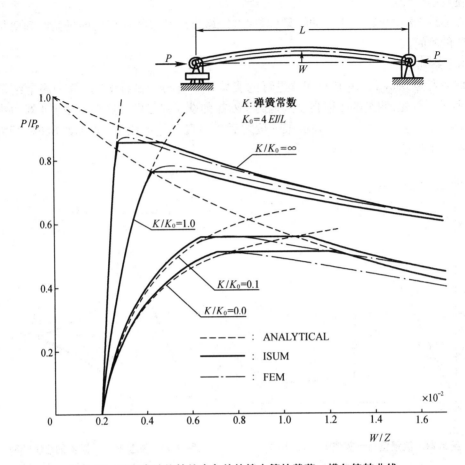

图 9.26　具有末端旋转约束条件的简支管的载荷－横向偏转曲线

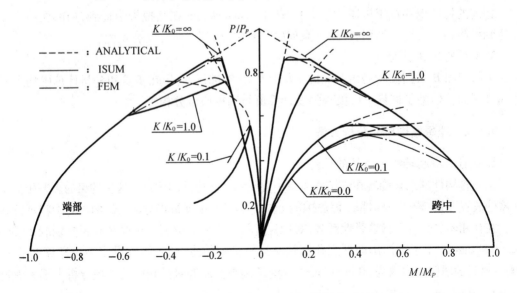

图 9.27　轴向应力与弯矩的关系

完全弹性解

$$w = 2M[1/(2\cos kl/2) - 1] + \alpha_0 P_E/(P_E - P) \tag{9.97}$$

式中

$$M = -\left[\frac{\pi a_0 P}{l(P_e - P)}\right]\bigg/\left[\frac{k(1 - \cos kl)}{(P\sin kl)} + \frac{1}{k}\right] \tag{9.98}$$

式中, k 表示置于每一端弹簧的等级, 同时 P_E 的给出如式(9.6)。

刚塑性解:

$$w = M_p[\cos(\pi P/2P_p)]/P \qquad k = 0 \tag{9.99}$$

$$w = 2M_p[\cos(\pi P/2P_p)]/P \qquad k = \infty \tag{9.100}$$

这里, k/k_0 取为 $0.0, 0.1, 1.0$ 和 ∞, $k_0 = 4EI$。

当约束条件较弱时, 采用推荐方法求得的极限强度略低于采用有限元方法求得的极限强度, 但当约束条件增强时, 其值也相应地增加。但是, 上述推荐的方法给出了非常精确的极限强度。

当 $K = \infty$ 情况下, 依照简化方法, 在引入塑性节点的跨中处应力达到极限应力时, 该处的轴向载荷将增加。当两端满足完全塑性条件时, 轴向应力开始减小。然而, 在引入塑性节点的跨度中点处的载荷增量很小。因此, 可采用备选分析方案, 即应用简便方法达到极限应力时, 在跨距中点和两端同时引入 3 个塑性节点。在 $K = \infty$ 时, 用采用后一方法所得的结果对应的曲线列于图 9.26 及图 9.27。对这一方案要进行进一步的思考。

2. H 系列

对于 H 系列的试样要进行一系列的分析, 以校核采用介绍方法预测局部屈曲后行为(特性)的准确性。采用 COS 模型时, 式(9.78)中系数 n 在 6 至 8 之间取值。

载荷与横向挠度的关系及与内力的交互作用关系, 分别表示于图 9.28 和图 9.29 中。实线和虚线分别表示介绍方法和实验所得的结果, 点画线表示由有限元方法所得的结果(不考虑局部屈曲)。

在局部屈曲产生前, 由介绍方法和有限元方法所得的所有结果都表现出很好的相关性(包括极限强度), 而有限元方法与实验方法所得结果的对比呈现出些许的差异, 其原因(表述于图 9.29 中)可能是实际材料与假定材料的属性存在差异。分析中的屈服应力是确定的(其值是基于拉伸实验的结果), 而且只要应力为拉力, 则屈服应力的值将十分精确。但材料的特性在拉伸和压缩范围可能有一些不同。

局部屈曲行为可以模拟得很好, 虽然局部屈曲开始点的计算值与测量值有些许差异。局部屈曲开始点的不同可能是根据式(9.31)算得的临界屈曲应变和根据式(9.67)估算的应变不准确造成的。目前, 其值仍然不明(用 n 表示), 但如图 9.28 及图 9.29 所示, 较大的值可以得到较好的结果。

曲线可认为是数值试验的结果, 改变了局部屈曲的开始点。承载能力(轴向载荷)将大为削弱。

对小型试样也进行同样的分析。对于极限应力, 所有试样的计算及实验结果均呈现出相对良好的相关性。然而, 后极限强度的计算值与实验值有些许不同。这可能是由于假设的应力应变关系与实际的情况存在差异。在分析中假定了理想弹塑性的应力应变关系。与之相反, 实际状态下材料表现出较高的应变硬化。为了分析这种情况, 应变硬化的影响

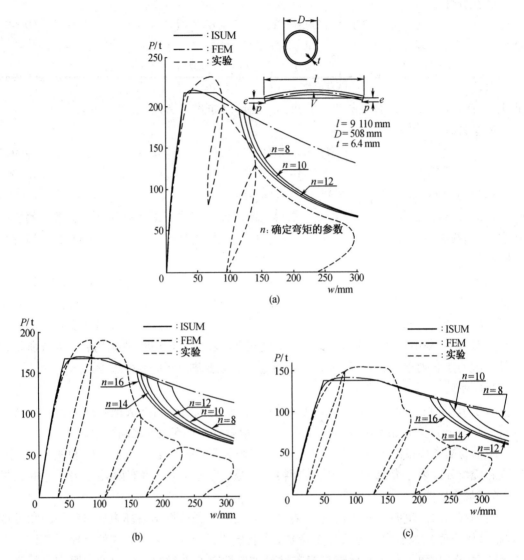

图9.28　H 系列试样的负载及横向挠度曲线

(a)$e/D = 1/8$；(b)$e/D = 1/4$；(c)$e/D = 3/8$

必须考虑到。简化分析方法的精度极易受到应变硬化的影响。应用塑性节点方法进行后极限强度分析是一个基本的方法,该方法的提出人为 Ueda 和 Fujikubo(1986)。

如果出现纯弯曲,则轴向力为零,而不必采用介绍的方法。在该情况下,完全塑性条件可给出精确的极限应力值。此外,当轴向力为拉力时,也不必采用该方法。

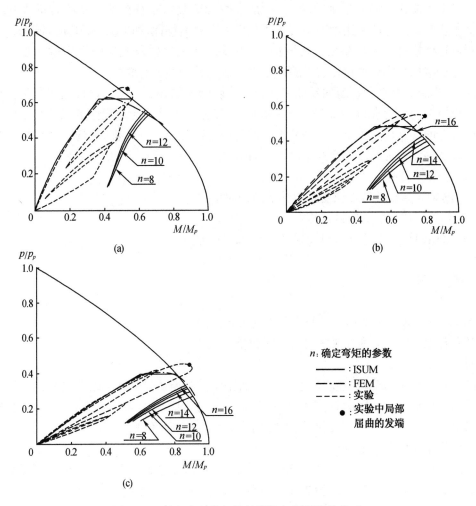

图 9.29　轴向力与弯矩的计算值与测量值的关系

（a）$e/D = 1/8$；（b）$e/D = 1/4$；（c）$e/D = 3/8$

9.5　结论

本章从理论和实验两方面研究了圆管的局部屈曲。首先,对大型和小型管试样进行了一系列试验。大型实验试样与现有半潜式钻井平台的支撑构件的缩尺比为 1/3.5,其直径与厚度之比（D/t）为 78。小型模试样的 D/t 的比值在 40 和 97 之间。两种试样均要进行载荷偏心的轴压缩试验,另外,小型试样还要进行纯弯曲试验。这些实验表明,在极限强度达到时,局部屈曲发生在压缩应变最大区域。可观察到两种类型的屈曲模型,即余弦模式和削弱模式。屈曲波的传播方面,余弦模式在圆周方向约为半周,而削弱模式约为四分之一周。然而,在两种模式中轴线方向均有一个很短的波长。

在局部屈曲产生之后,承载能力会发生突然降低。在采用余弦模型的情况下,形成的局部压凹变形将沿着初步余弦屈曲波的足部分布。在采用削弱模式的情况下,局部压凹变形将分布于靠近初始压凹处。

建议采用简化方法分析承受轴向压力、末端弯矩及均布载荷的管状构件的弹塑性特性。基于实验结果建议采用两种模型来模拟后局部屈曲特性,即 COS 和 DENT 模式。

利用这些模型并结合简化分析方法,可对新的实验试样及先前的报告做一系列的分析。将分析结果与实验值做比较可验证建议方法的精确性及有效性。

此外,理想结构单元模型的发展也结合了建议的简化方法。采用该模型极限强度可以很自然地由轴向压力求得。当发生局部屈曲后,其影响通过单元的塑性节点位移来反映完全塑性强度的交互作用关系。应用新近开发的单元进行了一些计算,并通过其计算结果与有限元方法的比较证明该单元的精确性和有效性。

未来的研究工作:

(1)精确计算塑性节点应变及塑性节点的曲率;

(2)临界区域应变的精确计算;

(3)采用建议的理想结构单元模型进行系统分析。

9.6　例子

例 9.1　比较理想结构单元方法和塑性节点方法。

问题描述:描述两种方法之间的不同和相同之处。

解:

第二部分第 12 章所描述的塑性节点方法是塑性铰链方法(通常用于梁和构架结构的塑性分析)的推广。这样的推广可能使这种方法对板结构及壳结构有效(Ueda 和 Yao,1982),其还可能包含了应变硬化的影响(用公式表示;Ueda 和 Fujikubo,1986)。然而,塑性节点方法中不考虑几何非线性。

理想结构单元方法(Ueda 和 Rashed,1984)利用塑性节点方法处理可塑性,同时采用经验公式(设计规范中也是如此)分析单个构件的极限强度。本章中,尝试用简化非弹性分析替代经验公式来推算极限强度。简化非弹性分析具有可进行更多复杂的不完整性(缺陷)和边界条件计算的特点,而经验公式不行。然而,该方法的计算量及复杂性可能导致在分析复杂工程时不收敛。

参考文献

[1] RP2A-WSD API. Recommended practice for planning, designing and constructing fixed offshore platforms-working stress design[S]. 2000.

[2] Bai Y. Load Carrying Capacity of Tubular Members in Offshore Structures[D]. Hiroshima University, Jan. 1989.

[3] Batterman S C. Plastic buckling of axially compressed cylindrical shells[J]. AIAA Journal,1965,3(2): 316 - 325.

[4] Bouwkamp J G. Buckling and post-buckling strength of circular tubular sections [C]// Offshore Technology Conference,1975.

[5] Chen W F,Han D J. Tubular members in offshore structures[M]. London:Pitman Publishing,1985.

[6] Veritas N. Rules for classification of mobile offshore units[M]. Det Norske Veritas Classification A/ S,1994.

[7] Gerard G. Introduction to structural stability theory[M]. [S. l.] :McGraw-Hill,1961.

[8] Rashed S M H. Behaviour to ultimate strength of tubular offshore structures by the idealized structural unit method[J]. Report SK,1980,51.

[9] Reddy B D. An experimental study of the plastic buckling of circular cylinders in pure bending[J]. International Journal of Solids and Structures,1979,15(9) :669 – 683.

[10] Smith C S,Kirkwood W,Swan J W. Buckling strength and post-collapse behaviour of tubular bracing members including damage effects[C]//Anon. Proceedings of the Second International Conference on the Behaviour of Off-Shore Structures,held at Imperial College,London,England. 1979.

[11] Toi Y,Kawai T. Discrete Limit Analysis of ThinWalled Structures (Part 5) Nonaxisymmetric Plastic Buckling Mode of Axially Compressed Circular Shells[J]. Journal of Society of Naval Arch. of Japan, 1983 ,Na. 154 :337247 (in Japanese).

[12] Ueda Y,Akamatsu T,Ohmi Y. ElasticPlastic Analysis of Framed Structures Using Matrix Method (2nd Rep.)[J]. Journal of Society of Naval Arch. of Japan,1969,126 :253 262 (in Japanese).

[13] Ueda Y,Fujikubo M. Plastic Collocation Method Considering StrainHardening Effects[J]. Journal of Society of Naval Arch. of Japan,1986,160 :306317.

[14] Ueda Y,Rashed S M H,Nakacho K. New efficient and accurate method of nonlinear analysis of offshore tubular frames (the idealized structural unit method) [J]. Journal of energy resources technology, 1985 ,107(2) :204 – 211.

[15] Ueda Y,Yao T. The plastic node method :a new method of plastic analysis[J]. Computer Methods in Applied Mechanics and Engineering,1982,34(1) :1089 – 1104.

[16] Yao T,Fujikubo M,Bai Y,et al. Local Buckling of Bracing Members (1st Report)[J]. Journal of Society of Naval Architects of Japan,1986,160.

[17] Yao T,Fujikubo M,Bai Y,et al. Local Buckling of Bracing Members (2nd Report)[J]. Journal of Society of Naval Architects of Japan,1988,164.

第10章 板和加筋板的极限强度

10.1 引言

10.1.1 概况

加筋板通常被用作海洋结构物的承重部件,典型的几个例子为船体梁、半潜式平台的浮筒和近海平台的甲板。船体梁的典型骨架形式由密集排列的纵骨和排列间距较大的强肋板(强横梁)组成。图10.1为船体梁的底部和舷侧结构。静压载荷(外部和内部压力区别)的传递过程:首先通过板传递到纵骨,再通过梁最终传递到横梁。

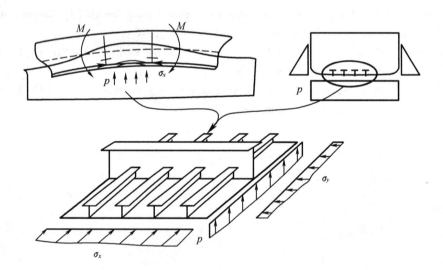

图10.1 船底部的加筋板

如图10.1所示,船底板将承受两个轴向的作用力,分别为板内的由船体梁纵向弯曲引起的均布载荷和由静水压力引起的侧向力。

影响加筋板的特性因子包括:加强筋的长细比及其间距、板的几何形状和材料的屈服应力。另外,残余应力、初始位移、边界条件和载荷类型也会对加筋板的特性产生影响。

复合载荷下板(加筋板)可能的失效模式可分为以下几类:

(1)板发生屈曲和失稳——后屈曲区域内横向扰度扩大和达到极限强度,见10.3节及10.4节;

(2)附于板上的加强筋失稳——发生梁柱型屈曲,而其所附于的板仍为有效板,见10.5.1节;

（3）加强筋发生翻转——翻转是由于加强筋的屈曲和板缺乏提供抗转动的能力，见 10.5.2 节；

（4）板格屈曲——包括横梁和纵骨的弯曲，见 10.6 节。

本章的编写目的是简要地分析抗弯强度，若想了解进一步的数学理论可以查阅参考资料中的书目。设计规范中的一些公式只用作说明和教学，实际工程项目时应直接使用相关规范。

10.1.2　微分方程的解

某一承受均布压力的初始平板弹性屈曲载荷计算过程如下：

板的平衡方程如下

$$\nabla^4 w = \frac{1}{D}\Big(q + N_x \frac{\partial^2 w}{\partial x^2} + N_{xy}\frac{\partial^2 w}{\partial x \partial y} + N_y \frac{\partial^2 w}{\partial y^2}\Big) \tag{10.1}$$

式中，板的刚度给出如下：

$$D = \frac{Et^3}{12(1-v^2)} \tag{10.2}$$

另外

$$\nabla^4 = (\nabla^2)^2 = \Big(\frac{\partial^2}{\partial x^2} + \frac{\partial^2}{\partial y^2}\Big)^2 \tag{10.3}$$

以下各量由薄膜应力合成：

$$\left.\begin{array}{l} N_x = \sigma_x t \\ N_y = \sigma_y t \\ N_{xy} = \sigma_{xy} t \end{array}\right\} \tag{10.4}$$

处于纯压缩状态下的简支板（图 10.2），其公式为

$$\nabla^4 w = \frac{N_x}{D}\frac{\partial^2 w}{\partial x^2} \tag{10.5}$$

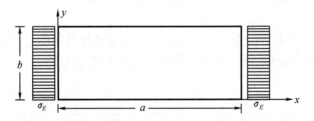

图 10.2　纯压缩状态下的简支板

基于边界条件，位移函数可表述如下：

$$w = C_{mn}\sin\frac{m\pi x}{a}\sin\frac{n\pi y}{b} \tag{10.6}$$

式中，m 和 n 为 x 和 y 方向的半波值。式（10.7）为弹性屈曲应力的求解公式：

$$\sigma_E = \frac{\pi^2 E}{12(1-v^2)}\Big(\frac{t}{b}\Big)^2 \cdot c = \frac{\pi^2 D}{tb^2} \cdot c \tag{10.7}$$

式中，c 为由板的长宽比 a/b 决定的因子，见图 10.3。

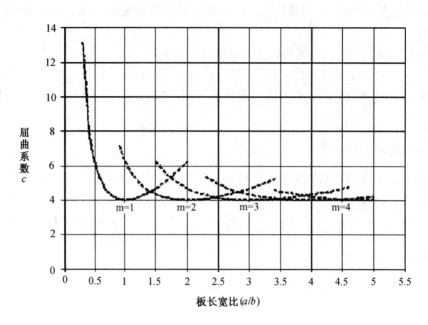

图 10.3　屈曲系数与板长宽比的关系

图 10.3 中屈曲系数 c 对照承受均匀压力的简支板的长宽比进行表示。当长度为宽度的很多倍时,屈曲应力最小。对于中间值,波的数目与板长不协调,因此屈曲载荷增加。在实际情况中并不考虑该增加强度。

10.1.3　边界条件

实际的边界条件与理想情况有区别,主要影响来源于空载边缘的条件。参考图 10.4,板 F 和板 B 是受约束的,而板 A 是自由的。在受约束的情况下(当受力时边缘仍保持不发生变形),横向位移是允许的,但是仍然强迫边缘保持直线。在自由情况下,边缘是完全自由的,并考虑横向位移。

板 B 与板 F 的边界条件的差异主要是由于板的长宽比引起的。板 F 上较密集布置的横向加劲肋阻止了横向变形,而在板 B 中截面较易产生横向挠度。

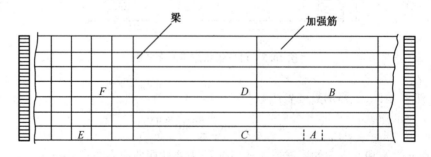

图 10.4　加筋板上的板单元的各种不同边界条件

一般而言,承载边的边界条件对极限强度没有显著影响。在本章中,强度规范是基于极限载荷条件下的假设:

（1）所有边界条件均视为简支(由于屈服)；

（2）在支撑构件作用下，边界边缘保持直线。

这两个近似将导致些许不利，但能得到适当的结果。

10.1.4　由制造产生的缺陷和使用过程中出现的老化

实际结构中的各种使结构老化的因素影响着构件的屈曲和极限强度，如：

（1）焊接残余应力；

（2）由焊接和建造工艺引起的初始挠度；

（3）板上的开口，比如检修孔；

（4）结构服役过程中产生的腐蚀破坏和疲劳裂纹。

一般而言，残余应力和初始挠度均暗含于强度公式中，只要其值不超过规定的制造容差标准。如若存在其他形式引起的结构老化，则要采用更精确的方法来分析强度，以推导出换算系数。

图 10.5 为加筋板的焊接残余应力模型，其中，加强筋的焊脚区域内的张力达到屈服状态，为使结构保持平衡，在板的中部存在由残余应力引起的均匀压力。压缩残余应力的值可由平衡条件得到：

$$\frac{\sigma_r}{\sigma_y} = \frac{2\eta}{\dfrac{b}{t} - 2\eta}\qquad(10.8)$$

焊接结构 η 的值一般会较高，但是，当构件在服役过程中承受的是交变载荷时，则由于偶然的拉伸载荷，残余应力将会降低。Faulkner(1975)提出 η 的设计值建议取值范围为 3 ~ 4.5。

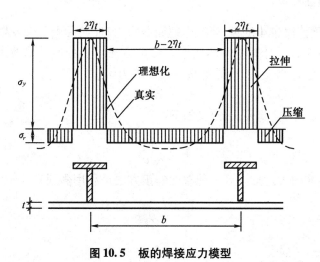

图 10.5　板的焊接应力模型

由于在承压区域会过早地产生屈曲，残余应力可能减低承压板的刚度。通过强度分析，可得缩减系数如下：

$$R_r = 1 - \frac{\sigma_r}{\sigma_y}\frac{E_t}{E} = 1 - \frac{2\eta}{\dfrac{b}{t} - 2\eta}\frac{2(\beta - 1)}{\beta}\quad(1 < \beta < 2.5)\qquad(10.9)$$

式中，E_t 为板的正切模数。

　　板和加强筋上的残余应力等级和分布均表述于图 10.5 中。它们的变化取决于板使用材料的性质和采用的加工方法（如轧制、焊接、机械矫正、热加工）。

　　对于高强度钢，允许较大的热影响区及相当大的残余应力。高残余应力可能是结构强度降低的一个重要原因。

　　焊接产生的沿焊接边缘分布的残余应力均假定为不超过板的屈服应力。对于中等强度钢，任意方向上的压缩残余应力均取为板屈服强度的 5%～10%。对于高强度钢，可允许大一些的值。

　　加强筋的腹板若采用中等强度钢，残余压应力可取板屈服强度的 3%～5%，对于高强度钢则可适当取得高一些。

　　初始的结构缺陷可由焊接、制造、热加工、运输和储存引起。缺陷对于板的极限强度的影响主要取决于它们的形式。在大多数的理论研究中，初始挠度一般假定为与屈曲模态拥有相同的形式，因为初始挠度的形式与屈曲模态相同时，其对极限强度有显著影响。对标准的板变形的统计分析表明屈曲成分的幅值为最大变形的一半。

　　计算最大变形可采用各种不同的公式，下式为常用的一个。

$$\frac{\delta_o}{t} = C_2 \frac{b}{t} - C_3, \frac{b}{t} > 40 \tag{10.10}$$

式中，$C_2 = 0.016$，$C_3 = 0.36$。

　　通常在设计规范和强度规范的定义里已经对制造允许容差标准进行了定义。如果违反了制造允许容差标准，则要对产生的缺陷进行修复。换句话说，要用现有的公式或数值/机械测试来得出缺陷的影响。

10.1.5　可塑性校正

　　对于宽度、厚度值比较小的板，当产生超屈服应力时（实际上不会发生），式（10.7）从理论上预测一个临界应力。计算塑性的影响有许多方法。一种通过修改由塑性引起的弹性临界应力的简便方法称为 ϕ 法，此处弹塑性屈曲应力给出如下：

$$\sigma_{cr} = \phi \cdot \sigma_\gamma \tag{10.11}$$

式中，ϕ 为结构长细比的经验公式，定义如下：

$$\bar{\lambda} = \sqrt{\frac{\sigma_\gamma}{\sigma_E}} \tag{10.12}$$

　　ϕ 存在各种不同的表达形式。一种塑性修正方法是利用椭圆交互作用方程

$$\left(\frac{\sigma_{cr}}{\sigma_\gamma}\right)^2 + \left(\frac{\sigma_{cr}}{\sigma_E}\right)^2 = 1 \tag{10.13}$$

可得：

　　当 $\sigma_E \to \infty$ 时，$\sigma_{cr} \to \sigma_\gamma$。

　　当 $\sigma_E \ll \sigma_y$ 时，$\sigma_{cr} \to \sigma_E$。

　　因此，无论是短粗的构件还是细长的构件，方程均收敛于正确的解。解得 σ_{cr} 如下：

$$\sigma_{cr} = \frac{\sigma_\gamma}{\sqrt{1 + \bar{\lambda}^4}} \Rightarrow \phi = \frac{1}{\sqrt{1 + \bar{\lambda}^4}} \tag{10.14}$$

　　另一个知名的解法称为 Johnson - Ostenfeld 方程（该方程已被数个北美设计规范采用）：

$$\phi = \begin{cases} 1 - \dfrac{\overline{\lambda}^2}{4}, & \overline{\lambda} \leqslant 2 \\[2mm] \dfrac{1}{\overline{\lambda}^2}, & \overline{\lambda}^2 \geqslant 2 \end{cases}$$

10.2　复合载荷

在极限状态设计中,屈曲准则和极限强度准则也可称为服役极限状态(SLS)和最终极限状态(ULS)。

10.2.1　屈曲-生存状态

如图 10.6 所示为组合载荷,如果定义一个等效应力和等效弹性屈曲应力,则可采用上述过程。这可以通过下式简要地表示:

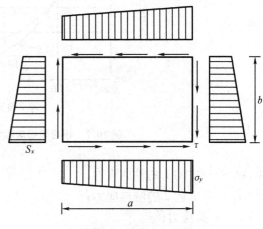

图 10.6　组合载荷

$$\left(\frac{\sigma_e}{\sigma_{Ee}}\right)^c = \left(\frac{\sigma_x}{\sigma_{Ex}}\right)^c + \left(\frac{\sigma_y}{\sigma_{Ey}}\right)^c + \left(\frac{\tau}{\tau_E}\right)^c \tag{10.15}$$

式中,σ_{Ex},σ_{Ey} 和 τ_E 为对应于应力单独作用时的弹性屈曲应力,而 σ_{Ee} 为与等效应力 $\sigma_e = \sqrt{\sigma_x^2 + \sigma_y^2 - \sigma_x\sigma_y + 3\tau^2}$ 相对应的等效塑性应力。

经过上述塑性修正,使用的等效削减长细比可表示为(DNV,CN30.1,1995):

$$\overline{\lambda}_e^2 = \frac{\sigma_\gamma}{\sigma_{Ee}} = \frac{\sigma_\gamma}{\sigma_e}\left[\left(\frac{\sigma_x}{\sigma_{Ex}}\right)^c + \left(\frac{\sigma_y}{\sigma_{Ey}}\right)^c + \left(\frac{\tau}{\tau_E}\right)^c\right]^{\frac{1}{c}} \tag{10.16}$$

式中,指数 c 决定于板的长宽比。方形板较长板对组合载荷更敏感,因为双向轴向压缩正好能引起两种屈曲模态同时发生。因此,方形板采用线性交互作用,而长形板采用椭圆形交互作用。DNV CN 30.1(1995)提出用下列公式计算处于组合载荷作用下的板的屈曲应力。

$$\sigma_{cr} = \frac{\sigma_\gamma}{\sqrt{1 + \overline{\lambda}_e^4}} \tag{10.17}$$

10.2.2　极限强度-极限状态

极限强度可用以下公式进行估算(DNV,CN 30.1,1995):

$$\sigma_{ult} = \frac{\sigma_Y}{\sqrt{1 + \overline{\lambda}e^4}}, \ \overline{\lambda}_e \leqslant 1 \tag{10.18}$$

$$\sigma_{ult} = \frac{\sigma_Y}{\overline{\lambda}_e \sqrt{2}}, \ 1.0 < \overline{\lambda}_e \leqslant 5.0 \tag{10.19}$$

图 10.7 对 SLS 和 ULS 进行了对比。对于细长板,极限应力要显著大于屈曲应力。Balint 等人(2002)提出用下列公式计算处于组合载荷下板的极限应力。

$$\left(\frac{\sigma_1}{\sigma_{L1}}\right)^A - \alpha\left(\frac{\sigma_1}{\sigma_{L1}}\right)\left(\frac{\sigma_2}{\sigma_{L2}}\right) + \left(\frac{\sigma_2}{\sigma_{L2}}\right)^2 + \left(\frac{\tau}{\tau_L}\right)^2 = 1 \tag{10.20}$$

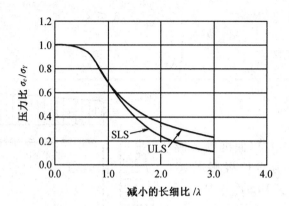

图 10.7　板极限强度和屈曲强度的比较

式中　σ_1——方向 1 的轴向应力；

　　　σ_2——方向 2 的轴向应力；

　　　τ——剪应力；

　　　σ_{L1}——σ_1 的极限轴向应力；

　　　σ_{L2}——σ_2 的极限轴向应力；

　　　τ_L——极限剪应力。

根据 Bai(2001)，以下强度标准也适用于组合载荷作用下(板或加筋板)的极限强度。

$$\left(\frac{\sigma_1}{\sigma_{L1}}\right)^2 - \alpha\left(\frac{\sigma_1}{\sigma_{L1}}\right)\left(\frac{\sigma_2}{\sigma_{L2}}\right) + \left(\frac{\sigma_2}{\sigma_{L2}}\right)^2 + \left(\frac{\tau}{\tau_L}\right)^2 + \left(\frac{p}{p_L}\right) = 1 \tag{10.21}$$

式中　p——横向压力；

　　　p_L——极限横向压力。

采用式(10.21)是因为其与非弹性屈曲情况下的 Mises 屈服条件相近似，同时它还能导致弹性屈曲应力的线性交互作用。参考 API 2V(1987)，在应力 σ_1 和 σ_2 为压力时，系数 α 取为 0；在应力 σ_1 和 σ_2 为张力时，α 取为 1。若要得到精确值，则系数 α 的推导应当基于有限元分析和力学试验。

10.3　板的屈曲强度

Johnson – Ostenfeld 公式(或 Odland,1988)可用于塑性修正。为计算组合载荷下的弹性屈曲应力，需要用到 10.2 节中的公式。处于压应力和板内弯曲作用下的板的弹性屈曲应力可表示为

$$\sigma_E = k_s \frac{\pi^2 E}{12(1 - v^2)}\left(\frac{l}{b}\right)^2 \tag{10.22}$$

Timoshenko 和 Gear(1961)给出了一个可以精确求得处于纯剪切应力下的简支板的弹性屈曲解的表达式

$$\tau_{El} = k_s \frac{\pi^2 E}{12(1 - v^2)}\left(\frac{l}{b}\right)^2 \tag{10.23}$$

式中，

$$k_s = 4.0\left(\frac{b}{a}\right)^2 + 5.34 \tag{10.24}$$

v 为泊松比；剪切屈服应力可估计为 $\frac{\sigma_0}{\sqrt{3}}$，其中，$\sigma_0$ 为板的屈服应力。

10.4　非加筋板的极限强度

10.4.1　长板和宽板

如果强制空载边保持直线，则其可承受较弹性理论推算更大的载荷。因为大横向挠度，横向薄膜应力的出现可使板趋于稳定。此时，沿空载边缘的应力分布不再一致，而是朝着加强筋的方向增大。根据有效宽度方法，当边缘应力 σ_e 接近屈服应力时，极限应力将出现。下列公式被广泛应用于空载边缘强制保持直线的简支板（Faulkner，1975）：

$$\frac{b_e}{b} = \frac{\sigma_{xm}}{\sigma_y}\begin{cases} \dfrac{2}{\beta} - \dfrac{1}{\beta^2} & \beta \geq 1 \\[2mm] 1 & \beta \leq 1 \end{cases} \tag{10.25}$$

式中，板的长细比给出如下：

$$\beta = \frac{b}{t}\sqrt{\frac{\sigma_y}{E}} \tag{10.26}$$

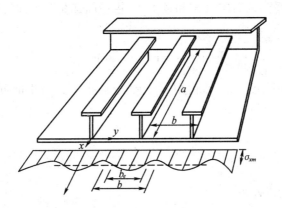

图 10.8　承压加筋板的实际应力分布

式（10.25）给出了屈曲模态下合理的初始挠度等级，但无法给出残余应力。

下列等效宽度公式可用于有压缩载荷作用的长边（$a/b \geq 1.0$）和短边（$a/b < 1.0$）：

$$b_e = \begin{cases} C_b & \left(\dfrac{a}{b} \geq 1.0\right) \\[3mm] \dfrac{a}{b}C_b + 0.08\left(1 - \dfrac{a}{b}\right)\left(1 - \dfrac{1}{\beta^2}\right)^2 \leq 1.0 & \left(\dfrac{a}{b} < 1.0\right) \end{cases} \tag{10.27}$$

$$C_b = \begin{cases} 1 & (\beta < 1.25) \\ \dfrac{2.25}{\beta} - \dfrac{1.25}{\beta^2} & (1.25 \leqslant \beta < 3.5) \\ \sqrt{\dfrac{4\pi^2}{12(1 - v^2)}\dfrac{1}{\beta^2}} & (\beta \geqslant 3.5) \end{cases} \tag{10.28}$$

10.4.2　横向压力作用下的板

处于剪切状态下的板的极限强度可能被假定为剪切屈服应力。

10.4.3　剪切强度

处于剪切状态下的板的极限强度可能被假定为剪切屈服应力。

10.4.4　组合载荷

组合载荷作用下板的相关计算公式可参考 10.2.2 节。

10.5　加筋板的极限强度

10.5.1　梁 - 柱屈曲

当一加筋板同时受到轴向应力 σ 和弯矩 M（由横向载荷引起）时,极限强度的推算可使用 Mansour(1997)：

$$\frac{\sigma}{\sigma_{柱}} + C_M \frac{M}{\sigma_{梁}} = 1 \tag{10.29}$$

式中,加筋板的柱屈曲强度 $\sigma_{柱}$,可利用基于弹性屈曲应力的 Johnson - Ostenfeld 公式或 Perry - Robertson 公式求得：

$$\sigma_E = \frac{\pi^2 E I_s}{l_s^2 A_s} \tag{10.30}$$

式中　E——弹性模量；

　　　I_s——加筋板的惯性矩；

　　　l_s——加强筋长度；

　　　A_s——加筋板的截面面积。

虽然 Johnson - Ostenfeld 公式用于计算柱屈曲很简单,但是其不考虑初始缺陷的影响。另一公式 Perry - Robertson 公式,见本书第二部分第 8 章。系数 C_M 是作用于梁两端弯矩的比值 M_A/M_B 的方程：

$$C_M = \frac{0.6 + 0.4M_A/M_B}{1 - \sigma/\sigma_E} \tag{10.31}$$

处于纯弯曲状态下的加筋板的极限弯曲应力可取为完全塑性弯矩。

10.5.2　加强筋的翻倒

当腹板高度与厚度的比值很大,同时连接于边缘(法兰),并且该边缘在单向轴压载荷和横向压力的组合作用下不能保持直线时,加强筋可能向一边扭曲发生翻倒失效破坏。翻倒强度可由 Johnson – Ostenfeld 公式和弹性屈曲应力公式(见第一部分第 4 章式(4.30))进行推算。

10.6　加筋板的总屈曲(包括所有板格屈曲)

利用正交异性板理论,Mansour(1977)导出了下列屈曲公式,可以用于不同方向(超过 3 个)多加强筋的计算。

$$\sigma_E = k \frac{\pi^2 \sqrt{D_x D_y}}{h_x B^2} \tag{10.32}$$

式中,B 为所有板的宽度,h_x 为等效厚度。对于所有的简支板 k 可取为

$$k = \frac{m^2}{\rho^2} + 2\mu + \frac{\rho^2}{m^2} \tag{10.33}$$

式中,m 为屈曲板的半波数,μ 和 ρ 分别为扭转系数和(虚拟)长宽比。

参考文献

[1] ABS. Rules for building and classing steel vessels[S]. 1979.

[2] Degenhardt R, Kling A, Rohwer K, et al. Design and analysis of stiffened composite panels including post-buckling and collapse[J]. Computers & Structures, 2008, 86(9):919 – 929.

[3] Balint S, Serrahn C, Chang B. Background to New Edition of API Bulletin 2V: Design of Flat Plate Structures[C]// Offshore Technology Conference. New York:[s. n.], 2002.

[4] Galletly G D. Recent Shell Buckling Research at Liverpool[M]. New York: Springer Netherlands, 1990.

[5] Ellinas C P, Supple W J, Walker A C, et al. Buckling of offshore structures: a state-of-the-art review[M]. London:[s. n.], 1984.

[6] Faulkner D. A REVIEW OF EFFECTIVE PLATING TO BE USED IN THE ANALYSIS OF STIFFENED PLATING IN BENDING AND COMPRESSION[J]. Plates, 1973.

[7] Nibbering J. DESIGN AGAINST FATIGUE AND FRACTURE FOR MARINE STRUCTURES[C]// 1979.

[8] Galambos T V. Guide to stability design criteria for metal structures[M]. Wiley, 1998.

[9] Hughes O F. Ship structural design :a rationally-based, computer-aided, optimization approach[J]. H83, 1983.

[10] Jones N. PLASTIC BEHAVIOR OF SHIP STRUCTURES[J]. Elastoplasticity, 1976.

[11] Hughes O F, Ma M. Inelastic analysis of panel collapse by stiffener buckling[J]. Computers & Structures, 1996, 61(1):107 – 117.

[12] Mansour A E. GROSS PANEL STRENGTH UNDER COMBINED LOADING[J]. Gross Panel Strength Under Combined Loading, 1977.

[13] Zayed A, Garbatov Y, Soares C G. Time variant reliability assessment of ship structures with fast integration techniques[J]. Probabilistic Engineering Mechanics, 2013, 32(32):93 – 102.

[14] Odland J. BUCKLING RESISTANCE OF UNSTIFFENED AND STIFFENED CIRCULAR CYLINDRICAL SHELL STRUCTURES[J]. Norwegian Maritime Research, 1978, 6(3).

[15] Quatmann M, Reimerdes H G. Preliminary design of composite fuselage structures using analytical rapid sizing methods[J]. Ceas Aeronautical Journal, 2011, 2(1 – 4):231 – 241.

第11章 圆柱壳的极限强度

11.1 引言

11.1.1 概况

圆柱壳在近海结构物、潜艇和航空飞行器领域是重要的结构单元。它们经常承受压缩应力和外部压力的组合作用,因此必须在设计上满足强度要求。图11.1表示处于轴向压缩的未加强圆柱壳的理论载荷–末端压缩曲线。对于理想壳,应力应变关系为线性,存在歧点 B,该点将出现屈曲,承载能力迅速下降。而非理想壳,应力应变关系在载荷初始级别即为非线性,且在未出现明显分歧现象的 L 点发生屈曲。

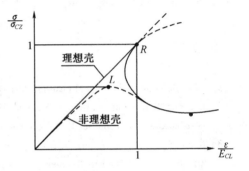

图11.1 理想壳和非理想壳的应力应变关系

非理想壳的强度要明显低于坡点处载荷,其设计基于对理论值的修正,对理论值乘以折减系数来表示壳体缺陷的影响。

11.1.2 屈曲失效模态

图11.2为加筋(加强)圆柱壳的几何特征参数。边界条件假定为简支和固定。设计载荷包括:
(1)轴向力和弯矩产生的压缩应力;
(2)外部超压;
(3)外部压力和压缩应力的组合。
影响圆柱壳强度的主要因素包括:
(1)残余应力和几何缺陷;
(2)凹陷(削弱);
(3)腐蚀缺陷。

残余应力和几何缺陷的影响已经包含在本章所讨论的规范中。然而,如果未达到制造公差,或服役中的结构遭到了凹陷(削弱)和显著的腐蚀破坏,则必须要进行进一步的强度分析和修复。对于受压船体、管道和立管等承压圆柱体,在受到内外压力、轴向力和弯矩的组合作用下的规范,可参阅 Bai(2001)及其他资料。

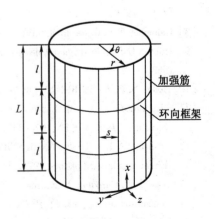

图11.2 加筋(加强)圆柱壳的几何特征参数

11.2　非加强圆柱壳的弹性屈曲

11.2.1　圆柱壳的平衡方程

图 11.3 表示壳上的无限小单元及其所受的应力合力。考虑到轴向、环向、径向的平衡,可得出下列方程:

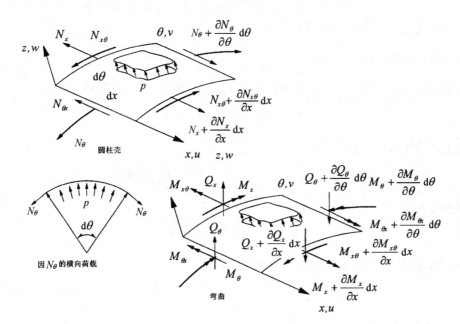

图 11.3　壳所受应力的合力

$$r \frac{\partial N_x}{\partial x} + \frac{\partial N_{\theta x}}{\partial \theta} = 0 \tag{11.1}$$

$$r \frac{\partial N_{x\theta}}{\partial x} + \frac{\partial N_\theta}{\partial \theta} = 0 \tag{11.2}$$

$$\nabla^4 w = \frac{1}{D} \Big(p + N_x \frac{\partial^2 w}{\partial x^2} + \frac{2}{r} N_{x\theta} \frac{\partial^2 w}{\partial x \partial \theta} + \frac{1}{r^2} N_\theta \frac{\partial^2 w}{\partial \theta^2} - \frac{1}{r} N_\theta \Big) \tag{11.3}$$

式中

$$N_x = \sigma_x t$$
$$N_{x\theta} = N_{\theta x} = \sigma_{x\theta} t \tag{11.4}$$
$$N_\theta = \sigma_\theta t$$

$$\nabla^4 = (\nabla^2)^2 = \Big(\frac{\partial^2}{\partial x^2} + \frac{1}{r^2} \frac{\partial^2}{\partial \theta^2} \Big)^2$$

板的刚度 D 给出如下:

$$D = \frac{Et^3}{12(1 - v^2)} \tag{11.5}$$

压力 p 的正方向为外法线方向。注意式(11.3)和板平衡表达式的相似性,代入可得

$$\frac{\partial}{\partial y} = \frac{1}{r}\frac{\partial}{\partial \theta}\frac{\partial^2}{\partial y^2} = \frac{1}{r^2}\frac{\partial^2}{\partial^2 \theta} \tag{11.6}$$

N_θ/r 是唯一的新项,表示周向应力的横向成分。因此,与板不同,圆柱壳能承受横向载荷(通过纯薄膜作用)。这是一种很实用的性质,但同时这也使得壳对屈曲很敏感。

式(11.1)至式(11.3)组成了一组相联系的三个非线性方程,其中含有四个变量:N_x,$N_{x\theta}$,N_θ 和 w。通过引入运动和本构关系,并应用 ∇ 算子,式(11.3)也可写为

$$\nabla^8 w = \frac{\nabla^4}{D}\left(N_x\frac{\partial^2 w}{\partial x^2} + \frac{2}{r}N_{x\theta}\frac{\partial^2 w}{\partial x\partial\theta} + \frac{1}{r^2}N_\theta\frac{\partial^2 w}{\partial\theta^2}\right) - \frac{Et}{Dr^2}\frac{\partial^4 w}{\partial x^4} \tag{11.7}$$

该公式就是通常说的 Donnel 公式。

11.2.2　轴向压缩

考虑圆柱承受一轴向压缩载荷 P。若忽略末端影响,并假定以下式子成立

$$N_x = \frac{P}{2\pi r}, N_{x\theta} = N_\theta = 0 \tag{11.8}$$

将上述值代入式(11.7)可得

$$D\nabla^8 w + \frac{Et}{r^2}\frac{\partial^4 w}{\partial x^4} + \frac{P}{2\pi r}\nabla^4\left(\frac{\partial^2 w}{\partial x^2}\right) = 0 \tag{11.9}$$

该微分方程的解为

$$w = \delta\left(\sin\frac{m\pi x}{l}\right)\sin n\theta \tag{11.10}$$

式中,m 为纵向的半波数,n 为周向的整波数,则

$$\sigma_{xE} = \frac{\pi^2 E}{12(1-v^2)}\left(\frac{t}{l}\right)^2\left[\frac{(m^2+\bar{n}^2)^2}{m^2} + \frac{12Z^2}{\pi^4}\frac{m^2}{(m^2+\bar{n}^2)^2}\right] \tag{11.11}$$

式中,Z 为 Batdorf 参数:

$$Z = \frac{l^2}{rt}\sqrt{(1-v^2)} \tag{11.12}$$

另外

$$\bar{n} = \frac{nl}{\pi r} \tag{11.13}$$

式(11.11)的解可表示为

$$\sigma_{xE} = k_c\frac{\pi^2 E}{12(1-v^2)}\left(\frac{t}{l}\right)^2 \tag{11.14}$$

对于中等长度的圆柱,可对式(11.11)进行分析求其极小值,从而得到最小临界载荷的近似估计值,以下为所要考虑的量:

$$\left(\frac{m^2+\bar{n}^2}{m}\right)^2$$

上式的最小值为

$$\left(\frac{m^2+\bar{n}^2}{m}\right)^2 = \frac{2\sqrt{3}}{\pi}Z \tag{11.15}$$

则临界载荷给出如下:

$$\sigma_{xE} = \frac{\pi^2 E}{12(1-v^2)}\left(\frac{t}{l}\right)^2 \cdot \frac{4\sqrt{3}}{\pi^2}Z = 0.605\frac{Et}{r} = \sigma_{cl} \tag{11.16}$$

这是轴向压缩圆柱的经典解法。应当注意到在求极小值的过程中，m 和 $\bar{n}$ 被作为连续变量进行处理，但实际上它们是离散的。修正值可由反复试验得到。

对于短圆柱，当参数 $m=1,n=0$ 时，其对应的屈曲模态是不对称的，称为板状屈曲。以下为对应的屈曲系数：

$$k_c = 1 + \frac{12Z^2}{\pi^4} \tag{11.17}$$

该值适用于

$$Z < \frac{\pi^2}{2\sqrt{3}} = 2.85 \tag{11.18}$$

对于长圆柱，柱屈曲是一种潜在的失效形式，对应的屈曲应力可表示为

$$\sigma_E = \frac{\pi EI}{Al^2} \approx \frac{\pi^2 E}{2}\left(\frac{r}{l}\right)^2 \tag{11.19}$$

11.2.3　弯曲

在弹性领域，研究表明弯曲引起的屈曲应力接近于轴向压缩状态下对应的屈曲应力，可参考 Timoshenko 和 Gere(1961)。圆柱承受弯曲的分析十分复杂，其原因如下：

（1）周向的起始应力分布并非常数；

（2）由于截面椭圆化，圆柱的初始屈曲变形呈现高非线性。

这方面的第一个研究者 Brazier(1927)导出弹性弯矩和截面椭圆化是弹性范围内曲率的函数。他还发现出现最大弯矩的临界应力为

$$\sigma_{xE} = 0.33\,\frac{Et}{r} \tag{11.20}$$

然而，在塑性领域，纯弯曲下圆柱的屈曲应变要大于塑性理论给出的处于纯压缩状态下的圆柱的屈曲应变。许多研究者试图导出纯弯曲非弹性圆柱的数学解（Ades，1957；Gellin，1980），但至今未获成功。

对于处于弯曲状态下的非加强短柱壳，边界条件是影响其屈曲强度的重要因素之一。一般而言，柱体越短屈曲强度越高。这是由于可降低壳屈曲强度的初始翘曲变形在短柱体壳上较小。当柱体的长度足够长时，则弯曲强度接近于 Beazier(1927)，Ades(1957)和Gellin(1980)给出的值。

11.2.4　外部侧(横向)压力

在有初始翘曲的状态下，外部压力将产生沿母线方向的薄膜应力。只保留式(11.3)的线性项：

$$N_\theta = -pr \tag{11.21}$$

将式(11.21)代入式(11.8)可得下列方程：

$$D\,\nabla^8 w + \frac{Et}{r^2}\frac{\partial^4 w}{\partial x^4} + \frac{1}{r}p\,\nabla^4\left(w\,\frac{\partial^2 w}{\partial \theta^2}\right) = 0 \tag{11.22}$$

位移函数的形式与轴向压缩时相同，代入式(11.22)得

$$\sigma_{\theta E} = -\frac{pr}{t} = \frac{\pi^2 E}{12(1-v^2)}\left(\frac{t}{l}\right)^2\left[\frac{(1+\bar{n})^2}{\bar{n}^2} + \frac{12Z^2}{\pi^4\bar{n}^2(1+\bar{n}^2)^2}\right] \tag{11.23}$$

式中，单一轴向波($m=1$)给出了最小的屈曲载荷。最后一项表示屈曲系数 k_θ。最小的 k_θ

值由实验得到。假定 $\bar{n}$ 很大($\gg 1$),分析上述的极小化公式(11.23)得

$$k_\theta = \frac{4\sqrt{6}}{3\pi} \cdot \sqrt{z} \tag{11.24}$$

适用于较小和处于中间的 Z 值的近似屈曲系数表示如下:

$$k_\theta = 4\sqrt{1 + \frac{2Z}{3\pi^2}} \tag{11.25}$$

第一项等同于一长平板的屈曲系数。

当 $1/r$ 趋于无穷大时,式(11.23)化为

$$\sigma_{\theta E} = \frac{n^2 E}{12(1-v^2)}\left(\frac{t}{r}\right)^2 = 0.275E\left(\frac{t}{r}\right)^2 \tag{11.26}$$

对于承受外部压力的管道和立管,在 $n=2$ 时,由于椭圆化长柱体将失效,同时上述公式将服从弹性屈曲应力。

11.3　环向加强壳的屈曲

本节讨论通过环向骨架加强的圆柱壳在承受轴向压缩、外部压力和它们的组合时的极限强度,并以公式的形式处理壳失效。对于加强筋的设计,应当分别考虑一般稳性和扭转失稳,可参考 Ellinas(1984)。

11.3.1　轴向压缩

处于压缩状态下的环形加筋壳的可能失效形式包括:

(1)未加强柱面或含内部环的壳体失效(轴对称失效或菱形失效);

(2)总体失稳;

(3)环形加强筋失效;

(4)以上形式的组合。

由于会产生灾难性后果,应在设计规范中添加对加强筋几何尺寸的要求(如转动惯量)来避免总体失稳的发生。设计规范要求总体失稳的屈曲应力应该是局部板屈曲应力的 2.5 倍。

如果已经避免了总体失稳,则环形加筋壳的环形加强筋失效是不可能发生的。然而,总体失稳发生时环形加强筋可能在连接处发生翻倒,使抵抗总体失稳强度削弱。因此,要对环形加强筋的几何尺寸做必要的要求,以避免翻倒和总体失稳的相互影响。

以下公式对应于第一种失效形式:非加强圆柱壳屈曲失效。Balint(2002)提出用 Batdorf 公式处理理想柱体的弹性屈曲:

$$\sigma_{crx} = k_{xL} \frac{\pi^2 E}{12(1-v^2)}\left(\frac{t}{L_r}\right)^2 \tag{11.27}$$

式中,屈曲系数 k_{xL} 是几何参数 M_x 的函数(Capanoglu 和 Baht,2002):

$$k_{xL} = \sqrt{1 + \frac{150}{D/t}(\alpha_{xL})^2 (M_x)^4} \tag{11.28}$$

式中

$$M_x = \frac{L_r}{\sqrt{Rt}} \tag{11.29}$$

式中，L_r 是环的间距；系数 α_{xL} 可以用式（11.30）（Capanoglu 和 Balint，2002）表示：

$$\alpha_{xL} = \frac{9}{(300 + D/t)^{0.4}} \tag{11.30}$$

式（11.27）可得出小曲率平板的屈曲应力，优于 API Bulletin 2U 和 API RP 2A 中适用于长圆柱体的临界屈曲应力方程。非弹性屈曲强度可以通过在第二部分第 10 章的塑性修正因子来估计。

11.3.2　静水压力

1. 概述

环形加强的圆柱体受外压作用，可能出现三种失效模式：

（1）局部内环壳体失效；

（2）整体失稳；

（3）加强环失效。

对于受外静水压力的有加强环的圆柱体，BS5500（1976）和 Faukener（1983）等人将弹性屈曲应力和 Johnson – Ostenfeld 的塑性修正因子结合起来，这在第二部分第 10 章阐述过。值得注意的是，700 个几何尺寸范围为 $6 \leqslant R/t \leqslant 250$ 和 $0.04 \leqslant L/R \leqslant 50$ 的模型试验验证了被这个公式预测的所谓的"保证"壳体失效压力。在通常的设计范围内，COV 被估计为 5%（Faulkner 等人，1983）。

2. 局部内环壳体失效

对于未加强的圆柱体弹性屈曲的最为熟知的解决方法是 Von Mises，如下式（参考 Timoshenko 和 Gere，1961）：

$$p_E = \frac{\dfrac{Et}{R}}{n^2 - 1 + \dfrac{1}{2}\left(\dfrac{\pi R}{L}\right)^2}\left\{\frac{1}{\left[n^2\left(\dfrac{L}{\pi R}\right)^2 + 1\right]} + \frac{t^2}{12R(1-\mu^2)}\left[n^2 + \left(\dfrac{\pi R}{L}\right)^2\right]^2\right\} \tag{11.31}$$

变化 n（周向模态数）可以将上式的值最小化。Windenburg（1934）变化 n（周向整波数或波瓣），将其最小化，通过进一步的近似，他得到了下面的屈曲应力最小值的表达式

$$p_E = \frac{0.919E\,(t/R)^2}{L/(Rt)^{1/2} - 0.636} \tag{11.32}$$

对于 $L/(Rt)^{1/2}$ 为很小或很大的值，方程（11.32）是无效的，但在设计上精度是足够的。以上的分析假设圆柱体是固定在没有变形的圆环支撑上的。现在有许多更优化的分析方法，可考虑在屈曲前和屈曲中的环形框架对变形的影响。这些分析发现对于稠密布置的框架，P_E 变得不精确。然而尽管如此 Von Mises 表达式仍然被广泛地应用，因为它的形式相对简单，而且在大多数的情况下是略微保守的。

3. 整体失稳

由于这种失效模式所产生的灾难性的失效后特征，设计规范要求加强环及其壳板的有效惯性矩应足够大，从而使整体和局部的弹性屈曲应力之比达到 1.2。

4. 加强环失效

加强筋扭转屈曲和翻倒时发生加强环失效，这将严重减弱壳体对整体失稳的抵抗力。因此，设计规范要特别提出对加强环几何尺寸的要求以避免这种失效情况发生。加强环的横向变形缺陷将大大地减弱加强环对扭转屈曲的抵抗力。相似于加筋板的翻倒，此缺陷也

有规定的制造容差。

11.3.3　兼有轴向压缩和压力

有环向加强的圆柱体在轴向压力和外部压力作用下的强度可以表示为下式：

$$\left(\frac{\sigma}{\sigma_c}\right)^m + \left(\frac{p}{p_{hc}}\right)^n \le 1 \tag{11.33}$$

各种设计规范的建议有很大的不同，包括 ECCS 推荐的线性互相作用（$m = n = 1$）和 DNV（2000）推荐的圆形相互作用（$m = n = 2$），ASME Code Case N – 284 推荐了直线和抛物线的组合和试验数据很吻合，Das 等（2001）建议抛物线（$m = 1$，$n = 2$）和现有的数据最吻合，而且很贴近 ASME 的推荐。

11.4　纵向和环向加强下壳的屈曲

11.4.1　轴向压力

1. 概述

这节建立在 Faulkner（1983），Ellinas（1984），Das（1992）和 Das（2001）等人简化的基础之上。纵向加强的圆柱体屈曲是主导的失效模式，其他的失效形式，如局部板屈曲、局部加强环翻倒，整体失稳也有可能发生，参见 Ellinas（1984）。在很多实际设计情况下，纵向和环加强壳的屈曲被评估为加强板的屈曲，用在第二部分第 10 章中给出的公式可以评估。

2. 局部板屈曲

类似于 10.3 节的方程（10.19），圆柱板在轴向压力下的弹性屈曲强度可以表示为

$$\sigma_E = k_s \frac{\pi^2 E}{12(1 - v^2)}\left(\frac{t}{L_s}\right)^2 \tag{11.34}$$

式中，L_s 是相邻加强梁之间的距离；屈曲系数 k_s 是几何参数（$M_s = L_s/\sqrt{Rt}$）的函数，而且当 $M_s < 1.73$ 时，可以取为 4。

Capanogl 和 Balint（2002）建议用下面的方程来求几何参数 k_s。

$$k_s = 4\alpha_{xL}[1 + 0.038(M_s - 2)^3] \tag{11.35}$$

可以应用 10.1.6 节中的塑性修正参数 ϕ 来得到非弹性屈曲强度。

3. 纵向加强圆柱体的屈曲

柱壳组合体的弹性应力可以估算为

$$\sigma_E = \sigma_{col} + \rho_s \sigma_s$$

式中，ρ_s 是壳破损因数，取为 0.75。

对于柱体，弹性应力为

$$\sigma_{col} = \frac{\pi^2 EI_e}{L^2(A_s + s_{ew}t)} \tag{11.36}$$

式中，s_{ew} 是壳板有效宽度；I_e 是有效惯性矩。

非加强板的弹性临界应力为

$$\sigma_s = \frac{0.605 E \frac{t}{R}}{1 + \frac{A_s}{s_{ew} t}} \tag{11.37}$$

非弹性屈曲应力 σ_c 可以用 10.1.6 节中的塑性修正系数 ϕ 计算得到。

4. 局部加强筋的翻倒

当加强筋的抗扭转力较小而且壳板的 D/t 比相对较高时,加强筋在应力远低于所需的局部或正交各向异性的屈曲应力时,就会发生扭矩失稳。当加强筋屈曲时,其对壳体的支撑加强作用大大减弱。横向支撑的减弱将最终导致这个板的整体失效。加强承受的大部分载荷将转移到壳板上。因此,设计规范中对加强的几何尺寸予以限定以避免这种失效模式发生。加强筋的几何尺寸限制和加强板的几何限制是类似的。不直的加强将导致载荷承载力的减弱,和初始变形对柱体屈曲的影响类似。因此,加强筋必须有规定的制造容差。

5. 整体失稳

整体失稳包括纵向加强筋、环加强筋和壳板的屈曲。由于这种失效模式将会导致灾难性的后果,设计规范要求要对加强环的第二惯性矩进行限制。这些限制将确保整体失效模式下的屈曲强度是环加强下圆柱体屈曲强度的 1 ~ 4 倍。

11.4.2　径向压力

外界压力可以施加为纯径向,即所知的外界横向压力载荷,或者是壳体周围所有的载荷(轴向和径向),即外界静水压力载荷。潜在的失效形式包括:

(1)纵向加强筋之间板的局部屈曲;

(2)纵向加强筋屈曲;

(3)整体失稳;

(4)局部加强筋的翻倒;

(5)以上失效形式的相互作用。

求解失效压力的公式可以在 API Bulletin 2U(1987)和 Das(1992,2001)中找到。

Ballint 等人(2002)对 API Bulletin 2U(1987)中的公式进行了改良,并提出了下面的弹性屈曲方程:

$$\sigma_E = k_\theta \frac{\pi^2 E}{12(1 - v^2)} \left(\frac{t}{L_r} \right)^2 \tag{11.38}$$

Capanoplu 和 Ballint(2002)建议使用以下方程来计算几何参数 k_θ:

$$k_\theta = \alpha_{\theta L} \left[\frac{1 + (L_r/L_s)^2}{L_r/L_s} \right]^2 \left[1 + \frac{0.011 M_x^2}{0.5 [1 + (L_r/L_s)^2]^2} \right] \tag{11.39}$$

式中,缺陷参数 $\alpha_{\theta L}$ 可以取为 0.8,可以应用 10.1.6 节中的塑性修正因数 ϕ 来求得非弹性屈曲强度。

11.4.3　轴向压缩和径向压力

在轴向压缩和外部压力的混合作用下的纵向加强筋和环向加强筋的圆柱体的强度可以由下面简单的交互作用方程来表示:

$$\left(\frac{\sigma}{\sigma_c} \right)^m + \left(\frac{p}{p_{hc}} \right)^n \leq 1 \tag{11.40}$$

式中, σ 和 p 分别为轴向压缩应力和径向压力。Ellinas 等(1984)建议 $m = n = 2$。更多的关于在轴向和径向压力混合作用下的优化方程可以在 Das 等人的研究(1992,2001) 中找到。以上公式的精度(与力学试验其他的设计规范对比)在 Das 等人的研究(2001)中给出。

参考文献

[1] Lubinski A, Blenkarn K A. Buckling of Tubing in Pumping Wells, Its Effects and Means for Controlling It (includes associated paper 1053 – G)[J]. 1957.

[2] Degenhardt R, Kling A, Rohwer K, et al. Design and analysis of stiffened composite panels including post-buckling and collapse[J]. Computers & Structures,2008,86(9):919 – 929.

[3] Bulletin On Stability Design Of Cylindrical Shells[J].

[4] Bornscheuer F W. To the Problem of Buckling Safety of Shells in the Plastic Range[M]// Buckling of Shells. 1982:601 – 619.

[5] Bai Y. Pipelines and Risers[J]. 2001.

[6] Balint S, Capanoglu C, Kamal R. Background to New Edition of API Bulletin 2U-Stability Design of Cylindrical Shells[J]. 2002.

[7] Brazier L G. On the Flexure of Thin Cylindrical Shells and Other "Thin" Sections [J]. Artificial Intelligence,1927,116(15):104 – 114.

[8] Zealand S N. Specification for unfired fusion welded pressure vessels[J]. 1982.

[9] Capanoglu C C, Balint S W. Comparative Assessment of Design Based On Revised API Bulletin 2U And Other Recommendations[J]. 2002.

[10] Das P K, Faulkner D, Zimmer R A. Selection of robust strength models for efficient design of ring and stringer stiffened cylinders under combined loads[J]. Structural Analysis,1992.

[11] Das P K, Thavalingam A, Hauch S, et al. A new look into the buckling and ultimate strength criteria of stiffened shells for reliability analysis[J]. 2001.

[12] Veritas D N. Buckling Strength Of Shells[J].

[13] Steelwork E C F C. European recommendations for steel construction :buckling of shells[J]. 1984.

[14] Walker A C, Ellinas C P, Supple W J. Buckling of offshore structures[J]. 1984.

[15] Faulkner D, Deoliveira J G, Chen Y N, et al. Limit state design criteria for stiffened cylinders of offshore structures[J]. Am. Soc. Mech. Eng. (Pap.); (United States),1983,83 – pvp-8.

[16] Galambos T V. Guide to stability design criteria for metal structures[M]. Wiley,1998.

[17] Gellin S. The plastic buckling of long cylindrical shells under pure bending[J]. International Journal of Solids & Structures,1980,16(5):397 – 407.

[18] Odland J. BUCKLING RESISTANCE OF UNSTIFFENED AND STIFFENED CIRCULAR CYLINDRICAL SHELL STRUCTURES[J]. Norwegian Maritime Research,1978,6(3).

[19] Timoshenko S P. Theory of elastic stability[M]. McGraw-Hill,1961.

[20] CARL T F, ROSS. COLLAPSE OF CORRUGATED CIRCULAR CYLINDERS UNDER UNIFORM EXTERNAL PRESSURE[J]. Thin-Walled Structures,1993,5(4):259 – 271.

[21] Mcvee J D. The axisymmetric deformation of anisotropic cylindrical shells[J]. Marine Structures,1994, 7(2 – 5):257 – 305.

[22] Windenburg D F, Trilling C. Collapse by instability of thin cylindrical shells under external pressure [J]. Trans Asme,1934,11:819 – 825.

第 12 章　非线性有限元分析理论

12.1　概述

结构将会在各种各样的情况下遭遇动载荷,这些载荷将能导致结构的永久变形或者损坏。因此,在工程设计中,结构动力学和碰撞力学是非常重要的。

Jones(1998)做过有关结构冲击碰撞的早期调查研究。有关冲击力学解析方法的发展得益于将真实材料的复杂行为简化为刚塑性材料的变形行为。这些解析方法被归为刚塑性分析理论。基于刚塑性理论的分析预测可以给出在简单形式下一些冲击塑性行为的重要信息,这些结果和相应的试验结果十分吻合。但是,因为塑性变形随弹性变形而变,所以很难建立一个更真实的塑性变形分析模型。塑性流将会改变构件的尺寸和形状,而且塑性区域有可能消失和重现。当结构承受时域载荷并发生屈服时,可能产生应变硬化和应变率硬化。

通过数值方法可以得到遭受任意冲击的任意结构形式的一般解决方法,如:有限元方法。对于动塑性分析,产生了很多关于解析方面的程序和针对更一般情况下的电脑程序。但遗憾的是,目前在变形率对材料性质和塑性相容本构模型的影响方面还没有充足的理论研究。Bench mark 试验了很多知名的计算机程序,它们都需要计算机具有足够的速度和能力,但实验结果显示只有一小部分程序能给出可靠的解(Symonds 和 Yu,1985)。另外,这些程序对于复杂结构的分析在实际中是不合适和不方便的。因此,我们需要数值分析方法,它可以用来模拟大位移和应变硬件及应变率硬化框架结构的冲击行为。

这一章将给出一种简单有效的梁柱单元大位移塑性分析过程。弹性刚度矩阵是通过线性刚度矩阵(Przemienicki, 1968)、几何刚度矩阵(Archer, 1965)和位移刚度矩阵(Nedergaard 和 Pedersen,1986)结合在一起得到的,而且引用了塑性节点方法,精确有效地考虑塑性变形效应(Ueda 和 Yao,1982;Ueda 和 Fujikubo,1986;Fujikubo 等,1991)。在塑性节点方法中,塑性铰机构将分散的单元塑性变形集中到节点上,单元的弹塑性刚度矩阵的得到也不需要数值积分。

这一章的目的是提出一种模拟应变率硬化影响的理论公式,并给出如何将这些影响应用到三维有限梁柱单元中的方法(图 12.1)。有限梁柱单元非常适用于具有大位移、应变硬化和应变率硬化的框架的冲击分析。通过比较现有的试验结果和刚塑性分析结果以及其他现有的有限元分析结果来检验该单元的精确度和有效性(参照第二部分第 13 章到 15 章)。对于有限元方法的基础理论,读者可以参考 Przemieniecki(1968),Ienkiewicz(1977),Bathe(1987)和其他的很多书籍。对于理解这部分关于塑性节点方法的塑性理论,一些基本的书籍是很有帮助的,如:Save and Massonnet(1972), Yagawa and Miyazaki(1985),Chen and Han(1987) 和 Chakrabarty(1987)。为了帮助理解塑性节点方法,可参见 Yagawa and

Miyazaki(1985)的固体有限元分析的塑性基本理论。

本章的部分公式来自 Bai,Pedersen(1991)和 Fujikubo 等(1991),拓展的部分用于阐述应变率硬化效应和动力分析。

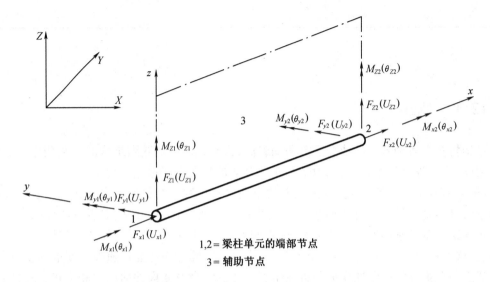

1,2= 梁柱单元的端部节点

3= 辅助节点

图 12. 1　处于节点力作用下的三维梁单元

12. 2　大位移下的弹性梁柱单元

这些位移是结合 Timoshenko 梁理论,通过多项式差值得到,更一般化的应变率矢量将以下面的形式给出:

$$\{\varepsilon\} = \begin{Bmatrix} e_x \\ e_y \\ e_z \\ \kappa_x \\ \kappa_y \\ \kappa_z \end{Bmatrix} = \begin{Bmatrix} u'_x + \dfrac{1}{2}\big[(u'_x)^2 + (u'_y)^2 + (u'_z)^2\big] \\ u'_y - \theta_z \\ u'_z + \theta_y \\ \theta'_x \\ \theta'_y \\ \theta'_z \end{Bmatrix} \tag{12.1}$$

式中,$(\ )' = \mathrm{d}/\mathrm{d}s$,而且 s 代表单元轴向坐标。一般的弹性应力矢量 $\{\sigma\}$ 描述如下:

$$\{\mathrm{d}\sigma\} = \{F_x \quad F_y \quad F_z \quad M_x \quad M_y \quad M_z\}^\mathrm{T}$$

$$[D_E] = [EA_x \quad GA_y \quad GA_z \quad GI_x \quad GI_y \quad GI_z]$$

$$\{\delta \mathrm{d}u^e\}^\mathrm{T}(\{f\} + \{\mathrm{d}f\}) = \int_L \{\delta \mathrm{d}\varepsilon\}(\{\sigma\} + \{\mathrm{d}\sigma\})\mathrm{d}s \tag{12.2}$$

式中,E 为杨氏模量;G 是剪切模量;A_x 代表横截面的面积;A_y 和 A_z 代表有效剪切面积;I_x 和 I_y 代表惯性矩;I_z 代表扭转惯性矩。应用虚功原理,我们可以得到:

$$\{\delta \mathrm{d}u^e\}^\mathrm{T}(\{f\} + \{\mathrm{d}f\}) = \int_L \{\delta \mathrm{d}\varepsilon\}(\{\sigma\} + \{\mathrm{d}\sigma\})\mathrm{d}s \tag{12.3}$$

式中,L 是单元的长度;$\{u^e\}$ 是弹性节点位移矢量;外部载荷矢量是$\{f\}$。将式(12.1)和式(12.2)中的应变和应力代入式(12.3),省略位移的二阶项,我们可以得到(Bai 和 Pedersen,1991):

$$[k_E]\{du^e\} = \{dx\} \tag{12.4}$$

式中

$$[k_E] = [k_L] + [k_G] + [k_D] \tag{12.5}$$

$$\{dx\} = \{f\} = Y\{df\} - ([k_L] + [k_G])\{u^e\} \tag{12.6}$$

矩阵$[k_L]$是标准线性刚度矩阵(Przemieniecki,1968);$[k_G]$是几个刚度矩阵(Ancher,1965);$[k_D]$是变形刚度矩阵(Nedergaard 和 Pedersen,1986)。

12.3　塑性节点法

12.3.1　塑性节点方法的历史

塑性节点方法是由 Ueda 等(1979)命名的。它是由 Ueda 等(1979)和其他人的塑性铰链法推广而来的。Ueda 和 Yao(1980)在一个国际期刊上发表了塑性节点理论,Fujikubo(1987)发表了有关简化的塑性节点分析方法的博士论文。Fujikubo(1991)进一步将塑性节点理论扩展到考虑应变硬化的影响的层次。在下面的几节中,现有的理论将扩展为考虑应变率硬化的影响。

12.3.2　梁截面的一致性条件和硬化率

对于具有应变硬化和应变率硬化的梁柱单元,它的横截面的屈服条件可以表示为下式:

$$f = Y(\{\sigma - \alpha\}) - \sigma_0(\bar{\varepsilon}^p, \dot{\bar{\varepsilon}}^p) = 0 \tag{12.7}$$

式中,Y 是屈服方程(全塑性);$\{\alpha\}$ 代表由动能硬化产生的屈服表面的转动;σ_0 是表述屈服表面大小的参数。矢量$\{\alpha\}$ 和广义应力有相同的维数,可以表述如下:

$$\{\alpha\} = \{\alpha_{fx} \quad \alpha_{fy} \quad \alpha_{fz} \quad \alpha_{mx} \quad \alpha_{my} \quad \alpha_{mz}\}^T \tag{12.8}$$

由于各向同性硬化,屈服表面将随着塑性变形加剧而扩展。这种屈服表面的扩展可以用应力系数 σ_0 来表示,它是广义等效塑性应变($\bar{\varepsilon}^p$)和塑性应变率($\dot{\bar{\varepsilon}}^p$)的函数。这个等效应变($\bar{\varepsilon}^p$)是应变增量的和,可以定义为下式:

$$\sigma_0 d\bar{\varepsilon}^p = \{\sigma - \alpha\}^T\{d\varepsilon^p\} \tag{12.9}$$

式中,广义的塑性应变的增量可以取为

$$\{d\varepsilon^p\} = \{de_x^p \quad de_y^p \quad de_z^p \quad d\kappa_x^p \quad d\kappa_y^p \quad d\kappa_z^p\}^T \tag{12.10}$$

其中的等效塑性应变率($\dot{\bar{\varepsilon}}^p$)可以定义为下式:

$$\dot{\bar{\varepsilon}}^p = \frac{d\bar{\varepsilon}^p}{dt} \tag{12.11}$$

式中,dt 是时间 t 的增量。

由于各向同性应变硬化和应变率硬化产生的参数 σ_0 的增量可以简化为以下最简单的形式:

$$d\sigma_0 = dg_1(\bar{\varepsilon}^p) + dg_2(\dot{\bar{\varepsilon}}^p) \tag{12.12}$$

式中，$dg_1(\bar{\varepsilon}^p)$ 表示对于梁横截面由于各向同性应变硬化产生的 σ_0 增量；$dg_2(\dot{\bar{\varepsilon}}^p)$ 表示由于应变率硬化产生的 σ_0 增量。同样相似的方程曾被 Yoshimura 等（1987）和 Mosquera 等（1985）应用过。

对于满足屈服情况式（12.7）的屈服横截面的一致性条件可以表示为

$$df = \left\{\frac{\partial f}{\partial \sigma}\right\}^{\mathrm{T}}\{d\sigma\} - \left\{\frac{\partial f}{\partial \alpha}\right\}^{\mathrm{T}}\{d\alpha\} - \frac{dg_1}{d\bar{\varepsilon}^p}d\bar{\varepsilon}^p - \frac{dg_2}{d\dot{\bar{\varepsilon}}^p}d\dot{\bar{\varepsilon}}^p = 0 \qquad (12.13)$$

这里，对于整个塑性横截面，动能硬化率 H'_{sk} 和各向同性硬化率 H'_{si}，定义如下：

$$H'_{sk} = \{\partial f/\partial \sigma\}^{\mathrm{T}}\{d\alpha\}/d\bar{\varepsilon}^p \qquad (12.14)$$

$$H'_{si} = dg_1/d\bar{\varepsilon}^p \qquad (12.15)$$

类似地，对于整个塑性横截面应变率硬化率 H'_{sr} 可以定义为

$$H'_{sr} = dg_2/d\dot{\bar{\varepsilon}}^p \qquad (12.16)$$

通过上面的定义，一致性条件式（12.13）可以写为

$$df = \left\{\frac{\partial f}{\partial \sigma}\right\}^{\mathrm{T}}\{d\sigma\} - (H'_{sk} + H'_{si})d\bar{\varepsilon}^p - H'_{sr}d\dot{\bar{\varepsilon}}^p = 0 \qquad (12.17)$$

在式（12.14）和式（12.17）中的下标"s"表示广义值与整个柱体有关。为了避免混淆，从单一轴向试验中得到的动能和各向同性材料硬化率分别表示为 H'_k 和 H'_i。

对 $d\bar{\varepsilon}^p$ 进行线性差值，我们得到

$$d\bar{\varepsilon}^p = \dot{\bar{\varepsilon}}^p_{(t+dt)}\theta dt + \dot{\bar{\varepsilon}}^p_{(t)}(1 - \theta)dt \qquad (12.18)$$

式中，θ 是一个参数，在数值算例中可以取为 $1/2$。

从式（12.18）中，我们可以得到

$$\dot{\bar{\varepsilon}}^p_{(t+dt)} = [d\bar{\varepsilon}^p - (1 - \theta)\dot{\bar{\varepsilon}}^p_{(t)}dt]/(\theta dt) \qquad (12.19)$$

这样，等效塑性应变率 $d\dot{\bar{\varepsilon}}^p$ 的增量可以得到，如下式

$$d\dot{\bar{\varepsilon}}^p = \dot{\bar{\varepsilon}}^p_{(t+dt)} - \dot{\bar{\varepsilon}}^p_{(t)} = [d\bar{\varepsilon}^p - \dot{\bar{\varepsilon}}^p_{(t)}dt]/(\theta dt) \qquad (12.20)$$

为了简化，在下面的方程中，下标"t"被省略了。

考虑到式（12.20），一致性条件式（12.17）可以写为以下的形式：

$$df = \{\partial f/\partial \sigma\}^{\mathrm{T}}\{d\sigma\}(H'_{sk} + H'_{si} + H'_{sr}/(\theta dt))d\varepsilon\bar{\varepsilon}^p + [H'_{sr}/\theta]\dot{\bar{\varepsilon}}^p = 0 \qquad (12.21)$$

以下的内容，我们将对硬化率 H'_{si}，H'_{sk} 和 H'_{sr} 进行讨论。

对于横截面的各向同性硬化率可以由以下得到。根据 Ueda 和 Fujikubo（1986）及 Fujikubo 等人（1991）的理论，与各向同性硬化有关的广义应力增量为

$$\{d\sigma\} = [H'_{si}]\{d\varepsilon^p\} \qquad (12.22)$$

矩阵 $[H'_{si}]$ 是通过先建立各个点应力增量和塑性应变增量之间的关系，然后对横截面上的这些应力进行积分得到的。如果我们应用 Von Mises 屈服判据，并且忽略剪切应力和轴向应力之间的相互作用，式（12.23）可以得到下式：

$$[H'_{si}] = [H'_i A_x \quad H'_i A_y/3 \quad H'_i A_z/3 \quad H'_i I_x/3 \quad H_i I_y \quad H_i I_z] \qquad (12.23)$$

考虑在式（12.7）中，f 是塑性势能，应用塑性流理论，我们可以得到

$$\{d\varepsilon_p\} = cd\bar{\varepsilon}^p\left\{\frac{\partial f}{\partial \sigma}\right\} \qquad (12.24)$$

$$c = \sigma_0/(\{\sigma - \alpha\}^{\mathrm{T}}\{\partial f/\partial \sigma\}) \qquad (12.25)$$

与各向同性应变硬化有关的参数 σ_0 的增量可以定义为下式：

$$dg_1 = \{\partial f/\partial \sigma\}^{\mathrm{T}}\{d\sigma\} \qquad (12.26)$$

将式(12.24)和式(12.22)代入到式(12.26)中,在式(12.15)中定义的横截面各向同性应变硬化率可以给出:

$$H'_{si} = c\left\{\frac{\partial f}{\partial \sigma}\right\}^{\mathrm{T}}\left[H'_{si}\right]\left\{\frac{\partial f}{\partial \sigma}\right\} \tag{12.27}$$

用同样的方法,可以导出横截面的动能硬化率。屈服表面的传递增量$\{\mathrm{d}\alpha\}$可以通过 Zigeler's 规则和 Mises 屈服法则得到(Fujikubo 等,1991):

$$\{\mathrm{d}\alpha\} = \left[H'_{sk}\right]\{\mathrm{d}\varepsilon^{p}\} \tag{12.28}$$

式中,被用于目前章节的$\left[H'_{sk}\right]$可以取为下式:

$$\left[H'_{sk}\right] = \left[H'_k A_x \quad H'_k A_y/3 \quad H'_k A_z/3 \quad H'_k I_x/3 \quad H'_k I_y \quad H'_k I_z\right] \tag{12.29}$$

$$H'_{sk} = c\left\{\frac{\partial f}{\partial \sigma}\right\}^{\mathrm{T}}\left[H'_{sk}\right]\left\{\frac{\partial f}{\partial \sigma}\right\} \tag{12.30}$$

最终,我们将确定对于各个横截面的应变率硬化率。与应变率硬化有关的参数 σ_0 的增量可以通过本构方程得到,这个方程表示了 g_2 和等效塑性应变之间的关系。例如,Cowper - Symonds 本构方程可以表述为(Jones,1989)

$$\sigma_{0x} = \sigma_y\left[1 + (\dot{\bar{\varepsilon}}_x^p/D)^{1/q}\right] \tag{12.31}$$

式中,σ_y 是屈服应力;$\dot{\bar{\varepsilon}}_x^p$ 代表一点的塑性应变率。常用的 D 和 q 为下式:

对于中等强度钢　$D = 40.4 \text{ sec}^{-1}$　$q = 5$

对于铝合金　　　$D = 6\,500 \text{ sec}^{-1}$　$q = 4$

方程(12.31)是由单轴应力试验得到的,假设当其应用于受多轴载荷的梁截面时,这个方程仍然是有效的近似。方程(12.31)变为

$$g_2(\dot{\bar{\varepsilon}}^p) = N_Y\left[1 + (\dot{\bar{\varepsilon}}^p/D)^{1/q}\right] \tag{12.32}$$

式中,$N_Y = A_x\sigma_y$。

应用方程(12.32),在方程(12.16)中定义的应变率硬化率可以给出

$$H'_{sr} = N_Y(\dot{\bar{\varepsilon}}^p/D)^{\left(\frac{1}{g}-1\right)}/q \tag{12.33}$$

12.3.3　节点处的塑性位移和应变

在原理上类似于塑性铰链,单元的塑性变形集中于节点上。参照方程(12.7),在节点处的屈服条件可以表述为

$$F_i = Y_i(\{\sigma_i - \alpha_i\}) - \sigma_{0i}(\bar{\varepsilon}_i^p, \dot{\bar{\varepsilon}}_i^p) = 0 \tag{12.34}$$

式中,下标"i"表示节点 i 的值。根据方程(12.21),节点 i 的一致性条件表示为

$$\mathrm{d}F_i\{\varphi_i\}^T\{\mathrm{d}x\} - \left[H'_{sk} + H'_{si} + H'_{sr}/(\theta\mathrm{d}t)\right]_i\mathrm{d}\bar{\varepsilon}_i^p + a_i = 0 \tag{12.35}$$

式中

$$\{\phi_i\} = \{\partial F_i/\partial x\} \tag{12.36}$$

$$a_i = \left[H'_{sr}/\theta\right]_i\dot{\bar{\varepsilon}}_i^p \tag{12.37}$$

式中,$\{x\}$ 代表节点的力矢量。

应用塑性流理论,在节点 i 处由于塑性产生的单元塑性节点位移可以表示为(Ueda 和 Yao,1982)

$$\{\mathrm{d}u_i^p\} = \mathrm{d}\lambda_i\{\phi_i\} \tag{12.38}$$

式中,$\mathrm{d}\lambda_i$ 是塑性变形大小的一种度量方式。

在以下的各段落中,我们将用塑性做功过程来建立 $\mathrm{d}\bar{\varepsilon}_i^p$ 和 $\mathrm{d}\lambda_i$ 之间的关系(Ueda 和

Fujikubo,1986;Fujikubo 等,1991)。作用于节点 i 上的塑性功的增量可以表示为

$$\mathrm{d}w_i^p = \{x\}^\mathrm{T}\{\mathrm{d}u_i^p\} = \{x\}^\mathrm{T}\{\varphi_i\}\mathrm{d}\lambda_i \tag{12.39}$$

作用于节点 i 实际周围塑性区域的塑性功的增量为

$$\mathrm{d}w_i^{p*} = \int_{L_i^p}\{\sigma\}^\mathrm{T}\{\mathrm{d}\varepsilon^p\}\mathrm{d}s = \int_{L_i^p}c\{\sigma\}^\mathrm{T}\left\{\frac{\partial f}{\partial\sigma}\right\}\mathrm{d}\bar{\varepsilon}^p\mathrm{d}s \tag{12.40}$$

在方程(12.21)中的位于 s 处的等效塑性应力的增量,可以表示为在节点 i 处的方程:

$$\mathrm{d}\bar{\varepsilon}^p = g(s)\mathrm{d}\bar{\varepsilon}_i^p \tag{12.41}$$

式中

$$g(s) = \frac{[H'_{sk} + H'_{si} + H'_{sr}/(\theta\mathrm{d}t)]_i}{H'_{sk} + H'_{si} + H'_{sr}/(\theta\mathrm{d}t)}\frac{\{\partial f/\partial\sigma\}^\mathrm{T}\{\mathrm{d}\sigma\} + (H'_{sr}/\theta)\dot{\bar{\varepsilon}}^p}{\{\partial f_i/\partial\sigma_i\}^\mathrm{T}\{\mathrm{d}\sigma_i\} + (H'_{sr}/\theta)_i\dot{\bar{\varepsilon}}_i^p}$$

将方程(12.41)代入方程(12.40)得到方程(12.42):

$$\mathrm{d}w_i^{p*} = \mathrm{d}\bar{\varepsilon}_i^p\int_{L_i^p}c\{\sigma\}^\mathrm{T}\left\{\frac{\partial f}{\partial\sigma}\right\}g(s)\mathrm{d}s \tag{12.42}$$

令方程(12.39)的塑性功增量 $\mathrm{d}w_i^p$ 等于方程(12.42)中的 $\mathrm{d}w_i^{p*}$,得方程(12.43):

$$\mathrm{d}\bar{\varepsilon}_i^p = h_i\mathrm{d}\lambda_i \tag{12.43}$$

式中

$$h_i = \{x\}^\mathrm{T}\{\phi_i\}\bigg/\int_{L_i^p}c\{\sigma\}^\mathrm{T}\left\{\frac{\partial f}{\partial\sigma}\right\}g(s)\mathrm{d}s \tag{12.44}$$

另外一种确定塑性节点的应变硬化率的方法是在节点处建立塑性节点位移和广义塑性应变矢量的关系

$$\{\mathrm{d}\bar{\varepsilon}_i^p\} = \{\mathrm{d}u_i^p\}/L_{di} = \{\phi_i\}\mathrm{d}\lambda_i/L_{di} \tag{12.45}$$

式中,L_{di} 表示塑性区域的平均长度。

将式(12.45)代入式(12.9),可得到节点的等效塑性应变增量,得到方程(12.46):

$$h_i = \{\sigma_i - \alpha_i\}^\mathrm{T}\{\phi_i\}/(L_{di}\sigma_{0i}) \tag{12.46}$$

当用方程(12.46)来计算 $\mathrm{d}\varepsilon_i^p$,而不是用方程(12.44)时,则不需对单元沿轴向积分。这将产生更简单的数值方法。但不幸的是,塑性流的出现,将使塑性区域的形状、尺寸发生变化,可能导致其消失或者重现。因此,每一应力分量对应的塑性区域的等效长度应该是不同的,而且应该被认为是时间的函数。然而,为了简化,我们想找到一个常量,能足够精确地近似等效长度。所以,等效长度 L_{di} 可以近似为

$$L_{di} = \alpha_D H \tag{12.47}$$

或者

$$L_{di} = \alpha_L L \tag{12.48}$$

式中,α_D 和 α_L 是系数;H 是圆形截面的直径,或者矩形截面的宽度或长度。这种方法用于当结构构件被建模为一个单元时。将方程(12.43)代入方程(12.35)得到

$$\mathrm{d}F_i = \{\phi_i\}^\mathrm{T}\{\mathrm{d}x\} - H'_{ni}\mathrm{d}\lambda_i + a_i = 0 \tag{12.49}$$

式中

$$H_{ni} = [H'_{sk} + H'_{si} + H'_{sr}/(\theta\mathrm{d}t)]_i h_i \tag{12.50}$$

12.3.4　单元的弹塑性刚度矩阵方程

当节点 1 和节点 2 都是塑性的,由方程(12.49)得下面的矩阵方程:

$$[\Phi]^{\mathrm{T}}\{\mathrm{d}x\} - [H']\{\mathrm{d}\lambda\} + \{A\} = 0 \tag{12.51}$$

式中

$$[\Phi] = [\{\phi_1\}\{\varphi_2\}]$$
$$[H'] = [H'_{n1} \quad H'_{n2}] \,(2\times 2 \text{ diagonal matrix})$$
$$\{\mathrm{d}\lambda\} = \{\mathrm{d}\lambda_1 \quad \mathrm{d}\lambda_2\}^{\mathrm{T}}$$

且

$$\{A\} = \{a_1 \quad a_2\}^{\mathrm{T}}$$

在方程(12.38)中,塑性节点位移的增量$\{\mathrm{d}u^p\}$可以给出

$$\{\mathrm{d}u^p\} = [\Phi]\{\mathrm{d}\lambda\} \tag{12.52}$$

节点的总位移的增量$\{\mathrm{d}u\}$可以通过弹性和塑性分量的和表示为

$$\{\mathrm{d}u\} = \{\mathrm{d}u^e\} + \{\mathrm{d}u^p\} \tag{12.53}$$

将式(12.52)和式(12.53)代入式(12.4)得出

$$[k_E](\{\mathrm{d}u\} - [\Phi]\{\mathrm{d}\lambda\}) = \{\mathrm{d}x\} \tag{12.54}$$

对$\{\mathrm{d}\lambda\}$解式(12.51)和式(12.54)得

$$\{\mathrm{d}\lambda\} = ([H'] + [\Phi]^{\mathrm{T}}[k_E][\Phi])^{-1}([\Phi]^{\mathrm{T}}[k_E]\{\mathrm{d}u\} + \{A\}) \tag{12.55}$$

将$\{\mathrm{d}\lambda\}$代入方程(12.54),得到弹塑性刚度矩阵方程

$$[k_p]\{\mathrm{d}u\} = \{\mathrm{d}x\} + \{\mathrm{d}x\} \tag{12.56}$$

式中

$$[k_P] = [k_E] - [k_E][\Phi]([H'] + [\Phi]^{\mathrm{T}}[k_E][\Phi])^{-1}[\Phi]^{\mathrm{T}}[k_E] \tag{12.57}$$

$$\{\mathrm{d}x'\} = [k_E][\Phi][[H'] + [\Phi]^{\mathrm{T}}[k_E][\Phi]]^{-1}\{A\} \tag{12.58}$$

如果$\{\mathrm{d}\lambda_1\}$和$\{\mathrm{d}\lambda_2\}$被发现是负值,在塑性节点处将出现卸载,而且节点将被当作弹性节点处理。我们注意到,大位移和大应变以及大应变率的影响将被考虑到导出的弹塑性刚度矩阵方程中。

12.4 转换矩阵

这一节将提出一种新的转换矩阵,图12.2所示为局部坐标系下的单元,它将在t时刻整体坐标系XYZ下的单元位移转换为局部坐标系xyz下的单元位移,可以得到转换矩阵:

$$[T_t] = [\Delta T][T_t - \mathrm{d}t] \tag{12.59}$$

式中,$[T_t - \mathrm{d}a]$是一个矩阵,它将在$t - \mathrm{d}t$时刻将单元位移转化为局部坐标下的位移;$[\Delta T]$是一个矩阵,它将在$t - \mathrm{d}t$时刻测得的单元在局部坐标系下的单元位移转化为t时刻局部坐标系的位移。

转化矩阵$[\Delta T]$由子矩阵$[tt]$组成,它将转换位移矢量。子矩阵$[tt]$可以表示为

$$[tt] = [t_a] + [t_b] \tag{12.60}$$

式中

$$[t_a] = \begin{bmatrix} 1 & 0 & 0 \\ 0 & \cos\alpha & \sin\alpha \\ 0 & -\sin\alpha & \cos\alpha \end{bmatrix}$$

$$[t_b] = \begin{bmatrix} \cos\beta\cos\theta & \sin\theta & \sin\beta\cos\theta \\ -\cos\beta\sin\theta & \cos\theta & -\sin\beta\sin\theta \\ -\sin\beta & 0 & \cos\beta \end{bmatrix} \tag{12.61}$$

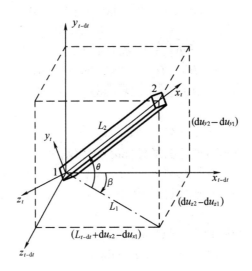

图 12.2　局部坐标系下的单元

其中,时间 $t-\mathrm{d}t$ 是在局部坐标系下测得的节点位移的增量,得到 $t-\mathrm{d}t$ 到 t 的节点位移增量,然后得

$$
\begin{aligned}
\sin\beta &= (\mathrm{d}u_{z2} - \mathrm{d}u_{z1})/L_1 \\
\cos\beta &= (L_{t-\mathrm{d}t} + \mathrm{d}u_{x2} - \mathrm{d}u_{x1})/L_1 \\
\sin\theta &= (\mathrm{d}u_{y2} - \mathrm{d}u_{y1})/L_2 \\
\cos\theta &= L_1/L_2
\end{aligned}
\tag{12.62}
$$

式中

$$
\begin{aligned}
L_1 &= \left[(L_{t-\mathrm{d}t} + \mathrm{d}u_{x2} - \mathrm{d}u_{x1})^2 + (\mathrm{d}u_{z2} - \mathrm{d}u_{z1})^2 \right]^{\frac{1}{2}} \\
L_2 &= \left[L_1^2 + (\mathrm{d}u_{y2} - \mathrm{d}u_{y1})^2 \right]^{\frac{1}{2}}
\end{aligned}
\tag{12.63}
$$

$L_{t-\mathrm{d}t}$ 是 $t-\mathrm{d}t$ 时刻,节点 1 和节点 2 之间的距离,而且角度 α 可以由下式算得

$$
\alpha = \frac{1}{2}\left[t_{b11}(\mathrm{d}\theta_{x1} + \mathrm{d}\theta_{x2}) + t_{b12}(\mathrm{d}\theta_{y1} + \mathrm{d}\theta_{y2}) + t_{b13}(\mathrm{d}\theta_{z1} + \mathrm{d}\theta_{z2}) \right]
\tag{12.64}
$$

12.5　附录 A:基于应力的塑性本构方程

12.5.1　概述

这个附录是基于 Yagawa 和 Miyazakj(1985)所写的日文书。当作者推导这一章中出现的公式时,深受这本书和 Yamada(1968)的影响。这个附录的目的是阐述塑性基础理论,将有助于理解这一章出现的大部分数学公式。

在单一轴向张力试验中,当应力很小时,材料是弹性的。E 是杨氏模量。当载荷卸除时,应力将变为零,材料将恢复到它的初始状态。另一方面,当应力超过一个限制,永久变形将发生,其被称为塑性变形。

图 A12.1 给出了典型的金属材料应力 - 应变图。在达到屈服点 A 以前,材料在弹性变形范围内,此时的应力 σ 和应变 ε 是对应成比例的。这种对应成比例的关系被称为胡克定律。在经过 A 点以后,应力 – 应变曲线的梯度下降,这个梯度 H'_0 被称为剪切模量。如果在 B 点卸载,应力将沿着平行于 OA 的 $B{\rightarrow}C$ 变小。残余的应变称为塑性应变 ε^p。另一方面,与 CB 相对应的恢复应变为弹性应变 ε^e。总的应变是弹性应变和塑性应变的和:

$$\varepsilon = \varepsilon^e + \varepsilon^p \qquad (\text{A12.1})$$

图 A12.2 给出了应力和塑性应变之间的关系。在应力 – 塑性应变曲线中的梯度 H' 称为应变硬化率。参考图 A12.1 及 A12.2,我们可以得到下面的关系:

$$\mathrm{d}\varepsilon = \frac{\mathrm{d}\sigma}{H'_0} = \mathrm{d}\varepsilon^e + \mathrm{d}\varepsilon^p = \frac{\mathrm{d}\sigma}{E} + \frac{\mathrm{d}\sigma}{H'} \quad (\text{A12.2})$$

式中,H'_0 和 H' 可以表示为下式:

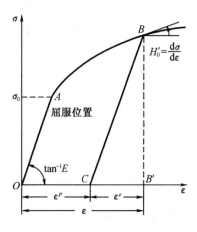

图 A12.1　应力应变图

$$H' = \frac{EH'_0}{E - H'_0}, \quad H'_0 = \frac{EH'}{E + H'} \qquad (\text{A12.3})$$

如图 A12.3 所示,当应力超过材料的屈服点时,塑性应变产生;如果在 B 点卸载,施加反方向的载荷,应力和应变之间的关系如曲线 BCD 所示,材料将在压应力点(C 点)屈服,这时,它将低于它初始的屈服应力,这种现象叫作 Bauschinger's 效应。

尽管如胡克定律所阐述的,在弹性区域有应力与应变一一对应的关系,但这种对应关系在塑性区域是不存在的。这就意味着:如果应变高于一定水平,它依赖于变形史以及应力。对一个弹塑性固体来说,增量理论(或是流动理论)被广泛应用于研究它的变形史。然而,当有限元的方法不适用时,为了计算简化,全量理论(或变形理论)也会被使用。

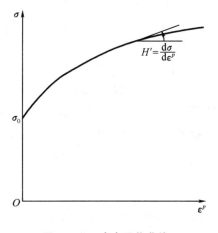

图 A12.2　应变强化曲线

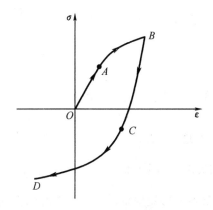

图 A12.3　包辛格效应

12.5.2　弹性领域内应力和应变的关系

弹性范围内应力和应变的关系可以用以下的矩阵来表示:

$$\left.\begin{array}{c} \{\sigma\} = [D^e]\{\varepsilon\} \quad 或 \quad \{\varepsilon\} = [C^e]\{\sigma\} \\ [D]^e = [C^e]^{-1} \end{array}\right\} \quad (A12.4)$$

式中

$$\{\sigma\} = \begin{Bmatrix} \sigma_x \\ \sigma_y \\ \sigma_z \\ \tau_{xy} \\ \tau_{yz} \\ \tau_{zx} \end{Bmatrix}, \quad \{\varepsilon\} = \begin{Bmatrix} \varepsilon_x \\ \varepsilon_y \\ \varepsilon_z \\ \gamma_{xy} \\ \gamma_{yz} \\ \gamma_{zx} \end{Bmatrix} \quad (A12.5)$$

对于各向同性的材料,$[D^e]$,$[C^e]$是用有关杨氏模量和泊松比的函数来表示的:

$$[D^e] = \frac{E(1-\nu)}{(1+\nu)(1-2\nu)} \begin{bmatrix} 1 & \dfrac{\nu}{1-\nu} & \dfrac{\nu}{1-\nu} & 0 & 0 & 0 \\ & 1 & \dfrac{\nu}{1-\nu} & 0 & 0 & 0 \\ & & 1 & 0 & 0 & 0 \\ & & & \dfrac{1-2\nu}{2(1-\nu)} & 0 & 0 \\ & & & & \dfrac{1-2\nu}{2(1-\nu)} & 0 \\ & & & & & \dfrac{1-2\nu}{2(1-\nu)} \end{bmatrix}$$

$$(A12.6)$$

$$[C^e] = \frac{1}{E} \begin{bmatrix} 1 & -\nu & -\nu & 0 & 0 & 0 \\ & 1 & -\nu & 0 & 0 & 0 \\ & & 1 & 0 & 0 & 0 \\ & & & 2(1+\nu) & 0 & 0 \\ & & & & 2(1+\nu) & 0 \\ & & & & & 2(1+\nu) \end{bmatrix} \quad (A12.7)$$

在弹性范围内,应力增量和应变增量的关系可以基于公式(A12.4)写成以下的形式:

$$\{\Delta\sigma\} = [D^e]\{\Delta\varepsilon\} \quad 或 \quad \{\Delta\varepsilon\} = [C^e]\{\Delta\sigma\} \quad (A12.8)$$

式中,Δ 是一个增量。

12.5.3 屈服准则

塑性变形发生阶段的应力情况叫作屈服准则,并且一般被写成屈服函数f:

$$f(J_1, J_2, J_3) = 0 \quad (A12.9)$$

在这里,J_1, J_2, J_3 都属于常量,并且表达为

$$\left.\begin{array}{l} J_1 = \sigma_x + \sigma_y + \sigma_z \\ J_2 = -(\sigma_x\sigma_y + \sigma_y\sigma_z + \sigma_z\sigma_x) + \tau_{xy}^2 + \tau_{yz}^2 + \tau_{zx}^2 \\ J_3 = \sigma_x\sigma_y\sigma_z - \sigma_x\tau_{yz}^2 - \sigma_y\tau_{zx}^2 - \sigma_z\tau_{xy}^2 + 2\tau_{yz}\tau_{zx}\tau_{xy} \end{array}\right\} \quad (A12.10)$$

应力空间内与屈服准则对应的几何曲面叫作屈服曲面,因为金属材料的屈服与静水压

力无关,扣除静水压力,屈服准则可以近似表示为

$$f(J_2', J') = 0, \quad J_1' = 0 \tag{A12.11}$$

这里,J_1',J_2',J_3'被称作偏应力的常量,所示如下:

$$\left.\begin{array}{c} \sigma_x' = \sigma_x - \sigma_m, \quad \sigma_y' = \sigma_y - \sigma_m, \quad \sigma_z' = \sigma_z - \sigma_m \\[2mm] \sigma_m = \dfrac{\sigma_x + \sigma_y + \sigma_z}{3} \\[2mm] \tau_{xy}' = \tau_{xy}, \tau_{yz}' = \tau_{yz}, \tau_{zx}' = \tau_{zx} \end{array}\right\} \tag{A12.12}$$

应用最广泛的金属材料屈服准则是 MISES 屈服准则,在准则里,f 函数仅被表示为偏应力 J_2' 的函数

$$f = \sqrt{3J_2'} - \sigma_0 \tag{A12.13}$$

式中,σ_0 为单轴载荷下的屈服应力。这里,J_2' 被表示为

$$\begin{aligned} J_2' &= -(\sigma_x'\sigma_y' + \sigma_y'\sigma_z' + \sigma_z'\sigma_x') + \tau_{xy}'^2 + \tau_{yz}'^2 + \tau_{zx}'^2 \\[2mm] &= \frac{1}{2}\left[\sigma_x'^2 + \sigma_y'^2 + \sigma_z'^2 + 2(\tau_{xy}'^2 + \tau_{yz}'^2 + \tau_{zx}'^2)\right]^{\frac{1}{2}} \\[2mm] &= \frac{1}{6}\left[(\sigma_x - \sigma_y)^2 + (\sigma_y - \sigma_z)^2 + (\sigma_z - \sigma_x)^2 + 6(\tau_{xy}^2 + \tau_{yz}^2 + \tau_{zx}^2)\right] \end{aligned} \tag{A12.14}$$

如果等效应力 $\bar{\sigma}$ 被定义为

$$\begin{aligned} \bar{\sigma} &= \sqrt{3J_2'} = \sqrt{\frac{3}{2}}\left[\sigma_x'^2 + \sigma_y'^2 + \sigma_z'^2 + 2(\tau_{xy}'^2 + \tau_{yz}'^2 + \tau_{zx}'^2)\right]^{\frac{1}{2}} \\[2mm] &= \frac{1}{\sqrt{2}}\left[(\sigma_x - \sigma_y)^2 + (\sigma_y - \sigma_z)^2 + (\sigma_z - \sigma_x)^2 + 6(\tau_{xy}^2 + \tau_{yz}^2 + \tau_{zx}^2)\right]^{\frac{1}{2}} \end{aligned} \tag{A12.15}$$

屈服准则就变为

$$\bar{\sigma} = \sigma_0 \tag{A12.16}$$

这样多轴应力下也相应运用单轴应力的屈服准则(将等效应力代入)。当应力大于材料的屈服应力标准时,塑性变形就产生了,并且必须满足屈服函数 $f = 0$。如果 $f < 0$,卸载发生,材料回到弹性区域。

12.5.4　塑性应变增量

当塑性变形发生时,由于材料的硬化屈服曲面的形状可能发生变化。各向同性硬化法则和运动硬化法则表述如下。

1. 等向强化模型

如图 A12.4,在硬化过程中,屈服面将会扩大,但是屈服面的位置和形状并不发生变化。图 A12.5 显示了单轴应力下应力和应变的关系。根据 OYA 曲线加载后,然后卸载至点 B,并继续反向加载至 C 点,$\overline{AB} = \overline{BC}$,$\overline{BC} > \overline{OY}$,如果考虑应变硬化,式(A12.13)中的屈服函数会变成

$$f = \sqrt{3f_2} - \sigma_0 = \bar{\sigma} - \sigma_0(\bar{\varepsilon}^p) \tag{A12.17}$$

此处,$\bar{\varepsilon}^p$ 为塑性变形的等效应变,并且可以表达为

$$\bar{\varepsilon}^p = \int d\bar{\varepsilon}^p \qquad (A12.18)$$

式中，$d\bar{\varepsilon}^p$可以由下式估算：

$$d\bar{\varepsilon}^p = \Delta\bar{\varepsilon}^p = \sqrt{\frac{2}{3}}\Big[\Delta\varepsilon_x^{p2} + \Delta\varepsilon_y^{p2} + \Delta\varepsilon_z^{p2} + \frac{1}{2}(\Delta\gamma_{xy}^{p2} + \Delta\gamma_{yz}^{p2} + \Delta\gamma_{zx}^{p2})\Big]^{\frac{1}{2}}$$

$$= \frac{\sqrt{2}}{3}\Big[(\Delta\varepsilon_x^p - \Delta\varepsilon_y^p)^2 + (\Delta\varepsilon_y^p - \Delta\varepsilon_z^p)^2 + (\Delta\varepsilon_z^p - \Delta\varepsilon_x^p)^2 + \frac{3}{2}(\Delta\gamma_{xy}^{p2} + \Delta\gamma_{yz}^{p2} + \Delta\gamma_{zx}^{p2})\Big]^{1/2}$$

$$(A12.19)$$

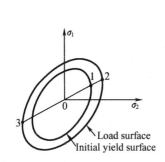

图 A12.4　各向同性强化准则

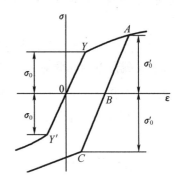

图 A12.5　单轴各向同性应力应变强化规则

单轴载荷下，沿 x 轴方向塑性变形的增量被定义为 $\Delta\varepsilon_x^p$，塑性变形不可压缩条件为

$$\Delta\varepsilon_x^p + \Delta\varepsilon_y^p + \Delta\varepsilon_z^p = 0 \qquad (A12.20)$$

则可得到下列等式：

$$\Delta\varepsilon_y^p = \Delta\varepsilon_z^p = -\frac{\Delta\varepsilon_x^p}{2}, \Delta\gamma_{xy}^p = \Delta\gamma_{yz}^p = \Delta\gamma_{zx}^p = 0 \qquad (A12.21)$$

将式（A12.19）代入式（A12.20），我们可以得到

$$\Delta\bar{\varepsilon}^p = \Delta\varepsilon_x^p \qquad (A12.22)$$

这表明等效塑性应变增量可以由多轴的应力状态转化为单轴的应力状态。塑性应变增量可由流动法则得到，如果塑性势如屈服函数所定义，则塑性变形增量可以表示为

$$\{\Delta\varepsilon^p\} = \Delta\lambda\Big\{\frac{\partial f}{\partial\sigma}\Big\} = \Delta\lambda\frac{3}{2\bar{\sigma}}\{\sigma'\} \qquad (A12.23)$$

屈服函数如式（A12.17）所示，$\Delta\lambda(>0)$是不定变量，$\{\sigma'\}$为偏应力矢量，如下所示：

$$\{\sigma'\} = \begin{Bmatrix} \sigma_x' \\ \sigma_y' \\ \sigma_z' \\ 2\tau_{xy} \\ 2\tau_{yz} \\ 2\tau_{zx} \end{Bmatrix} \qquad (A12.24)$$

等式（A12.24）表明，塑性变形增量垂直于屈服表面，如 A12.6 所示，$f=0$。

2. 随动模型

随动模型中,尽管屈服面大小及形状不发生变化,但屈服面中心会移动,如图 A12.7 所示。单轴应力下的应变和应力的关系如图 A12.8 所示。由式 $\overline{YY'} = \overline{AC}$ 和 $\overline{BC} < \overline{OY}$,Bauschinger 效应表示如下。

随动模型下的屈服函数被定义为

$$f = f(\{\sigma\} - \{\alpha_0\}) \tag{A12.25}$$

这里,$\{\alpha_0\}$ 为屈服表面的中心,并且被表达为

$$\{\alpha_0\} = \begin{Bmatrix} \alpha_x \\ \alpha_y \\ \alpha_z \\ \alpha_{xy} \\ \alpha_{yz} \\ \alpha_{zx} \end{Bmatrix} \tag{A12.26}$$

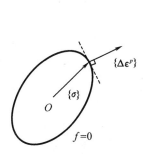

图 A12.6 流动法则

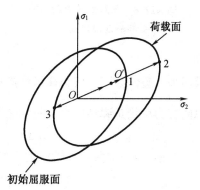

图 A12.7 随动硬化规则

有两种方法可以用来确定 $\{\alpha_0\}$,Prage 随动模型和 Ziegle 随动模型,如下:

$$\{\Delta\alpha_0\} = C\{\Delta\varepsilon^p\} \quad : \text{Prage} \tag{A12.27}$$

$$\{\Delta\alpha_0\} = \Delta\mu(\{\sigma\} - \{\alpha_0\}) \quad : \text{Ziegle} \tag{A12.28}$$

正如图 A12.9 所示,Prage 随动模型的运动是沿着屈服表面垂直方向的。Ziegle 随动模型的运动是沿着屈服面的中心 $\{\alpha_0\}$ 到应力点 $\{\sigma\}$ 方向的。根据方程(A12.25)可得到,屈服条件可变为

$$f(\{\sigma_\alpha\}) = \overline{\sigma}_\alpha - \sigma_0 = 0 \tag{A12.29}$$

这里

$$\{\sigma_\alpha\} = \{\sigma\} - \{\alpha_0\} \tag{A12.30}$$

$\overline{\sigma}_\alpha$ 为考虑屈服表面运动的等效应力,可表示如下:

$$\overline{\sigma} = \frac{1}{\sqrt{2}} [\{(\sigma_x - \alpha_x) - (\sigma_y - \alpha_y)\}^2 + \{(\sigma_y - \alpha_y) - (\sigma_z - \alpha_z)\}^2 +$$

$$[(\sigma_z - \alpha_z) - (\sigma_x - \alpha_x)]^2 + 6\{(\tau_{xy} - \alpha_{xy})^2 + (\tau_{yz} - \alpha_{yz})^2 + (\tau_{zx} - \alpha_{zx})^2\}]^{1/2}$$

$$\tag{A12.31}$$

根据塑性势能定义屈服函数 f,塑性应变的增量可表示为

$$\{\Delta\varepsilon^p\} = \Delta\lambda\left\{\frac{\partial f}{\partial\sigma}\right\} = \Delta\lambda\frac{3}{2\overline{\sigma}_\alpha}\{\sigma'_\alpha\} \tag{A12.32}$$

这里

$$\{\sigma'_\alpha\} = \{\sigma'\} - \{\alpha'_0\} \tag{A12.33}$$

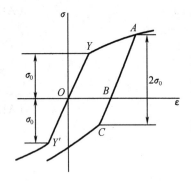

图 A12.8 单轴向应力和应变
关系随动硬化准则

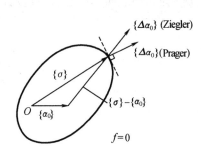

图 A12.9 屈服面形心移动方向

12.5.5 塑性区域内应力增量与应变增量的关系

总的应力增量是弹性应力增量和塑性应力增量的和:

$$\{\Delta\varepsilon\} = \{\Delta\varepsilon'\} + \{\Delta\varepsilon^p\} \tag{A12.34}$$

另一方面,应力增量和弹性应力增量可表示如下:

$$\{\Delta\sigma\} = |D^e||\Delta\varepsilon^e| \tag{A12.35}$$

把方程(A12.34)代入可得

$$\{\Delta\sigma\} = |D^e|(\{\Delta\varepsilon\} - \{\Delta\varepsilon^p\}) \tag{A12.36}$$

如果把屈服函数和流动法则相结合并运用塑性势能,塑性应变增量 $\{\Delta\varepsilon^p\}$ 可以被表示为

$$\{\Delta\varepsilon^p\} = \Delta\lambda\left\{\frac{\partial f}{\partial\sigma}\right\} \tag{A12.37}$$

一般说来,屈服函数 f 是应力和塑性应变的函数,可以写成

$$f = f(\{\sigma\}, \{\varepsilon^p\}) \tag{A12.38}$$

如果发生塑性变形,可得到如下等式

$$\Delta f = \left\{\frac{\partial f}{\partial\sigma}\right\}^T\{\Delta\sigma\} + \left\{\frac{\partial f}{\partial\varepsilon^p}\right\}^T\{\Delta\varepsilon^p\} = 0 \tag{A12.39}$$

把式(A12.36)、式(A12.39)代入式(A12.37)可得

$$\{\Delta\sigma\} = [D^e]\left(\{\Delta\varepsilon\} - \Delta\lambda\left\{\frac{\partial f}{\partial\sigma}\right\}\right) \tag{A12.40}$$

$$\left\{\frac{\partial f}{\partial\sigma}\right\}^T\{\Delta\sigma\} + \left\{\frac{\partial f}{\partial\varepsilon^p}\right\}^T\left\{\frac{\partial f}{\partial\sigma}\right\}\Delta\lambda = 0 \tag{A12.41}$$

把式(A12.40)和式(A12.41)中的 $\{\Delta\sigma\}$ 消去,就可以得到 $\Delta\lambda$ 的方程:

$$\Delta\lambda = \frac{\left\{\dfrac{\partial f}{\partial\sigma}\right\}^{\mathrm{T}}[D^e]\{\Delta\varepsilon\}}{-\left\{\dfrac{\partial f}{\partial\varepsilon^p}\right\}^{\mathrm{T}}\left\{\dfrac{\partial f}{\partial\sigma}\right\}+\left\{\dfrac{\partial f}{\partial\sigma}\right\}^{\mathrm{T}}[D^e]\left\{\dfrac{\partial f}{\partial\sigma}\right\}} \quad (A12.42)$$

把式(A12.42)代入式(A12.40)可得

$$\{\Delta\sigma\} = \left([D^e] - \frac{[D^e]\left\{\dfrac{\partial f}{\partial\sigma}\right\}\left\{\dfrac{\partial f}{\partial\sigma}\right\}^{\mathrm{T}}[D^e]}{-\left\{\dfrac{\partial f}{\partial\varepsilon^p}\right\}^{\mathrm{T}}\left\{\dfrac{\partial f}{\partial\sigma}\right\}+\left\{\dfrac{\partial f}{\partial\sigma}\right\}^{\mathrm{T}}[D^e]\left\{\dfrac{\partial f}{\partial\sigma}\right\}}\right)\{\Delta\varepsilon\}$$

$$= ([D^e]+[D^p])\{\Delta\varepsilon\} \quad (A12.43)$$

这里,$[D^p]$可以表示成

$$[D^p] = -\frac{[D^e]\left\{\dfrac{\partial f}{\partial\sigma}\right\}\left\{\dfrac{\partial f}{\partial\sigma}\right\}^{\mathrm{T}}[D^e]}{-\left\{\dfrac{\partial f}{\partial\varepsilon^p}\right\}^{\mathrm{T}}\left\{\dfrac{\partial f}{\partial\sigma}\right\}+\left\{\dfrac{\partial f}{\partial\sigma}\right\}^{\mathrm{T}}[D^e]\left\{\dfrac{\partial f}{\partial\sigma}\right\}} \quad (A12.44)$$

并且当材料发生塑性变形时必须考虑。

把式(A12.42)代入式(A12.37),塑性应变的增量可以表达为下列方程:

$$\{\Delta\varepsilon^p\} = \frac{\left\{\dfrac{\partial f}{\partial\sigma}\right\}\left\{\dfrac{\partial f}{\partial\sigma}\right\}^{\mathrm{T}}[D^e]\{\Delta\varepsilon\}}{-\left\{\dfrac{\partial f}{\partial\varepsilon^p}\right\}^{\mathrm{T}}\left\{\dfrac{\partial f}{\partial\sigma}\right\}+\left\{\dfrac{\partial f}{\partial\sigma}\right\}^{\mathrm{T}}[D^e]\left\{\dfrac{\partial f}{\partial\sigma}\right\}} \quad (A12.45)$$

塑性变形过程中,$\Delta\lambda$ 必须是一个正值,所以通过检测方程(A12.37)中 $\Delta\lambda$ 的符号可以探测到卸载条件。

12.6 附录 B:变形矩阵

$$k_D(1,2) = k_D(7,8) = -k_D(1,8) = -k_D(2,7) = -\rho_z^2\left(\frac{EA}{L}\right)(\theta_{z1}+\theta_{z2})/10 \quad (B12.1)$$

$$k_D(1,3) = k_D(7,9) = -k_D(1,9) = -k_D(3,7) = -\rho_y^2\left(\frac{EA}{L}\right)(\theta_{y1}+\theta_{y2})/10 \quad (B12.2)$$

$$k_D(1,5) = k_D(5,7) = -\alpha_y + \rho_y^2 EA(-4\theta_{z1}+\theta_{z2})/30 \quad (B12.3)$$

$$k_D(1,6) = k_D(6,7) = -\alpha_z + \rho_z^2 EA(-4\theta_{x1}+\theta_{x2})/30 \quad (B12.4)$$

$$k_D(1,11) = -k_D(7,11) = \alpha_y + \rho_y^2 EA(\theta_{y1}-4\theta_{y2})/30 \quad (B12.5)$$

$$k_D(1,12) = -k_D(7,12) = -\alpha_z + \rho_z^2 EA(\theta_{z1}-4\theta_{z2})/30 \quad (B12.6)$$

其中,

$$\eta_y = EI_y/(GA_zL^2) \qquad \eta_z = EI_z/(GA_yL^2) \quad (B12.7)$$

$$\rho_y = 1/(1+12\eta_y) \qquad \rho_z = 1/(1+12\eta_z) \quad (B12.8)$$

$$\alpha_y = 2\rho_y^2 EA\eta_y(1+6\eta_y)(\theta_{y1}-\theta_{y2}) \quad (B12.9)$$

$$\alpha_z = 2\rho_z^2 EA\eta_z(1+6\eta_z)(\theta_{z1}-\theta_{z2}) \quad (B12.10)$$

参考文献

[1] Archer J S. Consistent matrix formulations for structural analysis using finite-element techniques[J]. AIAA journal,1965,3(10):1910 – 1918.

[2] Bai Y,Pedersen P T. Earthquake Response of Offshore Structures[C]//Proc. of the 10th Int. Conference on Offshore Mechanics and Arctic Engineering,OMAE 1991,Stavanger.

[3] Bai Y,Pedersen P T. Collision Response of Offshore Structures and Bridges[C]. International Symposium on Marine Structures,ISMS 1991,Shanghai.

[4] Bai Y. SANDY—A structural analysis program for static and dynamic response of nonlinear systems [M]//Theoretical manual and demonstration problem manual. Department of Ocean Engineering,The Technical University of Denmark,1991.

[5] Bathe K J. Finite Element Methods[M]. [S. l.]:Springer,1986.

[6] Chakrabarty J. Theory of Plasticity[M]. [S. l.]:McGraw-Hill Book Company,1987.

[7] Chen W F,Han D J. Plasticity for Structural Engineers[M]. [S. l.]:Springer,1987.

[8] Fujikubo M,Bai Y,Ueda Y. Dynamic elastic-plastic analysis of offshore framed structures by plastic node method considering strain-hardening effects[C]//The First International Offshore and Polar Engineering Conference. International Society of Offshore and Polar Engineers,1991.

[9] Hill R. The mathematical theory of plasticity[M]. Oxford:Oxford university press,1950.

[10] Jones N. Structural Impacts[M]. Cambridge:Cambridge University Press. 1989.

[11] Liu J,Jones N. Experimental investigation of clamped beams struck transversely by a mass [J]. International Journal of Impact Engineering,1987,6(4):303 – 335.

[12] Liu J H,Jones N. Dynamic response of a rigid plastic clamped beam struck by a mass at any point on the span[J]. International journal of solids and structures,1988,24(3):251 – 270.

[13] Messmer S,Sayir M. Dynamic elastic-plastic behaviour of a frame[J]. Engineering Computations,1988, 5(3):231 – 240.

[14] Mosquera J M,Symonds P S,Kolsky H. On elastic-plastic and rigid-plastic dynamic response with strain rate sensitivity[J]. International journal of mechanical sciences,1985,27(11):741 – 749.

[15] Mosquera J M,Kolsky H,Symonds P S. Impact tests on frames and elastic-plastic solutions[J]. Journal of Engineering Mechanics,1985,111(11):1380 – 1401.

[16] Nedergaard H,Pedersen P T. Analysis Procedure for Space Frame with Material and Geometrical Nonlinearities[C]// Europe-US Symposium-Finite Element Methods for Nonlinear Problems,Edited by Bergan,Bathe and Wunderlich,Springer. 1986.

[17] Przemieniecki J S. Theory of matrix structural analysis[M]. [S. l.]:Courier Corporation,1985.

[18] Save M A,Massonnet C E. Plastic analysis and design of plates,shells and disks[J]. 1972.

[19] Symonds P S,Yu T X. Counterintuitive behavior in a problem of elastic-plastic beam dynamics[J]. Journal of Applied Mechanics,1985,52(3):517 – 522.

[20] Ueda Y,Fujikubo M. Plastic Collocation Method Considering Strain Hardening Effects[J]. Journal of the Society of Naval Architects of Japan,1986,160:306-317(in Japanese).

[21] Ueda Y,Yao T. The plastic node method:a new method of plastic analysis[J]. Computer Methods in Applied Mechanics and Engineering,1982,34(1):1089 – 1104.

[22] Yamada Y,Yoshimura N,Sakurai T. Plastic stress-strain matrix and its application for the solution of elastic-plastic problems by the finite element method[J]. International Journal of Mechanical Sciences, 1968,10(5):343 – 354.

［23］Yagawa G,Miyazaki N. Heat Induced Stress,Creep and Heat Transfer Analysis Based on the Finite Element Analysis［M］. Science Publisher（in Japanese）,1985.

［24］Yoshimura S,Chen K L,Atluri S N. A study of two alternate tangent modulus formulations and attendant implicit algorithms for creep as well as high-strain-rate plasticity［J］. International journal of plasticity, 1987,3(4):391 – 413.

［25］Zienkiewicz O C,Taylor R L,Zienkiewicz O C,et al. The finite element method［M］. London:McGraw-hill,1977.

第13章 船体极限强度分析

13.1 引言

为了完成船体的极限状态的设计,就必须评估船体梁的纵向最大强度。并且,为了评估原油漏损,对于油轮的撞击和搁浅,整船动力特性研究和船的局部塑性响应是必须要做的。

船的倾覆力是由扭转、屈服和拉伸断裂组成的,还有材料的脆性断裂,并且各种破坏的方式都是由最初的变形、残余应力、腐蚀破坏和疲劳裂缝影响的。

这些导致船舶倾覆的复杂问题需要多种计算方案来研究,如有限元分析方法(FEM)。然而,传统的FEM方法需要相当多的电脑和人力来输入数据和翻译输出数据。因此,那些用于船体强度和碰撞研究的软件就受到了限制,此外,并不是都能够保证FEM方法计算的准确性(Valsgkd和Steen,1991)。

在过去的35年中,多种数学分析方法已经运用到了船体的纵向强度研究上。首先,Caldwell(1965)引进了船体的塑性设计方法。他对纵向强度的评估是基于某个横截面的所有塑性力矩的。扭转的影响是通过减少被压缩构建的载荷量解决的。Mansour和Thayamballi(1980)考虑的扭转力在他们的分析当中是不变的。

Caldwell的方法是由史密斯(1977)的方法改进的,他提出肋板的改良是因为扭转和屈服的作用就像纤维的某个横截面的应力应变关系,他还考虑了扭转后的效果。在史密斯的方法里,船体界面被离散为肋板和角单元,这对于预报肋板破坏区域的载荷集中是非常重要的。多种改进史密斯方法的运算已经被运用,他们基于不同的公式,分别由板的有效宽度和构架决定。

以上提到的方法对于船纯弯曲是非常简单且准确的,但是,当有其他组合力和侧向压力参与时准确性会降低。因为这个模型当中梁的平面是被假定成保持平面不变的。

Chen等(1983)提出了对于船体破坏的一般有限元分析方法。他们的方法适用于任何形式的载荷和任何形式的结构,但需花费更多的人力和占用更多的电脑CPU。Ueda等(1986)基于理想的结构单元法(ISUM)提出了有限元分析程序,在1991年这个方法已经被Paik运用到船体极限强度的研究中。这个方法减少数学建模的思考。更重要的是,Valsgm和Pettersen(1982),ValsgSud和Steen(1991)发展了非线性和主要单元的程序,它可以用几个单元对更复杂的结构建模。至此,ISUM方法也没有应用于动响应的研究,因为数学上的非线性已经解决了经验主义的方程。将数学的非线性分析取代经验主义方程是很困难的。

至于碰撞对船体的损害,有越来越多的国家开始关注油轮不同程度的碰撞损伤引起的石油污染,这又涉及核船只的碰撞。McDermott等(1974)和Kinkead(1980)提出用简化方法来分析船舶在轻微碰撞中的局部变形,Van Mater等(1979)审查低能船舶碰撞损害理论和设计方法,Ito 等(1984)进行了大规模的系统静力测试,并且提出了简单的方法。这用来分析双壳结构的碰撞强度。

本章的目的就是要发展一种能计算船体梁最终强度的程序,对于纯弯曲,这种方法的准确性应该和史密斯的方法一样。它是基于 FEM 方法的,而且它能和 ISUM 方法、有限元方法一样,节省电脑和人力。新型的 PNM 方法对于研究几何非线性问题结合了塑性节点法(PNM)和一般的 FEM 方法,它可以应用于动力几何和材料非线性分析,这对于极限强度和碰撞响应是非常有用的。

对于船体静力和动力的破坏研究,本章首先提出了一种准确、高效的有限元分析程序,这种程序结合了弹性的、较大位移分析理论和塑性铰链模型来分析几何和材料的非线性问题。第一,如圆柱梁单元、肋板单元和剪应力板单元已经被开发出来。第二,对于评估最终力矩和力矩耦合的数学方程被提出和讨论。第三,用改良的史密斯方法来解决腐蚀的影响和疲劳裂缝的影响。这些方程和分析方法会通过两艘船体梁的极限强度分析来进行比较。最后,对于船体总纵强度分析和包括油轮碰撞响应的实际应用软件也得到了论证。

本章内容基于 Bai,Bendiksen 和 Pedersen(1993)以及 Sun 和 Bai(2001)等人的研究。

13.2 基于塑性节点法的船体结构分析

以下各节讲述船体碰撞的有限元分析。此分析是基于一个标准的梁柱分析,包括板和加筋板、壳板单元和非线性弹性单元的撞击分析。

13.2.1 梁 – 柱单元

13.1 节给出了三维梁 – 柱单元。这是棱形的 Timoshenko 梁,它具有任意交叉组合的外形。对于较大位移的分析,一种最新的 Lanrangian 方法已经被提出,假定较大旋转和小应力情况,应用虚功原理,我们可以得到(Bai 和 Pedersen,1991):

$$[k_E]\{du^e\} = \{dx\} \tag{13.1}$$

式中

$$[k_E] = [k_L] + [k_G] + [k_D] \tag{13.2}$$

这里的 $\{d_u^e\}$ 和 $\{dx\}$ 是弹性节点位移和节点力的增量。弹性力矩阵 $[K_E]$ 是由线性力矩阵 $[K_L]$、几何矩阵 $[K_G]$ 和变形矩阵 $[K_D]$ 构成的。变形矩阵 K_D 让使用较少单元模拟梁 – 柱单元成为了可能,这样它就可以解决轴向变形和横向变形的耦合作用。弹塑性矩阵 K_p 是通过应用弹塑性节点法(Ueda 和 Yao,1982)得到的:

$$[k_p]\{du\} = \{dx\} \tag{13.3}$$

式中

$$[k_P] = [k_E] - [k_E][\Phi]([\Phi]^T[k_E][\Phi])^{-1}[\Phi]^T[k_E] \tag{13.4}$$

$$[\Phi] = \begin{bmatrix} \{\Phi_1\} & \{0\} \\ \{0\} & \{\Phi_2\} \end{bmatrix} \tag{13.5}$$

这里的 $\{du\}$ 节点位移增量

$$\{\phi_i\} = \begin{cases} \{0\} & \text{对弹性节点} \\ \{\partial\Gamma_i/\partial x_i\} & \text{对塑性节点} \end{cases} (i = 1,2) \tag{13.6}$$

这里 Γ_i 是完整的屈服函数，$\{x_i\}$ 表示在节点"i"处的受力。

为了符合断裂力学的标准，在每个节点处的应变 $\{d\varepsilon^p\}$ 可被评估为

$$\{d\varepsilon^p\} = \frac{1}{l_d}\{du^p\} \tag{13.7}$$

式中，l_d 为塑性区域的等效长度。l_d 的大小可以被评估为图13.1所示的部分屈服区域 l_p 的一半。

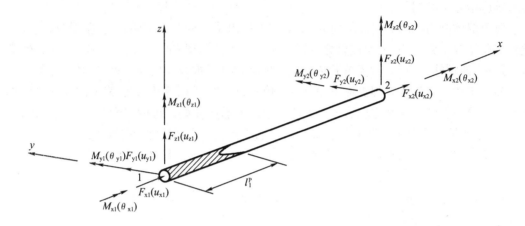

图 13.1　节点 1 附近的梁柱单元和塑性区长度

在局部力矩阵叠加成总体力矩阵之前，有几处转换是非常重要的。当局部坐标与中性轴不相符时可能会很方便。此外，在加载的时候中性轴会随着板等效宽度的改变而发生移动。最后，弯曲时剪力的中心和中性轴会不同。解决这方面的转换矩阵 $[S]$ 就可以在规范（Pedersen，P. Temdrup & Jensen，J. Juncher，1983）中找到。这个矩阵可以把力矩阵转换成

$$[k^*] = [S]^{\mathrm{T}}[k_p][S] \tag{13.8}$$

式中，$[k_p]$ 是关于中和轴的局部力矩阵；$[k^*]$ 是关于节点轴的局部力矩阵。这个矩阵通过转换就得到了整体坐标：

$$[k_{\mathrm{glob}}] = [T]^{\mathrm{T}}[k^*][T] = [T]^{\mathrm{T}}[S]^{\mathrm{T}}[k_p][S][T] \tag{13.9}$$

这里的 $[k_{\mathrm{glob}}]$ 是在整体坐标系下的力矩阵：

$$[S] = \begin{bmatrix} [S_1] & [0] \\ [0] & [S_2] \end{bmatrix} \tag{13.10}$$

并且

$$[S_i] = \begin{bmatrix} 1 & 0 & 0 & 0 & E_{zi} & -E_{yi} \\ 0 & 1 & 0 & -e_{zi} & 0 & E_{xi} \\ 0 & 0 & 1 & e_{yi} & E_{xi} & 0 \\ 0 & 0 & 0 & 1 & 0 & 0 \\ 0 & 0 & 0 & 0 & 1 & 0 \\ 0 & 0 & 0 & 0 & 0 & 1 \end{bmatrix} \tag{13.11}$$

这里 (e_{yi}, e_{zi}) 与剪力中心有关，(E_{yi}, E_{zi}) 与中性轴有关，局部坐标系中梁节点用下标"i"表示，当分析船的一部分时，这种对于中和轴偏移的转换是非常方便的。

13.2.2　附联板单元

肋板单元是梁－柱单元的拓展,在梁上用到了等效宽度。对于长板,如图 13.2 所示,有效宽度是假定 Carlsen 的应力方程对于区域到达或者超过极限状态是仍然适用的。

$$\frac{b_e}{b} = \left(\frac{2.1}{\beta_e} - \frac{0.9}{\beta_e^2}\right)\left(1 - \frac{0.75w_{0max}}{\beta t}\right)\left(1 + \frac{\sigma_r}{\sigma_y}\right)^{-1} R_2 R_\tau \tag{13.12}$$

这里,$\beta_e = \frac{b}{t}\sqrt{\frac{\sigma_x}{E}}$ 和 $\beta = \frac{b}{t}\sqrt{\frac{\sigma_y}{E}}$。其中,$b$ 和 t 分别表示板的宽度和厚度。最大初始偏差 w_{0max} 和残余应力 σ_t 可以根据 Faulkner(1975)公式确定。对于横向力 σ_2 的修正系数 R_2,可以通过下式确定:

$$R_2 = \begin{cases} 1 - (\sigma_2/\sigma_{2u})^2 & \text{对于压应力 } \sigma_2 \\ 1 & \text{对于张应力 } \sigma_2 \end{cases} \tag{13.13}$$

式中,σ_{2u} 是由板受轴横向压力决定的最终应力。对于剪应力 τ 的修正系数 R_τ,是由下式决定的

$$R_\tau = \left[1 - (\tau/\tau_u)^2\right]^{1/2} \tag{13.14}$$

这里

$$\tau_u = \sigma_y/\sqrt{3} \tag{13.15}$$

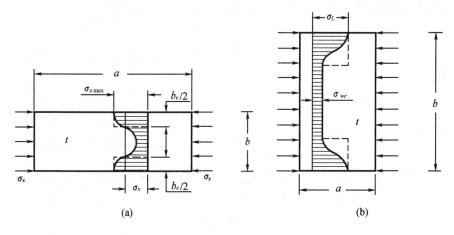

图 13.2　屈曲板的应力分布

(a)长板;(b)宽板

为了计算板部分的强度,带板宽度 $\tilde{b}_e$ 被引入:

$$\tilde{b}_e = b \cdot \frac{\mathrm{d}(b_e\sigma_x)}{\mathrm{d}\sigma_x} \tag{13.16}$$

对于宽板(图 13.2)最终的有效宽度 b_{eu},由下式 Hughes(1983)确定:

$$\frac{b_{eu}}{b} = \frac{\sigma_L}{\sigma_\gamma}\frac{a}{b} + \left(1 - \frac{a}{b}\right)\frac{\sigma_{WC}}{\sigma_\gamma} \tag{13.17}$$

这里,在板两侧的最终应力 σ_L,根据 Carlsen(式(13.9))方程,其相当于一块边长为 a 的正方形板的最终应力。最后,σ_{WC} 为板宽为 a 的板的最终强度。通过史密斯(1981)方程

可以估算得

$$\sigma_{WC} = \frac{0.63}{1 + 3.27 \dfrac{W_{0max}}{\beta_L^2 t}} \tag{13.18}$$

式中

$$\beta_L = \frac{a}{l} \sqrt{\frac{\sigma_y}{t}}$$

W_{0max} 表示宽度的最大初始偏差。在当前的研究中,板的有效宽度被假定为与长板的有效宽度以相似的方式变化直至到极限状态。

$$\frac{b_e}{b} = \begin{cases} R_2 R_\tau, & \text{当 } \sigma_x \ll \sigma_{WC} \\ \left(\dfrac{c_1}{\sqrt{\sigma_x}} - \dfrac{c_2}{\sigma_x} \right) R_2 R_\tau, & \text{当 } \sigma_{WC} \leqslant \sigma_x < \sigma_y \\ \dfrac{b_{eu}}{b}, & \text{当 } \sigma_x = \sigma_y \end{cases} \tag{13.19}$$

式中,系数 c_1 和 c_2 可以通过图 13.3 中 A 和 B 两点确定。

板对梁－柱强度的贡献是随每次加载校正的。应用相应的换算系数归纳最终的塑性力在拉、压和弯曲时的计算。基于这些换算系数来对屈服表面进行球形构建。屈服之后,表面依然保持连续,并且根据塑性节点法,节点力会沿着表面发生移动(Ueda 和 Yao,1982)。

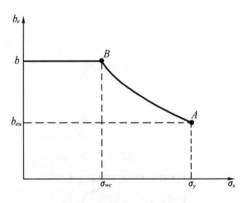

图 13.3　宽板的有效宽度

13.2.3　剪力板单元

当肋板像栅格一样被模拟时,它的抗剪刚度就会消失。考虑到这个因素,一个只有抗剪刚度的附加单元被适用了。在局部坐标系中,剪应力 $\mathrm{d}\gamma$ 的增量和节点的位移变化量 $\{\mathrm{d}u_s\}$ 如下式(Bathe,1982):

$$\mathrm{d}\gamma = [B_s]\{\mathrm{d}u_s\} \tag{13.20}$$

式中,$[B_s]$ 表示应变矩阵。

切应力与应变的关系为

$$\mathrm{d}\tau = G_T \mathrm{d}\gamma \tag{13.21}$$

式中,

$$G_T = \begin{cases} G & \text{当 } \gamma \leqslant \gamma_y \\ 0 & \text{当 } \gamma > \gamma_y \end{cases} \tag{13.22}$$

这里的 γ_y 表示屈服时的剪应力。

最后,可以得到单元刚度矩阵

$$[k_s] = \int_V [B_s]^\mathrm{T} G_T [B_s] \mathrm{d}v \tag{13.23}$$

这里的 V 为单元的体积,在每步都有局部坐标系的校正和坐标转换。

单元及它们的相互作用可在图 13.4 中得到很好的理解。

13.2.4 非线性弹性单元

除了三种单元类型以外,弹性的非线性矩阵也会被用到。任何节点都会有非线性弹性的链接,而且有六个自由度。矩阵通过力 - 位移曲线的点给出。矩阵为位移的函数,是力 - 位移曲线中的斜线部分(式(13.5))。除了在这个曲线上的点外,卸载矩阵也应被定义。

13.2.5 拉伸断裂

疲劳裂缝和焊接缺陷会导致断裂、柔性断裂和塑性破坏,或者在破坏过程中导致这几种情况的结合。本节就是来测定断裂构件抗击断裂的能力的,不管是采用 CTOD 曲线法(Burdekin 和 Dawes,1971)设计还是采用 CTOD 的第三级标准(Andersen,1988)方法。

根据应用的应变 ε,CTOD 曲线法设计表述为

$$\Phi = \frac{\delta_{cr}}{2\pi\bar{a}\sigma_y} = \begin{cases} (\varepsilon_{max}/\varepsilon_y)^2 & \text{当 } \varepsilon_{max}/\varepsilon_y \leqslant 0.5 \\ \varepsilon_{max}/\varepsilon_y & \text{当 } \varepsilon_{max}/\varepsilon_y > 0.5 \end{cases} \tag{13.24}$$

式中,δ_{cr} 和 $\bar{a}$ 为 CTOD 的临界值和裂缝的等效长度;E,σ_y 和 ε_y 分别为杨氏模量、屈服应力和屈服应变。可以看出,实际的应力 ε_{max} 是通过忽略裂缝影响得到的。

为了得到更准确的 CTOD 预报,我们应用 CTOD 三阶方法:

$$\frac{\delta_{cr}E}{\pi\bar{a}\sigma_y} = \left[\left(\frac{\sigma_{max}}{\sigma_y}\right) \left\{ \frac{\sigma_{max}^2}{2\sigma_y^2(1+\sigma_{max}/\sigma_y)} + \frac{E\varepsilon_{max}}{\sigma_{max}} \right\}^{1/2} + \frac{\sigma_r}{\sigma_y} \right]^2 \tag{13.25}$$

式中,σ_{max} 和 ε_{max} 分别为应力和应变的最大值;σ_r 表示焊接的残余应力。

当指定的等效应变满足断裂力学标准时,假定失效发生,并且裂缝构件被从结构系统中移除。单元的受力是不均匀地施加于系统的。这里的断裂力学标准被用作当前本文的原理。

碰撞过后,拉伸断裂的区域被考虑为产生了一个"洞"。这些资料对于模拟原油因碰撞和搁浅而泄露是非常有用的。

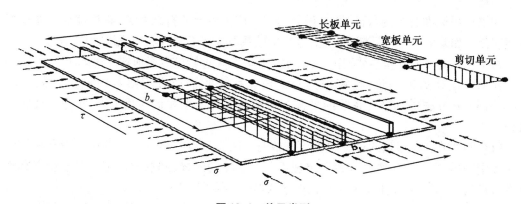

图 13.4 单元类型

13.2.6 计算机程序

本节介绍计算机程序 SANDY 程序的轮廓和程序在计算机中的实现。详细资料可以在

程序手册(Bai,1991)和出版物(Bai 和 Pedersen,1991,1993;Bendiksen,1992)中找到。图 13.5 所示为非线性弹簧应力应变曲线。

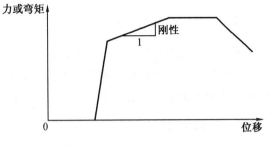

图 13.5　非线性弹簧应力应变曲线

1. SANDY 计算机程序

本节中出现的理论已经应用于普通用途的计算程序 SANDY 中(Bai,1991)。依赖于此理论,以下的解决程序便可以应用:

(1)准－静力分析应用。

(2)加载增量。

(3)位移。

(4)自动加载,通过应用通用矩阵参量方法(Bergan 和 Soreide,1978)。

(5)动力分析(时间综合方法)。

①对节点和单元力应用动载荷随时间变化的曲线。

②通过可变形模型模拟结构碰撞问题。

③把动载荷应用到节点初速度。

④地震响应分析。

2. 计算机程序

分线性计算程序如下:

(1)增量是被确定的,通常是在输入数据时确定。

(2)载荷增量的矢量是一致的。

计算出每个单元的刚度矩阵和剪力单元 G_t ,并且刚度矩阵由水流载荷决定。对于非线性弹性单元,矩阵的元素是通过位移和增量方向的函数来计算的。对于板单元,是通过有效宽度和长度矩阵加上不均匀性计算的,计算出这两个几何矩阵并叠加线性矩阵。如果这个结构处于塑性区域,塑性刚度矩阵就被计算出来了。

如果应用标准肋板的截面,通过横剪力和剪应力引起的折减系数,程序就会首先计算屈服表面。如果单元已经是塑性状态,这些折减系数保持不变,他们会影响相容方程。

每个单元的转换方程会被校正,并且刚度矩阵会经过转换后叠加到总矩阵。

在动力计算的第一步,计算得到总矩阵。系统的平衡方程随着时间总计划修改(Newmark－β方法)。最后,系统的平衡方程解决了。这里我们应用 LDL 分解并且后续置换。

每个塑性节点在卸载的过程中需检查核对。因为节点在非线性弹性单元中和在受剪板单元中一样,当载荷有增量或载荷出现不同的迹象的时候,卸载被检测。对于所有具有卸载节点的单元,矩阵发生了变化并且程序从点(f)延续。

如果没有检测到进一步的卸载,就可以得到位移增量,之后就可算出每个单元的内力。对于每个弹性单元,应该有一个检测来确定是否屈服在这个阶段发生。如果发生,此单元的增量被分成弹性部分和塑性部分。这个单元内力的增量由下式得到:

$$\{dx\} = factor \cdot [K_E]\{du\} + (1 - factor)[K_P]\{du\} \tag{13.26}$$

式中,$factor$ 为弹性部分的增量。

再一次检测卸载。

如果不是发生加载就是发生卸载,并且没有出现反复,状态的改变引起不平衡力,这一点应该在下一阶段加入载荷中。这种不平衡力的计算与因弹 - 塑性状态的改变而引起的内力的计算是不同的。对于发生屈服的位置:$\{dx\} = factor \cdot [K_E]\{du\} + (1 - factor)[K_P]\{du\}$,对于卸载:$\{df\} = ([K_P] - [K_E])\{du\}$。

整体坐标系下的节点平衡方程由于单元的塑性作用而保持不变,这就说明一个节点状态的改变对整体坐标系的影响是可以忽略的。

一个用来确定任何单元是否有裂缝的原理被制定出来。如果有,这些单元被移除,并且他们的内力在下阶段以非平衡力的形式加入。

13.3　船体梁极限强度的分析方程

船体在弯曲下的弯曲破坏强度在船达到全部塑性时被预测出来,在最初屈服时刻,将发生破坏,最后包括船体梁每个构件的抗弯强度都将被破坏。全塑状态模型提供了极限强度的最大值,对于船的一般结构是从未得到的。最初的弯曲模型假定弯曲在屈服之前并未发生。最初的屈服强度是关于船体梁弹性模数和材料屈服强度的函数。

在这部分,对于双向载荷和剪应力分析方法,提出了一个计算侧向压力的极限强度方程。这个极限强度计算方程会和 13.4 节中描述的传统方程进行比较。极限强度方程可以应用于老船结构受疲劳和腐蚀的质量分析,参看本书的第一和第四部分。

13.3.1　基于横剖面模数的最大抗弯力矩

在最初的弯矩分析方法中,假设当甲板发生弯曲时船体达到极限强度。假定早期弯曲并未发生。在这种方法中,横剖面模数是测量船体总纵强度弯曲时的主要因素。基于这些假设,最初的屈服弯矩可以写成

$$M_l = (SM)_e \sigma_y \qquad (13.27)$$

式中,$(SM)_e$ 为横剖面模数。由于长细比较大,对于固定板,而且是屈服钢材,屈服失效的可能性因此增加了。最初的屈服弯矩并不总是比船体梁强度低,因为单个构件的弯曲没有解决。

由于最初屈服弯矩方程的简单化,它经常应用于实际工程中。Vasta(1958)认为船达到强度极限时船上甲板或者船底板发生破坏,并且屈服应力在最初的屈服弯矩方程(13.24)中可以被上甲板或船底板的极限强度 σ_u 代替。

Mansour 和 Faulkner(1973)建议 Vasta 公式应该被改进,用来计算由于受压翼缘受压而中和轴位置偏移的情况。

$$M_u = (1 + k)(SM)_e \sigma_u \qquad (13.28)$$

式中,k 是一侧壳面积与受压翼缘的比例。对于护卫舰,k 值大约为 0.1。

Viner(1986)建议船体梁在受压翼缘达到极限强度后发生破坏,并有极限弯矩方程:

$$M_u = a(SM)_e \sigma_u \qquad (13.29)$$

式中,a 在 0.92 ~ 1.05 范围内(平均 0.985)。

Mansour,Faulkner(1973)和 Vinery(1986)方程的提出是非常有用的,因为其简单——极限弯矩大约为横剖面模数与受压翼缘强度极限的乘积。

Valsgaard 和 Steen(1991)指出船体剖面的强度储备超出船体截面开始的强度极限,还指出对于 VLCC Energy Concentration 是 1.127。

进一步的修整由 Faulkner 和 Sadden(1979)得出:

$$M_l = 1.15(SM)_e\sigma_y[-0.1 + 1.446\,5\sigma_u/\sigma_y - 0.346\,5(\sigma_u/\sigma_y)^2] \qquad (13.30)$$

式中,σ_u 是最危险状态时的极限强度。

13.3.2　基于全塑状态的极限弯矩

Caldwell(1965)假设当船包括边板壳在内的横截面达到屈服状态时为破坏极限。假定材料弹塑性良好,而且忽略应变硬化效应,忽略弯曲的影响及轴向剪力的影响。基于这些假设,在全塑状态下的破坏弯矩 M_p 可被评估为

$$M_p = (SM)_p\sigma_y \qquad (13.31)$$

式中,M_p 为全塑弯矩;σ_y 为材料的屈服强度;$(SM)_p$ 为材料的横剖面模数。

Frieze 和 Lin(1991)通过受压翼缘规格化极限强度二次方程的方法得到了极限弯矩:

$$M_u/M_P = d_1 + d_2\frac{\sigma_u}{\sigma_y} + d_3\left(\frac{\sigma_u}{\sigma_y}\right)^2 \qquad (13.32)$$

式中,对于中垂状态,$d_1 = 0.172$,$d_2 = 1.548$,$d_3 = 0.368$;对于中拱状态,$d_1 = 0.003$,$d_2 = 1.459$,$d_3 = 0.461$。

Mansour(1997)评论了上述提到的经验抗弯力矩方程,并且用测量结果做出了对比。

基于全塑弯矩的相互作用,Mansour 和 Thayamballi(1980)提出了下边的垂直和水平力矩极限强度之间的相互作用。

$$若 |m_y| \leqslant |m_x|,\ m_x + km_y^2 = 1 \qquad (13.33)$$

$$若 |m_y| \geqslant |m_x|,\ m_y + km_x^2 = 1 \qquad (13.34)$$

式中

$$m_x = \frac{M_x}{M_{xu}},\quad m_x = \frac{M_y}{M_{yu}} \qquad (13.35)$$

$$k = \frac{(A + 2A_S)^2}{16A_S(A - A_S) - 4(A_D - A_B)^2} \qquad (13.36)$$

$$A = A_D + A_B + 2A_S \qquad (13.37)$$

这里,M_x 为垂直方向的弯矩;M_y 为水平方向的弯矩;M_{xu} 为垂直方向极限弯矩;M_{yu} 为水平方向极限弯矩;A_D 为甲板,包括加强板的横断面面积;A_B 为底部,包括加强板的横断面面积;A_S 为侧面,包括加强版的横断面面积。

Mansour(1997)论证了上述方程对于计算船体梁在横向和水平共同作用下,极限弯矩与有限元方法的计算结果符合良好。

13.3.3　极限强度的提出

通过改进的史密斯方程得到的极限抗弯力矩是弯矩曲线上的最大值。因此,可靠性分析对于能用多种改进的史密斯方法得到失效模型的极限强度是费时的。在多种横截面应力分布的假设上提出了一些极限强度计算方程。举例来说,应力分布状态下船中截面处于全塑状态,受拉一侧相对于受压一侧达到极限强度状态。这个假设很好地符合了通过正确评估中性轴位置而得到的精确预报。在研究中,应用此方法,可以成功地评估受侵蚀的管

道在压力、轴向力以及弯曲的组合载荷作用下的极限强度。

文献中一些其他的应力分布假设也是可用的,包括一种假设船中深度方向是弹性状态的,而其他部位船深方向是塑性的应力分布假设。Xu 和 Cui(2000)假设距船中 1/3 范围内为弹性的,而其他部分为塑性的。作者建议极限抗弯强度 M_u 可以由以下方程预报:

$$M_u = \sum_i \sigma_{u_i}^c A_{\rho s_i} Z_i + \sum_j \sigma_{u_j}^\tau A_{\rho s_j} Z_j + \sum_k \sigma_k^c A_{ps_k} Z_k \tag{13.38}$$

式中, $A_{\rho s}$ 为肋板楞的面积; z 是它到中和轴的距离。图 13.6 显示了在中垂状态下应力的分布图标。在方程(13.38)中的应力分布解决了单个肋板和角钢的极限应力。

在方程(13.38)中,抗压极限强度区域、抗拉极限强度区域和弹性区域分别由 I,j 表示; σ_u^c 为肋板的抗压极限强度或者为角钢的屈服应力; σ_u^τ 为极限抗拉强度(屈服应力)。弹性应力 σ^e 在中性轴两边为线性分布。基于更广泛的数学分析观测应力分布,建议弹性区域的全部高度可以取船深的一半。 $g_1 + g_2 = D/2$,受压区域的高度为 g_1 ,受压区域的高度为 g_2 ,它是假设平面在弯曲后仍保持平面。

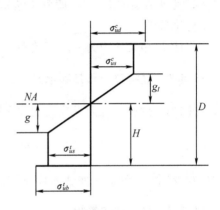

图 13.6　船体甲板梁碰撞应力分布图

基于方程(13.38),船体梁的抗弯强度极限可以由以下几步估算:

(1)将横截面分为肋板和角钢;

(2)用经验公式估算每块肋板的迹象强度;

(3)通过假设,某一横截面所有力的和为 0,而计算从船底到中性轴的距离"H";

(4)用方程(13.38)计算船的极限抗弯强度。

此外,必须用下式检查垂向剪应力:

$$F_u = \sum \tau_{u_i} A_{p_i} \tag{13.39}$$

式中, A_{p_i} 为剪切单元面板的面积(仅板面积); τ_u 为板的极限剪应力。这里, i 包括纵向上所有剪单元。

13.4　用改进的史密斯方法考虑疲劳腐蚀影响

把船体梁考虑成梁在弯曲状态下的截面,史密斯(1975,1977)提出了一个计算弯矩 - 曲率关系的简单程序和船体梁极限强度的计算方法。史密斯方法的基本假设总结起来,包括如下:

(1)船体横截面被分解为若干部分,如独立的肋板和角钢单元,它们被分别单独考虑。

(2)对于每一块这样的板都构建一个短的载荷曲线。这可以由多种方法完成,包括实验结果、非线性分析、单元分析和简化了的弹 - 塑弯曲分析。史密斯方法也可以解决制造不完善、偏差和板柱的应力等问题。

(3)接下来船的曲率会逐渐增加,在这方面是假设船体横截面平面在弯曲以后仍然为平面,并且只经历绕中性轴旋转的过程。为防止破坏,甲板和船底的所有板架结构使用足够结实的横肋骨。

（4）作用在截面上的所有的轴向力和弯曲力矩是通过所有构成横截面的构架的应力总和得到的。通过反复计算，中性轴的位置是通过所有轴向力的纵向合力为零的计算得到的。

本节提出了一种改进的史密斯方法，这个方法可以解决侵蚀的影响、疲劳裂缝和舷侧压力。

经过先前研究者的论证后，改进了的史密斯方法包括的如下优点：

（1）高效性；

（2）能灵活地解决侵蚀、疲劳裂缝和其他问题；

（3）准确性。

下面给出单元的应力－应变关系。

13.4.1　受拉单元和角钢单元

受拉和角钢单元应力－应变的关系被假定为线弹性状态和弹性很好的塑性状态：

$$\sigma_x = \begin{cases} \varepsilon_x E & \varepsilon \leq \varepsilon_y \\ \sigma_y & \varepsilon \geq \varepsilon_y \end{cases} \tag{13.40}$$

式中，E，σ_y 和 ε_y 分别为弹性模数、屈服应力和材料的屈服应力。

13.4.2　受压的加筋板

加筋板由纵向加强筋和附加板构成。据 Rahman 和 Chowdhury(1996)，整个区域被划分为 3 个范围：稳定区、无负载区和负载区，如图 13.7 所示。稳定区为极限强度之前的区域，无负载区不需要任何载荷来维持平衡，当应力增加时，最终的区域呈现减小的特征。

更多的关于受压加强板的信息将会在史密斯方法中找到(1975)。

加筋板由纵向加强筋和附加板构成，Rahman 和 Chowdhur(1996)考虑载荷收缩现象

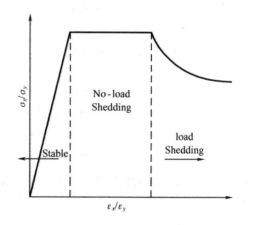

图 13.7　加筋板应力应变关系

的影响，把整个区域分为三个区域。加强板的极限强度由下式给出：

$$\sigma_{pu} = \min(\sigma_{uf}, \sigma_{up}) \tag{13.41}$$

式中，σ_{uf} 和 σ_{up} 分别为侧向力引起的加强翼缘和板的最终失效强度。根据 Hughes(1983)方法，通过下面的方程可以得到加强筋失效的解决办法：

$$\sigma_y = \sigma_{uf} + \frac{M_0 y_f}{I} + \frac{\sigma_{uf} A(\delta_0 + \Delta) y_f}{I} \Phi \tag{13.42}$$

对于板失效情况，

$$\sigma_y = \sigma_{up} + \frac{M_0 y_p}{I_e} + \frac{\sigma_{up} A_e (\delta_0 + \Delta + \Delta_p/\Phi) y_p}{I_e} \Phi \tag{13.43}$$

式中，Δ 为初始偏心率；δ_0 和 M_0 为横向负载最大偏差和弯曲力矩；Δ_p 为受压减小引起的偏心率；I 和 A 分别表示二次力矩和板横截面面积，考虑到 b_p(板宽)全部有效，当 I_e 和 A_e 有相

似的 Properties,对于变截面用 b_{pe}(有效宽度)代替 b_p;y_f 为中性轴到加强翼缘的距离,y_p 为针对变截面后的板;Φ 为载荷放大因子。

13.4.3　裂缝扩展的预报

为了预报裂缝的扩展和疲劳寿命,应用 Paris – Erdogan 公式得

$$\frac{\mathrm{d}a}{\mathrm{d}N} = C\Delta K^m \tag{13.44}$$

式中,a 为裂缝的尺寸;N 为循环次数;ΔK 为应力范围的强度因数,C 和 m 为材料参数。应力强度因数由下式给出:

$$\Delta K = \Delta\sigma Y(a)\sqrt{\pi a} \tag{13.45}$$

式中,$\Delta\sigma$ 为应力范围;$Y(a)$ 为几何函数。

如果 $Y(a) = Y$ 不变,并且 $m \neq 2$,结合式(13.44)给出

$$a(t) = \left[a_0^{\left(1-\frac{m}{2}\right)} + \left(1 - \frac{m}{2}\right)C\left(\Delta\sigma Y\sqrt{\pi}\right)^m v_0 t\right]^{\frac{1}{1-\frac{m}{2}}} \tag{13.46}$$

式中,a_0 为最初裂缝的尺寸;疲劳寿命 T_f 等于裂缝扩张时间 T_p 和产生裂缝的时间 T_i 之和。

$$T_i = kT_p \tag{13.47}$$

式中,k 可以取 0.1 到 0.15 间的数值。裂缝尺寸被假定为关于平均数和变化值的正态分布,参考 Guedes Soares 和 Garbatov(1996,1999)。

在加强板中,有两种类型的裂缝被考虑:一种是沿着加强板横向扩展而减少了附加板的宽度,另一种则是在面板上交叉的而减少了加强板的高度。

13.4.4　腐蚀速率模型

腐蚀速率取决于很多因素,包括涂层性能、货物组成、惰性气体保护、货物的温度、维护系统和实践操作。因此,腐蚀速率模型应基于测量数据的统计得出。

实际上,腐蚀率模型在实践变化量上被分为三个阶段。在第一个阶段,由于保护层的作用还没有发生腐蚀,所以腐蚀率为零。第二个阶段为腐蚀的开始阶段,当腐蚀保护层受到破坏和发生腐蚀时,会使钢板厚度减小。第三个阶段符合一个不变的腐蚀率。本书作者推荐的模型为

$$r(t) = r_s\left(1 - \mathrm{e}^{\frac{t-t_i}{\tau_i}}\right) \tag{13.48}$$

式中,t_i 为涂层寿命;t 为瞬变时间;r_s 为固定腐蚀率。图 13.8 为腐蚀速率模型。

通过整合方程(13.36),腐蚀宽度可以由下式得到:

$$d(t) = r_s\left[t - (\tau_i + \tau_l) + \tau_l \mathrm{e}^{\frac{t-\tau_i}{\tau_l}}\right] \tag{13.49}$$

式中,参数 τ_i,τ_l 和 r_s 应该符合审查的结果。图 13.10 展示了腐蚀宽度随时间变化的函数。涂层的寿命 τ_i 可以假定为符合韦伯分布:

$$f(\tau_i) = \frac{\alpha}{\beta}\left(\frac{\tau_i}{\beta}\right)^{\alpha-1}\exp\left[-\left(\frac{\tau_i}{\beta}\right)^\alpha\right] \tag{13.50}$$

式中,r_s 由一般分布决定。图 13.8 和图 13.9 图解了基于 Yamamoto(1998)网格测量数据的当前模型腐蚀宽度扩展。这在回归曲线上存在一些变化。图 13.11 为散装货船侧壳板电镀

层腐蚀厚度。

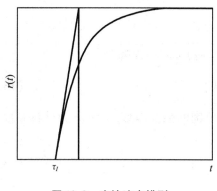

图 13.8　腐蚀速率模型

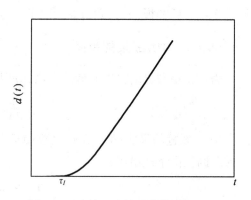

图 13.9　电镀层腐蚀厚度的时间函数

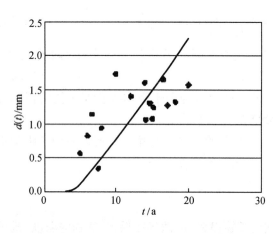

图 13.10　散装船内底板电镀层腐蚀厚度

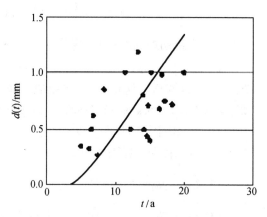

图 13.11　散装货船侧壳板电镀层腐蚀厚度

　　加强板的面积 $A_1(t)$ 可用于承担纵向应力,取决于裂缝的尺寸 $a_i(t)$ 和腐蚀深度 $d_i(t)$。

$$A_1(t) = [b_p - 2a_i(t)][h_p - d_i(t)] + [h_s - a_i(t)t][b_s - d_i(t)] \qquad (13.51)$$

式中,b_p 和 h 为附板的宽度和厚度;h_s 和 b_s 为加强筋网格的高度和厚度。

　　从工程的角度来看,当裂缝的扩展尺寸达到由 Crack Tip Opening Displacement(CTOD)方法确定的临界值时,或者由腐蚀减少的厚度达到初始板厚的 25% 时,则认为加强板失效了。

13.5　船体梁强度方程和史密斯方法的比较

　　对于箱形梁和主船体有许多改进的破坏分析的例子来计算和验证现代改进的史密斯方法的高效性和准确性。由 Yao 等(2000)计算的用于 International Ship and Structures Congress(ISSC)的例子、在 13.4 节中改进的史密斯方法和 13.3 节中所给的方程计算结果详见表 13.1。

表 13.1　极限强度计算

船型	载荷工况	ISSC*		改进史密斯法 /(MN·m)	建议值 /(MN·m)
		均值	方差		
散货船	中垂	1.52×10^4	0.07	1.53×10^4	1.53×10^4
	中拱	1.86×10^4	0.04	1.72×10^4	1.70×10^4
集装箱船	中垂	6.51×10^3	0.14	5.84×10^3	6.25×10^3
	中拱	7.43×10^3	0.08	6.93×10^3	6.80×10^3
DH VLCC	中垂	2.24×10^4	0.11	1.98×10^4	2.23×10^4
	中拱	2.91×10^4	0.04	2.76×10^4	2.68×10^4
SH VLCC	中垂	1.72×10^4	0.02	1.46×10^4	1.70×10^4
	中拱	1.82×10^4	0.02	1.79×10^4	1.81×10^4
舰船	中垂	10.39	0.07	9.61	9.73
	中拱	12.38	0.08	12.10	12.26
FPSO	中垂	—	—	3.58×10^3	3.61×10^3
	中拱	—	—	5.14×10^3	4.90×10^3

注:数据参考于 ISSC VI.2.(Yao,2000)并取其平均值;

　　外部压力与 Rutherford and Caldwell(1990)的分析结果相符。

由改进方法和本书作者提出的强度极限方程得到的结果非常好地符合 Yao 等(2000)的计算结果。图 13.12 展示了五个船体梁的弯矩 – 曲率响应,M_u/M_p 的正值表示中拱状态。

对于 FPSO 船体梁的平均弯矩 – 曲率已在图 13.13 中给出,对于不同服役年数的 FPSO 船体梁,应考虑疲劳和腐蚀退化的影响,曲线上的数字表示服役的年数。

从图 13.13 中可以很容易地看到管理检查和维修的重要性。如果没有检查和维修,装载量会随着时间减少。

在绘制的图 13.14 中,极限强度最大值的平均值是随时间变化的函数,在 Sun 和 Bai 的研究中(2001),腐蚀率有四种退化影响。

第一种情况:无腐蚀;

第二种情况:平均稳定腐蚀率的一半;

第三种情况:平均稳定腐蚀率;

第四种情况:双倍于平均腐蚀率。

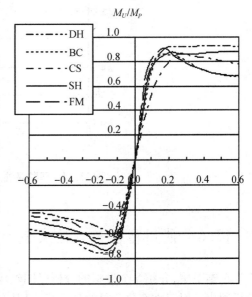

图 13.12　ISSC 基准中关于船舶
梁弯矩与曲率的响应

图 13.14 中的实线表示计算既有腐蚀也有疲劳的影响,而虚线表示只考虑腐蚀影响。观测船体梁极限强度的平均值明显减小,大体上是因为腐蚀的影响。如果加上疲劳影响,

其是相应地由腐蚀率影响的小的残余强度。减少率会与 Ghlse 等（1995）不同,因为在那里只考虑了疲劳的影响。

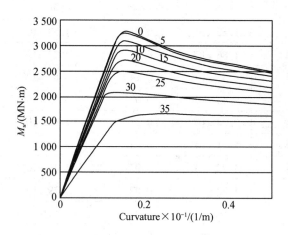

图 13. 13　平均弯矩 – 曲率响应

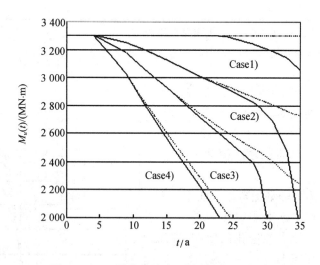

图 13. 14　四种腐蚀速率下的极限强度变化

13. 6　使用塑性节点法实例

在本节中,介绍 5 个典型的分析船舶破坏的应用实例,选定前三个例子来验证所提议的分析程序。对于那个复杂结构的分析,已从分析一个单一的结构转换成结构体系。经过验证分析程序,提出了纵向极限强度和碰撞分析的船体尺度。更详细的分析参见 Bendiksen 的研究(1992)。

13. 6. 1　加筋板的破坏

与一个纵向加筋板的装载量的实验检测模型(Faulkner D,1976)做了比较。板沿着纵向被压缩(图 13.15),并且存在焊接残余应力和初始偏差($w_0 = 0.12\beta^2 t$)。另外,加强筋也有初始偏差(量级为 $L/1\,000$)。负载端缩短曲线由现代方法应用两个单元在图 13.16 中给出,得到的屈曲承载符合实验结果,偏差在 2% 以内。最后,负载位置为决定性的因素。

13.6.2　上甲板结构的破坏

接下来的例子,展示在图 13.17 中,为纵向的和横向的加强板。这个板用四个节片板单元的方法在 ISUM 程序中分析 Ueda 等的研究(1986)。这块板的最初平均偏差 $w_0/t = 0.25$,焊接残余应力 $\sigma_r/\sigma_y = 0.2$。在例子中并没有考虑中性轴的偏移。分析结果如图 13.18 所示,给出了非常符合四个节点板单元程序的方法。

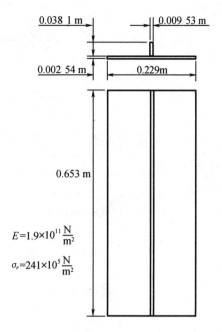

图 13.15　加筋板

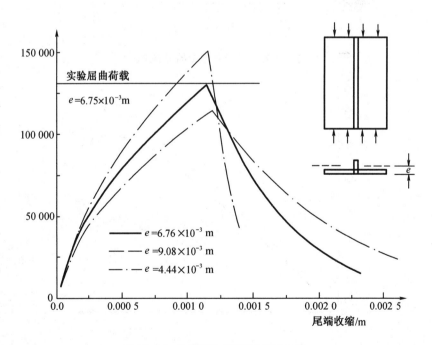

图 13.16　加筋板加载舰端收缩曲线

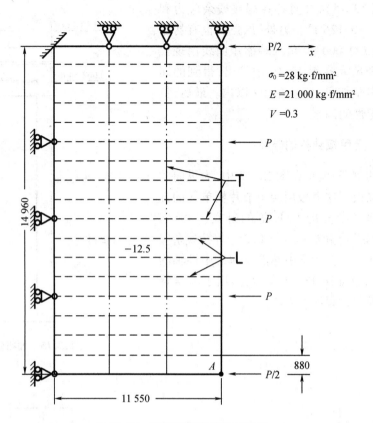

图 13.17　压缩状态中的上层结构

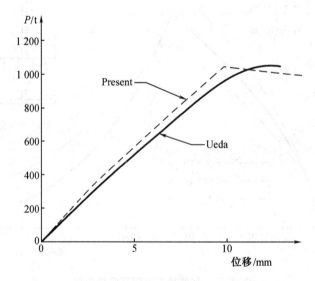

图 13.18　甲板结构载荷－位移曲线

13.6.3　加强箱梁的破坏

这个程序已经和基于纵向强度船体模型（NIshihara,1984）的实验结果进行了比较。实验包括一个四点弯曲载荷的船体模型。现在的数值分析把船体中截面的详细模型和船体应力少的一端的简单梁模型联合起来,是通过把节点转化放在中性轴外面实现的。这使得一些横截面上纵向板单元在分析模型的两端连接在一个节点上。

如果初始板厚和全部偏差的数量级为 $0.12\beta^2 t$ 和 $L/1\,000$,并且残余应力的标准 $\sigma_t/\sigma_y = 0.1$,那么箱形截面(线形 MST – 3)和实验结果如图 13.19 所示。图 13.19 表示分析与实验符合良好,并且最大极限强度的减少大约为 14%。此外,全塑性力矩 $M_p = 787$ kN·m 是现行方法很好的一个预报值。

图 13.20 中,简要说明了船的破坏,并且船底部的弯曲是非常明显的。图 13.21 给出了数转换矩阵 S 的相关模型。

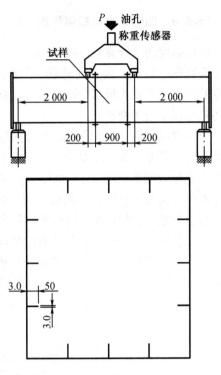

图 13.19　加强箱梁模型(单位:m)

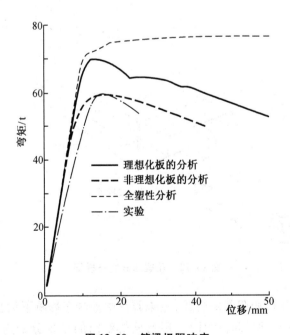

图 13.20　箱梁极限响应

13.6.4　船体梁纵向极限强度

纵向强度用于计算 60 000 载重吨双层船、双层底制作的船舱。由于对称性,只建立中心船舱的四分之一作为模型(图 13.22)。边界条件在对称面中给予修正。

当纯弯曲以后,假设平面截面弯曲后仍然为平面的情形是正确的。因此,只有一个节点用于船首舱的端部。再者,这也使节点转化至中性轴以外成为了可能。段截面一端加载的是垂直弯曲力矩,它是由现行的刚度参数方法控制的。这使在不知道中性轴新位置的情况下给

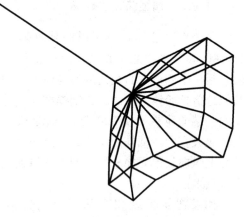

图 13.21　船舶中截面边界条件模型

船施加纯弯曲进行计算成为了可能。在程序中注释,平面截面并不是严格地保持为水平面的,除非在端截面只有一个节点约束。对于船的曲率 - 弯矩的关系在图 13.23 中给出,并与全塑力矩做了比较。

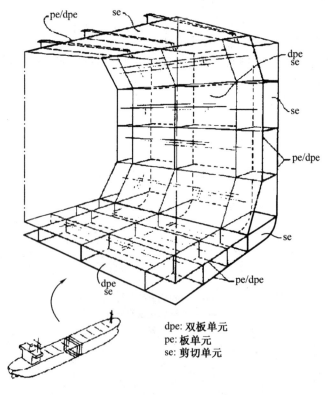

dpe: 双板单元
pe: 板单元
se: 剪切单元

图 13.22　箱梁四分之一模型

有关船体全塑弯矩的极限弯矩公式,意味着在中垂状态影响下为 $0.86M_p$,在中拱状态影响下为 $0.89M_p$ (Frieze 和 Lin,1991)。现行分析给出的结果分别为 $0.89M_p$ 和 $0.88M_p$ 。在中垂状态下引起甲板全部弯曲而失效的模型在图 13.24 中给出。中拱引起的底部和侧部较低部分板弯曲和塑性结合的失效模型限制了承载能力。

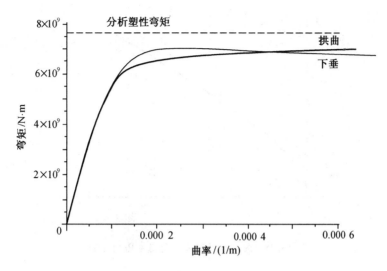

图 13.23　船体的弯矩和曲率的关系

13.6.5　侧面碰撞的半静态分析

以侧部碰撞为例。更准确地,一个刚性非常大的物体切入到船体一侧时,用半静态分析方法进行分析。该船与在船弯曲中用的例子是相同的。因此,这个例子中用到的有限元模型有微小的改进。在船的甲板和底部增加了剪切单元。

集中载荷施加在船侧的艏部。现行的刚度参数方法被用在载荷控制上。这个例子的缩进力曲线见图 13.25。

这个结果可以和简化分析的结果进行比较(Soreide,1981)。第一阶段的最大力可以通过作用在代替侧面的纵向梁上的力计算,当塑性铰形成,则结构被破坏。假设梁两端是固化住的,M_p 的计算是用宽度为 5 m 的梁,它的破坏载荷变为 6.65 MN·m,并且载荷在分段端部变为

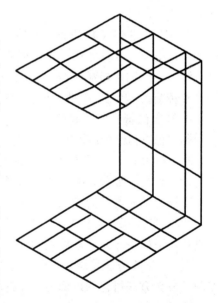

图 13.24　下垂时的偏转形状

$$P_0 = \frac{46.65 \text{ MN·m}}{2.5 \text{ m}} = 10.6 \text{ MN}$$

这与图 13.25 中看到的是非常接近的。

在第二阶段,两侧的隔板壳承受载荷。可用简单的计算来矫正数值结果。

此例中,假定等效应变为 5% 时断裂发生。计算表明靠近破坏点附近的纵向单元在缩进 1.5 m 时发生断裂。计算说明,纵向单元在破坏点附近和在缩进(塑性破坏)2.3 m 时,开始断裂。

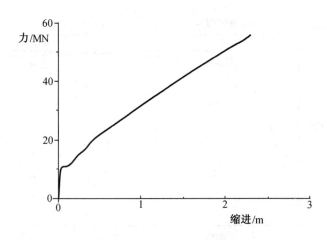

图 13.25 集中载荷下船体压痕－压力曲线

13.7 结论

塑性节点法(PNM)研究了船体承受弯矩和破坏载荷而产生的破坏效应。还有一种新的加强板的单元计算方法。当模型的部分结构是由不同的有限元网格连接时,会出现一种节点轴和中性轴的相互转换。现代分析破坏理论没有关于船体梁中性轴位置的假设。借助这种转换,板单元上中性轴位置的转移通常也列入计算。

PNM 方法得到的实验结果与数值计算进行了比较,发现对于板和整体弯曲,其存在实验问题,且这种比较在简单模型上符合非常好。

现行的 PNM 方法已经和处理油舱的纵向强度实验方法进行了对比,对理想板和非理想板进行了计算。如果忽略板的非理想性,结果会高出极限载荷16%。

双层壳油舱的纵向极限强度的计算已近成熟。极限弯矩和全塑弯矩的比率和经验预报相比较,其结果符合良好。分析的结果不仅包含极限弯矩,而且也包含极限的失效模式。中垂状态下的失效是非常可观的。

最后,PNM 方法是用来得到双层壳体油舱在侧部的中央力－缩进曲线的。通过良好的半静态分析方法可得到近似力－缩进曲线。

研究表明,塑性节点法、新单元法与现在的船体破坏载荷的近似计算方法非常一致。一般地,塑性节点法与使用简单单元网格有限元分析方法非常接近,但后者更为高效。

用于计算船舯截面纵向弯矩极值的改进史密斯方法是通过研究板的有效宽度引进的。改进的史密斯法解决了制造缺陷,包括板的初始偏差、板的初始残余应力和偏转。侵蚀影响被认为是随时间的指数函数和随机的稳定腐蚀率,其是假定均匀地减少板厚。裂缝扩展基于 Paris－Erdogen 方程,裂缝初始时间和涂层的寿命也被考虑在内。

同时,本章也给出了计算船体梁强度的方程。基于 ISSC 基准的船体梁计算(Yao 等,2000)用来检查方程的正确性。证明方程可以进行完全合理的计算,而且对于弯曲力矩的估算很有帮助。

参考文献

[1] Anderson T L. Ductile and brittle fracture analysis of surface flaws using CTOD[J]. Experimental Mechanics,1988,28(2):188-193.

[2] Bai Y,Jin W L. Chapter 20-Collapse Analysis of Ship Hulls[M]// Marine Structural Design. Elsevier Ltd,2015.

[3] Salama M M,Toyoda M,Liu S,et al. OMAE 1996—Proceedings of the 15. international conference on offshore mechanics and arctic engineering. Volume 3: Materials engineering[C]// 14. international conference on offshore mechanics arctic engineering (OMAE),Florence (Italy),16-20 Jun 1996.

[4] Hollaway L C,Cadei J. Progress in the technique of upgrading metallic structures with advanced polymer composites[J]. Progress in Structural Engineering & Materials,2002,4(2):131-148.

[5] Bathe K J,Wilson E L,Iding R H. NONSAP: a structural analysis program for static and dynamic response of nonlinear systems[J]. 1974.

[6] Bai Y,Shipping A B O. Pipelines and Risers[J]. 2001.

[7] P Myśliński,W Precht,L Kukiełka,et al. A possibility of application of MTDIL to the Residual stresses analysis[J]. Journal of Thermal Analysis & Calorimetry,2004,77(1):253-258.

[8] Paik J K,Pedersen P T. Simple Assessment of Post-Grounding Loads And Strengh of Ships[M]. International Society of Offshore and Polar Engineers,1997.

[9] Feng Y T,Perić D,Owen D R J. Determination of travel directions in path-following methods[J]. Mathematical & Computer Modelling,1995,21(7):43-59.

[10] Burdekin F M,Dawes M G. Practical Use of Linear Elastic and Yielding Fracture Mechanics with Paticular Reference to Pressure Vessels [J]. Journal of the Japan Welding Society,1971,40: 1051-1057.

[11] Jensen J,Soares C G,Papanikolaou A. Methods and Tools[M]// Risk-Based Ship Design. 2009:195-301.

[12] Carlsen C A. SIMPLIFIED COLLAPSE ANALYSIS OF STIFFENED PLATES.[J]. Norwegian Maritime Research,1977,5.

[13] Gordo J M,Teixeira A P,Soares C G. Ultimate strength of ship structures[J]. Navigation,2011,4(6): 231-241.

[14] Evans J H,Committee U S SS. Ship structural design concepts [J]. Ship Structural Design Concepts,1975.

[15] Faulkner D. A REVIEW OF EFFECTIVE PLATING TO BE USED IN THE ANALYSIS OF STIFFENED PLATING IN BENDING AND COMPRESSION[J]. Plates,1973.

[16] Staples C L. STEEL PLATED STRUCTURES—CONFERENCE PAPERS (CONTINUED)[J]. Publication of Crosby Lockwood Staples,1977.

[17] Faulkner D,Sadden J A. TOWARD A UNIFIED APPROACH TO SHIP STRUCTURAL SAFETY[J]. Compressive Strength,1978.

[18] Frieze P A,Lin Y T. Ship Longitudinal Analysis Strength Modeling for Reliability[J]. 1991.

[19] Ghose D J,Nappi N S,Wiernicki C J. Residual strength of damaged marine structures[J]. Residual Strength of Damaged Marine Structures,1994.

[20] Soares C G,Garbatov Y. Fatigue Reliability of ContainershipHull Girders Considering Maintenance Actions[C]// International Conference on Marine Industry. 1996:151-166.

[21] Soares C G,Garbatov Y. Reliability of Corrosion Protected And Maintained Ship Hulls Subjected to

Corrosion and Fatigue[J]. Journal of Ship Research,1999,43(2):65 - 78.

[22] Hughes O F. Ship structural design:a rationally-based,computer-aided,optimization approach[J]. H83 1983,1983.

[23] Ito H,Kondo K,Yoshimura N,et al. A Simplified Method to Analyse the Strength of Double Hulled Structures in Collision :3rd Report[J]. Journal of the Society of Naval Architects ofJapan,1985,1985 (158):420 - 434.

[24] Kinkead A N. A METHOD FOR ANALYSING CARGO PROTECTION AFFORDED BY SHIP STRUCTURES IN COLLISION AND ITS APPLICATION TO AN LNG CARRIER[J]. Publication ofInstitute of Transportation Engineers,1980,122.

[25] Mansour A E,Faulkner D. ON APPLYING THE STATISTICAL APPROACH TO EXTREME SEA LOADS AND SHIP HULL STRENGTH[J]. Loads,1972.

[26] Mansour A E,Thayamballi A. ULTIMATE STRENGTH OF A SHIP'S HULL GIRDER IN PLASTIC AND BUCKLING MODES[J]. Collapse Strength,1980.

[27] Mansour A,Wirsching P,Luckett M,et al. Assessment of Reliability of Existing Ship Structures[J]. Assessment of Reliability of Existing Ship Structures,1997.

[28] Mcdermott J F,Kline R G,Jones E L,et al. TANKER STRUCTURAL ANALYSIS FOR MINOR COLLISIONS[J]. Deformation,1974.

[29] Chen N Z,Soares C G. Reliability assessment for ultimate longitudinal strength of ship hulls in composite materials[J]. Probabilistic Engineering Mechanics,2007,22(4):330 - 342.

[30] Paik J K,Lee D H. Ultimate Longitudinal Strength-Based Safety and Reliability Assessment of Ship's Hull Girder[J]. Journal of the Society of Naval Architects of Japan,1990,1990(168):395 - 407.

[31] Skopinskii V N. Modeling problems in the strength analysis of machine-building structures[J]. Chemical & Petroleum Engineering,1997,33(6):614 - 618.

[32] Rahman M K,Chowdhury M. ESTIMATION OF ULTIMATE LONGITUDINAL BENDING MOMENT OF SHIPS AND BOX GIRDERS[J]. Journal of Ship Research,1996.

[33] Chalmers D W,Smith C S. THE ULTIMATE LONGITUDINAL STRENGTH OF A SHIP'SHULL[J]. Ships,1992.

[34] Smith C S. Compressive Strength of Welded Steel Ship Grillages[J]. Compressive Strength of Welded Steel Ship Grillages,1975.

[35] Iijima K,Kimura K,Xu W,et al. Hydroelasto-plasticity approach to predicting the post-ultimate strength behavior of a ship's hull girder in waves[J]. Journal of Marine Science & Technology,2011,16(4): 379 - 389.

[36] Hirdaris S E,Bai W,Dessi D,et al. Loads for use in the design of ships and offshore structures[J]. Ocean Engineering,2014,78(1):131 - 174.

[37] Sun H H,Soares C G. Reliability-Based Inspection of Corroded Ship-Type FPSO Hulls[J]. Journal of Ship Research,2006,50(2):171 - 180.

[38] Søreide T H. Ultimate load analysis of marine structures[M]. [S. l.]:Tapir,1985.

[39] Ueda Y,Rashed S M H,Paik J K. Plate and Stiffened Plate Units of The Idealized Structural Unit Method(1st Report) :Under In-Plane Loading[J]. Journal of the Society of Naval Architects of Japan, 1984:366 - 377.

[40] Ueda Y,Yao T. The plastic node method:A new method of plastic analysis[J]. Computer Methods in Applied Mechanics & Engineering,1982,34(1 -3):1089 - 1104.

[41] Valsgard S,Pettersen E. SIMPLIFIED NONLINEAR ANALYSIS OF SHIP/SHIP COLLISIONS[J]. 1982,10:2 - 17..

[42] Valsgaard S,Steen E. UltimateHull Girder Strength Margins in Present Class Requirements[J]. Aging Medicine,1991,1(2):133 – 148.

[43] Vasta J. "Lessons Learned From Full-Scale Structural Tests",Trans SNAME,Vol. 66,pp165 – 243.

[44] Giannotti J,Van Mater P R,Jones N. CRITICAL EVALUATION OF LOW ENERGY SHIP COLLISION DAMAGE THEORIES AND DESIGN METHODOLOGIES[J]. Energy Absorption,1980.

[45] Viner A C. DEVELOPMENT OF SHIP STRENGTH FORMULATIONS[C]// 1900.

[46] Xiang-Dong X U,Cui W C,Leng J X,et al. An Experimental and Theoretical Study on Ultimate Strength of a Box Girder[J]. Journal of Ship Mechanics,2000,17(4):301 – 313.

[47] Yao T,Nikolov P L. 8. Progressive Collapse Analysis of a Ship's Hull under Longitudinal Bending[J]. Naval Architecture & Ocean Engineering,1992,30(170):97 – 108.

[48] Amlashi H K K,Moan T. A proposal of reliability-based design formats for ultimate hull girder strength checks for bulk carriers under combined global and local loadings[J]. Journal of Marine Science & Technology,2011,16(1):51 – 67.

[49] Okada K,Fujisaki J,Kasuga A,et al. Endoscopic ultrasonography is valuable for identifying early gastric cancers meeting expanded-indication criteria for endoscopic submucosal dissection [J]. Surgical Endoscopy,2011,25(3):841 – 848.

第14章　撞击载荷下的海洋结构物

14.1　概述

海洋结构物可能因为船体平台的严重碰撞而产生大的塑性变形。这种碰撞被认为是一种动力现象，并且会对材料、环境、人类产生严重的影响。平台的动力碰撞响应应该在设计阶段给予分析。这种预防确保了结构有足够的强度来抵抗冲击，并因此降低了严重冲击造成损害的可能性。

Petersen 和 Pedersen(1981)，Pedersen 和 Jensen(1991)指出，在微小的碰撞后，会有相当量的动态能量以弹性震动的形式储藏在受影响的建筑物中。在这种情况下，整体动载荷影响会非常大，并且对于受冲击的结构应该建立和计算结构系统运动方程。碰撞中结构系统的弹塑性变形方式包括：

(1)撞击船缩进(塑性破坏)；

(2)撞击单元的局部缩进(塑性破坏)；

(3)受损结构的整体变形。

在早期研究中，受损结构，包括撞击部分，是被线性对待的。这种分析方法忽略了分析受结构影响的可能性和塑性变形现象。

基于 Bai 和 Pedersen 的理论(1993)，本章围绕海洋钢结构的动力响应处理进行阐述。平衡系统能像描述结构系统整体弹塑性行为那样描述结构系统的局部区域。这种高度非线性的方程后来在给定范围内得以解决。为了导出这些方程，研究并计算出一个能模拟受击管状单元非线性力－位移关系的方程。这种推导是基于线弹性解决方法的，数值结果来自 Ueda 等人(1989)、史密斯(1983)以及 Ellinas 和 Walker(1983)的实验结果。后来，发展了三维的梁－柱单元，它是用来模拟受影响结构的整体行为的。通过联合线性刚度矩阵、几何刚度矩阵和形变矩阵(Bai 和 Pedersen，1991)，建立了梁－柱单元的大位移分析方法。而且，梁－柱单元塑性和淬火应力的影响在塑性节点法中也被计算在内。

一些基本的数值案例被提出来证明发展了的梁－柱单元的正确性和高效性。计算结果与由一般有限元程序得到的数值结果进行了比较，发表了实验结果和刚性节点分析结果。另外，两个海洋平台在典型的船体平台碰撞情况下的塑性响应也得到了分析。

14.2　有限元公式

14.2.1　运动平衡方程

受击和受影响的结构被认为是弹性单元连接的结构系统。结构系统运动平衡方程是基于以下假设建立的：

(1)受击船舶被当成没有体积的刚性体对待，并且船上所有的变形都被假设发生在受击点的区域内。

(2)海洋结构，如船或者局部缩进(塑性破坏)的受影响单元的形变，是通过应用非线性弹性单元模拟的，在其中存在压力。对于这些弹性单元的力，形变曲线是应变率的函数。

(3)受影响结构的变形，除了受击单元的局部缩进(塑性破坏)以外，是通过应用结构模型进行考虑的，由三维梁－柱单元组成。

(4)作用在船上的流体力是通过引进的附加模块的概念进行考虑的。应用 Morisons 方程是为了分析受影响结构的流体－结构的相互作用。

当考虑结构系统的动平衡方程时，运动方程以增量的形式写为

$$[M]\{\mathrm{d}\ddot{u}\} + [C]\{\mathrm{d}\dot{u}\} + [K_T]\{\mathrm{d}u\} = \{\mathrm{d}F_d\} \tag{14.1}$$

式中，$\{\mathrm{d}u\}$，$\{\mathrm{d}\dot{u}\}$ 和 $\{\mathrm{d}\ddot{u}\}$ 分别为节点位移的增量、速度和加速度；$[M]$ 为 Mass 矩阵；$[C]$ 为结构的衰减矩阵；$[K_T]$ 表示切应力矩阵。外载荷矢量 $\{\mathrm{d}F_d\}$ 表示 Morison 方程中的拖曳力，它是用 Bai 和 Pederson 研究(1991)中的方法评估的。Morision 方程中的附加模块已经包含在结构 Mass 矩阵 $[M]$ 中。

运动方程(14.1)是用 Newmark $-\beta$ 方法来解决的。

14.2.2 受击构件载荷－位移关系

本节中，非线性弹性单元的推导可用来模拟受击单元的局部缩进(塑性破坏)。弹性单元将用在平台和受击单元中，因此，这些单元被假设是圆薄壁管。

管状单元加载点收缩载荷的线弹性位移，可以由下式确定：

$$\delta_E = 0.111\,6\left(\frac{D}{T}\right)^3 \frac{P}{EL_c} \tag{14.2}$$

式中 P——外力；

δ_E——弹性位移；

E——杨氏模量；

T——管壁的厚度；

D——管的外径；

L_c——管壁沿着轴向接触面积的特征长度。

特征长度 L_c 为外径、管子的长度和约束形状的函数。为了得到经验公式，对由 Ueda 等(1989)得到的线性壳单元的分析结果和由史密斯做的缩进(塑性破坏)测试进行了分析，得到一个平均值：

$$L_c = 1.9D \tag{14.3}$$

必须要有更多的实验或数值数据来得到更合理的特征长度 L_c 的值。

当载荷 P 大于临界值 P_0 时，就会发生永久的缩进(塑性破坏)，并且可以利用对收缩载荷的刚－塑性分析得到特征长度 L_c 的临界值。结果如下：

$$P_0 = 2\sigma_y T^2 L_c/D \tag{14.4}$$

式中，σ_y 为材料的屈服应力。

永久性缩进(塑性破坏)量 δ_p 可以通过半经验公式计算得到。其通过能量补偿符合经验数据曲线，由 Ellinas 和 Walker(1983)得到

$$\delta_p = D\left(\frac{P}{37.5\sigma_y T^2}\right)^2 \tag{14.5}$$

卸载线性变形 δ'_E 可以通过线弹性方法乘以系数 α 得到

$$\delta'_E = 0.111\alpha\left(\frac{D}{T}\right)^3 \frac{P}{EL_c} \tag{14.6}$$

系数 α 不大于 1.0,其取决于卸载点处的变形。

最后,在载荷大于 P_0 的加载点的局部变形,可以计算为

$$\delta = \delta'_E + \delta_p \tag{14.7}$$

14.2.3　梁 – 柱单元模拟受影响结构

这一部分的有限梁 – 柱单元如第 12 章描述的模拟受影响结构。

14.2.4　计算过程

上述的计算程序已经实现在电脑程序 SANDY(Bai,1991)中,可以应用三种载荷来模拟模型,得到受影响结构的碰撞分析。

冲击载荷应用在节点或者分布在有限单元上。这些载荷的时间变化量在计算开始时以输入数据给出。这种类型的载荷用在例 14.1 ~ 例 14.3 中。

动载荷和初速度施加在碰撞结构上来计算和模拟碰撞结构的运动。结构之间的冲击负载是通过模拟结果得到的。一旦某个方向的冲击负载在模拟中被检测到,接触单元就会释放。之后,受影响构件被假设为在那个方向以某一初速度及以自由体的形式移动。接触重建的标准是受冲击构件的位移超过受影响结构相应点的位移。这种形式的载荷已经用在例 14.5 ~ 例 14.6 中。

施加在受击结构上的动载荷和初速度通常是用在高速冲击上。在这方面,施加载荷的时间是不重要的。受冲击结构的响应依赖于载荷的时间集中情况(脉冲动力),换句话说,依赖于受冲击结构的初速度。

对于大位移的分析,采用了最新的拉格朗日方法。在每个加载阶段,局部坐标系下的单元刚度矩阵被重建,并转换进正题坐标系中。这里,整体刚度矩阵被组合,并且在整体坐标系下测量的节点位移的增量是所要求的值。应用刚度转换矩阵,单位位移的增量可以得到计算。新的转换矩阵之后其可被评估,新单元的位移和外力转换到新的局部坐标中,并应用到接下来加载阶段新单元力和位移的计算中。

在弹塑性分析阶段,节点的加载和卸载是需要仔细检查的。一旦加载发生在节点处,应用牛顿迭代法来找出精确的载荷增量,此处的单元节点力会在之后沿着屈服表面移动。在每个阶段内,结构刚度矩阵是基于单元节点的弹塑状态求得在上一阶段最后的载荷增量的。然而,一旦使用运动方程求解,就要检查塑性节点是否发生卸载。如果发生,结构刚度矩阵将被更新,直到检测到塑料节点没有进一步的卸载发生。最后,节点位移增量是运动方程最后迭代的解。节点力和单元的弹塑状态被更新,并且再次评估是否发生卸载。此外,如果节点的弹塑状态发生改变,不平衡力将被评估,并转化为整体坐标系。转化后的不平衡力被加入到下一步的载荷增量中。

对于进一步的横截面,屈服表面有两个角。如果单元节点力在这些角上或者接近这些角,单元被捆绑对待,它只受轴向力。对于这个捆绑单元,卸载是基于轴向力和轴向位移增

量检测的,当检测到有卸载时,这个单元会以单位梁 - 柱单元处理。

14.3　碰撞结构

14.3.1　基本原理

碰撞结构的分析一般基于不同动态平衡方程的解。碰撞力为船和平台缩进(塑性破坏)关系的函数,因此需要增加解决程序。

当碰撞持续时间比控制运动的固有周期小很多时,这个问题是很简单的。这个假设对于解决有关漂浮的铰接的平台刚性物体运动是非常有效的。在这方面,解决办法可以基于半静态分析,已有的原理包括:

(1)动量守恒;

(2)能量守恒。

在碰撞中,运动冲击和能量转换的确定可以通过碰撞物体中应变能损耗分析得到。

静力分析可以在碰撞持续时间比控制运动的固有周期长的情况下应用。

壳体处在深水介质中时,碰撞的持续时间和桩腿振动的固有周期的比率是很有意义的。其中包括动力效应,已经被研究到很小的范围。一般地,可以适当地考虑静力分析,但也应该评估一个动力放大倍数。

14.3.2　动量守恒

在接下来的章节中,能量以平直运动确定的应变能的形式损失。通过考虑更多的运动组成来获得更高的精确度,并明确叙述复杂的推导过程。通常保守地应用 14.3.3 节中所给的公式。表 14.1 所示为总应变能量耗散。

动量守恒关于船和平台运动的同方向的对心碰撞,可表达为

$$m_s v_s + m_p v_p = (m_s + m_p) v_c \tag{14.8}$$

式中　v_c——碰撞后共同的速度;

v_s——船的速度,$v_s > v_p$;

v_p——平台的诱导速度;

m_s——船的质量,包括增加量;

m_p——平台质量,包括增加量。

共同的速度可以被定义为

$$v_c = \frac{m_s v_s + m_p v_p}{m_s + m_p} \tag{14.9}$$

14.3.3　能量守恒定律

对心碰撞中,所有运动学上的能量均以应变能(弹性或塑性)表示,如船(E_s)和平台(E_p)。在偏心碰撞中,运动学上的一些能量会在船和平台碰撞后以转动能量的形式保留。图 14.1 为补给船与半潜式平台之间的碰撞。

对于假设对心碰撞的能量守恒方程,如下:

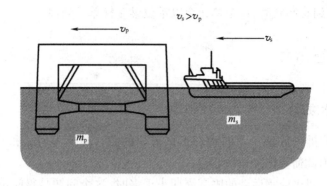

图 14.1　补给船与半潜式平台之间的碰撞

$$\frac{1}{2}m_s v_s^2 + \frac{1}{2}m_p v_p^2 = \frac{1}{2}(m_s + m_p)v_c^2 + E_s + E_p \tag{14.10}$$

式中　E_s——船体损失的应变能；

　　　E_p——平台损失的应变能。

将这个方程与共同速度的方程相结合，损失的应变能量可被写成：

$$E_s + E_p = \frac{1}{2}m_s v_s^2 \frac{\left(1 - \dfrac{v_p}{v_s}\right)^2}{\left(1 + \dfrac{m_s}{m_p}\right)} \tag{14.11}$$

波浪诱导平台的运动与船体速度相比，通常很小且可以忽略的。另外，特征速度应基于船和平台的相对速度 $(v_s - v_p)$ 来解决各自运动的相位滞后。

表 14.1　总应变能量耗散

平台种类			
固定式	漂浮式	锚固式	自升式
$\dfrac{1}{2}m_s v_s^2$	$\dfrac{1}{2}m_s v_s^2 \dfrac{\left(1 - \dfrac{v_p}{v_s}\right)^2}{1 + \dfrac{m_s}{m_p}}$	$\dfrac{1}{2}m_s v_s^2 \dfrac{\left(1 - \dfrac{v_p}{v_s}\right)^2}{1 + \dfrac{m_s \cdot z^2}{J}}$	$\dfrac{1}{2}m_s v_s^2 \dfrac{1}{1 + \dfrac{m_s}{m_p}}$

注：J 为圆柱关于有效重心的惯性矩（包括附加质量）；Z 为有效重心到接触点的距离。

14.4　举例

14.4.1　船/平台在碰撞中冲击力和能量的数学等式

问题：推导最大冲击力方程，并计算在船和固定平台的碰撞中的冲击能量（Soreide，1985）。对于船和平台的力 – 变形的关系可以分别由线性弹簧 k_s 和 k_p 表示。在碰撞之前，假设船的质量为 m（包括附加质量），移动速度是 v。在推导公式的过程中，进一步假设忽略阻尼效应，并且冲击结构可以由自由震荡的模块（Mass）– 弹性系统表示。

解：船/平台系统可以考虑为模块（Mass）弹性系统。船和平台的变形分别用 x_s 和 x_p 表

示。总变形 $x = x_s + x_p$，从力平衡方程中，我们可以推导出

$$F = kx = k_s x_s = k_p x_p \tag{14.12}$$

式中，$k = \dfrac{k_s k_p}{k_s + k_p}$ 为系统当量弹簧的刚度。

模块（Mass）- 弹性系统的运动方程可以表达为

$$m \frac{\mathrm{d}^2 x}{\mathrm{d}^2 t} + kx = 0 \tag{14.13}$$

考虑初始条件（模块速度为 $v, x = 0, t = 0$），以上几个不同方程的解为

$$x = v \sqrt{\frac{m}{k}} \sin\omega t \tag{14.14}$$

这里的固有频率为

$$\omega = \sqrt{\frac{k}{m}} (\mathrm{rad/sec}) \tag{14.15}$$

根据方程（14.14），可以得到最大冲击力为

$$F_{max} = kx_{max} = v \sqrt{mk} \tag{14.16}$$

冲击持续时间（从开始到冲击力达到顶峰的时间）为

$$T_0 = \frac{\pi}{2} \sqrt{\frac{m}{k}} \tag{14.17}$$

冲击持续时间 T_0 一般为 1~2 s，并且它比碰撞主体和结构系统的固有频率长。因此，船体碰撞通常用半静态的方法解决。当冲击力为最大值且船和平台的速度为 0 时，在船和平台之间的变形能为

$$E_s = \frac{1}{2} k_s x_s^2 = \frac{F_{max}^2}{2 k_s} \tag{14.18}$$

$$E_p = \frac{1}{2} k_p x_p^2 = \frac{F_{max}^2}{2 k_p} \tag{14.19}$$

在方程 14.16 中，表达的最大冲击力可以由下式得到

$$E_s + E_p = \frac{1}{2} m v^2 \tag{14.20}$$

14.4.2　基本数值案例

在接下来的章节中列举了几个简单的数值案例，他们是为证明三维梁 - 柱单元的准确性和高效服务性的（Bai 和 Pedersen，1993）。

前三个例子的问题可以通过假设小位移来解决，但是材料有动态的应变硬化。最后的例子为受块冲击的固支梁，它包括大位移和应变硬化。

例 14.1　中心冲击力下的固定梁。

分析矩形梁的动弹 - 塑性行为，夹住两端，如图 14.2（a）所示。

梁受到跨中处的集中负载，如图 14.2（b）所示。由对称性可取梁的一半作为模型。分析中应用 MARC FEM 方法，在插图 14.2（c）中有 5 个五号单元。这个单元为梁 - 柱单元的二维矩形截面。在评估单元刚度时，沿着单元轴向选择了 3 个高斯积分点。在每个高斯点，横截面被分成 11 个积分点。弹 - 塑性分析只考虑法向应力。因为这是小位移问题，轴向的

合力为 0。因此,现在分析的塑性屈服条件为

$$M_2/M_{2p} - 1 = 0 \tag{14.21}$$

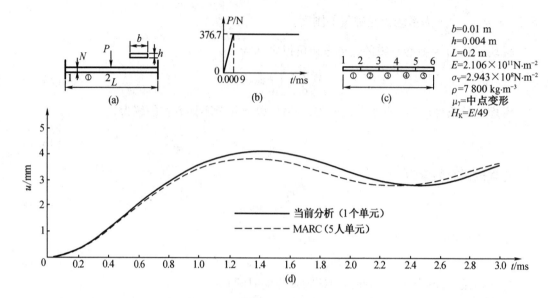

图 14.2 侧向冲击载荷下固支梁的动态弹塑性力学行为

(a)计算模型;(b)负载与时间的函数关系;(c)在 MARC 分析中的有限元模型;(d)作用点上的位移随时间变化

式中,m_z 为弯曲力矩;下标"p"表示对于相应分力全塑状态的值。受击点的位移随时间的变化曲线在图 14.2(d)中给出。通过一个单元获得的结果是用实线表示的。很容易根据一个单元就可以得到适当的正确结果。

例 14.2 矩形构架承受冲击载荷。

在图 14.3(a)中所示的矩形构架承受如图 14.3(b)所示的集中负载。

在 MARC FEM 的分析中,结构用如图 14.3(c)中所示的 32 个单元(16 号单元)来模拟。单元为弯曲的、二维的、矩形的梁 – 柱横截面单元。集中点对于单元刚度的评估和例 14.1 中一样。在轴向力和弯曲力矩中全塑性分析只考虑法向应力。

当前分析的塑性弯曲条件为

$$(M_z/M_{zp})^2 + F_x/F_{xp} - 1 = 0 \tag{14.22}$$

式中,F_x 为轴向力。

沿着受击点处方向,时间和位移的关系曲线见图 14.3(d),可以看到当前方法在用一个单元分析结构件时是非常正确的。

例 14.3 冲击载荷下的管形桁架。

如图 14.4(a)所示的管形桁架承受如图 14.4(b)所示的阶段的力。

在 MARC FEM 分析方法中,应用 14 号单元,并且每个结构单元被离散为如图 14.4(c)所示的 10 个单元。单元为三维的薄壁管状梁 – 柱单元。这里有三个 Gaussian 点,它被进一步分为 16 个沿着圆周方向的 Simpson 集中点。通过应用 Von Mises 的屈服条件,把塑性考虑进集中点的计算,并且把沿着轴向力分布的应力、两个弯曲力矩和扭曲力矩考虑在内。因此,用于当前分析的屈服条件为

$$(M_x/M_{xp})^2 + (M_y/M_{yp})^2 + (M_z/M_{zp})^2 + \sin\left(\frac{\pi}{2}(F_x/F_{xp})\right) - 1 = 0 \tag{14.23}$$

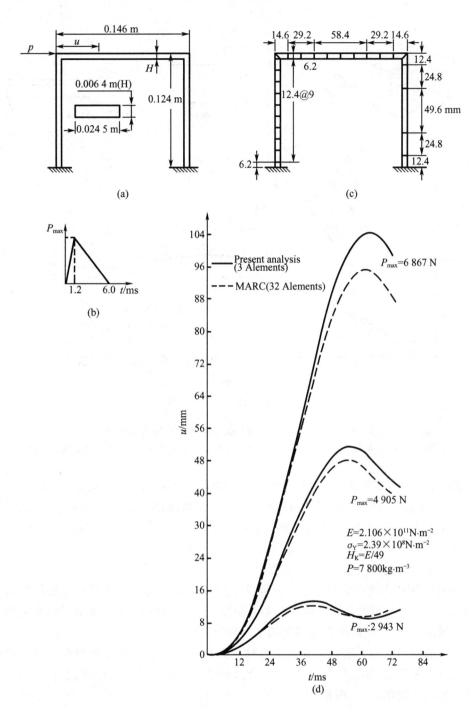

图 14.3　冲击负荷下门式刚架的动态弹塑性力学行为

(a)2D 钢架;(b)冲击载荷作用过程;

(c)在 MARC 分析中的有限元模型;(d)作用点上的位移随时间变化

式中,M_x 为扭曲力矩的合力;M_y 和 M_z 为弯曲力矩。时间碰撞位移的关系如图 14.4(d)所示。

例 14.4　固定的铝合金受横向质量力的冲击。

如图 14.5(a)所示的固支梁由 Yu 和 Jones 在 1989 年应用 ABAQUS FEM 方法进行研

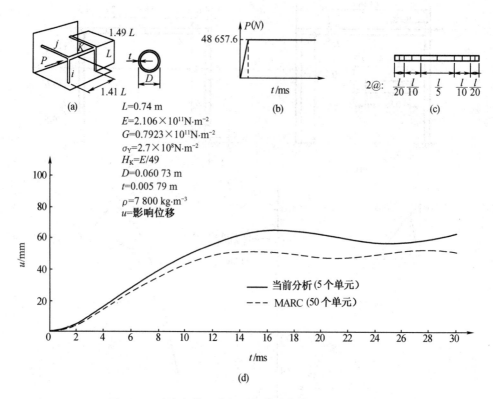

图 14. 4　冲击负荷下空间刚架的动态弹塑性力学行为

(a)计算模型;(b)冲击载荷作用过程;(c)在 MARC 分析中的有限元模型;(d)作用点上的位移随时间变化

究。在他们的分析中,应用了八个节点的等参平面应力单元。最初的单元网格由 75 个单元和 279 个节点构成。受击点附近的网格和支撑做得非常细是为了得到详细的信息。材料的实应力应变关系如图 14.5(c)所示。由 Liu 和 Jones 所做的实验结果也给出了曲线。无量纲的弯矩 M_z/M_{zp} 和轴向力 F_x/F_p 随时间的关系如图 14.5(d)(e)所示。

这个例子中用的屈服条件与例 14. 2 中一样。

ABAQUS FEM 用实应力应变曲线分析,如图 14.5(b)所示。这个分析是假设材料有线性的动应力硬化并且梁的每一端用一个单元模拟。图 14.5(c)~(e)显示了结构响应对屈服应力是敏感的。然而,两种方法得到的结果符合良好。

本节用的例子证明了通过实际的梁 – 柱单元预报的节点位移和力与那些由实验和一般有限元分析方法得到的结果符合良好。合力的结果可以通过梁 – 柱单元,甚至当结构被极小的单元离散时得到(一般是一个构件一个单元)。

14. 4. 3　碰撞问题的实际应用

在 SANDY 方法中实现的程序可以模拟许多不同的船体碰撞问题,如侧对心碰撞、弯曲碰撞和剧烈碰撞。模拟结果包括撞击和受击结构的运动(位移、速度/加速度、撞击船和受击构件的缩进(塑性破坏)、影响力、单元力、受影响结构的 Base 剪力和倾覆力、矩撞击和受击结构的动能和弹/塑变形能)。

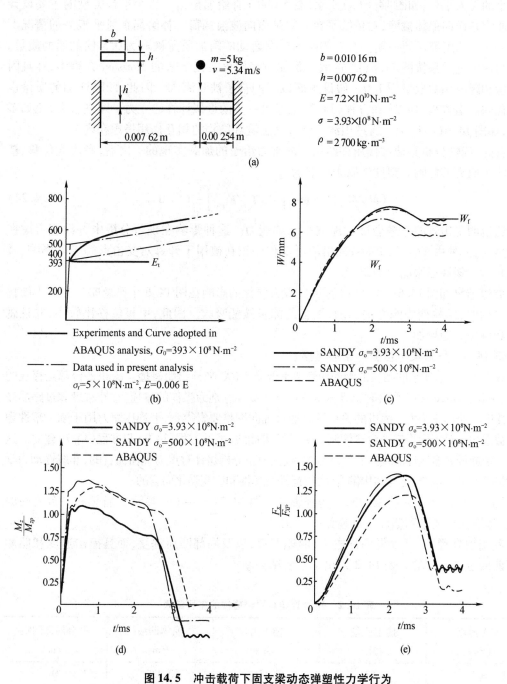

图 14.5　冲击载荷下固支梁动态弹塑性力学行为

(a)固支梁的冲击载荷;(b)应力应变关系;(c)作用点挠度的时间历程;
(d)作用点弯矩的时间历程;(e)作用点轴向力的时间历程

例 14.5 无人平台受补给船的碰撞。

小的无人平台,如图 14.6(a)所示,受 5 000 t 补给船撞击。这个平台类型的主要设计标准通常是面向船体碰撞,对传统平台一般是面向波浪载荷。补给船在风平浪静的情况下以 2 m/s 的速度漂浮到一侧。对一侧船的摇摆运动的附加质量被取为 0.5 倍的船的质量。船的力-缩进关系按图 14.6(b)选取。附加质量包含在接下来的 Morision 方程中,并且附加质量和阻尼系数取值为 1.0。假设水面以下的管子被装满水。因此,凹陷增加的质量也包括在内。由方程(14.2)和方程(14.7)通过进一步的近似计算建立力-缩进关系,比如多线性,如图 14.6(c)所示。通过用线-弹性把土壤和结构的相互作用考虑在内。

首先,线性分析是通过作用在结构上的重力给予的加载实现的。之后,考虑大位移、塑性和淬火应力的影响。塑性屈服条件取为

$$(M_z/M_{zp})^2 + \sin^2\left[\frac{\pi}{2}(F_x/F_{xp})\right] - 1 = 0 \tag{14.24}$$

这说明受击管的缩进会极大地减小承载能力。这种影响在现行分析中并没有考虑在内。然而,一种由 Yao 等(1986)提出的可能程序正在被用于计算对受击点缩进的影响,减少单元节点塑性屈服能力的影响。

数值结果如图 14.6(d)~(e)所示。应力硬化的影响在图 14.6 中已忽略。当应力硬化包含在内时,结构变为刚性的,并且更多的能量被船吸收。因此,甲板位移比较小,并且碰撞力和倾覆力矩增加。

例 14.6 导管架平台受补给船碰撞。

如图 14.7(a)所示的四腿的钢筋导管架平台受 4 590 吨补给船碰撞。船和平台都是存在的结构。撞击(Surge into)平台时,0.5 m/s,2 m/s,6 m/s 分别为操作的碰撞、意外碰撞和过路船碰撞的速度。船体弯曲力-缩进的关系可以通过轴向网格要素得到,平均压缩力用于刚-塑性理论而被采用。对于导管架平台碰撞圆管局部缩进曲线,根据方程(14.2)和方程(14.7)建立。这两个压痕曲线是多线性曲线的近似。首先,线性静态分析是针对重力载荷而言的,非线性动力学分析是针对流固耦合、土与结构耦合、大位运动及塑性和应变强化而言的。

图 14.7(b)表示对挠度的时间历程影响。图 14.7(c)~(e)显示了船舶和平台之间的动能、弹性变形能量和塑性变形能量的变化。

利用现有程序,可以得到冲击力、船舶凹痕,以及局部凹痕深度,而且撞击速度和船舶压痕曲线也是已知的。表 14.2 列出了主要结果。

表 14.2　船导管架与平台碰撞的主要结果

撞击速度 /(m/s)	撞击能量 /MJ	撞击力 /MN	船体凹痕 /m	平台局部凹痕 /m
0.5	0.631	2.116	0.437	0
2.0	10.1	8.194	1.69	0.083
5.0	63.1	18.88	3.40	0.616

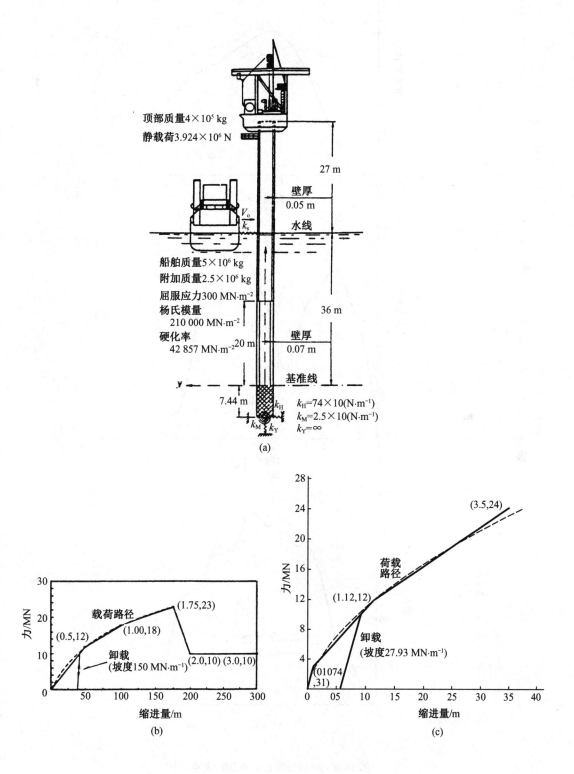

顶部质量4×10⁵ kg
静载荷3.924×10⁶ N

27 m

壁厚
0.05 m

水线

船舶质量5×10⁶ kg
附加质量2.5×10⁶ kg
屈服应力300 MN·m⁻²
杨氏模量
　210 000 MN·m⁻²
硬化率
　42 857 MN·m⁻²

36 m

壁厚
0.07 m

20 m

基准线

7.44 m

$k_H=74×10(N·m^{-1})$
$k_M=2.5×10(N·m^{-1})$
$k_Y=∞$

(a)

(b)

(c)

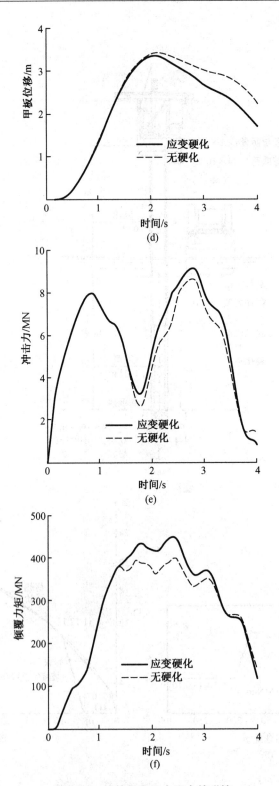

图 14.6 补给船和无人平台的碰撞

(a)船舶与平台的碰撞;(b)船体侧舷的局部载荷与压痕关系;(c)撞击管的局部载荷与压痕关系;
(d)平台甲板位移时间历程;(e)撞击力的时间历程;(f)平台倾覆力矩时间历程

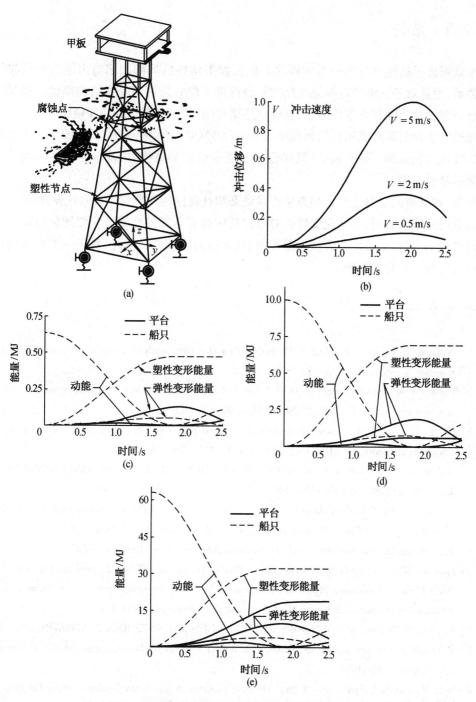

图 14.7 碰撞导致的补给船和管架平台之间的反应

（a）管架平台在受到补给船撞击时的塑性节点分布（$v_0 = 5$ m/s，$t = 1.45$ s）

（b）平台在受到撞击时的位移时间历程；

（c）平台在受到撞击时的能量时间历程（撞击速度 $V_0 = 0.5$ m/s）；

（d）平台在受到撞击时的能量时间历程（撞击速度 $V_0 = 2$ m/s）；

（e）平台在受到撞击时的能量时间历程（撞击速度 $V_0 = 2$ m/s）

14.5　结论

本章列出了碰撞分析的一系列程序。根据撞击构件的局部凹陷得出了力与位移的非线性关系,而且对于三维梁柱单元研究的发展促进了建立合理的受损结构模型。将弹性大位移分析理论与塑性节点方法结合,可以描述梁柱的大变形、塑性和应变硬化效应。

通过对实验结果与借用有限元程序 MARC,ABAQUS 所得结果的比较,验证了梁柱单元计算的准确性和效率。结果表明,只要选用足够少的框架结构,梁柱单元能够实现动力塑性行为的精确建模。

此外,本章提出了海上平台和典型桥梁动态塑性碰撞的弹塑性行为的计算方法。

所有的例子均表明,结构应变硬化对碰撞效应起着重要的作用。应变硬化效应不仅导致构件做微小变形,而且也使大量能量被吸收,冲击力比较大。因此,对于一个合理的碰撞分析应考虑应变强化的影响。

参考文献

［1］ Bathe K J, Wilson E L, Iding R H. NONSAP: a structural analysis program for static and dynamic response of nonlinear systems［J］. 1974.

［2］ Yamada Y, Kawano K, Iemura H, et al. Wave and earthquake response of offshore structure with soil-structure interaction［J］. 1988,5(398):157 – 166.

［3］ Bai Y, Pedersen P T. Elastic-plastic behaviour of offshore steel structures under impact loads［J］. International Journal of Impact Engineering,1993,13(1):99 – 115.

［4］ Ellinas C P, Walker A C. DAMAGE ON OFFSHORE TUBULAR BRACING MEMBERS［J］. Lkartidningen,1983,73(40):3337 – 8.

［5］ Fujikubo M, Bai Y, Ueda Y. Dynamic Elastic-Plastic Analysis of Offshore Framed Structures By Plastic Node Method Considering StrainHardeningEffects［M］// International Journal of Offshore and Polar Engineering. International Society of Offshore and Polar Engineers,1991:317 – 337.

［6］ Fujikubo M, Bai Y, Ueda Y. Dynamic Elastic-Plastic Analysis of Offshore Framed Structures By Plastic Node Method Considering StrainHardeningEffects［M］// International Journal of Offshore and Polar Engineering. International Society of Offshore and Polar Engineers,1991:317 – 337.

［7］ Petersen M, Pedersen P. COLLISIONS BETWEEN SHIPS AND OFFSHORE PLATFORMS［C］// 1981.

［8］ P Terndrup Pedersen, J Juncher Jensen. Ship impact analysis for bottom supported offshore structures ［J］. Impact Loads,1991.

［9］ Betti M, Vignoli A, Spadaccini O. Steel Offshore Platform. A Sensitivity Nonlinear Study for Robustness and Damage Tolerance［J］. 2013.

［10］ Søreide T H. Ultimate load analysis of marine structures［M］. ［S. l.］:Tapir,1985.

［11］ Hidekazu, Zhou Hsu, Ching, et al. Fundamental Study on Elastic Response of Offshore Structures under Collision (2nd Report)［J］. GacetaEcológica,1986,1986(160):275 – 285.

［12］ Yukio U, Masahiko F. Plastic node method considering strain-hardening effects［J］. Computer Methods in Applied Mechanics & Engineering,1992,94(3):317 – 337.

[13] Yao T, Taby J, Moan T. Ultimate Strength and Post-Ultimate Strength Behavior of Damaged Tubular Members in Offshore Structures[J]. Journal of Offshore Mechanics & Arctic Engineering,1988,110(3).

[14] Yu J, Jones N. Numerical simulation of a clamped beam under impact loading[J]. Computers & Structures,1989,32(2):281-293.

第 15 章　地震载荷作用下的海洋结构

15.1　概述

在地震区域,底部支撑的海洋结构可能会受到强烈的震动,使结构在塑性范围内产生大变形。这些区域在先前的研究中大体上已经导出程序,可以依此找到解决方案(Penzien,1976)。本章主要介绍时域解决方案,此方法可以详细检查塑性变形的发展。

地震作用在结构上的基本动力学已被 Clough,Penzien(1975),Chopra(1995)等人分析讨论。在时域上,结构的地震响应已经做过广泛的调查研究(Powell, 1973),不幸的是,大部分研究限定于平面结构。此外,对于海洋结构,需要考虑动力载荷,同时几何非线性要比岸基建筑结构更重要。因此,需要一个程序来预测海洋结构的地震响应,包括几何非线性和材料非线性。

框架结构的分析(包括几何非线性)依据有限元方法(Nedergaard 和 Pedersen,1986)或者圆柱梁方法(Yao 等,1986)。有限元方法导出了圆柱梁单元的变形刚度矩阵。此矩阵是单元变形的函数,是轴向变形和横向变形的耦合,它与线性刚度矩阵和几何刚度矩阵一起使用。

材料非线性的一种有效、精确的方法是塑性节点法(Ueda 和 Yao, 1982)。使用普通的有限元,单元的塑性变形集中于结构上的节点,类似于塑性折叶点。应用塑性流动原理,可以导出没有数值积分的弹塑性刚度矩阵。

本章将提出一个基于有限元和塑性节点法的程序,用于三维空间的地震响应分析,并考虑几何非线性和材料非线性。使用此方法,可以研究导管架平台的地震响应。本章的一部分已经被 Bai 和 Pedersen(1991)发表,新的拓展是基于 API RP2A 的固定式平台的初步地震设计。

15.2　按照 API RP2A 进行的地震设计

一般来说,API RP2A(1991)适用于所有的固定式平台,但是,对钢桩导管架平台更适用。

API(1991)中的原理和步骤将在下文中叙述,API(1991)中的地震设计原理说明见表 15.1。

表 15.1　API RP2A 中地震设计原理

	强度等级地震(SLE)	展延等级地震(DLE)
原理	防止平台正常作业的中断	防止平台毁掉并维持井的控制
设计	在平台寿命期内,不超过一个合理可能性的地面震动	在平台寿命期内,不可能发生的非常强烈的地面震动
性能	没有严重的结构损坏,本质上属于弹性响应	允许结构损坏,但没有崩溃,属于无弹性响应

15.2.1　基本设计方法

API 的地震设计依据两个基本的设计方法：

1. 强度要求

平台应设计为适合在剧烈的地震环境中作业，在平台寿命期内，强度合理（典型的周期是 100 年）。

强度要求的目的是在严重的地震发生后，平台正常作业不被中断。现在使用的时间关系方法是感应波谱法。

2. 延展性要求

检查平台在发生可能性非常低的罕见地震中的性能（典型的周期是 1 000 年，展延等级地震 DLE）。

延展性要求的目的是确保非常强烈的地震发生后，平台有足够的强度来阻止整体崩溃。一些构件允许发生损伤和屈曲，如非弹性构件屈曲，但是结构根基系统在剧烈地震下应具有延展性，因此它能够吸收外部能量。根基吸收的能量大部分被土壤的非线性运动消耗。

15.2.2　应满足的条件

对于一些典型的导管架结构，如果平台结构设计满足下面所列条件，那么其强度和延展性要求应满足 API 规范。

（1）强度等级地震载荷（SLE）的强度要求在基本文件中说明；

（2）文件中导管架腿（包括附桩）的强度要求为强度等级地震载荷（SLE）的 2 倍（2 × SLE）；

（3）稀有强烈地震地面运动的强度等级要求小于文件中地震时地面运动强度的 2 倍（DLE < 2 × SLE）；

（4）基本结构的几何和极限强度要求满足 API 规范要求，这些要求涉及腿的数目、导管地基系统、垂直框架的对角牵拉结构、水平单元、对角拉条的长度直径（厚度）比和管子接头强度。

15.3　方程和运动

15.3.1　运动的方程

非线性海洋结构受到地震载荷作用，其运动方程表示为

$$[M]\{\mathrm{d}\ddot{U}\} + [C]\{\mathrm{d}\dot{U}\} + [K_T]\{\mathrm{d}U\} = -[M]\{\mathrm{d}\ddot{U}_g\} + \{\mathrm{d}X_e\} \tag{15.1}$$

式中，$\{\mathrm{d}U\}$，$\{\mathrm{d}\dot{U}\}$ 和 $\{\mathrm{d}\ddot{U}\}$ 分别为节点位移、速度和加速度相对地面的增量；$[M]$ 为结构质量矩阵；$[C]$ 为结构阻尼矩阵；$[K_T]$ 表示结构切向硬度矩阵；$\{\mathrm{d}X_e\}$ 为水动力载荷的增量；地面加速度矢量 $\{\ddot{U}_g\}$ 为三维地面运动的集合。

这里假设地震时，结构不受风、浪或流载荷作用。根据莫里森方程（Sarpkaya 和 Isaacson，1981），沿管状梁单元方向单位长度的水动力载荷可估计为

$$\{f_M\} = -\rho C_A A\{\ddot{u}_n\} - \frac{1}{2}\rho C_D D|\{\dot{u}_n\}|\{\dot{u}_n\} \tag{15.2}$$

式中,ρ 为周围水的质量密度;D 为梁直径;C_A 为附加质量系数;C_D 为牵曳系数;$A = \pi D^2/4$;$\{\dot{u}_n\}$ 表示绝对速度向量的法向分量。绝对速度向量为

$$\{\dot{u}_a\} = \{\dot{u}\} + \{\dot{u}_g\} \tag{15.3}$$

使用标准块技术,方程(15.1)可以改写为

$$([M] + [M_a])\{d\ddot{U}\} + [C]\{d\dot{U}\} + [K_T]\{dU\} = -([M] + [M_a])\{d\ddot{U}_g\} + \{dF_D\} \tag{15.4}$$

式中,$[M_a]$ 为附加质量矩阵,包括方程(15.2)中的附加质量。从时间(t)到($t + dt$),牵曳力增量可估计为

$$\{dF_D\} = \sum [T_{t+dt}]^T\{f_D\}_{(t+dt)} - \sum [T_t]^T\{f_D\}_{(t)} \tag{15.5}$$

式中,$\sum$ 表示水中所有结构的总和;$\{f_D\}$ 为方程(15.2)中牵曳力沿结构方向的合力;$[T_t]$ 为转换矩阵。运动方程(15.4)使用 Newmark $-\beta$ 方法求解(Newmark,1959)。

15.3.2　非线性有限元模型

有限元模型在第二部分第 12 章中给出。

15.3.3　分析过程

海洋结构设计地震抗力时,应考虑临界管道、设备和其他重要构件的运作要求和安全要求。当地震地面运动达到最大预期等级,结构变形在合理标准内,并满足一系列屈服或弯曲标准时,结构设计通常使用这个双重标准。因此,需要进行非线性动态分析。

分析过程如下:

(1)加速度记录,如 EL CENTRO $N-S$,应考虑结构安置地区的可能地震的比例因子;

(2)使用三维有限元分析确定一个框架模型,土壤结构相互作用可作为弹簧元件进行考虑;

(3)可导致流体结构的相互作用,均匀分布的附加质量可认为是圆柱梁结构质量的增加,曳力可作为外载荷;

(4)结构受到重力载荷作用时,需进行线性静态分析,其结果可作为动态分析的初始条件;

(5)结构质量矩阵由直接作用在节点上的质量和单元质量构成,单元质量使用集中质量法或调和质量法。

在以后的章节中所使用的原理要考虑几何和材料的非线性。

计算的结果有时间关系曲线、位移的最大值和最小值、受力,根据这些结果,可评估地震中结构的整体性。

这个程序在计算机程序 SANDY(Bai, 1990)中实现,并用于一些分析中。

15.4　举例

例 15.1　两端固定梁受横向力作用。

这个例子(图 15.1)可说明目前程序的功效,分析时,仅用一个圆柱梁来模拟半个梁。使用线性和几何硬度矩阵及变形矩阵。矩形横剖面的塑性屈曲条件为

$$M_z/M_{zp} + (F_x/F_{xp})^2 - 1 = 0 \tag{15.6}$$

式中,下脚标"p"表示各个应力构件的全塑性值。

图 15.1 表示目前结果及与之适应的实验结果和极限载荷理论结果(Haythornthwaite, 1957),P_Y 为极限载荷,其中不考虑几何非线性。

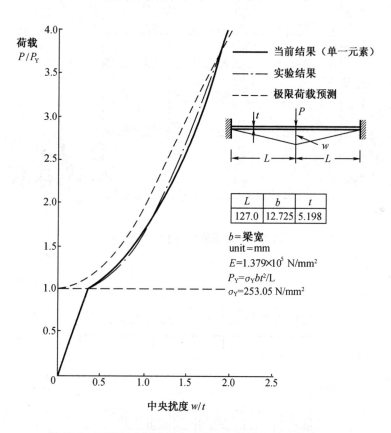

图 15.1　两端固定梁在横向力作用下的弹塑性大挠度分析

例 15.2　二维框架受地震载荷作用。

如图 15.2 所示,DRAIN-2D 使用手册中有 10 个肋骨、3 个纵桁框架,这是著名的平板结构非线性地震响应分析问题(Kannan 和 Powell,1973)。如图 15.3 所示,加载静载荷可进行线性静态分析,其结果可作为动态分析的初始条件。框架可用来分析 EL CENTRO (1940) $N-S$ 曲线的前 7 s 比例因子为 1.57,峰值地面加速度为 0.5 g。质量集中在节点上,作为结构的静载荷。阻尼矩阵定义$[C] = 0.3[M]$。物理结构的一个单元可模拟成框架,规定每一层水平节点位移是相同的。分析过程中,不考虑几何非线性。第 i 根钢梁的塑性屈服条件假定为

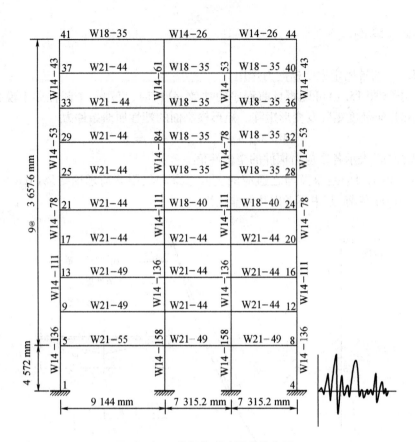

图 15.2　二维框架受地震载荷作用

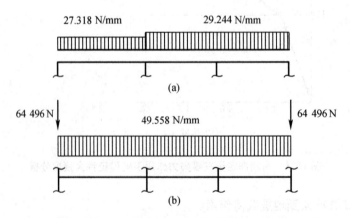

图 15.3　2 - D 框架受集中质量和静载荷作用

（a）屋顶；（b）所有地板

$$M_z/M_{zp} + 1.66(F_x/F_{xp})^2 - 1 = 0 \qquad (15.7)$$

与 DRAIN - 2D 的预测结果相比,图 15.4 为典型的结果,两个程序的结果相符得非常好。

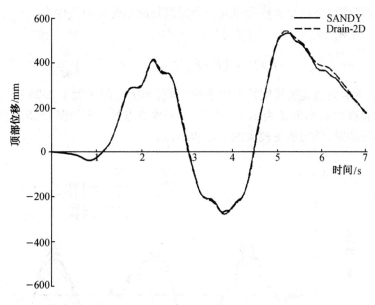

图 15.4　2 - D 框架顶部位移的时间关系曲线

例 15.3　海洋导管架平台受地震载荷作用。

图 15.5 为现有结构四腿钢质导管架平台,它受到水平地震载荷作用。实用的地面加速度时间关系也是 EL CENTRO N - S 曲线的前 7 s,使用扩大因子。使用甲板上的静载荷进行线性静态分析。考虑流体 - 结构相互作用、土壤 - 结构相互作用,以及几何和材料的非线

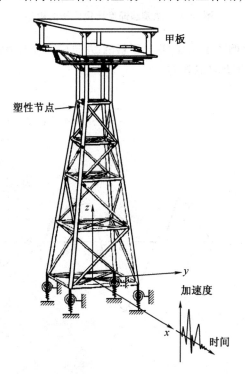

图 15.5　离岸导管架平台受地震载荷作用,
塑性节点分布(地震震级 4.5,时态 3.0 s)

性,每一个结构可模拟为一个圆柱梁单元。薄壁圆柱的塑性屈服条件为

$$
\begin{aligned}
&(M_x/M_{xp})^2 + (M_y/M_{yp})^2 + (M_z/M_{zp})^2 + \\
&\sin^2\left\{ \frac{\pi}{2} \left[(F_x/F_{xp})^2 + (F_y/F_{yp})^2 + (F_z/F_{zp})^2 \right]^{\frac{1}{2}} \right\} - 1 = 0
\end{aligned} \tag{15.8}
$$

如图 15.6 所示为地震加速度扩大因子的影响,当扩大因子大于 2.25 时要留意塑性节点。对于地震震级为 4.5,时态为 3.0 s 的情况,塑性节点的分布如图 15.5 所示。当结构遭受剧烈的地面振动时,结构承受较大的变形和塑性。

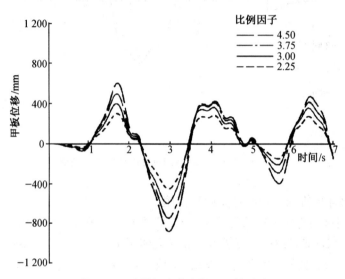

图 15.6　地震加速度比例因子的影响

如图 15.7 所示为比例因子 3.0、平台甲板 X 方向横向位移的时间关系曲线。此例中,忽略了与曳力有关的水动力阻尼效应。

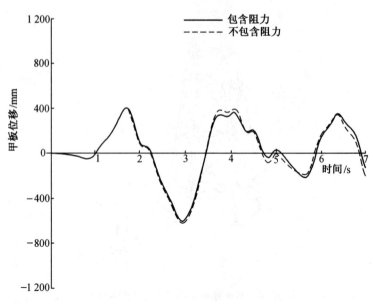

图 15.7　曳力联合作用的流体动力阻尼效应

图 15.8 给出了地面硬度对横向位移的时间关系曲线。振动周期和最大位移随土壤硬度增加而增加。当土壤硬度达到因素 0.1 时,要注意非线性节点。此图也说明合理精确地模拟土壤–结构相互作用的重要性,横向位移的最大值将会更大,并将引起管道系统和甲板上设备的问题。

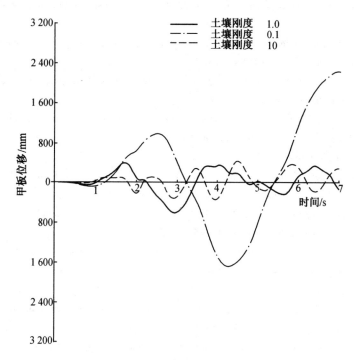

图 15.8　基础度影响(地震加速度因子 3.0)

15.5　结论

给出三维框架的地震响应分析的程序,考虑几何和材料非线性、变形硬度矩阵 k_D 和内力矢量 r。矩阵结合了单元的轴向变形和横向变形。结合塑性节点方法,提出的方法能够仅使用物理结构的一个元件来精确模拟框架。通常可以使用传统有限元方法来估计元件硬度矩阵。

数例说明程序是有效的和精确的。另外,输出数据较低,它也可用于海洋结构在碰撞载荷作用下的非线性动态响应分析。

根据 15.3 节,可得到以下结论:

(1)分析结构受到强地震载荷影响,考虑几何和材料非线性很重要;

(2)结合曳力的动态阻尼效应很小;

(3)基础硬度影响很重要,精确模拟土壤–结构相互作用很重要。

参考文献

［1］ Bommer C, Phillips M, Arenson L U. Practical recommendations for planning, constructing and maintaining infrastructure in mountain permafrost［J］. Permafrost &Periglacial Processes,2009,21(1): 97 - 104.

［2］ Archer J S. Consistent matrix formulations for structural analysis using finite-element techniques［J］. Aiaa Journal,1965,3(10):1910 - 1918.

［3］ Bathe K J, Wilson E L, Iding R H. NONSAP: A structural analysis program for static and dynamic response of nonlinear systems［J］. 1974.

［4］ Xia D, Kim J W, Ertekin R C. The Effect of Shoreline Proximity on the Hydroelastic Response of a Floating Runway［C］// Proc. Int. Conf. on Offshore Mechanics and Arctic Engineering, Omae '99, July 11 16, St. John's, Canada. 1999.

［5］ Chopra A K, Naeim F. Dynamics of Structures—Theory and Applications to Earthquake Engineering, Third Edition［J］. Earthquake Spectra,2001,17(3):549 - 550.

［6］ Mitsopoulou E. Unilateral contact, dynamic analysis of beams by a time-stepping, quadratic programming procedure［J］. Meccanica,1983,18(4):254 - 265.

［7］ Ambrosio J A C. Quasi-Static Behavior［M］// Crashworthiness. Springer Vienna,2001:19 - 31.

［8］ Lee H S. Minimum-weight seismic design of a moment-resisting frame accounting for incremental collapse ［J］. Structural Engineering & Mechanics,2002,13(1):35 - 52.

［9］ Reinoso J, Paggi M. A consistent interface element formulation for geometrical and material nonlinearities ［J］. Computational Mechanics,2014,54(6):1569 - 1581.

［10］ Newmark N M. A Method of Computation for Structural Dynamics［J］. Journal of the Engineering Mechanics Division,1959,85(1):67 - 94.

［11］ Tsinker G P. Gravity-Type Quay Walls［M］// Handbook of Port and Harbor Engineering. 1997: 397 - 547.

［12］ Petyt M. Book Review: Theory of matrix structural analysis. by J. S. Przemieniecki. New York: McGraw-Hill Book Company,1968［J］. Journal of Sound Vibration,1969,10.

［13］ Sarpkaya B T, Isaacson M. Mechanics of Wave Forces on Offshore Structures. vanNostrand Reinhold ［J］. 2012.

［14］ Ueda Y, Yao T. The plastic node method: A new method of plastic analysis［J］. Computer Methods in Applied Mechanics & Engineering,1982,34(1 - 3):1089 - 1104.

［15］ Yao T, Fujikubo M, Bai Y, et al. Local Buckling of Bracing Members in Semi-submersible Drilling Unit: 1st Report［J］. Journal of the Society of Naval Architects of Japan,1988,1988(164):447 - 455.

第三部分
疲劳断裂

第 16 章　疲劳和断裂机理

16.1　引言

疲劳是由循环载荷引起的材料的累积。许多结构必须在其工作寿命内承受众多应力的反向变化。在海洋工程结构中，这样的例子包括由波浪引起的交变应力、涡激振动（VIV）以及由风和其他环境影响产生的载荷变化。在下面的章节中，我们将考虑基本的疲劳机理。Almar – Naess(1985)，Gurney(1979)，Maddox(1991)，Suresh(1991)，Dover 和 Madhav Rao(1996)详细地给出了疲劳分析的理论背景。在 ISSC(1988,1991,1994,1997,2000)中可以找到最近发表的论文信息。AWS(1985)可以看作疲劳强度设计的代表性规范。在船舶疲劳这方面的最新发展可以参考 Xu(1997)以及 Xu 和 Bea(1997)。

作为极限状态设计标准的一部分，本书的第三部分将具体包括以下几个方面：

第 16 章　疲劳和断裂的基本机理；

第 17 章　疲劳标准，如 $S - N$ 曲线、应力集中系数；

第 18 章　基于确定性方法、随机方法和韦伯分布确定疲劳载荷及应力；

第 19 章　基于韦伯分布的长期应力范围的疲劳评估简化方法；

第 20 章　疲劳的谱分析和时域分析以及它们在结构设计中的应用；

第 21 章　断裂力学及其在裂纹扩展评估、最终断裂和疲劳设计 $S - N$ 曲线校核中的应用；

第 22 章　材料选取和破坏公差标准。

16.2　疲劳概述

总体来说，每个循环内载荷的变化幅度并不足以使结构自身失效，但是当损伤积累到临界水平时，结构就会失效。

16.2.1　疲劳过程

结构元件的疲劳寿命与疲劳过程直接相关，这个过程可以归纳为以下三个阶段：

1. 裂纹产生

这与细微的材料特性有关。在一定程度上，焊接缺陷总会在焊接内部或表面存在。这些焊接缺陷可能引起裂纹增长，裂纹增长通常是从焊接表面开始。

2. 裂纹扩展

与裂纹产生相比，裂纹扩展阶段则更好理解，而且有不同的理论模拟裂纹增长，例如断裂力学。主导裂纹扩展的主要因素是结构元件所承受的应力范围。此外，焊接的几何形状和最初的裂纹尺寸也对结构元件的疲劳寿命有很大的影响。在焊接结构中,疲劳裂纹几乎总在焊接缺陷处产生,裂纹传播时期占疲劳寿命的90%以上。

3. 断裂失效

当裂纹尺寸达到临界尺寸时,就会产生结构元件的断裂失效。最终断裂取决于众多因素,比如应力水平、裂纹尺寸以及材料刚性。该阶段与裂纹产生相似,在疲劳寿命中,断裂失效也只占一小部分。与裂纹扩展阶段相比,通常也可以忽略。

16.2.2 疲劳分类

疲劳可以分为两类:
(1)高周(低应力)疲劳;
(2)低周(高应力)疲劳。

一般来说,如果失效时应力循环次数少于10^4,那么此时疲劳失效就称为"低周疲劳",高周疲劳应力循环次数一般是几百万次,对于海洋工程结构,真正要考虑的是后者。

16.2.3 疲劳分析方法

总体来说,疲劳分析有两种方法,即$S-N$方法(基于疲劳试验,参考第17章)和断裂力学方法(参考第21章)。在疲劳设计中,$S-N$曲线法被广泛地应用,也是最适当的方法。断裂力学法被用于确定允许的缺陷尺寸、评估疲劳裂纹增长、设计检查和维修策略等。$S-N$曲线法可细分为三种方法计算疲劳损伤,方法的选用取决于疲劳载荷确定的方法(参考第18章):
(1)简化的疲劳分析(参考第19章);
(2)疲劳的谱分析(参考第20章);
(3)时域疲劳分析(参考第20章)。

为了研究疲劳和断裂损伤力学,人们做了许多实验研究材料的特性。这些实验可以分为两类:应力疲劳和应变疲劳。

16.3 应力疲劳

应力疲劳通常涉及高周(低应力)疲劳,此时材料属性主要表现为弹性。尽管与缺口直接相邻的材料有可塑性,但是可塑区域范围和其中的应力都有限。既然应力与应变直接成比例,照例,疲劳强度也可以以应力表达。

在1893年,Wohler做了研究应力循环载荷对疲劳寿命影响的实验,这个实验是最早研究应力循环载荷对疲劳寿命影响的实验之一,他主要研究火车轮轴的失效。这次实验透露了许多重要的信息,从图16.1中可以看到应力范围与失效周期数的关系。首先,失效周期数随应力范围的减小而增加。在一定的应力范围内,疲劳寿命为无穷大,这一范围被称为疲劳极限。其次,当有缺口存在时,疲劳寿命将显著下降。这些数据表明疲劳是一个三阶段的过程,包括:产生、扩展和最终失效(图16.2)。

根据应力疲劳试验建立的$S-N$曲线通常表示为

$$N = K \cdot S^{-m} \tag{16.1}$$

式中 N——失效循环次数;

S——应力范围；

m,K——材料常数,受环境、试验条件等影响。

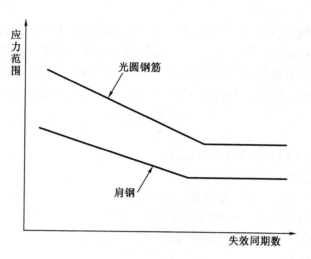

图 16.1　**Wohler** 对克虏伯车轴实验的 $S-N$ 曲线

在大多数情况下,Y 轴的应力幅值是总的应力范围的一半。值得注意的是,$S-N$ 曲线中有相当大的分散性。分散性归因于影响 $S-N$ 曲线的以下因素：

(1)壁厚；

(2)腐蚀；

(3)包括许多冶炼变量在内的材料类型和条件；

(4)试验环境、样本表面、实验仪器的校准等；

(5)残余应力、平均应力或者应力比；

(6)局部应力峰值(切口效应)。

上面列出的前两个因素在疲劳设计规范中有明确地说明。

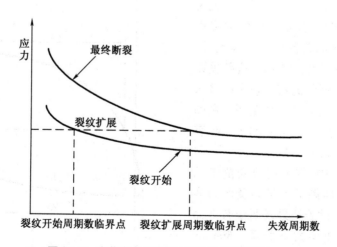

图 16.2　**疲劳寿命示意图(产生和扩展阶段)**

16.4　变幅值负荷的累计损伤

到目前为止,我们所讨论的疲劳数据大部分是由定幅值和定频率试验得到的,但是在实际的工况下,这些结果并不实际可行。许多结构要承受一定范围内的载荷波动和频率。基于定幅值载荷试验的数据,为了预测承受变幅值载荷的结构元件的疲劳寿命,人们提出了许多累计损伤理论。例如,Palmgren - Miner 累计损伤理论,理论(Miner,1945)表述为

$$\sum_{i=1}^{k} \frac{n_i}{N_i} = 1 \tag{16.2}$$

式中　k——载荷谱中应力范围水平的数目;

　　　S_i——应力范围水平;

　　　n_i——应力范围水平为 S_i 的应力循环次数;

　　　N_i——常应力范围水平 S_i 作用下的疲劳寿命。

Miner 的假说基于一些假设(Fricke 等,1977):

(1)正弦载荷循环;

(2)纯粹的交变载荷;

(3)以裂纹产生为失效模式;

(4)在疲劳极限以下,载荷循环不对材料造成任何损伤;

(5)不考虑载荷循环次序。

在文献中,Palmgren - Miners 定理被提出了一些修正,涉及损伤比、疲劳极限等。由于其简易性,Palmgren - Miners 定理仍在工程中被广泛使用。

16.5　应变疲劳

承受应变载荷的样本的疲劳通常涉及低周(高应力)疲劳。与低周疲劳相关的应力一般比较高,并足以在应力集中区域产生相当大的塑性变形。因此,应力与应变不再是线性的关系。这种关系经常表现出滞后回线的特点(图 16.3),即从一个循环变化到另一个循环。在图 16.3 中,$\Delta\varepsilon_p$ 表示塑性应变范围,$\Delta\varepsilon_t$ 表示总的应变范围,$\Delta\varepsilon_e = \Delta\varepsilon_t - \Delta\varepsilon_p$。

在工程应用中,在恒定应变范围的条件下,人们已经做了大量涉及低周疲劳的基础试验。试验结果表明疲劳寿命(N)和一个应变参数有关系。Manson(1964)在他试验结果的基础上提出:应变和疲劳寿命的关系可以表达为

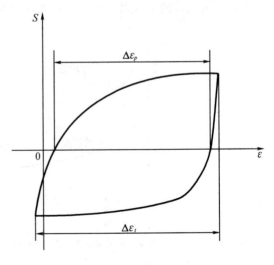

图 16.3　周期应力 - 应变回线

$$(\Delta\varepsilon_p)^m N = constant \tag{16.3}$$

　　上式意味着 $\log(\Delta\varepsilon_p)$ 和 $\log(N)$ 之间是斜率为 m 的直线关系。指数 m 是一个取决于材料和环境的变量,大约为 0.5。

　　为了得到 $S-N$ 曲线,我们可以简单地把弹性应变和塑性应变分开考虑。常以应力幅值和载荷反转次数的关系表述弹性应变($S-N$ 图表):

$$\frac{\Delta\varepsilon_e E}{2} = S_a = S_f^n(2N_f)^b \tag{16.4}$$

式中　$\dfrac{\Delta\varepsilon_e}{2}$——弹性应变幅值;

　　　　E——弹性模数;

　　　　S_a——应力幅值;

　　　　S_f——疲劳强度系数,由一个载荷反转内的应力截距定义($2N_f=1$);

　　　　N_f——失效数;

　　　　$2N_f$——失效载荷反转次数;

　　　　b——疲劳强度幂指数。

　　应变中的塑性应变表述为 Manson-Coffin 关系(Manson,1964 和 Coffin,1959):

$$\frac{\Delta\varepsilon_p}{2} = \varepsilon_f'(2N_f)^c \tag{16.5}$$

式中　$\dfrac{\Delta\varepsilon_p}{2}$——弹性应变幅值;

　　　　ε_f'——耐疲劳系数,由一个载荷反转内的应变截距定义;

　　　　$2N_f$——失效应变反转次数;

　　　　c——耐疲劳幂指数,是材料特性,范围在 $-0.7\sim-0.5$。

　　Manson 提出,如果材料承受的应变范围给定,那么我们可以将弹性应变和塑性应变分量叠加起来以估计材料的耐疲劳性。所以,结合式(16.4)和式(16.5),全部的应变幅值可以表示为

$$\frac{\Delta\varepsilon_T}{2} = \frac{\Delta\varepsilon_e}{2} + \frac{\Delta\varepsilon_p}{2} = \frac{S_f^n}{E}(2N_f)^b + \varepsilon_f'(2N_f)^c \tag{16.6}$$

　　图 16.4 阐明了高周疲劳和低周疲劳的组合。总应变疲劳寿命曲线在低周区域逼近塑性应变疲劳寿命曲线,在高周区域逼近弹性应变疲劳寿命曲线。式(16.6)决定了应变疲劳寿命曲线的参数,Boller 和 Seeger(1987)给出了不同材料的数值。

　　根据美国焊接协会(AWS)的规定,(Marshall,1992)将 $\Delta\varepsilon-N$ 曲线表示为

$$\Delta\varepsilon = 0.055N^{-0.4}, \quad \Delta\varepsilon \geqslant 0.002 \tag{16.7}$$

$$\Delta\varepsilon = 0.016N^{-0.25}, \quad \Delta\varepsilon \leqslant 0.002 \tag{16.8}$$

　　应变范围 $\Delta\varepsilon$ 是指在稳定循环弯曲载荷作用下,焊口附近最大应变与最小应变之差。

　　尽管 AWS 曲线最初是由管子接头设计而发展出来的,但是 Asgard 管线设计(白勇等,1999)的试验数据证实:该曲线仍可应用在管线和立管设计中。白勇等(1999)给出了管道在低周疲劳下的原始试验数据,总结了 DEEPIPE JIP 中关于低周疲劳的研究。

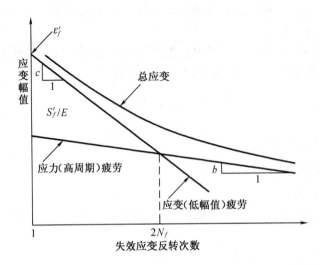

图 16.4　应力(高周期)疲劳寿命曲线和应变(低周期)疲劳寿命曲线的叠加

16.6　疲劳分析中的断裂力学

对于受均衡应力的板材,应力强度系数 K 可以估计为

$$K = \sigma \sqrt{\pi a} F \tag{16.9}$$

式中, a 为裂纹宽度; F 为几何修正系数,是由多种因素综合作用的结果,例如背部裂纹形状系数、前部系数、有限厚度系数、有限宽度系数和应力梯度系数。

对于疲劳裂纹增长,非弹性区域常常非常小,因而小范围屈服的假设可以适用,因此线性断裂力学可以应用在疲劳裂纹增长的分析中。

Paris 和 Erdogan(1963)提出,最能描述疲劳裂纹增长的相关参数是应力强度系数的范围 ΔK。在图 16.5 中绘出了裂纹增长曲线示意图,指出了三个不同的区域:(1)熟知的临界区域;(2)中间区;(3)失效区。

临界区的应力强度范围十分地低,没有裂纹增长。想要的应力强度系数值被称为临界应力强度范围 (ΔK_{th})。

K 值在中间区域时,裂纹增长率和 ΔK 之间在重对数图表中可认为是近似的线性关系。这通常表现出 Paris 方程的性质:

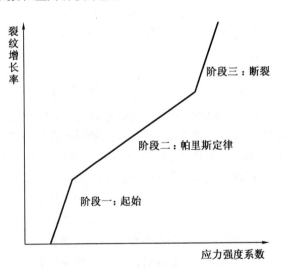

图 16.5　表现裂纹增长率 $(\mathrm{d}a/\mathrm{d}N)$ 和应力强度系数关系的裂纹增长率示意图

$$\frac{\mathrm{d}a}{\mathrm{d}N} = C(\Delta K)^m \tag{16.10}$$

式中

$$\Delta K = K_{\max} - K_{\min} \tag{16.11}$$

$K_{\max}$ 和 $K_{\min}$ 分别是应力强度系数的最大、最小值,即周期载荷的上限应力和下限应力。有关断裂评估的参考资料有 Broek(1989), Rolfe and Barsom(1999)。具体细节参考第三部分第 21 章。

16.7　例子

例 16.1　疲劳寿命周期计算。

问题: 壁厚为 30 mm 的管道承受如图 16.6 所示的长期应力分布,那么该管一端焊接时疲劳寿命是多少?

解　焊接部分符合 F2 类连接分类。包括厚度影响,S-N 曲线可以用公式表达为

$$\log N = 11.63 - \frac{3}{4}\log\left(\frac{t}{22}\right) - 3\log S = 11.53 - 3.0\log S$$

根据表 16.1 列出的损伤计算,总的损伤比是 0.352 3。失效循环次数为

$$N = \frac{n_0}{D} = \frac{411\ 110}{0.352\ 3} = 1.166\ 9 \cdot 10^6$$

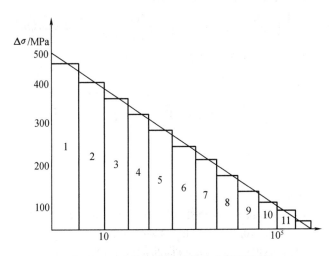

图 16.6　疲劳寿命计算的应力循环次数

表 16.1　损伤计算表

Block	n_i	S_i	N_i	n_i/N_i
1	3	450	3 718	0.000 8
2	7	400	4 941	0.001 4
3	30	350	7 903	0.003 8
4	70	300	12 550	0.005 6
5	300	250	21 686	0.135 3
6	700	210	36 588	0.019 1

表 16.1(续)

Block	n_i	S_i	N_i	n_i/N_i
7	3 000	170	68 969	0.043 5
8	7 000	130	154 230	0.045 4
9	30 000	90	464 807	0.064 5
10	70 000	50	2 710 753	0.025 8
11	300 000	20	42 355 520	0.007 1
$n_0 = 411\ 110$			$D = 0.352\ 3$	

例 16.2 基于断裂力学的裂纹增长寿命积分。

问题:假设一块非常宽的平板承受接触幅值的单轴循环载荷,载荷产生的名义变动应力在 $-100 \sim 200$ MPa 之间,临界应力强度系数 $K_{CR} = 104$ MPa $\sqrt{m}$。材料常量 $m = 3, C = 7E-1.2m/(\mathrm{MPa}\sqrt{m})^3$,则初始裂纹长度小于 2.5 mm 时的疲劳寿命是多少?

解 裂纹增长可以用 Paris 方程预测。如果 F 独立于裂纹长度,该方程有数值解法。无限大平板承受均衡张力时,F 是常数(16.2)。-100 MPa 的压力可以在断裂计算中忽略。最终失效的临界裂纹长度可以由方程(16.9)得到:

$$a_{CR} = \frac{1}{\pi}\left(\frac{K_{CR}}{F \cdot \sigma_{\max}}\right)^2 = \pi^{-1}\left(\frac{104}{1.12 \times 200}\right)^2 = 0.068(\mathrm{m})$$

把 Paris 方程(16.10)积分,定幅值疲劳寿命可以估计为

$$N_p = \frac{\int_{a_{CR}a_0}\frac{\mathrm{d}a}{a^{m/2}\cdot F^m}}{C \cdot S^m \pi^{m/2}} = \frac{0.068^{-0.5} - 0.002\ 5^{-0.5}}{-0.5 \cdot (7.1 \cdot 10^{-12}) \cdot 200^3 \cdot \pi^{1.5} \cdot 1.12^3} = 72\ 887\mathrm{cycles}$$

参考文献

[1] Almar-Naess A. Fatigue Handbook, Offshore Steel Structures[R]. Norway, 1985.

[2] AWS. Structural Welding Code-Steel. ANSI/AWS D1 - 85, American Welding Society, U. S. A. (now updated to AWS D1 - 92 - 14th Edition)[R]. Miami, 1985.

[3] Bai Y, Damsleth P A, Dretvik S. The Asgard Flowlines Project-Limit State Design Experience[M]. Oslo, IBC Conference on Risk-Based & Limit-State Design & Operation of Pipelines, Oct. 1999.

[4] Boller C, Seeger T. Materials Data for Cyclic Loading, Part A-E[M]. Amsterdam: Elsevier, 1987.

[5] Broek D. The Practical Use of Fracture Mechanics[M]. [S. l.]: Kluwer Academic Publisher, 1989.

[6] Coffin L F, Tavernelli J F. The Cyclic Straining and Fatigue of Metals[J]. Trans. Of the Metallurgical Society of AIME, 1959: Vol. 215, p. 794.

[7] Dover W D, Madhav R A G. Fatigue in Offshore Structures[M]. [S. l.]: Balkema, 1996.

[8] Fricke W, Petershagen H, Paetzold H. Fatigue Strength of Ship Structures[M]. Part I: Basic Pronciples, Part 2: Examples, GL Technology.

[9] Gurney T R. Fatigue of Welded Structures [M]. 2nd Edition. Cambridge: Cambridge University Press, 1979.

[10] Igland R T, Saevik S, Bai Y, et al. Deepwater Pipelines and Flowlines [J]. Proc. of OTC'2000 Conference: 2000.

［11］ ISSC. Fatigue and Fracture,Report of technical Committee Ⅲ. 2［R］. Proceedings of the International Ship ad Offshore Structures Congress. 1988,1991,1994,1997,2000.

［12］ Maddox S J. Fatigue Strength of Welded Structures［M］. Abington:Abington Publishing,1992.

［13］ Manson S S,Hirschberg M H. Fatigue:An Interdisciplinary Approach［M］. New York:Sycracuse University Press,1964.

［14］ Marshall P W. Design of Welded Tubular Connections［M］. ［S. l. ］:Elsevier Press,1992.

［15］ Miner M A. Cumulative Damage in Fatigue［J］. Journal of Applied Mechanics,ASME,Vol. 12(3), 1945:159 – 164.

［16］ Paris P,Erdogan F. A Critical Analysis of Crack Propagation Laws ［J］. Journal of Basic Engineering,1963.

［17］ Rolf S T,Barsom J T. Fracture and Fatigue Control in Structures［M］. 3rd Edition. ［S. l. ］:Prentice-Hall,Englewood Cliffs,N. J,1999.

［18］ Suresh S. Fatigue of Materials［M］. ［S. l. ］:Cambridge Press,1991.

［19］ Xu T. Fatigue of Ship Structural Details—Technical Development and Problems ［J］. Journal of Ship Research,1997.

［20］ Xu T,Bea R G. Fatigue of Ship Critical Structural Details［J］. Journal of Offshore Mechanics and Arctic Engineering,ASME,Vol. 199(2),May,1997:96 – 107.

第 17 章　疲 劳 性 能

17.1　$S-N$ 曲线

17.1.1　概述

在第三部分第 16 章中提到,应力范围和失效循环次数的关系是一个关于接头类型、环境和板厚的方程。在本章中,17.1 节将会讨论影响 $S-N$ 曲线的因素;17.2 节讨论接头临界位置(热点)的应力范围确定;17.3 节会列出确定应力集中系数的方法。在第三部分,管状接头和板材连接亦被称为"重要元件"或"元件"。

在基于名义应力方法的疲劳载荷分析中,焊接接头分为许多类,每一类都有一个指定的 $S-N$ 曲线。$S-N$ 曲线的分类取决于元件的几何形状、脉动应力相对于元件的方向以及元件的装配和检查的方法。接头类型包括板板连接、管板连接和管管连接,类型按字母顺序分类,每个类型都有一个由疲劳试验确定的 $S-N$ 关系曲线。设计用的 $S-N$ 曲线是由相关试验数据的平均数减去两倍标准偏差绘制而成的。因此,得到的 $S-N$ 曲线有 97.6% 的生存概率。

例如,挪威和英国的规范中注明:D 曲线适用于载荷垂直于焊接方向的简单板连接,T 曲线适用于管状支撑和桁材的连接,见图 17.1。

在美国的规范中(例如 API RP2A),相对来说很少涉及疲劳,因此,接头分类数目就比欧洲的少。

对于疲劳裂纹可能发生的每一个建造元件,都应该满足规范中相关接头类别的要求。疲劳裂纹可能在许多位置发生,例如,在每个零件连接的焊趾、焊节结束点以及焊缝中,每个位置都应该分别归类。

基本设计 $S-N$ 曲线为

$$\log N = \log K - m\log S \tag{17.1}$$

式中　S——应力范围;

$\quad\quad N$——应力范围 S 下预测的失效循环次数;

$\quad\quad m$——$S-N$ 曲线的负反向斜率(一般 $m=3$);

$\quad\quad \log K$——$S-N$ 曲线 $=\log a - 2std$ 中 N 轴的截距,其中,a 和 std 分别为与 $S-N$ 曲线平均值和 $\log N$ 有关的常数。

空气中的一些 $S-N$ 曲线在图 17.1 中给出。这些 $S-N$ 曲线在 $\log(S)$ 和 $\log(N)$ 之间呈双边线性关系,在 10^7 周期数时,斜率从 1/3 变化到 1/5。右侧较低部分的 $S-N$ 曲线反映出接头试验在低应力范围时有相当长的疲劳寿命。

第二部分设计 $S-N$ 曲线为(NTS,1998)

$$\log N = \log C - r \log S \tag{17.2}$$

式中 r——第二部分 $S-N$ 曲线的负反向斜率(一般 $r=5$);

$\log C$——第二部分 $S-N$ 曲线在 $\log N$ 轴的截距。

应力范围和失效循环次数的关系表明:估算应力范围一个相对较小的变化将会对疲劳寿命产生很大的影响。例如,应力增长 26% 时接头的疲劳寿命将会减半。接头应力的估算应在机械试验结果或优化有限元分析结果的 20% 之内,并且在计算应力集中系数的校准较好的试验公式的 25% 之内。于是,在确定疲劳寿命时,临界区域接头处的应力精确估算是非常重要的。估算应力范围的方法将在 17.2 节中讨论。

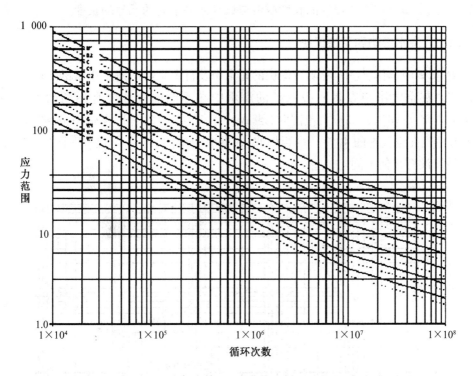

图 17.1 空气中的 $S-N$ 曲线示例(NTS,1998)

在一些设计规范中,规定了一个截至限,当应力范围低于这个截至限时,规定了一个假设的低疲劳损伤。

为了保持一致,本章中的疲劳规范主要基于 NORSOK(NTS,1998)。虽然如此,读者也可以参考其他与项目相关的规范,例如 IIW(Hobbacher. A,(1996),Eurocode 3(1992),IACS(1999),ABS(1992) and DNV(2000))。

17.1.2 板厚的影响

板厚的影响可以归因于与毗邻板厚相关的焊趾的部分几何形状以及板厚方面的应力梯度。这可以解释为

$$\log N = \log K - m \log \left[S \left(\frac{t}{t_{ref}} \right)^k \right] \tag{17.3}$$

式中 t_{ref} —— 参考厚度,管装接头和其他形式焊接接头分别为 32 mm 和 25 mm(NTS,1998);

       t —— 最可能出现裂纹的厚度;

       k —— 疲劳强度的厚度幂指数,范围在 $0.00 \sim 0.25$,具体取决于所选规范和 $S-N$ 曲线(NTS,1998)。

换句话说,厚度影响可以解释为在应力范围上增加一个因数 $(t/t_{ref})^k$。在 HSE 中(1995),k 的值和参考厚度分别取为 0.25 mm 和 22 mm。一般来说,当板厚比参考厚度大时,需要对 $S-N$ 曲线的设计方程做厚度修正。在一定程度上,厚度修正决定了焊区尺寸及其附属物,但是却决定不了焊区的长度或者与试验元件不同的元件的长度。

17.1.3 海水影响和腐蚀保护

在图 17.2 中,对空气中、带阴极保护的海水中及自由腐蚀的海水中管的 $TS-N$ 曲线进行了比较。在空气中与在带阴极保护的海水中在不同的规范中有不同的关系。使用 NORSOK(NTS,1998),在高应力范围时(当 N 小于 10^6 个周期时),在带阴极保护的海水中的疲劳寿命是空气中的 40%。尽管如此,在低应力范围(当 N 超过 10^7 个周期时),两种 $S-N$ 曲线却没有任何不同。

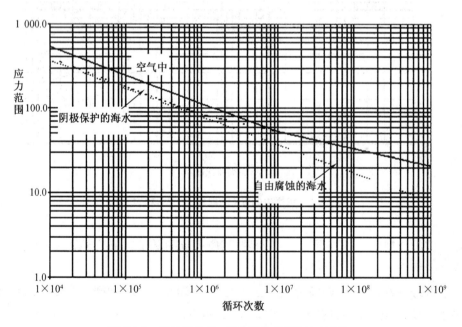

图 17.2 管状接头 $S-N$ 曲线比较(NTS,1998)

一般来说,在高应力范围(当 N 小于 10^7 个周期时),自由腐蚀海水中的疲劳寿命是空气中的 33%。当 N 不大于 10^7 个周期时,自由腐蚀 $S-N$ 曲线的斜率没有任何变化,此时的疲劳寿命是同条件下空气中疲劳寿命的 10% 左右。

17.1.4 平均应力的影响

平均压应力对疲劳性能起有利的作用,通常不是必须要考虑平均应力的影响。尽管如此,修正 $S-N$ 曲线时考虑平均应力影响也是必需的,例如,对于张力腿平台的系索和系缆,它们的非线性响应很重要,疲劳寿命评估就必须考虑平均应力影响。在文献中,可以找到一些由于平均应力影响而校正 $S-N$ 曲线的模型。其中,最有名的模型是所谓的 Modified Goodman 关系,它可以表达为(Almar – Naess, 1985)

$$S_{a,N} = \frac{S_a}{1 - \sigma_m/\sigma_u} \tag{17.4}$$

式中, $S_{a,N}$ 为在反向载荷(平均应力为0)作用下疲劳寿命给定时的应力; S_a 是应用的交变应力; σ_m 和 σ_u 分别为平均应力和极限应力。在校正 $S-N$ 曲线中,应力范围应使用方程(17.4)中定义的 $S_{a,N}$。

17.1.5 设计标准中 $S-N$ 曲线的比较

在文献中有许多种疲劳设计规范,例如:

(1)一般钢材规范:BS 7608,BS 7910,Eurocode 3, NS 3472;

(2)海洋工业:NORSOK, UK HSE(UK Den),API 等;

(3)船舶工业:船级社规范,IACS 规定;

(4)IIW(国际焊接协会),AWS(美国焊接协会);

(5)汽车工业,航空航天工业等;

(6)桥梁工业:BS5400(BSI, 1979), AASHTO(1989);

(7)ASME(美国机械工程师协会)压力容器规范;

(8)铝焊接规范:BS8118(BSI, 1991), ECCS(1992)。

在欧洲,UK HSE(1995)替代了 UK DEn(1990),主要的改变就是 m 和 r 不再依赖于所选的 $S-N$ 曲线,UK HSE(1995)引进了一个焊接分类系数 f(与应力范围相乘),这样就可以把 UK Den(1990)中不同的 $S-N$ 曲线用一个方程表达。换句话说,UK HSE(1995)通过对应力范围的定义将 $S-N$ 曲线规范为一个方程:

$$S = f \cdot S_g \left(\frac{t}{t_f} \right)^k \tag{17.5}$$

式中, S_g 为应力范围,包括焊接大尺度应力,但不包括局部缺陷引起的峰值应力,局部缺陷的影响已包含在焊接分类系数 f 内。

焊接等级(B,C,D,…)和焊接分类系数 f 的关系是 B($f=0.64$),C($f=0.76$),D($f=1$),E($f=1.14$),F($f=1.34$),F2($f=1.52$),G($f=1.83$),W($f=2.13$)。

自 1948 开始,挪威的标准 NS3472 就已经应用在挪威的陆上及海上钢结构中。1998 年,NS3472 标准被改进,同时,发展出了一个海上钢结构设计使用的标准 NORSOK N – 004 (NTS,1998)。挪威首创了 NORSOK 标准,目的是为了在工业界开发出一个更有助于减少海上开发造价的标准。欧洲规范3(Eurocode 3)是一个欧洲建筑结构标准。表17.1 列出了欧洲使用的空气环境下的 $S-N$ 曲线。

表 17.1　空气环境下关于疲劳 $S-N$ 曲线的欧洲各标准比较

Euro Code 3 Notation (FAT)	NORSOK/ NS 3472/ HSE Notation	Log K For $N \leqslant 10^7$ ($m=3$)	Log C For $N > 10^7$ ($r=5$)	Sress Amplitude at transition /MPa $N=10^7$	Thickness Exponent k	SCF as Derived by the Hot – Spot Stress
160	B1	12.913	16.856	93.57	0	
140	B2	12.739	16.566	81.87	0	
125	C	12.592	16.320	73.10	0.15	
112	C1	12.449	16.081	65.50	0.15	
100	C2	12.301	15.835	58/48	015	
90	D	12.164	15.606	52.63	0.25	1
80	E	12.010	15.350	46.78	0.25	1.13
71	F	11.855	15.091	41.52	0.25	1.27
63	F1	11.699	14.832	36.84	0.25	1.43
56	F3	11.546	14.576	32.75	0.25	1.61
50	G	11.398	14.330	29.24	0.25	1.80
		11.261	14.101	26.32		
		11.107	13.845	23.39		
36	W3	10.970	13.617	21.05	0.25	2.50
	T	Same as D	Same as D	Same as D	Same as D	Same as D

注:由于厚度修正,管状和非管状焊接接头的参考厚度分别为 32 mm 和 25 mm。

在美国,疲劳设计是基于 API RP 2A WSD 和 AWS D1.1 基础上进行的。AWS 规范条款的详细背景,由 Marshall(1992)规定并由 Marshall(1993)提出概要。Geyer and Stahl(1986)为海洋结构提供了一种简化的疲劳设计程序。关于 $S-N$ 曲线的最新研究进展可以在 Maddox(2001)中找到。

在 API RP 2A 中,X' 曲线用于没有板型控制的焊接连接和板厚超过 0.625 in(16 mm)时的厚度修正。在该规范中,厚度修正幂指数 k 取 0.25。X 曲线用于有板型控制的焊接连接和壁厚大于 1 in(25 mm)时的厚度修正。尽管如此,在厚度修正后,X 曲线不能低于 X' 曲线。

API 规范的 $S-N$ 曲线是单个的(不是双线性的),且有一个疲劳极限。这个疲劳极限在 X 曲线和 X' 曲线中分别为 35MP 和 23MP,X 曲线中的 K 和 m 分别为 1.15^{15} 和 4.38,X' 曲线中的 K 和 m 分别为 2.5^{13} 和 3.74。

船级社在他们的规范和指南中定义了疲劳标准。通过统一不同船级社对船用结构疲劳评估的要求,IACS 开发出了一种疲劳评估的要求。船用结构疲劳 $S-N$ 曲线主要基于 UK Den 基本 $S-N$ 曲线和 IIW $S-N$ 曲线。

IIW $S-N$ 曲线,假设所有 $S-N$ 曲线斜率 $m=3$ 且在 $N=5 \times 10^6$ 个周期时斜率改变($m=5$)(Hobbacher.A,1996)。这些 $S-N$ 曲线基于名义应力范围,相当于没有腐蚀的条件,由平均值减去两倍标准差。它们的疲劳级别以 2×10^6 个周期时的疲劳强度为特征,例如,相当于 2×10^6 个周期(FAT)的应力范围为 160,140,125,112,100,90,80,71,63,56,50,45,40,36,具体参照表 17.1。

BV 船级社 1998 年提出了 $S - N$ 曲线的修正以便考虑各种系数的影响,比如:

(1)静力和残余应力影响:屈服应力值的残余张应力将会降低疲劳寿命,在这种情况下,不考虑实际最大应力,最大应力应该假设为屈服应力。焊接后处理可能改进焊口形状和疲劳性能。

(2)压应力的影响:当应力范围超出屈服应力时,为了考虑压应力的降低损伤作用,计算出的局部应力范围 S_{local} 可以用 British Standard 5400 修正:应力范围定义为

$$当 \sigma_\gamma \leqslant S_{local} \leqslant 2\sigma_\gamma 时, S = \sigma_\gamma + 0.6(S_{local} - \sigma_\gamma) \tag{17.6}$$

$$当 S_{local} > 2\sigma_\gamma 时, S = 0.8 S_{local} \tag{17.7}$$

(3)板厚影响。

(4)材料影响:焊接接头的疲劳强度与材料性质几乎无关,如材料等级。尽管如此,对于机械加工板,材料对屈服强度的影响是很大的。

(5)环境影响。

(6)工艺: $S - N$ 曲线由标准工艺和焊接规程得到。在一些实例中,当确定热点应力时,瑕疵和错位的影响必须要考虑。

在大多数设计规范中,环境和板厚影响有明确的解释,同时,在一些实际规范中对以上列出的其他项目要求不一,可以考虑,也可以不考虑。

17.1.6　疲劳强度改进

当理论计算的疲劳寿命低于要求时,保证疲劳设计的方法包括:

(1)改进结构元件的设计(例如减小应力集中,残余应力和错位,增加局部壁厚);

(2)改进分析方法:疲劳谱分析通常比简化疲劳评估更精确。时域分析可能比疲劳谱分析更好。海况的选择、载荷条件和环境数据质量都会影响疲劳分析的结果。

从性能观点出发,影响疲劳的三个最重要的系数包括:由焊接形状引起的应力集中、瑕疵形状和分布、残余应力。通过装配和修理,改进疲劳性能的方法包括(BV,1998):

(1)对焊接形状的打磨或焊趾重熔修正;

(2)改进焊接规程和工艺;

(3)引入压应力,例如:通过捶打或喷丸硬化;

(4)焊接后热处理。

尽管如此,设计最有效的方法或最可能的改进(比如减小几何应力集中系数)包括:

(1)切口(Cut - outs)形状改进;

(2)软化托架趾(Brackets toes);

(3)局部加厚。

更多关于焊接细节改进和疲劳设计的讨论将在第三部分第 22 章给出。

17.1.7　试验 $S - N$ 曲线

大多数 $S - N$ 曲线是在实验室中得出的,试样承受等幅值的力直至失效。这些 $S - N$ 曲线是由平均疲劳寿命和 $\log N$ 的标准差得到的。平均 $S - N$ 曲线定义为 50% 的样品将会失

效。基本 $S-N$ 曲线设计给出为

$$\log N = \log K_{50} - m\log S \tag{17.8}$$

式中,K_{50} 由 $\log K_{50}$ 的平均值得到。为了得到 $S-N$ 曲线需要做大量的试验。尽管如此,当系数 m 已知时,10 次试验就足以准确地得到 $S-N$ 曲线(BV,1998):

(1)在应力水平相当于 $N = 10^4$ 时,s 为 5;

(2)在应力水平相当于 $N = 5 \times 10^5$ 时,s 为 5。

如果 p 是试样落在设计 $S-N$ 曲线的下方的百分比,设计 $S-N$ 曲线可以定义为以下形式:

$$\log N = \log K_{50} - \lambda_p S_d - m\log S \tag{17.9}$$

式中,S_d 是 $\log K_{50} D$ 的标准差。λ_p 的值和失效概率的关系如下(BV,1998):

(1)失效寿命设计:$p = 2.5\%$,$\lambda_p = 2$(通常用于获得 $S-N$ 曲线);

(2)安全寿命设计:$p = 0.1\%$,$\lambda_p = 3$(用于代表不能轻易检查和修理的结构元件的试样)。

17.2　应力范围估计

应力分析的步骤基于周期性主应力的范围。

为了确定应力范围,人们开发出了两种方法:"名义应力"方法应用在板结构中,"热点应力"方法应用在管接头中。注意,一种"切口应力"方法也被一些设计规范建议使用。近几年,人们正试图将热点应力方法应用在板结构中。

17.2.1　名义应力

在名义应力方法中,由焊接外形引起的应力集中已经包含在 $S-N$ 曲线中。

结构元件疲劳分析中应用的应力的确定,通常要通过与所选 $S-N$ 曲线一致的相关应力的总体 - 局部有限元分析得到。换句话说,结构元件局部热点区域的计算应力应该与由试样得出的 $S-N$ 曲线的名义应力相似。但是,在大多数情况下,几何形状、应用的载荷方面和结构元件都比试样要复杂得多。因此,$S-N$ 曲线的应力数据和计算应力的关系可能不是那么容易找出的。

另一个与名义应力方法有关的问题是结构元件的分级。UK Den 曲线和最近欧洲 $S-N$ 曲线的基本区别在于,UK Den 曲线没有疲劳极限。疲劳极限是在定周载荷试验中发现的。由于海洋结构元件的许多原因,如焊接、腐蚀以及随机载荷的载荷顺序效应,它经常不在海洋结构元件中出现。

疲劳设计中相关的疲劳应力一般是拉应力 σ,如图 17.3(a)中的焊接。对于图 17.3(b)中所示的焊接,应力集中系数必须由 $SCF \cdot \sigma$ 的相关疲劳应力解释,由于开孔,SCF 即为应力集中系数。

如果边角元件建模时半径为零,由于单元减小到零,那么计算出的应力将会趋于无穷大。用合适的单元半径建模需要单元划分得十分精密,这会增加有限元模型的大小。此外,分析用的半径要适当选择,这是个需要讨论的事情。

17.2.2　热点应力方法

对管接头来说,名义应力方法存在两个缺点。首先,由于复杂的几何形状和应用载荷,

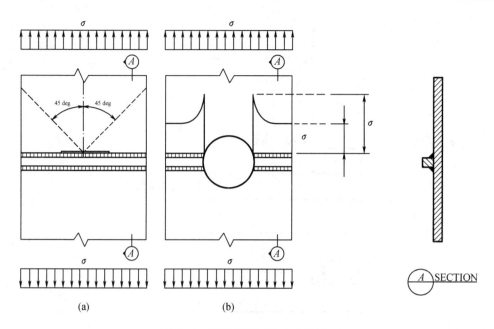

图 17.3　两种板截面的应力描述

定义合理的名义应力就不太可能了。其次,对于大的复杂的管接头,适当的疲劳试验数据经常不可用。因此,为了克服这些困难,人们又开发了热点应力方法(Kung,1975;Lalani,1992)。

　　热点应力方法将名义应力方法的各种 $S-N$ 曲线减小到两种基线曲线:一个是非焊接结构曲线(例如切块、板边),另一个就是焊接结构曲线。这是利用最接近焊口的应力完成的,这个应力被定义为热点疲劳应力。

　　试验中得到的 $S-N$ 曲线基本平行,热点应力方法就是基于对其的观察而开发的。这就表明,所有的 $S-N$ 曲线都可以通过一些系数各自相关。例如在 UK DEn 曲线中,E 曲线和 F 曲线由一个为 1.2 或 1.3 的系数相互关联,假设如下:

　　(1)相关联的系数反映了不同元件的不同结构形式;

　　(2)局部疲劳失效与元件形式无关,元件疲劳性能的不同是由不同的结构形式引起的;

　　(3)结构应力集中系数(SCF)可以完整地反映结构形式的影响。

　　管接头的热点应力的范围应该与 $S-N$ 曲线 T 相结合,板结构的热点应力范围应该与 UK $S-N$ 曲线 D 相结合。如果母材的焊接表面经过机械加工,则可以使用 C 曲线。因此,机械加工必须使焊接引起的局部应力集中消失。

　　热点应力概念中假设:由焊接外形引起的局部应力系数应当包含在 $S-N$ 曲线中。由总体几何形状改变和局部几何形状改变引起的应力集应该包含在热点应力中。热点应力方法的问题在于,应力梯度在焊接邻近区域和半断面处非常高。正是由于高应力梯度,在有限元方法中计算的应力对有限元网格大小极为敏感。网格的敏感性是由应用中热点应力的不精确定义而引起的。

　　为了定义热点应力,由有限元分析和机械试验得出的应力可以线性外推出来,参见图 17.4。虚线是由距焊趾 $t/2$ 和 $3t/2$ 处的应力得出的(这个距离可能因规范选取不同而不同)。

　　在下列情况下应首选热点应力方法:

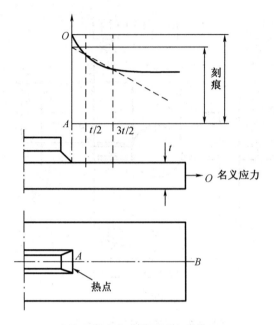

图 17. 4　连接处的应力分布及应力外推(NTS,1998)

(1)由于复杂几何形状影响,名义应力没有定义;

(2)结构不连续与任何分类资料都无法类比;

(3)疲劳试验中使用应变仪确定热点应力;

(4)偏差或者角度误差超出了名义应力方法的制造公差。

17. 2. 3　切口应力方法

切口应力方法是考虑焊接外形的峰值应力来测定的。因此,切口应力被估计为热点应力和焊接外形应力集中系数(所谓的焊接集中系数)的产物。焊接集中系数可以从图表、参数方程、试验测量和有限元分析中估计得到。应用切口应力方法时要考虑到焊接的出现。

国际焊接协会(IIW)(Hobbacher,1996)推荐使用下列步骤计算切口应力:

(1)$r = 1$ mm 的有效焊根半径要考虑;

(2)此方法只适用在焊接接头,焊接接头预期会在焊趾和焊根之间失效;

(3)可以考虑对接焊缝 30°的螺纹侧面角和填角焊缝 45°角;

(4)此方法只适用于厚度大于 5 mm 的情况。

17. 3　应力集中系数

17. 3. 1　应力集中系数的定义

应力分析的目的即为计算焊趾(热点)处的应力 σ_{hotspot} 。由几何形状引起的应力集中系数定义为

$$\text{SCF} = \frac{\sigma_{\text{hotspot}}}{\sigma_{\text{nominal}}} \qquad (17. 10)$$

有三种方法可以确定 SCF：

（1）试验数据；

（2）有限元分析；

（3）基于试验数据或有限元分析的参数方程。

上述方法将会在下面部分详细列出。

17.3.2　由试验测量确定应力集中系数（SCF）

确定应力集中系数最可靠的方法是在疲劳试验中使用应变测量。尽管如此，准确地安装应变仪以便使得到的数据和所选的设计 $S-N$ 曲线相协调仍然非常重要。如果这一点没达到，就可能产生过失误差。

在 $S-N$ 曲线中，定义使用的 SCF 方法是由线性应力数据区域对焊趾处的外推，这种方法包含取决于焊接细节的不同部分的切口 SCF 以及几何应力集中。由于结构形状效应可能不能完全从局部焊接形状效应中分离出来，所以这基本上归因于热点应力概念的基本假设。尺度效应、焊接外形、残余应力以及应力分布通常是其具有差异性的原因。管接头中的焊接外形影响并不是主要来源于焊接形状自身，它是由于弦上的焊趾的位置，而弦能显著地影响焊趾处的热点应力。因此，一种连贯的应力恢复步骤（A Consistent Stress Recovery Procedure）应该在 SCF 测量中开发出来。

17.3.3　应力集中系数的参数方程

假定多种 SCF 需要在任意的管接头中估计，则 SCF 的确定更多地依赖于参数方程，参数方程可以解释接头几何形状和应用载荷。

应力集中系数可能定义为热点应力范围和名义应力范围的比。在评估应力集中系数时，所有的应力梯级都应当考虑，得到的 SCF 为

$$SCF = SCF_g \cdot SCF_w \cdot SCF_{te} \cdot SCF_{ta} \cdot SCF_n \qquad (17.11)$$

式中　SCF_g——由元件的总体几何形状引起的应力集中系数；

　　　SCF_w——由焊接几何形状引起的应力集中系数；

　　　SCF_{te}——由偏心度公差引起的额外的应力集中系数（名义上只用于板连接）；

　　　SCF_{ta}——由角度配合不当引起的额外的应力集中系数（名义上只用于板连接）；

　　　SCF_n——受侧面载荷作用的平板上的非对称加强筋的额外应力集中系数，当名义应力从简单梁分析中得到时可用。

最有名的海洋结构疲劳评估 SCF 公式是 Efthymious（1988）。在文献中，有各种不同的参数方程来确定 SCF，例如：

（1）管接头 SCF 方程：AF'I RP2A－WSD，NORSOK N－004（NTS 1998）and Efthymiou（1988）。此外，Smedley and Fisher（1990）给出了在轴向载荷、板内和板外弯曲情况下环形加强的管接头的 SCF。对于矩形空腹型钢，请参考 Van Wingerde，Packer，Wardenier，Dutta and Marshall（1993）和 Soh and Soh（1993）。

（2）管板连接 SCF 方程：NORSOK N－004 and Pilkey（1997）。

（3）环形焊缝 SCF：NORSOK N－004（NTS，1998）。

上文提到的从参考书目中得到的 SCF 方程已总结在 DNV（2000）中。

需要指明的是，只有在几何形状和载荷方面定义的适用范围内，参数方程才有效。通

常确定 SCF 的方法是利用有限元分析,具体参考以下部分。

17.3.4　基于有限元分析的热点应力计算

有限元分析的目的是,计算热点应力区域的几何应力分布,然后利用这些应力得到应力集中系数。SCF 的有限元分析的结果很大一部分取决于建模技巧和使用的计算程序。不同的单元和网格、焊接建模和定义的弦长会大大地影响 SCF 的计算(Healy 和 Bultrago,1994)。

通过减小单元大小,有限元方法(FEM)应力在不连续处可能趋于无穷大。为了得到一个统一的根据来对比不同的计算程序和人员的结果,设置一个单元尺度下限和对热点进行步骤外推就很必要。

有限元分析的应力通常在高斯积分点得到。为了确定焊趾处的应力,可能需要进行多次外推,次数视单元大小而定。为了维护热点处主应力的方向信息,分量应力将会被用于外推。

在对其进行疲劳评估之前,应该用该分析方法对已知元件做一次算例分析。现在很多的单元形式可用,而得到的 SCF 取决于所选的单元。因此,当评估由有限元分析得到的数据时,一致的应力恢复过程(A Consistent Stress Recovery Procedure)必须标准化。

有限元分析程序,像 NASTRAN, ABAQUS 和 ANSYS,所用的结构单元有薄板单元、厚板单元或者壳单元。当对焊接管接头进行建模时,焊件可能不能用薄板单元或壳单元真实地建立。因此,模型并不能解释任何由焊接出现和焊接形状微小影响而产生的切口效应。

薄壳板的应力是由薄膜应力和单元中面的力矩计算得到的。总自由面应力是由重叠得到的。在板截面处,峰值应力预计会在实际接头内部的位置出现。将这些数据和试验测量值比较,我们得出薄壳分析结果高于实际面应力或者实际结构的 SCF 的结论。

大多数有限元原理是基于位移法的。这就意味着位移和变形在网格中是连续的,但是单元之间的应力却是间断的。因此,我们推荐使用节点平均应力。尽管如此,对这些计算值和试验测量值的有限比较仍表明,这种方法通常会高估热点应力或 SCF,尤其是在托架边。

与壳单元相对,使用实体单元可以包括焊接区域,参见图 17.5。在这种模型中,可以从应力分量外推出相关焊趾的 SCF,外推的方向应与焊趾垂直。尽管如此,仍然有相当多的不确定性,这些不确定性与焊接区域和焊接形状的建模有关。

Fricke(2002)推荐使用热点应力分析步骤对船舶和 FPSO 进行分析,这个步骤基于时间片轮转的有限元分析。他的一些发现包括:

(1)如果热点应力是由 0.5 t 和 1.5 t 处的应力经线性外推得到的,那么疲劳强度可以使用基于热点应力的一般设计 $S-N$ 曲线来估计(例如:Hobbacher, 1996;Maddox, 2001);

(2)如果热点应力是未经应力外推而定义为 0.5 t 处的值,那么设计 $S-N$ 曲线应该降低一级疲劳等级;

(3)如果热点应力是由应变测量或者通过改良的有限元精细模型估计得到的,那么推荐外推 0.4 t 和 1.0 t 处参考点的应力或者二次外推(Hobbacher, 1996)。

需要指出的是,由于应力确定的精确性和效率非常重要,基于有限元分析的热点应力的确定仍然是很活跃的研究领域。其他有名的研究工作包括 Niemi(1993, 1994)。

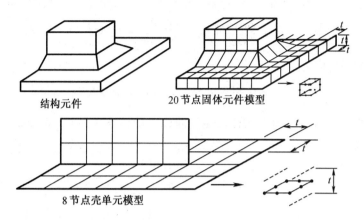

图 17.5 模型实例(NTS,1998)

17.4 例子

例 17.1 疲劳损伤计算

问题:两个板 A 和 B 两边对焊,另一块板 C 通过填角焊焊接在 A 板上,如图 17.6 所示。板厚为 20 mm,板承受应力范围 $S = 200$ MPa、总的周期次数 $n_0 = 10^5$ 的循环载荷。假定焊缝最大错位是 4 mm。这些焊缝的疲劳损伤是多少?

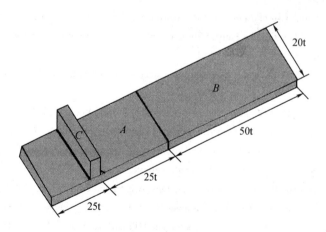

图 17.6 焊接疲劳板

解 焊缝错位引入了板的弯曲力矩。对接焊缝中相关的弯曲应力范围是

$$S_b = \frac{\Delta M}{W} = \frac{S \cdot t \cdot \dfrac{e}{2}}{\dfrac{t^2}{6}} = \frac{S \cdot 3e}{t}$$

对接焊缝最大应力范围是

$$S_{local} = \left(1 + \frac{3e}{t}\right) \cdot S = SCF_{global} \cdot S = 120 \text{ MPa}$$

对接焊缝中应使用 $S-N$ 曲线 C 的 $m=3.5$, $\log \bar{a}=13.63$。这给出了下面的损伤比：

$$D = \frac{\Delta \sigma_{\text{local}}^m}{\bar{a}} \cdot n_0 = \frac{120^{3.5}}{10^{13.63}} = 0.044$$

对接焊缝的局部应力范围是

$$S_{\text{local}} = 0.5\left[S + S\left(1 + \frac{3e}{t}\right)\right] = 160 \text{ MPa}$$

由于对接焊缝超出了板边，所用的 $S-N$ 曲线 G 应该选用 $m=3.0$, $\log \bar{a}=11.39$，这给出下面的损伤比：

$$D = \frac{\Delta \sigma_{\text{local}}^m}{\bar{a}} \cdot n_0 = \frac{160^{3.0}}{10^{11.39}} = 1.669$$

参考文献

[1] ASHTO. Standard Specification for Highway Bridges[R]. Washington D. C. 1989.

[2] ABS. Steel Vessel Rules[R]. 1992.

[3] Almar-Naess A. Fatigue Handbook, Offshore Steel Structures[M]. Norway: Tapir, 1985.

[4] API RP2A – WSD, Planning, Designing and Constructing Fixed Offshore Platforms—Working Stress Design[R]. 2001.

[5] AWS D 1.1. Structural Welding Code—Steel[R]. American Welding Society: 1992.

[6] BS 5400, Steel, Concrete and Composite Bridges, Part 10, Codes of Practice for Fatigue[R]. British Standard Institute: 1979.

[7] BS 8118, Structural Use of Aluminum[R]. British Standard Institute: 1991.

[8] BS 7608. Code of Practice for Fatigue Design and Assessment of Steel Structures[R]. British Standard Institute: 1993.

[9] BS 7910. Guide on Methods for Assessing the Acceptability of Flaws in Structures[R]. British Standard Institute: 2001.

[10] BV. Fatigue Strength of Welded Ship Structures[R]. Bureau Veritas: 1998.

[11] DNV, RP – C203. Fatigue Strength Analysis of Offshore Steel Structures[R]. Det Norske Veritas: 2000.

[12] ECCS. European Recommendations for Aluminum Alloy Structures: Fatigue Design[C]. ECCS Report No. 68, European Convention for Structural Steelwork. Brussels: 1992.

[13] Eurocode 3. Design of Steel Structures[R]. European Standards: 1993.

[14] Efthymiou M. Development of SCF Formulae and Generalized Influence Functions for Use in Fatigue Analysis[J]. Offshore Tubular Joints Conference OTJ, Egham, Surrey, U. K: 1988.

[15] Fricke W. Recommended Hot-Spot Analysis Procedures for Structural Details of Ships and FPSOs Based on Round-Robin FE Analysis[J]. Journal of ISOPE, 2002, 12(1): 40 – 47.

[16] Fricke W, Berge S, Brennan F, et al. Fatigue and Fracture[C]. Committee report of ISSC (Int. Ship and Offshore Structures Congress), Nagasaki, Japan: 2000.

[17] Geyer J F, Stahl B. Simplified Fatigue Design Procedure for Offshore Structures[C]. Offshore Technology Conference, OTC Paper 5331, Houston, Texas: 1986, May 5 – 8.

[18] Healy B E, Bultrago J. Extrapolation Procedures for Determining SCFs in Mid-surface Tubular Joint Models[C]. 6th Int. Symposium on Tubular Joint Structures, Monash University, Melbourne, Australia: 1994.

[19] Hobbacher A. Fatigue Design of Welded Joints and Components[J]. International Institute of Welding

(IIW),1996.

[20] HSE, Offshore Installation, Guidance on Design, Construction and Certification [R]. UK Health and Safety Executives,4th Edition,Section 21:1995.

[21] IACS, Recom. 56. 1: Fatigue Assessment of Ship Structures [R]. International Association of Classification Societies:1999.

[22] ISO/CD 19902 Petroleum and natural Gas Industries-Offshore Structures-Fixed Steel Structures[R]. International Standard Organization.

[23] Kung J G, Potvin A, et al. Stress Concentrations in Tubular Joints [J]. Paper OTC 2205, Offshore Technology Conference,1975.

[24] Lalani M. Developments in Tubular Joint Technology for Offshore Structures[C]. Proceedings of the International Conference on Offshore and Polar Engineering,San Francisco,CA:1992.

[25] Maddox S. Recommended Design S - N Curves for Fatigue Assessment of FPSOs[C]. ISOPE - 2001, Stavanger:2001.

[26] Marshall P W. Design of Welded Tubular Connections[M]. Amsterdam:Elsevier Press,1992.

[27] Marshall P W. API Provisions for SCF, SN and Size-Profile Effects [C]. Offshore Technology Conference,Houston,TX:1993.

[28] Niemi E. Stress Determination for Fatigue Analysis of Welded Components[C]. International Institute of Welding (IIW),Technical Report IIS/IIW - 1221 - 93:1993.

[29] Niemi E. On the Determination of Hot Spot Stress in the Vacinity of Edge Gussets[C]. International Institute of Welding(IIW),Technical Report IIS/IIW - 1555 - 94:1994.

[30] NS 3472,Design of Steel Structures[R]. Norwegian Standards:1984.

[31] NTS,Design of Offshore Structures, Annex C,Fatigue Strength Analysis[R]. NORSOK Standard N - 004:1998.

[32] Pilkey W. Petersen's Stress Concentration Factors,2nd Edition[M]. [S. l.]:John Wiley and Sons,Inc, 1997.

[33] Radaj D. Design and Analysis of Fatigue Resistant Structures [M]. Cambridge, UK Abington Pub. ,:1990.

[34] Smedley P,Fisher P. Stress Concentration Factors for Ring-Stiffened Tubular Joints[C]. International Symposium on Tubular Structures,Delft,June 1990.

[35] Soh A K, Soh C K. Stress Concentrations in T/Y nd K Spare-to-Spare and Sqare-to-Round Tubular Joints[J]. Journal of OMAE,1992,Vol. 114.

[36] UK DEn, Offshore Installations:Guidance on Design, Construction, and Certification[M]. 3rd Edition. UK Department of Energy(Now UK Health and Safety Executives),1990.

[37] Packer J A, Wardenier J, Dutta D, et al. Proposed Revisions for fatigue Design of Planar Welded Connections made of Hollow Structural Sections[J]. Tubular Structures,1993:65.

第 18 章　疲劳载荷和应力

18.1　引言

海洋结构在其生命周期内可能承受各种载荷。这些载荷通常分为以下几类：

（1）功能载荷

①静载荷；

②动载荷。

（2）环境载荷

①海洋载荷（波浪和海流）；

②风载荷；

③地震载荷。

（3）偶然载荷

所有载荷大小和方向的变化都会引起结构应力变化，应力变化就有可能导致疲劳破坏。在这方面，动载荷和环境载荷尤其重要，环境载荷是影响海洋结构的主要载荷。波浪和海流被认为是作用在海洋结构的环境载荷中的最重要来源。锚泊定位的浮式结构对风载荷也很敏感。

在疲劳分析中，疲劳载荷是其中一个关键的参量，在疲劳破坏过程中，它是一个长期的载荷。为了描述海洋环境的特性、结构响应和进行统计学描述，人们已经对海洋结构的疲劳载荷做了各种研究。通常用波浪谱来描述海洋环境，通过水动力学理论和有限元分析来确定结构响应。

本章的目标是利用韦伯分布函数描述长期疲劳应力，并列出一般程序，其他疲劳载荷方法有设计波法和波浪散点图法。韦伯应力分布函数已经被用来做简化疲劳评估（参见第19章），波浪散点图法应用在频域疲劳分析和时域疲劳分析中（参见第20章）。

Almar‐Naess（1985）对一些前期关于疲劳载荷的研究资料进行了总结，可以在 Baltrop（1998）找到这一领域的近期发展，论文有 Chen and Shin 等人的（1995）和 ISSC 会议报告。

18.2　远洋船舶的疲劳载荷

对远洋船舶来说，在确定总体弯曲载荷和局部压力时，需要考虑两种海况：迎浪情况和斜浪情况。对满载情况和压载情况要分别计算其疲劳积累破坏。根据船舶的种类，船级社规定了每种情况的可能性，如表18.1所示。

表 18.1　疲劳载荷情况比例（IACS，1999）

船型	满载载荷，α	压载，β
油船、液化石油气船	50%	50%
散货船	60%	40%
集装箱船、货船	75%	25%

迎浪和斜浪这两种基本海况与作用在船体结构上的各种环境动力效应相联合。这些海况的载荷分量取决于所应用的船级社规范。例如，BV（1998）进一步规定了船体梁载荷和局部载荷（压力和内部载荷）的四种情形，如表 18.2 所示。

表 18.2　远洋船舶的载荷情形（BV，1998）

	迎浪情况，α	斜浪情况，β
与最大和最小货物静载荷或压载载荷有关的静水压力	情况 11 $A_{max} = -0.45$ $A_{min} = 0.45$ $B = 0$	情况 21 $A_{max} = -0.30$ $A_{min} = 0.30$ $B = 0.45$
与静止内部货物或压载载荷有关的最大（船位于波峰）和最小（船位于波谷）波激水压力	情况 12 $A_{max} = 0.625$ $A_{min} = -0.625$ $B = 0.45$	情况 22 $A_{max} = -0.30\,\mathrm{sgn}(z - N)$ $A_{min} = 0.30\,\mathrm{sgn}(z - N)$ $B = -0.625$

总体载荷包括考虑载荷情况时的静水弯矩 M_{SW} 和垂直波浪弯矩。垂直弯曲应力 σ_L 进一步定义如下：

（1）最大内部货物或压载载荷的中垂情况

$$\sigma_L = （M_{SW} + A_{max}（M_{WV}）_S）\frac{z - N}{I_V} + BM_{WH}\frac{y}{I_H} \tag{18.1}$$

（2）最小内部货物或压载载荷的中拱情况

$$\sigma_L = （M_{SW} + A_{min}（M_{WV}）_H）\frac{z - N}{I_V} + BM_{WH}\frac{y}{I_H} \tag{18.2}$$

式中　I_V 和 I_H ——分别代表关于垂直中性轴和水平中性轴的截面转动惯量；

　　　N 和 z——分别代表从龙骨线到中性轴的垂直距离和从龙骨线到载荷作用点的距离；

　　　y——从载荷作用点到中心线的水平距离；

　　　$（M_{WV}）_S$ 和 $（M_{WV}）_H$ ——按照 IACS 的要求，分别代表中垂和中拱情况下的垂直波浪弯矩；

　　　A_{max}，A_{min} 和 B——表 18.2 中定义的系数。

局部载荷包括静水压力和内部货物或压载载荷。满载情况下的应力范围可以估计为

$$S_{ij} = \left|（\sigma_{ij}）_{max} - （\sigma_{ij}）_{min}\right| \tag{18.3}$$

相似地，压载情况下的应力范围可以估计为

$$S'_{ij} = \left| (\sigma'_{ij})_{\max} - (\sigma'_{ij})_{\min} \right| \tag{18.4}$$

可以用一种双参量的韦伯分布来描绘船体梁应力范围的长期分布。当可以通过对船舶海上性能的长期分析确定船体梁弯曲应力的长期分布时,形状系数 ξ 可以用以下方法确定(BV, 1998):

$$\xi = 0.47/\ln\left(\frac{\sigma_{10^{-8}}}{\sigma_{10^{-5}}}\right) \tag{18.5}$$

式中,$\sigma_{10^{-8}}$ 和 $\sigma_{10^{-5}}$ 分别为发生概率超过 10^{-8} 和 10^{-5} 时,极限船体梁弯曲应力。

如果没有对船舶海上性能的直接分析,远洋钢制船形状系数 ξ 的初步近似值可以由 IACS(1999)得到:

$$\xi = 1.1 - 0.35\frac{L - 100}{300} \tag{18.6}$$

式中,L 为船长。

18.3　疲劳应力

18.3.1　概述

作为第 19 章的准备,本部分将介绍长期疲劳应力的估计方法,这些方法将分别在之后的章节中用到,他们包括:

(1)基于韦伯分布的疲劳应力;

(2)基于确定性方法的疲劳应力;

(3)基于随机方法的疲劳应力。

18.3.2　基于韦伯分布的疲劳应力

长期疲劳应力 S 的韦伯概率密度函数可以表示为

$$f(S)\frac{\xi}{A}\left(\frac{S}{A}\right)^{\xi-1}\exp\left[-\left(\frac{S}{A}\right)^{\xi}\right] \tag{18.7}$$

式中,A 为一个尺度参数;ξ 是形状参数,它是结构类型和位置的函数,形状系数 ξ 的标准值见表 18.3。

表 18.3　简化疲劳评估的韦伯形状系数标准值

	形状系数 ξ 的标准值
快速货船	$\xi > 1$,可以为 1.3 或更大一点
在赤道附近行驶的较慢的船	$\xi < 1$,可取为 0.7
墨西哥湾的固定平台	$\xi \cong 0.7$
北海的固定平台	$\xi > 1$,如果平台细长且水动力灵活,可以取到 1.4

韦伯分布的形状系数通常取决于产生周期应力的载荷种类。

韦伯分布函数为

$$F(S) = \int_0^S f(S)\,\mathrm{d}S = 1 - \exp\left[-\left(\frac{S}{A}\right)^\xi\right] \tag{18.8}$$

应力的超越概率可以表示为

$$p = 1 - \int_0^S f(S)\,\mathrm{d}S = \exp\left[-\left(\frac{S}{A}\right)^\xi\right] \tag{18.9}$$

若设 S_0 为极端应力,预期其在整个寿命期内遇到的 N_0 种波浪情况(或应力反向)中,只出现一次,方程(18.9)变为

$$p(S_0) = \exp\left[-\left(\frac{S_0}{A}\right)^\xi\right] = \frac{1}{N_0} \tag{18.10}$$

从上面的方程,我们可以得到(Almar - Naess, 1985):

$$A = S_0 (\ln N_0)^{-1/\xi} \tag{18.11}$$

特别地,$\xi = 1$ 时的情况即为众所周知的指数分布,在这个分布中表征应力超越数的 $\log(n)$ 是一条直线。将方程(18.10)带入方程(18.7),我们可以得到

$$p = \exp\left[-(\ln N_0)\left(\frac{S}{S_0}\right)^\xi\right] = \frac{1}{N} \tag{18.12}$$

从方程(18.11),我们可以得到

$$S = S_0 \left[\frac{\log N}{\log N_0}\right]^{1/\xi} \tag{18.13}$$

18.3.3　基于确定性方法的长期应力分布

这种方法基于对波浪力的确定性计算,它包括下列步骤(Almar - Naess, 1985):

1. 波浪主方向的选择

分析中一般选择 4~8 个波浪方向。波浪主方向的选取要考虑对关键结构件产生高应力的波方向,所有的波都在这些主方向之间分布。

2. 长期波浪分布的建立

对于选择的每个波浪方向,长期的波高分布是由一组规则波建立的,这组规则波足以描述长期波浪方向分布。对对疲劳破坏产生最大作用的波高的范围应该给予特别的重视。最大概率周期可以作为波浪周期。

3. 应力范围的预计

对于每个识别的波浪(方向、波高、周期),应力范围是通过对水动力载荷和结构响应使用确定性方法分析来预计的。

4. 应力分布的选择

由一个波浪超越数表得出的长期应力超越数表在图18.1中列出,式中,$\Delta\sigma_i$ 和 H_i 表示应力范围和波高。

API 2A - WSD(2001)标准中规定了一种简化的疲劳分析,规定假设应力范围 S 和波高 H 的关系是基于以上描述的确定性方法得到的:

$$\Delta\sigma = CH^g \tag{18.14}$$

式中,C 是标准化的常量;g 是标准化的幂指数。长期波高分布由两个韦伯分布表示:一个是常规条件韦伯分布 H_0,另一个是飓风条件韦伯分布 H_1。

$$\Delta\sigma = CH_0^g \qquad (常规条件下) \tag{18.15}$$

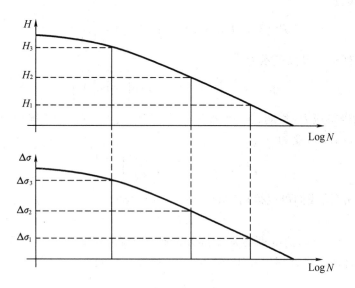

图 18.1　应力分布表

$$\Delta\sigma = CH_1^g \qquad (飓风条件下) \qquad (18.16)$$

按第 19 章的一套方法,我们可以轻易地得到常规条件和飓风条件的累计疲劳破坏。在 API RP 2A – WSD 对疲劳的评注中可以找到基于确定性方法的累计疲劳破坏公式。

18.3.4　长期应力分布——谱法

谱分析法要求更复杂地描述环境资料和环境载荷,并更详细地解释这些现象。使用谱分析法,可以更恰当地解释水动力效应和波的不规则性。

谱分析法包括以下步骤:

(1)主波方向的确定,与确定性方法的考虑相同;

(2)对每一个波向,选择大量海况和其持续期,使这些数据可以足够描述波浪的长期分布;

(3)对每一个海况,使用谱方法计算应力范围的短期分布,综合所有海况的结果来得到应力范围的长期分布。

下面我们将会用一个公式来进一步阐明谱分析法(DNV,1998)。

对于疲劳破坏评估,我们可以使用波浪散点图来描述波候。由 H_s 和 T_s 的分布来表示波浪散点图,可以使用如 Pierson – Moskowitz 波谱定义不同海况下的环境波谱 $S_\eta(\omega)$(参见第 2 章)。

如建立了表示单位波高和应力关系的"传递函数 $H\sigma(\omega \mid \theta)$",应力谱 $S_\sigma(\omega)$ 可以表示为

$$S_\sigma(\omega) = |H_\sigma(\omega)|^2 \cdot S_\eta(\omega) \qquad (18.17)$$

第 n 个应力响应的谱矩可以表示为

$$m_n = \int_0^\infty \omega^n \cdot S_\sigma(\omega)\,\mathrm{d}\omega \qquad (18.18)$$

可以使用扩展函数来表达波扩展

$$f(\theta) = k\cos^n(\theta) \tag{18.19}$$

式中，k 选择为 $\sum\limits_{\theta-90°}^{\theta+90°} f(\theta) = 1$，通常选取 $n = 2$。谱矩可以表示为

$$m_{ni} = \int_0^\infty \sum_{\theta-90°}^{\theta+90°} f_s(\theta) \cdot \omega^n \cdot S_\sigma(\omega) \mathrm{d}\omega \tag{18.20}$$

式中，m_0 是第 0 个谱矩，于是平均应力循环周期为

$$T_{02i} = \frac{1}{v_{0i}} = 2\pi \sqrt{\frac{m_{0i}}{m_{2i}}} \tag{18.21}$$

海况周期 T_i 内的应力周期数为

$$n_i = \frac{T_i}{T_{02i}} \tag{18.22}$$

相对来说，由于低载荷水平的应力范围对累积疲劳破坏作用较大，所以由大振幅运动和巨型波浪引起的非线性影响可以在疲劳评估中忽略。如若需要线性化，那么我们推荐在应力范围对疲劳破坏贡献最大时进行线性化。也就是说，应力超越概率量级在 10^{-2} 到 10^{-4} 之间。可以假设为在每个海况下应力范围响应服从瑞利分布：

$$F_i(S) = 1 - \exp\left(-\frac{S^2}{8m_{0i}}\right) \tag{18.23}$$

可以由一个所有海况的加权和来估计长期应力范围分布：

$$F(S) = \sum_{i=1}^{\text{All Sea States}} r_i p_i F_i(S) \tag{18.24}$$

式中，p_i 是第 i 个海况出现的概率，权重系数为

$$r_i = \frac{v_{0i}}{\sum v_{0i} p_i} \tag{18.25}$$

可以用一个概率函数来描述得到的长期应力范围分布，例如，参量通过曲线拟合得到的韦伯分布函数。

18.4　由散点图确定的疲劳载荷

18.4.1　概述

对波浪（或海况）的"短期"描述意味着有义波高和平均波浪周期在考虑时间段内已被假设为常数。为了建立一个"长期"的海浪描述，我们就需要散点图。散点图是用来进行疲劳谱分析和时域疲劳分析的，波浪和海流分别用波浪散点图和海流散点图定义。环境标准定义为结构在其生命周期中所要承受的定向海浪、涌浪、风、海流以及它们的组合。

除非平均应力非常大（例如 TLP 张力筋腱），否则我们将不考虑平均应力效应。因此，除了需要考虑对非线性水动力响应的影响，恒定海流通常是不考虑的。海流散点图主要用来预测涡激振动。

由散点图定义有义波高 H_s 和波谱周期 T_z 的联合频率。散点图中每个单元代表了一个 H_s 和 T_z 的组合及其出现概率。疲劳分析包括在散点图中对每个海况的海浪分析和随后对响应海况下基于出现概率计算出的疲劳破坏的求和。从运动分析中，我们可以得出特定参

考海况下的响应幅值算子(RAO)。

波浪散点图中定义了每个方向出现的概率,也要用散点图说明长期方向效应。对每组有义波高 H_s 和波谱周期 T_z,全部方向的概率之和应该为1.0。

18.4.2　系泊和立管在疲劳海况下引起的阻尼

由系缆和立管拖曳引起的黏滞阻尼可以显著地影响深水漂浮结构的运动。传统来说,系泊漂浮结构的运动相应评估是通过对系缆和立管建模成无质量的弹簧实现的。在这个非耦合方法中,系缆和立管的惯性、阻尼及刚度还没有包含在船舶运动预测中。

应当使用耦合分析来评估浮式结构与系缆、立管间的动力相互作用,耦合分析要提供一个由系缆和立管拖曳引起阻尼的恰当模型。耦合分析可以基于频域(Garret 等,2002)或时域方法。在耦合分析法中,系缆和立管与浮式结构一同包含在模型中。

同样地,船体运动也对 TLP 张力筋腱、系缆和立管的疲劳产生影响。对于筋腱、系缆和立管的疲劳分析,计算以下船体运动也很必要:

(1)线性波激运动和载荷;

(2)二阶非线性运动。

运动导致的疲劳是选择立管与船体夹角的关键因素,这是立管的动态响应。

18.5　疲劳载荷组合

18.5.1　概述

疲劳载荷组合设计可能是一个需要努力研究的领域。Wen(1990)和 Chakrabarti(1991)总结了这一领域的早期研究。在确定极限强度分析中的极端载荷时,其目标就是,当结构承受一组设计载荷时,选择最大的预期载荷影响。但是对于疲劳设计来说,仍有必要估计、控制设计载荷组以及任何结构部位的长期应力分布形状。

18.5.2　船舶结构的疲劳载荷组合

对船舶结构设计来说,Munse 等(1983)找出了以下疲劳循环载荷源:

(1)低频波激载荷:在船舶寿命期内 $10^7 \sim 10^8$ 次反转;

(2)高频波激载荷:在船舶寿命期内 10^6 次反转;

(3)静水载荷:300~500 个周期;

(4)热载荷:7 000 个周期。

疲劳载荷的幅值受波浪统计数据以及波浪源、速度和静载条件影响。Mansour 和 Thayamballi(1993)建议考虑以下载荷及其组合:

(1)船体梁弯曲引起的疲劳载荷;

(2)局部应力脉动引起的疲劳载荷;

(3)货物装载和卸载(低周影响);

(4)静水弯曲(平均水平)影响。

以上列出的载荷中,船体梁弯曲和局部应力脉动对疲劳破坏的影响比其他载荷要大得多。两种载荷分别在不同的位置起主导作用。例如,与应力脉动有关的垂直弯矩在船甲板上起主要作用;水线附近边壳板上的应力范围几乎全部由局部(内部/外部)压力引起。船底的结构元件受弯曲和局部压力效应的组合作用。

水线附近的压力变化是对于无限制作业船舶的疲劳谱分析,通常使用名义北大西洋波浪环境。对一个特定位置评估(对 FPSO)或比北大西洋更恶劣的商用航线,应该应用更严格的波浪散点图。由于运动和载荷与频率高度相关,就必须要涵盖波浪 – 周期变化。

船舶疲劳载荷条件是满载和压载。根据规范规定(例如 BV, 1998),对每个相关载荷条件,应该考虑两种基本海况:迎浪条件和偏浪条件。总的累积破坏可以估计为

$$D = \alpha D_0 + \beta D_0' \tag{18.26}$$

式中,系数 α 和 β 在表 18.1 中给出,D_0 和 D_0' 分别是由满载条件和压载条件引起的累积破坏。

$$满载条件:D_0 = (D_1 + D_2) \tag{18.27}$$
$$压载条件:D_0' = (D_1' + D_2') \tag{18.28}$$

式中

$$满载条件:D_i = \max(D_{i1}, D_{i2}), i = 1, 2 \tag{18.29}$$
$$压载条件:D_i' = \max(D_{i1}', D_{i2}'), i = 1, 2 \tag{18.30}$$

式中,D_{11},D_{12} 或者 D_{11}',D_{12}' 分别为与最大和最小内部货物或压载有关的静水压力下的累积损伤;D_{21},D_{22} 或者 D_{21}',D_{22}' 分别为与静止内部货物或压载有关的最大(当船在波峰时)和最小(当船在波谷时)波激海压力下的累积破坏。

18.5.3 海洋结构的疲劳载荷组合

在确定海洋结构设计的环境条件时,有必要得到海洋结构生命周期内所遭遇的方向海浪、涌浪、风和海流的组合。外壳结构、系缆和立管的疲劳将会很大地依赖于海浪和涌浪条件,同时,海流可能导致立管、系缆和 TLP 筋腱的涡激振动。因此,就需要定义一个海况、涌浪或者有时是海流的定向散点图。如果涌浪特别重要,例如,与西非和澳大利亚(Baltrop, 1998)相同,它才会被适当地考虑(典型地,通过在分析中加上涌浪谱以得到一个多峰值的海浪和涌浪谱)。另一个恰当解释涌浪的可选方法是分别利用一个海浪散点图和一个海流散点图。在这种情况下,单独一格(海况,单元格)的概率应该恰当地确定,每格(单元格)有一个峰值谱来描述,这个峰值谱是有义波高 H_s 和波浪谱周期 T_z 来确定的。在一些例子中,涌浪可能没有太多的方向变化,而只是从一个方向过来。尽管如此,通常在定义散点图时,应该明确地考虑到方向性。海浪、涌浪、海流以及风的组合海况的选择是一个综合的科目,需要基于对环境数据和结构动力响应的理解做出某些工程判断。

另一个需要考虑的关键问题就是载荷情况和装载条件。为了估计工作条件下的疲劳损伤,应该生成正常工作条件下的船体运动和 RAO 数据。运输和安装阶段疲劳损伤的估计也需要生成船体运动和 RAO 数据。联合各个阶段的周期/概率,将每一阶段设计疲劳寿命相加,我们可以得到总的累积破坏。对于张力腿筋腱、系缆和立管的疲劳分析,在筋腱、系缆和立管与主体连接处定义结构运动和 RAO 非常必要。

Francois(2000)等人比较了在各个船级社规范下疲劳分析结果和全尺度领域数据。

Nordstrom(2002)等人做了一个示例分析,目的是为了展示标题方法及评估其在 FPSO 项目中的效率。他们提议的标题和疲劳分析步骤可能将非共线环境下 FPSO 的疲劳设计变得更加有效。

18.6　例子

例 18.1　长期应力范围分布——确定性方法。

问题:确定固支在自升式平台的跨度立管的长期应力范围分布,如图 18.2 所示。这一例子旨在阐明 18.3.3 节中的确定性方法(Almar – Nms, 1985)。可以假设立管跨度长度 $l = 10$ m,外径 $OD = 0.27$ m,壁厚 $W_t = 0.0015$ m,转动惯量 $J = 9.8 \times 10^{-5}$m^4,水深为 100 m。波浪全部假设由一个方向传播过来。

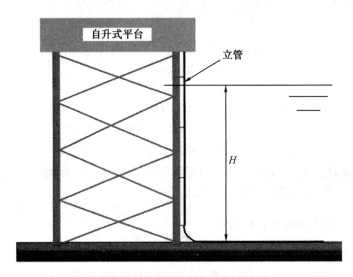

图 18.2　固支在平台的跨度立管

解　跨度的第一个固有周期 f_N,可以从以下式中算出:

$$f_N = \frac{1}{2\pi} \cdot a_N \sqrt{\frac{EI}{m \cdot l^4}} = 0.17 \text{ s}$$

式中　EI——弯曲刚度;

　　　l——跨度距离;

　　　m——单元长度的质量;

　　　a_N——数值常数。对两端固定的梁,第一模式下 $a_N = 22$。

波浪力大小由 $F(x)$ 表示。跨度中心的弯矩为

$$M = \int_{-25}^{-15} [x - (-20)] \cdot F(x) \cdot dx$$

单个波高的长期分布为

$$P_L(H) = 1 - \exp\left[1 - \left(\frac{H}{C \cdot H_c}\right)^D\right]$$

式中,$H_c = 2.7, C = 0.462, D = 0.928$。

一年中波浪超过波高 H 的数量为

$$N = N_0 [1 - P_L(H)]$$

式中,N_0 为一年中波浪总数, $N_0 = 106.72$。波浪力计算基于莫里森方程:

$$F = \frac{1}{2}\rho C_D D \cdot v^2 + \rho C_M \frac{\pi D^2}{4}a$$

式中, $C_D = 1.0$, $C_M = 2.0$。

考虑到波浪: $H = 11.0$ m, $T = 11.7$ s, 则频率为

$$\omega = \frac{2\pi}{T} = 0.537 \text{ s}^{-1}$$

应用线性波理论, 波数 k 为

$$\frac{\omega^2}{g} = k \cdot \tanh(kd)$$

式中, d 为水深, 用数值方法解此方程, 给出 $k = 0.029\ 6$ m^{-1}, 设立管中心处 $x = 0$, 波激水质点的水平速度为

$$v(x) = \omega \frac{H}{2} \cdot \frac{\cosh(k \cdot (x+d))}{\sinh(kd)}\cos(\omega t)$$

水平波激加速度为

$$a(x) = \omega^2 \cdot \frac{H}{2} \cdot \frac{\cosh(k \cdot (k+d))}{\sinh(kd)}\cos(\omega t)$$

当应用线性波理论时, 我们可以将拖曳力和惯性力分离来简化计算:

$$M(\omega t) = M_D(\omega t) + M_I(\omega t)$$

式中, 由拖曳力和惯性力引起的弯矩在下面给出:

$$M_D(\omega t) = M_{D,\max} \cdot \sin^2(\omega t) = 4\ 596 \cdot \sin^2(\omega t)\ (\text{N·m})$$
$$M_I(\omega t) = M_{I,\max} \cdot \cos(\omega t) = 1\ 306 \cdot \cos(\omega t)\ (\text{N·m})$$

最大化 $M(\omega t)$, 所以

$$\cos(\omega t) = \frac{M_{I,\max}}{2 \cdot M_{D,\max}} = 0.142, \omega t = 81.8°$$

最大弯矩为

$$M_{\max} = 4\ 689 \text{ N·m}$$

合成应力范围为

$$S = 2\sigma_{\max} = \frac{M_D}{I} = 12.9 \text{ MPa}$$

对所有波浪情况重复以上步骤, 分析结果总结在表 18.4 中, 该表是为了建立应力范围 Exceedance 图表。

表 18.4　波高和应力范围的长期分布

H/m	T/s	$F_{\max}$/(N/m)	S/MPa	Log N
0		0	0	3.72
3.0	7.2	28	1.0	5.74
5.0	8.7	66	2.3	5.14
7.0	9.8	140	4.8	4.57
9.0	10.8	250	8.6	4.00
11.0	11.7	384	13.2	3.45
15.0	13.1	738	25.4	2.35
20.0	14.6	1326	46.7	1.00

注意：N 为一年内超过给定的波高、力、应力的周期数。一个应力范围超越数图可以根据表 18.4 中 $S - \text{Log} N$ 关系来绘制。

例 18.2 长期应力范围分布——谱方法。

问题：使用谱分析方法确定例 18.1 中跨度立管的应力范围分布。这一例子旨在阐明 18.3.4 节（Almar - Nsess, 1985）中描述的谱方法，以确定长期应力范围分布。

求解：应用方程（18.21）将多种海况下的短期分布求和得到长期应力范围分布。正如方程所阐述，下面的步骤是用来得到短期应力分布的。给定波高的最大概率波浪周期为

$$T = \frac{2\pi}{\omega} = 0.7 + 4.2H^{0.4}$$

传递函数可以表示为

$$H_\sigma(\omega) = \frac{\sigma_{\max}(\omega)}{H/2}$$

式中，$\sigma_{\max}(\omega)$ 为由频率为 ω 的波浪引起的最大应力。

再次考虑波高 $H = 11$ m，$T = 11.7$ s 及 $\omega = 0.539$。从确定性方法分析中，我们可以得到

$$M_{\max}(\omega = 0.539) = 4\,698 \text{ N} \cdot \text{m}, \sigma_{\max}(\omega = 0.539) = 6.9 \text{ MPa}$$

传递函数可以使用上面 $\sigma_{\max}(\omega)$ 和 H 的值来计算。计算要重复从 3 到 25 的一组波浪周期以得到 $H_\sigma(\omega)$ 和 ω 的关系。

基于单元波高和应力关系建立传递函数 $H_\sigma(\omega \mid \theta)$ 后，应力谱可以表示为

$$S_\sigma(\omega) = |H_\sigma(\omega)|^2 \cdot S_\eta(\omega)$$

应力响应的第 n 个谱矩可以描述第 i 个海况：

$$m_{0i} = \int_0^\infty S_\sigma(\omega)\,d\omega = 115.6 \text{ MPa}^2$$

$$m_{2i} = \int_0^\infty \omega^2 S_\sigma(\omega)\,d\omega = 35.74 \text{ MPa/s}^2$$

所以，平均应力循环周期为

$$T_{02i} = 2\pi \sqrt{\frac{m_{0i}}{m_{2i}}} = 11.3 \text{ s}$$

在海况周期 T_i 中的周期数为

$$n_i = \frac{T_i}{T_{02i}} = \frac{3 \times 3\,600}{11.3} = 956$$

可以设在每个海况下应力范围响应为瑞利分布：

$$F_i(S) = 1 - \exp\left(-\frac{S^2}{8m_{0i}}\right)$$

18.7　小结

这一章中，我们讨论了用于疲劳简化分析方法和谱分析法的船舶和海洋结构的疲劳载荷。

对于船舶结构，总体波浪载荷、局部压力和内部载荷是其关键疲劳载荷。这些疲劳载荷都应用在结构响应模型上，可以使用疲劳的简化分析法和疲劳的谱分析法来分析疲劳载荷，参见 18.3 部分和 18.4 部分。需要进一步研究的领域包括（Chen 和 Shin, 1995）：

（1）考虑非线性的载荷的计算；

（2）发展联合低频响应和高频响应的理论方法（例如，平常波激载荷加上砰击引起的振动）；

（3）发展能将船舶运行经验和预期疲劳失效联系在一起的船体–应力监测系统；

（4）预测载荷的不确定的量化，载荷包括载荷组合。

对于海洋结构，关键问题是，特定地点的随机海浪、涌浪、风和海流载荷散点图的确定，以及基于结构建模、环境条件和载荷的主体运动和 RAO 的估计。需要进一步研究的领域包括：

（1）收集特定区域可靠环境数据；

（2）随机海浪、涌浪、风和海流的疲劳载荷组合；

（3）主体运动、RAO 和低频运动的估算。

参考文献

［1］ Almar-Nss A. Fatigue Handbook—offshore Steel Structures［M］. Norway：Tapir Press，1985.

［2］ API RP2A – WSD. Recommended Practice for Planning，Designing and Constructing Fixed Offshore Platforms-Working Stress Design［R］. American Petrileum Institute：2001.

［3］ Baltrop N. Floating Structures：A Guide for Design and Analysis［M］. ［S. l. ］：Oilfield Publications，Inc. ，Vol. 1：1998.

［4］ BV. Fatigue Strength of Welded Ship Structures［R］. Bureau Veritas：July 1998.

［5］ Chakrabarti S K. Hydrodynamics of Offshore Structures ［M］. ［S. l. ］：Computational Mechanics Publications，1987.

［6］ Chakrabarti S K. Strategies for Nonlinear Analysis of marine Structures［C］. Report No. SSC – 347，Ship Structure Committee：1991.

［7］ Chen Y N，Shin Y S. Consideration of Loads for Fatigue Assessment of Ship Structures［J］. Proc. Symposium and Workshop on the Prevention of Fracture in Ship Structures，Washington，D C，1995.

［8］ DNV. Fatigue Assessment of Ship Structures ［R］. Det NorskeVentas，Classification Notes No. 30. 7：1998.

［9］ Faltinsen O M. Sea Loads on Ships and qffshore Structures［M］. Cambridge Ocean Technology Series，Cambridge University Press：1990.

［10］ Francois M，Mo O，Fricke W，et al. FPSO Integrity：Comparative Study of Fatigue Analysis Methods［J］. OTC 12148：2000.

［11］ Friis-Hansen P，Winterstein S R. Fatigue Damage in the Side Shell of Ships［J］. Journal of Marine Structures，Vol. 8(6)，1995：631 – 655.

［12］ Garrett D L，Gordon R B，Chappell J F. Mooring and Riser Induced Damping in Fatigue Seastate［R］. OMAE2002 – 28550：2002.

［13］ Hogben N. Global Wave Statistics［C］. British Maritime Technology，1985.

［14］ LACS. Fatigue Assessment of Ship Structures［R］. International Association of Classification Societies，Recommendation 56. 1：1999.

［15］ Mansour A，Thayamballi A. Probability-Based Ship Design Loads and Load Combinations［C］. Re. port No. SSC – 373，Ship Structure Committee：1993.

［16］ Munse W H，Wibur T W，Telalian M L，et al. FatigueCharacetrization of Fabricated Ship Details for

Design[C]. Report No. SSC – 318,ShipStructure Committee:1983.

[17] Nordstrom C D,Lacey P B,Grant R,et al. Impact of FPSO Heading on Fatigue Design in Non-Collinear Environments[R]OMAE2002 – 28 133:2002.

[18] Wen Y K. Structural Load Modeling and Combination for Performance and Safety Evaluation[M]. [S. l.]:Elsevier,1990.

第19章 简化疲劳评估

19.1 引言

结构连接处(如管子接头、平板接缝、管道的焊接部位等)的疲劳评估是海洋结构(像船舶、固定平台、浮式结构、管道、立管和锚泊系统)设计中最关键的问题之一,疲劳评估的结果将从以下几个方面影响结构物的造价和安全性:

(1)连接材料的质量;

(2)焊接构件的质量(如焊接、热处理等);

(3)检查和维修的频率;

(4)潜在疲劳失效的严重后果;

(5)部分损坏的结构系统的残余强度。

下面是五个有关累积疲劳破坏评估的重要方法:

(1)确定性疲劳分析;

(2)简化的疲劳评估——假定应力范围满足韦伯分布(详见本章);

(3)疲劳的谱分析方法(详见本书第20章);

(4)时域疲劳分析(详见本书第20章);

(5)基于断裂力学的疲劳损伤评估方法(详见本书第21章);

上面方法中的前四种方法是用 $S-N$ 曲线来估算疲劳的破坏,而最后一种方法是基于断裂力学方法。

船级社(像 ABS(2002)钢质海船规范)使用的疲劳估算标准则是基于韦伯形状参数的经验值,而 API RP 2A(2001)在一些情况下也可进行简化疲劳评估。

这章阐述的有关疲劳估算的简化过程是基于2参数韦伯分布得出的,通过海浪和结构响应特点,特别是结构动力的可能影响来确定韦伯(Weibull)分布的形状参数。疲劳估算结果对韦伯(Weibull)分布的形状参数非常敏感。这种简化分析疲劳强度的方法的优点是能够得出关闭形式的疲劳损伤表达式,还可用历史上有关疲劳断裂的数据来校核韦伯(Weibull)分布的形状参数。

19.2 确定性疲劳分析

在海洋结构疲劳的确定性分析中,以指定浪高 H,周期 $T_i(i=1,2,3\cdots I)$ 的数种单周期波浪块为基础,考虑标准周期 T_R 内的疲劳破坏强度,分析过程在 19.1 中阐述,参见下文:

(1)计算第 i 种波浪块出现数目: $n_i = T_R \cdot P_i / T_i$,式中, P_i 是浪高 H_i 可能发生的概率(或相关频率)。

（2）静态分析结构对波高 H_i、周期 T_i 波浪的响应,得到应力范围 $s_i(H_i)$。通过参数方程或实验(数值)分析获得应力集中系数 SCF(如图 19.1 中参数 K)。动力放大系数 D 是动应力范围与准静应力范围的比值。

（3）根据 $S-N$ 曲线得出应力范围 $D \cdot SCF \cdot s_i(H_i)$ 对应的结构失效的应力循环次数。

（4）计算对于每种波浪块的疲劳损伤 n_i/N_i。

（5）根据 Miner 定理计算疲劳累计损伤。

$$D_{\text{fat}} = \sum_{i=1}^{I} \frac{n_i}{N_i} \tag{19.1}$$

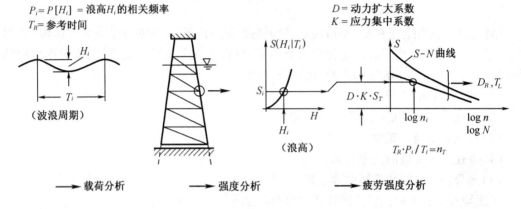

图 **19.1**　确定性疲劳分析(**1994**)

19.3　简化疲劳评估

19.3.1　累积损伤的计算

假设满足线型 Palmgren – Miner 定理,则可以写作

$$D_{\text{fat}} = \int_0^{\infty} \frac{N_0 f(S)}{N(S)} \mathrm{d}S \tag{19.2}$$

式中　N_0——所考虑的长期过程的应力总循环次数;

$f(S)$——应力范围的密度函数(应力范围 S 的循环次数是 $N_0 f(S)\mathrm{d}S$)。

第 16 章谈论过 $S-N$ 曲线的表达式是 $N = KS^{-m}$,将其代入式(19.2),可得:

$$D_{\text{fat}} = \frac{N_0}{K} \int_0^{\infty} S^m f(S) \mathrm{d}S \tag{19.3}$$

对于海洋结构,可将应力范围的密度函数看作一个 2 参数韦伯分布:

$$f(S) = \frac{\xi}{A} \left(\frac{S}{A}\right)^{\xi-1} \exp\left(-\frac{S}{A}\right)^{\xi} \tag{19.4}$$

式中,A 和 ξ 是尺度参数和形状参数。结合式(19.3)和式(19.4),可得

$$D_{\text{fat}} = \frac{N_0}{K} \int_0^{\infty} S^m \frac{\xi}{A} \left(\frac{S}{A}\right)^{\xi-1} \exp\left(-\frac{S}{A}\right)^{\xi} \mathrm{d}S \tag{19.5}$$

由于

$$x = \left(\frac{S}{A}\right)^{\xi} \tag{19.6}$$

可得

$$D_{\text{fat}} = \frac{N_0}{K}A^m \int_0^{\infty} x^{1+\frac{m}{\xi}} \exp(-x)\,\mathrm{d}x \tag{19.7}$$

Γ 函数定义为

$$\Gamma(k) = \int_0^{\infty} \mathrm{e}^{-x} x^{k-1}\,\mathrm{d}x \tag{19.8}$$

合并式(19.7)和式(19.8),则长期累积损伤写为

$$D_{\text{fat}} = \frac{N_0}{K}A^m \Gamma\left(1 + \frac{m}{\xi}\right) \tag{19.9}$$

第三部分的第 18 章讲到

$$A = \left[\frac{S_0^{\xi}}{\ln N_0}\right]^{\frac{1}{\xi}} \tag{19.10}$$

因此,我们可以总结得到长期累积损伤的表达式(Almar - Naess,1985):

$$D_{\text{fat}} = \frac{N_0}{K}\left[\frac{S_0^{\xi}}{\ln N_0}\right]^{\frac{m}{\xi}} \Gamma\left(1 + \frac{m}{\xi}\right) \tag{19.11}$$

式中　N_0——所考虑的长期过程下的应力总循环次数;

S_0——在 N_0 次循环内最大的应力范围;

$P(S > S_0) = \dfrac{1}{N_0}$(在每一个 N_0 次循环里,S 超过 S_0 的应力范围);

ξ——应力循环内韦伯分布的形状参数;

K, m——$S - N$ 曲线的材料参数。

19.3.2　韦伯应力分布参数

当形状参数 ξ 等于 1 时,韦伯分布趋于指数分布。ξ 的值可能大于 1,也可能小于 1,ξ 的值越大,周期载荷越剧烈。形状参数是结构系统所在的周期载荷环境的函数,表征系统对环境的响应程度(如局部载荷效应、动力载荷效应)。应基于同一地点相似结构的疲劳分析选择合适的形状参数。为了提高疲劳参数的准确性,应该用预测疲劳破坏所得出的形状参数与以前数据或更加精确的分析结果(例如,疲劳的谱分析)进行比较。韦伯函数的形状参数 ξ 的标准值在表 18.1 中给出,这些数值适用于一些商船和平台结构。

用疲劳的谱分析和大量疲劳损伤数据来校核各种船舶和平台结构的韦伯参数。1998 年 Luyties 和 Stoebner 提出了使用疲劳的谱分析来校核 API 的简化疲劳设计方法。

19.4　双线性 $S - N$ 曲线简化疲劳

当用双线性来表达 $S - N$ 曲线时(见第三部分第 17 章),疲劳损伤用下式表达:

$$D_{\text{fat}} = \frac{N_0}{K}\left[\frac{S_0^{\xi}}{\ln N_0}\right]^{\frac{m}{\xi}} \Gamma\left(1 + \frac{m}{\xi}, z\right) + \frac{N_0}{C}\left[\frac{S_0^{\xi}}{\ln N_0}\right]^{\frac{r}{\xi}} \Gamma_0\left(1 + \frac{r}{\xi}, z\right) \tag{19.12}$$

式中,不完全的 Γ 函数定义为

$$\Gamma(k,z) = \int_z^\infty \mathrm{e}^{-x} x^{k-1} \mathrm{d}x \qquad (19.13)$$

$$\Gamma_0(k,z) = \int_0^z \mathrm{e}^{-x} x^{k-1} \mathrm{d}x \qquad (19.14)$$

式中

$$z = \left(\frac{S_1}{S_0}\right)^\xi \qquad (19.15)$$

式中，S_1 是两条 $S - N$ 曲线交汇处的应力范围（例如，相应的疲劳寿命的 10^7）。

基于双线性 $S - N$ 曲线的简化疲劳估算公式是 Wirsching 和 Chen(1987) 得到的，其在挪威船级社规范 30.7 节船舶结构和平台结构(2000)中也有出现。

1998 年，法国船级社的疲劳损伤估算手册里给出了 Γ 函数和不完整的 Γ 函数的表格。

19.5　许用应力范围

基于简化疲劳估算的疲劳核对形式为

$$S_0 \leqslant S_{0\,\text{allowable}} \qquad (19.16)$$

式中，设计应力范围 S_0 是在设计寿命中给定发生概率的热点应力范围。极限允许应力范围 $S_{0\,\text{allowable}}$ 是在公式(19.12)中结合 $S - N$ 曲线、允许累积破坏率和一些应力分布共同得到的。

对于快速疲劳估算，通常极限允许应力范围已在有关的疲劳指导文献中给出，其作为以多种 $S - N$ 曲线函数、韦伯形状和环境为参数的函数。

可以参考 Zhao 等(2001)得出的有关 FPSO 的强度和疲劳估算的公式。

19.6　切口周围连接处的设计标准

19.6.1　概述

我们经常能在各式船舶中看到切口周围的裂纹(如狭槽等)，如图 19.2 所示。在以前的研究中可以总结出，在周期波浪压力下，单壳油船产生的大部分该类裂纹处于船的边壳和底部船板上。然而在双壳的油船上，最主要的问题是在双层底，因为满载和空载情况下的压力情况是有很大差别的。在许多双壳油船中可以观察到大部分的裂纹是出现在内部底层结构中(Cheung 和 Slaughter, 1998)，许多裂纹出现在扁钢的焊接处或是在竖向加劲肋和底面纵向构件之间产生的。

同样道理，在很多检验的报告中可以看出，在散货船双层底和货仓中带有横向肋板的纵向构件的连接处也很有可能产生裂纹(IACS,1994)。

在所有的连接处中，条钢可能是最脆弱的一环。在一些检验报告中列出了单壳船中数以百计的条钢失效的数据(Ma, 1998；Bea 等,1995)。在 Glasfeld 等(1977)研究的课题中，可以发现大约 75% 狭槽的裂纹都是在条钢处出现的。

连接末尾处的裂纹都是有一定的次序的。第一个裂纹通常会出现在条钢的纵向边缘处(图 19.2 中的 B 裂纹)。这些裂纹通常会出现大量的腐蚀，说明裂纹的增长是缓慢的。条钢的裂纹随着时间慢慢增长，应力通过顶板重新分配给肋板。当条钢有裂纹通过时，它会完全失去承载应力的能力,而把附加载荷传递到剩余的一个或两个填补板连接处。如果不能及时发现和修补,第二个裂纹会在切口半径处产生(图19.2中 D),第三个裂纹最终会在船板焊缝处出现(图19.2中 C 和 C_1)。许多检验报告和区域观测证实了裂纹的这种产生次序,这证明当条钢完全开裂后,仅能发现切口半径处的裂纹。

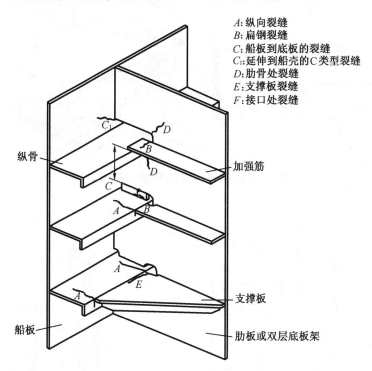

A:纵向裂缝
B:扁钢裂缝
C:船板到底板的裂缝
C_1:延伸到船壳的C类型裂缝
D:肋骨处裂缝
E:支撑板裂缝
F:接口处裂缝

纵骨　　　　　加强筋

支撑板

船板　　　　　肋板或双层底板架

图 19.2　切口处不同裂缝的类型

19.6.2　填补板应力设计标准

在 Ma 等(2000)中提到,已有简单的校核标准使船舶设计者可以快速检验船舶的末端连接。在每一次连接处设计时,这种校核标准需要满足两点要求。首先,计算条钢处的平均应力 σ_{fb} 时,它应比许用值要小(详见式(19.17))。其次,计算在填补板的平均剪切应力 τ_{dc} 时,它应该也小于许用值(详见式(19.18))。

$$\sigma_{fd} = \frac{ps(l - 0.7s)}{A_1 + 0.33c_s(A_2 + A_3)} < 140 \text{ N/mm}^2 \tag{19.17}$$

$$\tau_{dc} = \frac{ps(l - 0.7s)}{\dfrac{3.0}{c_s}A_1 + (A_2 + A_3)} < 70 \text{ N/mm}^2 \tag{19.18}$$

式中, p , s 和 l 分别代表设计静压力、板宽和板长(详见图19.3)。 A_1 , A_2 和 A_3 分别代表条钢底部面积、直接连接面积和填补板连接面积(详见图19.4),使用毫米、牛顿或其他为计算单位。

式(19.17)、式(19.18)中系数 c_s 由下面来确定:

当为对称纵向加强筋时, $c_s = 1.0$;

当为一边支撑的非对称纵向加强筋时, $c_s = 1.41$;

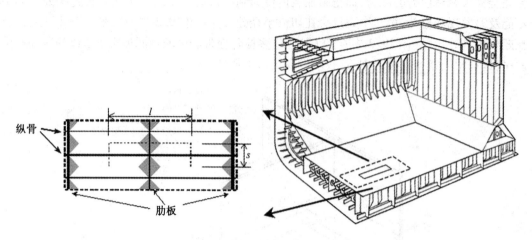

图 19.3　肋板/底板阴影区域压力(Ma 等,2000)

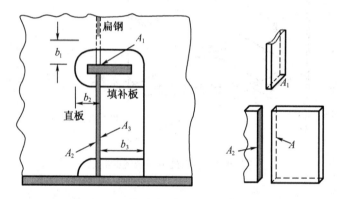

图 19.4　几何参数的定义(Ma 等,2000)

当为两边支撑的非对称纵向加强筋时,$c_s = 1.12$。

19.7　例子

例 19.1　半潜式平台的疲劳设计。

问题: 在长期的应力分布 $S = S_0 \left[1 - \dfrac{\log N}{\log N_0} \right]^{\frac{1}{\xi}}$,韦伯参数 $\xi = 1.1$,压力周期数 $N_0 = 108$,许用破坏率 $\eta = 0.20$,F 级焊接($m = 3, K = 10^8$)的情况下,计算半潜式平台最大许用应力范围。

解　最大许用应力范围

$$S_{0 \text{ allowable}} = \left(\frac{\eta K}{N_0} \right)^{\frac{1}{m}} \cdot \frac{(\ln N_0)^{\frac{1}{\xi}}}{\sqrt[m]{\Gamma \left(1 + \frac{m}{\xi} \right)}} = 93.6 \text{ MPa}$$

如果最大许用应力范围变为 $\eta^{\frac{1}{3}}$ 倍,如 $\eta = 0.1$,则最大许用应力的方位就变为

$$S_{0\,allowable} = 93.6 \cdot (0.1/0.2)^{\frac{1}{3}} = 74.2 \text{ MPa}$$

参考文献

[1] ABS. Guide for Building and Classing Floating Production Installations [R]. American Bureau of Shipping:2000.

[2] ABS. Rule for Building and Classing Steel Vessels[R]. American Bureau of Shipping:2002.

[3] Almar-Naess A. Fatigue Handbook, Offshore Steel Structures[M]. Norway:Tapir,1985.

[4] API. Recommendations for Planning, Designing and Constructing Fixed Offshore Platforms [R]. API Recommended Practice2A (RP 2A),21st Edition, American Petroleum Institute:2001.

[5] Bea R G, Cramer E, Mayoss R, et al. Ship's Maintenance Project[C]. Conducted at University of California, Berkeley for U.S. Coast Guard/Ship Structure Committee (SSC), SSC – 386:1995.

[6] BV. FatigueStrength of Welded Ship Structures [R]. Bureau Veritas:1998.

[7] Cheung M C, Slaughter S B. Inner Bottom Design Problems in Double-Hull Tankers [J]. Marine Technology, April,1998.

[8] Clauss G, Lehmann E, Ostergaard C. Offshore Structures, Vol. II – Strength and Safety for Structural Design[M]. Springer-Verlag:1994.

[9] DNV,RP – C203. Fatigue Strength Analysis of Offshore Steel Structures[R]. Det Norske Veritas:2000.

[10] Glasfeld R,Jordan D,Kerr M. Review of Ship Structural Details[C]. Ship Structure Committee Report SSC – 226:1977.

[11] IACS. Bulk Carriers—Guidelines for Surveys, Assessment and Repair of Hull Structure [R]. International Association of Classification Societies:1994.

[12] Luyties W H,Stoebner A M. The Use of API Simplified Fatigue Design Methodology for Gulf of Mexico Structures[J]. OTC 8823,1998.

[13] Ma K T. Tanker Inspection and a Risk-Based Approach[C]. Proceedings of ISOPE98, International Offshore and Polar Engineering Conference, Montreal:1998.

[14] Ma K T,Srinivasan S,Zhang H,et al. Developing Design Criteria for Connections around Cutout (Slot) Openings[J]. SNAME Transactions,2000:227 – 248.

[15] Munse W H,Wibur T W,Telalian M L,et al. Fatigue Charactetrization of Fabricated Ship Details for Design[C]. Ship Structure Committee Report SSC – 318:1983.

[16] Yoneya T,Kumano A,Yamamoto N,et al. Hull Cracking of Very Large Ship Structures[J]. Integrity of Offshore Structures – 5,1993.

[17] Zhao C T,Bai Y,Shin Y. Extreme Response and Fatigue Damages for FPSO Structural Analysis[J]. Proc. of ISOPE2001,2001.

第 20 章 疲劳谱分析和设计

20.1 引言

20.1.1 概述

近年来张力腿平台(TLP)、半潜式平台、SPAR、浮式储油船(FPSO)和其他浮式结构的海洋平台的发展,清楚地证明了生产者在深水技术方面的信心,并将继续发展平台到更深水深的区域,因此性价比高的平台将在深水方面得以发展。

在简化的疲劳估算中,疲劳损伤的估算是假设应力满足长期响应的韦伯分布。这种简化的疲劳估算已经成功地应用到船舶疲劳设计中,该方法中船舶不同区域许用应力已预先得知。由于估算得到的疲劳损伤对韦伯参数变化特别敏感,所以更常用谱分析法对平台结构进行分析(Chen 和 Mavrakis,1988)。

疲劳分析和设计包括以下几个分析步骤:

(1)疲劳部位筛选;

(2)细部结构分析;

(3)改进后焊接的重新分析;

(4)改进后设计的重新分析;

(5)再次改进后设计和焊接的重新分析。

本章介绍了浮式结构的疲劳分析,例如:

(1)疲劳谱分析,包括计算模型、载荷工况、结构分析及验证、载荷组合和疲劳损伤估算;

(2)疲劳时域分析;

(3)局部结构构件的疲劳设计。

因为船舶设计是非线性的,所以假如能充分定义波浪散点图,疲劳的谱分析同样也适用于船舶结构。

浮式结构疲劳分析经常使用的章程和标准是 API RP 2T(1997),API 2FPS(2001),AWS(1997),UK DEn(1990)和船级社的规范。

20.1.2 术语

一些适用于疲劳分析的术语,有其特殊的含义,详见下文。

(1)平均跨零周期:在时间关系曲线上,连续的两次正斜率穿越零轴的平均时间。

(2)随机波:不规则水面的升降和海洋环境里水质点的运动,随机波可以用不同高度的正弦波的总和来分析描述。

（3）规则波：非定向的波浪具有周期性水质点运动和水面升降的特点，这种波即为规则波。

（4）海况：一种海洋学的波浪情形，可描述为平稳随机过程的一段特殊时期。

（5）有义波高：在某种海况条件下，它是全部波高中最高的 1/3 的波高的平均值。

（6）传递函数：结构响应值与波高的比值关于频率的函数。

（7）$S-N$ 曲线：经验性地描述应力范围和失效应力循环次数之间的关系曲线。

（8）名义应力：由构件端部的力、力矩和构件截面性质确定的应力，截面性质一定要考虑加厚或扩边残端的存在。

（9）极点应力：在结构元件焊趾处的应力。

20.2　疲劳谱分析

20.2.1　疲劳损伤的验收标准

根据迈纳定理得到的疲劳损伤估算：

$$D_{\text{fat}} = \sum \frac{n_i}{N_i} \leqslant \eta \tag{20.1}$$

式中，D_{fat} 是疲劳累积损伤；η 是允许损伤率；N_i 是在 $S-N$ 曲线中定义的应力 S_i 的失效应力循环数。

$$N = K \cdot S^{-m} \tag{20.2}$$

20.2.2　使用频域方法进行疲劳损伤计算

在第 i 种海况下的疲劳损伤：

对于窄带响应，在某种海况下的累积损伤可表示为下式：

$$D_{\text{fat}} = \int_0^\infty \frac{n(S)}{N(S)} \mathrm{d}S \tag{20.3}$$

式中，$n(S)\mathrm{d}S$ 代表在 S 和 $S+\mathrm{d}S$ 之间应力范围的数量。如果假定以 T_{life} 为固定响应过程的持续时间，则总的应力周期数是

$$n(S)\mathrm{d}S = v_{0i} T_{\text{life}} p(S)\mathrm{d}S \tag{20.4}$$

式中，正向跨零频率 v_{0i} 为

$$v_{0i} = \frac{1}{2\pi} \sqrt{\frac{m_{2i}}{m_{0i}}} \tag{20.5}$$

式中　　m_{0i}——谱的零谱矩；

　　　　m_{2i_i}——谱的二谱矩。

应力范围 S 的瑞利概率密度函数为

$$p(s) = \frac{S}{4\sigma_i^2} \exp\left(-\frac{S^2}{8\sigma_i^2}\right) \tag{20.6}$$

式中，应力 σ_i 的均方根是

$$\sigma_i = \sqrt{m_{0i}} \tag{20.7}$$

由此可以得到

$$D_{\text{fat}} = v_{0i}T_{\text{life}} \int_0^{\infty} \frac{p(s)}{N(s)}\mathrm{d}s = \frac{v_{0i}T_{\text{life}}}{k} \int \frac{S^{m+1}}{4\sigma_i^2}\exp\left(-\frac{S^2}{8\sigma_i^2}\right)\mathrm{d}s \qquad (20.8)$$

使用下面函数

$$x = \frac{S^2}{8\sigma_i^2}$$

和 Γ 函数

$$\Gamma\left(1 + \frac{m}{2}\right) = \int_0^{\infty} \mathrm{e}^{-x} x^{\frac{m}{2}} \mathrm{d}x \qquad (20.10)$$

我们可以得到：

$$D_{\text{fat}} = \frac{v_{0i}T_{\text{life}}}{K} \cdot (8m_{0i})^{\frac{m}{2}} \cdot \Gamma\left(1 + \frac{m}{2}\right) \qquad (20.11)$$

全海况的疲劳损伤：

从一种海况的疲劳损伤公式中，可以很容易得到全海况的疲劳损伤。

$$D_{\text{fat}} = \sum_i^{\text{all sea-states}} p_i \frac{v_{0i}T_{\text{life}}}{K} \cdot (8m_{0i})^{\frac{m}{2}} \cdot \Gamma\left(1 + \frac{m}{2}\right) \qquad (20.12)$$

式中，p_i 为第 i 种海况发生的概率。

根据式（20.12），可以简便地由应力范围谱得到疲劳损伤。运用疲劳的谱分析，分析方法可以通过波浪谱转化为响应幅值谱，并最终转化为应力范围谱的传递函数来表达。用均方根应力 σ_i 和累积损伤式（20.12），重新定义得到

$$D_{\text{fat}} = \sum_i p_i \frac{v_{0i}}{k} \cdot (2\sqrt{2}\sigma_i)^m \cdot \Gamma\left(1 + \frac{m}{2}\right) \qquad (20.13)$$

如定义海况时考虑了波浪入射方向，则可以用 p_{ij} 来表示每种海况发生的概率，其中，j 代表 j 方向。

$$D_{\text{fat}} = \sum_i \sum_j p_{ij} \frac{v_{0ij}}{K} \cdot (8m_{0ij})^{\frac{m}{2}} \cdot \Gamma\left(1 + \frac{m}{2}\right) \qquad (20.14)$$

当采用双线性 $S-N$ 曲线时，累积疲劳损伤可以定义为

$$D_{\text{fat}} = \sum_i^{\text{all sea-states}} p_i \frac{v_{0i}T_{\text{life}}}{K} \cdot (8m_{0i})^{\frac{m}{2}} \cdot \Gamma\left(1 + \frac{m}{2}, z\right) +$$
$$\sum_i^{\text{all sea-states}} p_i \frac{v_{0i}T_{\text{life}}}{C} \cdot (8m_{0i})^{\frac{r}{2}} \cdot \Gamma_0\left(1 + \frac{r}{2}, z\right) \qquad (20.15)$$

其中，不完全的 Γ 函数为

$$\Gamma(k, z) = \int_z^{\infty} \mathrm{e}^{-x} x^{k-1} \mathrm{d}x \qquad (20.16)$$

$$\Gamma_0(k, z) = \int_0^z \mathrm{e}^{-x} x^{k-1} \mathrm{d}x \qquad (20.17)$$

$$z = \left(\frac{S_1}{2\sqrt{2m_{0i}}}\right)^2 \qquad (20.18)$$

式中，S_1 是两条 $S-N$ 曲线相交处的应力范围（例如，疲劳寿命为 10^7 的应力范围）。

该谱疲劳估算公式基于船舶结构的 DNV 船级社规范 30.7 节和钢制海洋结构的 DNV（2000）中的双线性 $S-N$ 曲线。

20.3 疲劳的时域估算方法

20.3.1 适用范围

疲劳时域分析与疲劳谱分析的异同点：

(1)疲劳时域分析(TFA)和疲劳谱分析(SFA)之间的相似性：两者都基于波浪散点图；

(2)疲劳时域分析和疲劳谱分析之间的差异：TFA 是确定性的分析,包括非线性的影响,而 SEA 是基于线性分析的随机方法。

疲劳时域分析主要适用于以下假设：

(1)由波浪诱导力产生的管道和立管疲劳(Bai,2001)；

(2)TLP 锚链的疲劳(Fylling 和 Larsen, 1989)；

(3)由低频运动产生的 Spar 结构的疲劳(Luo,2001)。

20.3.2 管道疲劳的时域分析方法

由海浪力的作用得到有关管道和立管的疲劳损伤公式,与应力范围 S_i 对应的周期数 n_i 为

$$n_i = p(\cdot)f_v T_{\text{life}} \tag{20.19}$$

式中,$p(\cdot)$是一种波浪和海流组合流动状态发生的概率；f_v 是管道响应的振动频率；T_{life}是疲劳载荷响应的显示时间。使用迈纳(Miner)定律和 $S-N$ 曲线,由式(20.3),根据散点图每一种海况的 H_s,T_p 和 θ_w,估计其疲劳损伤,详见下式：

$$D_{\text{fat}} = \frac{T_{\text{life}}}{k} \sum_{H_s T_p \theta_W} P(\cdot) \int_0^\infty \max[f_v S^m] \mathrm{d}F_{UC} \tag{20.20}$$

式中 $p(\cdot)$——综合有义波高 H_s,波浪峰期 T_p,平均波浪方向(Mean wave direction)的给定海况发生的联合概率；

$\mathrm{d}F_{UC}$——流速的长期分布函数；

max——符号,代表在一定流速下存在一些潜在的状况,必须选择其中产生最大疲劳损失的情况。

在时域分析中,长期不规则波浪状况被分成了有代表性的海况。对于每一种海况,可以由波谱来得到波运动的时间关系曲线。根据波运动来预测水动力载荷,并将动力载荷作用到结构上,通过结构分析来计算应力范围,再运用迈纳(Miner)定律来计算疲劳损伤。

在 Bai(2001)中,对各个海况使用时域模型计算应力范围,保持其波诱导速度不变,但是有一定范围的流速(从零到最大值),零与最大值几乎是零概率发生,计算得来的应力范围被用来估算式(20.20)中的积分。对于每一种海况、每一种流速估算得到的疲劳损伤应乘以该流速发生的概率。当用波浪力模型计算所有海况的应力范围时,疲劳损伤可以用式(20.20)来计算。使用时域疲劳评估管道和立管的优点是考虑了曳力和结构动力响应的非线性,另一个优点就是减少了由疲劳的谱分析边界条件带来的保守性。工程实践中,可以通过这两种方法来预测某些典型分析案例的疲劳寿命的比率,并将其应用到相似的疲劳中。

20.3.3　立管疲劳的时域分析方法

在时域分析中,要对波浪散点图上的全部海况,以及任何可能的波浪方向进行时域动力分析。在立管的频域疲劳分析中,着陆点(Touch - down point)是固定的。当需要考虑土壤 - 管道相互作用时,要进行时域分析,这样可以减少频域分析的保守性。另外,船舶二阶运动会对疲劳分析结果造成显著的影响。使用应力 RAO 将波浪谱转化为应力谱,很难考虑二阶运动的影响。根据时域动态分析得到的应力时程曲线,可以按如下方法估算疲劳损伤:

(1)由谱(如频域分析中的谱)的谱矩来估算疲劳损伤,用快速傅里叶转化公式来计算应力谱;

(2)使用应力时间关系曲线直接计算疲劳损伤。

动力模拟应该足够长,因为二阶运动的显著时期仅 100 s。

20.3.4　非线性船舶响应时域分析方法

Jha 和 Winterstein(1998)提出了非线性转移函数(NTF)方法,从而有效地预测了由随机海浪中非线性船舶载荷引起的随机累积疲劳损伤。非线性时域船舶载荷分析展现为垂向的不对称性和船舯的中拱力矩(Hog moment)。NTF 方法的目的是基于规则波应用有限的非线性分析来获得准确的预测。多次不规则波的时域分析费用高,使用有限的规则波分析来代替,可减少分析费用。

NTF 法一般是通过非线性转换,把波浪的振幅和周期转化为我们所关心的载荷振幅(例如,Rainflow 计算的全部载荷范围)。随机过程理论可以在以下方面得到应用:

(1)根据 Foristall(1978)波高分布的离散化和波浪周期选择的 Longuet - Higgins(1983)模型,确定可应用的最小一组规则波(如波高和周期);

(2)根据概率理论,可以确定沿船舶空间性分布的适当的一系列边缘波浪(Side - waves);

(3)确定如何根据先前统计的随机海况下的载荷得到这些结果。

把疲劳时域分析的预测结果和假定船舶线性响应的频域随机疲劳分析结果进行比较,可见非线性的影响非常显著。NTF 方法也适用于其他海洋结构。

20.4　结构分析

20.4.1　整体结构分析

整体结构分析通常使用空间构架模型和详细 FEA 模型。空间框架分析定义了局部结构模型的边界载荷,边界载荷乘以详细 FEA 模型的单位载荷分析结果,得到疲劳损伤估算的应力传递函数。

本节提到的模型、载荷估算和结构分析,都适用于整体结构分析。

1. 空间框架模型

空间框架模型包括刚度、质量、衰减、阻尼的重要特性,装载状态和结构系统基础等,它主要由梁单元组成。构件端面力计算的准确性受建模方法的影响。

图 20.1 表示 TLP 平台主结构和甲板主结构的空间结构模型。尽管图上没有显示腱，但在模型中应包括腱，作为支撑结构为平台提供适当的垂向刚度。使用管状梁单元模拟腱结构。通常，外加载荷是自平衡的，并且腱顶部应处于空载状态。因此，在腱顶部相应地施加柔性横向弹力，使分析模型能够承受小的横向载荷。

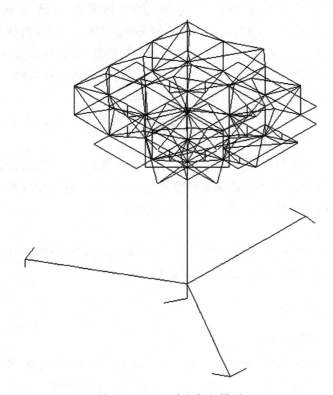

图 20.1 TLP 空间框架模型

使用梁－柱单元来模拟平台的立柱和浮筒结构。接头和构件由整体分析模型界定，因为分析的界面载荷要与模型保持一致。构件属性基于构件横截面性质和材料性质。分析中需输入板和加劲肋的屈服应力，及环状肋框架的最大支架间隔。

为了确保腱和甲板结构的稳定，应有附加接头与构件，也可适当考虑将其作为附加载荷组件。甲板构件用管状单元或 AISC（美国钢结构协会）单元模拟。模型中包括了各主甲板区域的设备质量分布，分析中会产生适当的惯性载荷和运动中心。

2. 详细 FEA 模型

详细 FEA 模型可以用来详细分析主体结构或部分主体结构，全部相关构件应包含在模型中。详细 FEA 模型中，大部分主要构件使用三节点或四节点的板、壳单元和实体单元模拟，一些次要构件可用两节点的梁单元模拟。

3. 设计负载条件

为了保证涵盖大部分的疲劳环境，疲劳设计负载条件包括在足够多的波浪频率下的周期性环境载荷单元中。这些负载条件包括：

（1）由波浪产生的水动力载荷，包括动压力；

（2）由运动产生的惯性载荷；

（3）其他周期载荷。

载荷组成可明确确定,或从整体运动分析上界定(Interface)。对每种载荷情况都要做载荷概括,并检查其精确性和载荷平衡情况。

总体运动分析是动力载荷发展的基础。从整体分析到结构分析的实际界定(Interface),由每种所分析的波浪的周期和方向定义的载荷组成:所用的实部和虚部单位波幅、波浪衍射、辐射载荷、相关的惯性载荷和其他周期性载荷(如腱的动力反作用力)。这些载荷组成的成功界定,依赖于运动分析和结构分析中几何和质量模型的一致性,也依赖于运动分析上载荷组成产生的一致性。如果可能,直接由运动分析界定(Interface)模型形状可得到一致的模型。运动分析和结构分析时选择相同的质量控制数据库可得到一致的质量。

各个周期和方向的波浪形成其载荷组合。这些由外加波浪载荷、惯性载荷和周期性载荷组成,如对浮式平台的实部和虚部加载时腱的动力反作用。这些组合形成了各个周期和方向的波浪的全部周期载荷条件,适用于疲劳的谱分析。

4. 分析和确认

主体结构分析使用线性有限元方法。响应力包括合力和合力矩,并校核分析结果,校核对称或非对称载荷条件以确定对称或非对称分析结果。

20.4.2　局部结构分析

局部结构细节分析是主体结构分析的一部分。

可用 ABAQUS(HKS,2002)和其他有限元程序建立三维 FEM 模型,并运用线性应力分析方法对结构局部元件进行分析。FEA 模型的结果介入疲劳模型中,以进行额外的模型验证,并进行局部结构的疲劳的谱分析。对于 FEA 模型和疲劳模型,都要对整个模型进行准确的划分和修正。

局部结构元件有限元分析的载荷工况,要根据包括了所有周期载荷的整体结构分析确定。

经常需要使用单位载荷条件,将每一种单位载荷条件得出的应力用于疲劳模型,然后与疲劳设计载荷组合。

20.5　疲劳分析和设计

20.5.1　总体设计

应对每一个结构元件使用疲劳的谱分析。应该注意的是,各结构元件、各焊接接缝及附属部分或其他形式的应力集中部位都潜在存在着疲劳裂纹,应该分别予以考虑。

在欧洲,UK Den 程序或其修改版本是最广泛的规范,被推荐用于浮式结构的疲劳分析和设计。美国使用的是 AWS(1997)的设计标准。但是,应注意在确定疲劳应力和 $S-N$ 曲线时,不同的设计标准提供不同的程序,这就导致预测疲劳损伤时存在着很大的差异。因此,一个相容的程序应该使用一种设计标准。

浮式结构疲劳设计的安全系数可根据 20.2 节中的设计规范确定：

（1）接缝的关键性；

（2）检查和修补。

结构冗余决定了接缝的关键性。连接处失效有可能导致结构失效，所以该接缝是关键的。

20.5.2　应力范围分析

应用疲劳软件进行应力范围分析，作为疲劳损伤计算的前期准备。将 FEA 单位载荷、模型形状和单元应力结果引入到疲劳计算模型中，然后根据施加的载荷边界条件，为各波浪疲劳载荷定义载荷组合。

划分和修正空间框架模型，以保证几何形状和单元性质的准确性。在 FEA 输入文件中，纠正检测到的任何错误，并重复 FEA 分析。

根据程序确定所选热点区域的有限元模型，根据设计标准确定有限元的尺寸要求。

在 FEA 模型中，将单位载荷结果引入空间框架模型数据库中，然后根据施加的载荷边界条件，将单位载荷进行适当的组合。

20.5.3　疲劳谱分析参数

1. 波浪环境

波浪环境包括波浪散点图数据和波向概率。

散点图数据包括每年可能发生在结构上的有义波高和波峰值周期函数。对疲劳的谱分析来说，一种波浪谱（如 Pierson – Moskowitz）对应散点图中的一个点。

疲劳估算也包括疲劳波向概率。通常，忽略浪向概率中的不一致分布是不保守的。但是，可使用风向概率代替这些数据，以考虑波浪传播方向的不一致性，并为疲劳损伤计算提供保守性数据。

2. 集中应力系数

在疲劳分析中确定合适的 SCF 是非常复杂的，它取决于 $S – N$ 曲线和应力分析方法。经验方法是疲劳分析中的应力要与 $S – N$ 曲线中由样本测试得到的疲劳应力类似。最准确的疲劳应力并不一定是由高度细化网格 FEA 得到的疲劳应力，而是与选择的 $S – N$ 曲线相关的应力。SCF 和 $S – N$ 曲线将在以后的章节中讨论。

可根据参数方程和有限元分析确定 SCF。

3. $S – N$ 曲线

在美国，使用 AWS（1997）$S – N$ 曲线来分析浮式结构的元件。

在欧洲，用 UK DEn（1990）$S – N$ 曲线来计算浮式结构的结构元件。根据结构外形、施加载荷和焊接质量确定 $S – N$ 曲线的级别。

本章使用 UK DEn 程序。因此，根据 UK DEn 曲线详细讨论 $S – N$ 曲线级别，如表 20.1 所示。

表 20.1　欧洲标准和美国标准的比较

分类	欧洲标准(参见 UK DEn,1990)	美国标准(参见 AWS D1.1,1997)
$S-N$ 曲线	平均值减 2 倍标准差曲线	下限
$S-N$ 曲线的级别	完全焊透焊接——T 曲线 不完全透焊接——W 曲线 依据形状、应力方向、构造和检测方法将曲线分为 B,C,D,E,F,F2,G 和 W 八个级别	X 曲线能充分减少厚度、尺寸效应带有母材的光滑焊接金属——X 曲线,否则——X'曲线
疲劳损伤评估	简化疲劳——用韦伯分布来描述长期浪高分布或用疲劳的谱分析来描述	简化疲劳——使用两种韦伯分布来描述长期浪高分布。一种是正常状态,另一种是飓风状态或用疲劳的谱分析来描述
阴极保护	海水中阴极保护焊缝等同于空气中焊缝 海水中无保护焊缝要求 $S-N$ 曲线减少寿命的一半	$S-N$ 曲线(X 和 X')假定阴极保护有效。AWS D1.1 中的疲劳预防适用于大气中的单元及焊缝。无腐蚀状态下 $S-N$ 曲线不减小
焊接方法改进	有提及	没有提及 使用 X 曲线优于 X'曲线

4. 接缝分类

在 UK DEn(1990)中能找到有关焊接等级的准则。注意,UK DEn(1990)中的 $S-N$ 曲线被 HSE(1995)修正过。

UK DEn(1990)规范中仅适用于无严重缺陷或连续的焊接接缝。像焊趾底端的开口、内部或表面的断裂或裂缝和不规则的几何形状等因素都有可能降低疲劳强度,应该分别评估。

UK DEn(1990)规范把各种类型的焊接接缝分为九个接缝等级。必须确定焊接类型、施载方向,及考虑所有潜在裂缝区域,以确定一特定焊接部位的正确等级。对于大部分类型的接缝,应该考虑的最重要区域是焊趾、焊缝末梢和焊缝根部。

最高等级焊缝的应力方向平行于焊缝方向。角焊接或对接焊接属于 UK DEn(1990)规范,规范中 C 级或 B 级取决于制造过程是人工的还是机械的。其他接缝可能属于较低的焊缝等级,其很少影响焊缝的疲劳强度。

横向对接焊缝的等级判断更加复杂。依据制造过程、位置和区域等可能影响焊缝外形的因素,分别划分为 D 级或 E 级。如果焊缝溢出部分被磨平,或者使用非破坏测试来说明焊缝没有重大缺陷,这些焊缝属于 C 级。但是,如果焊接有限,并且只能在一边焊接,这样应假定其疲劳强度更低。

在 UK DEn(1990)规范中,在焊接部位加入一个永久垫板,则对接焊缝等级降为 F 级。规范反对在平台边缘小距离内使用点焊,在这种情况下,焊缝等级降为 G 级。

点焊是有争议的。在对接焊之前,对连接衬板和平板的不同方法做了很多研究。定位衬板到底板上,使衬垫成为最终焊接的一部分,这将少量增加垫板与平板角焊缝接缝处的疲劳强度。但是,这种增加不足以提升焊缝等级。在这两种情况下,失效是从对接焊缝的根部开始。

目前对接焊使用的玻璃衬垫或陶器衬垫等临时衬垫并没有分级,需要对其进行更深入的研究。为焊接源头(Root runs)特别设计的电极使得无衬垫的单面焊接的焊接质量得以提高。如果采用完全焊透焊接,这样的焊缝等级可以提高到 F2 级。使用这样的焊接等级时应十分注意,由于根部未焊透,疲劳强度在某些区域可能很低。

对接焊缝很少影响疲劳强度,因为这些焊缝比角焊有更好的强度。根据他们的尺寸、方位和连接平板自由边的区域将角焊接划分到 F,F2,G 级。然而研究表明如果焊缝延续到平板的角落,则角焊接的疲劳强度比 G 级焊缝预测值要低。

另外,焊趾是最常发生疲劳裂纹的区域。估算角焊缝和不完全对接焊缝的全部载荷,这是为了评定可能的焊缝口失效。为了避免这种类型的失效,必须确保这些接缝具有足够的尺寸,这样就要使用 W 级焊缝设计的 $S-N$ 曲线。应注意,最大剪切应力范围与 W 级焊缝设计的 $S-N$ 曲线的结合。

5. 结构元件

根据 UK DEn 疲劳设计和评估规范给出的草图,可以对结构元件 $S-N$ 曲线进行分类。根据 UK DEn(1990)规范,焊缝被细分为以下几种:

(1)无焊接金属;

(2)平行于外加应力方向的连续焊缝;

(3)横向对接焊缝;

(4)应力构件表面的焊接附属物;

(5)承载角焊缝和 T 对接焊;

(6)焊接梁的构件。

UK DEn 曲线是基于小型试验样本得到的。在结构单元的 $S-N$ 曲线分类中,使用者首先应将疲劳试验中的应力与结构中的应力联合考虑。例如,图 20.2(a)表示在焊接试验中横截面的疲劳应力是拉应力 S,但是在图 20.2(b)中的疲劳应力是 $SCF \cdot F$,其中 SCF 是由圆洞导致的应力集中系数。因此,在焊缝附近 X 点处的应力是 $SCF \cdot S$。尽管如此,对于图 20.4(c)中的一个小的开口,由于在 $S-N$ 曲线中已考虑微小的结构效应,所以无须考虑小洞引起的应力集中。

理论上,由于不同加载步骤导致了不同加载方向,在疲劳分析中结构元件应按加载步骤分别分类和考虑。这种方法通常极度复杂,因此,在工程软件中依靠经验使用简化的 $S-N$ 分类。

在对一系列设计草图中大量、复杂的结构系统的焊接结构进行分类时,要重点注意以下几点:

(1)分别考虑每种焊缝;

(2)考虑每一种外加应力的方向;

(3)估算全部可能产生裂纹的区域,因为每一种裂纹可能产生不同的分类;

(4)考虑可能产生的应力集中效应。

图 20.3 和图 20.4 为浮式结构上两种典型的例子。图 20.3 中的区域表示根据外加应力方向而确定等级从 C 级到 F2 级和 W 级。在这些例子中,三种主要方向的应力 S_x,S_y 和 S_z 是不等的。因此,每一等级的设计应力范围是不相同的。但是,出于简化设计的目的,全部

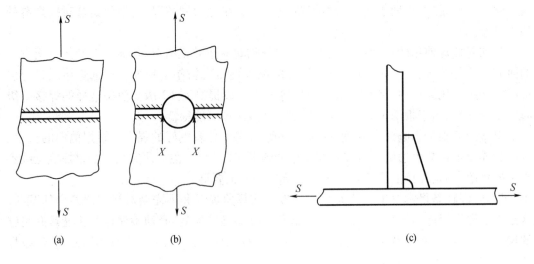

图 20.2　由结构断面形状引起应力集中区域焊缝的疲劳应力说明

结构元件都使用最大主应力和 F2 级。

　　对带有小洞的结构单元很难进行分级,也很难确定存在潜在裂口的区域。带小洞的连续纵向焊缝能使用 UK DEn 疲劳设计准则中的 F 级,不需要另外的应力集中系数。尽管如此,腹板应合并到该元件上进行处理。在带有小洞腹板上对接焊缝的末端更危险,应该具有一定的基底(Ground)。对于基底(Ground)单元,推荐使用 E 级或 D 级。由于存在小洞,应使用应力集中系数 2.2 或 2.4。如果对接焊缝末端不在基底(Ground),推荐使用 F,F2 级和几何应力集中系数(2.2 ~ 2.4)。

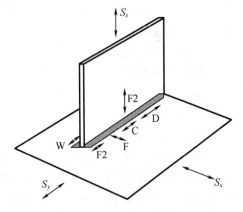

图 20.3　结构单元受 3 轴向
载荷时的 $S - N$ 分级

　　如果涉及小洞的使用,可以通过切除其背部和磨平焊趾来提高疲劳强度,如图 20.3 所示。在这种情况下,洞的周围区域的焊接腹板和面板应该焊透,这样可以避免焊接口(W 级)的失效。

　　图 20.4 是结构单元 $S - N$ 等级的第三个例子。这是 TLP 结构的浮筒和底部节点之间的小型支架。根据 UK DEn(1990)规范和发表过的疲劳测试数据,把该热点区域分为 F 级和 F2 级。

　　浮式结构上的结构元件 $S - N$ 曲线分级是很复杂的。在设计过程中,有许多结构单元不能根据 UK DEn(1990)规范进行分级。这种情况下,使用其他的设计标准,如 AWS(1997)或发表过的疲劳测试数据来校对其等级。

20.5.4　疲劳损伤估算

　　根据 $S - N$ 曲线,假设线性累积损伤(Palmgren – Mine 定律)来计算结构元件的疲劳寿命。使用疲劳谱分析方法,通过不同波向的短期 Rayleigh 分布来定义长期应力范围分布,可

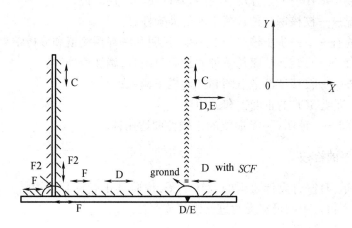

图 20.4　结构单元的 $S-N$ 分级

假定单斜率或双线性 $S-N$ 曲线。

使用服役寿命和安全系数来确定疲劳寿命。因为疲劳估算的不确定性,所以要有一定的额外余度。

1. 热点的初步筛选

初步筛选的目的是在经验和现役数据基础上确定疲劳的关键区域。假设各个构件的保守 $S-N$ 曲线和最大 SCF 值来计算各个构件的疲劳损伤。检查计算得到的损伤,并对疲劳寿命小于最小要求的构件,在特定热点分析中做进一步细化。

2. 特定热点分析

热点初步筛选中未达到要求的构件,需要用更加适用于实际结构单元和焊接过程的 SCF 和相关 $S-N$ 曲线进行重新分析。重新检查计算得到的损伤,统计疲劳寿命小于最小要求的全部构件,以便做进一步的检查、重新设计、改进焊接程序和重新分析。

3. 特定热点设计

特定热点分析中未达要求的构件需要重新设计,以提高他们的疲劳强度。疲劳重新分析时,使用适用于重新设计结构元件和焊接程序的 $SCFs$ 和相关的 $S-N$ 曲线。在重新设计和改进焊接程序后,所有结构单元必须满足最小疲劳要求。

4. 元件改进

提高焊接结构元件疲劳强度的最好时机是在设计阶段。改进结构元件疲劳强度的过程中,有两个要素需要特别考虑:

(1)名义应力等级

改进疲劳强度的最有效的方法是增加局部尺度和在结构上设置外加载荷路径。这个方法可能减少名义应力等级和特定结构单元的热点应力。

(2)几何应力集中

单元构造设计时采用柔性连接,这样可以减少由几何不连续造成的几何应力集中,这是改进疲劳强度最有效的技术。但是,使用柔性趾部、根部的技术则需要好的技艺。

20.5.5　疲劳分析和设计清单

在完成疲劳分析之前,应核对下列清单中的每一项:

(1)计算机模型拓扑——充分观测模型,确认模型的连续性;

(2)载荷工况——校核每一种载荷工况的准确性;

(3)分析及检查——一步步核对分析结果,说明和解释预测值和分析结果之间的差异;

(4)载荷组合——总结和校核每一种外加载荷组合,确保准确性;

(5)环境条件——校核波浪散点图和方向概率输入;

(6)SCF——证明 SCF 的正确性和适用性;

(7)$S-N$ 曲线——证明 $S-N$ 曲线的正确性和适用性。

20.5.6　草图的检核

根据设计结果,对符合设计要求的设计草图,检验其正确性和适用性。不符合要求的草图需要依据技术报告中的可接受性进行修订或存档。

20.6　船级社的审图

20.6.1　设计摘要的提交和批准

设计摘要提交船级社评审、批注和批准。船级社的批注是为了合并设计摘要,并重新发行修改过的设计摘要。如果必要的话,应该重复分析以验证和确认分析结果和设计摘要修订。

20.6.2　任务报告的提交和批准

完成验证分析和设计结果后,发表技术任务报告。这个报告应该符合设计摘要中的分析方法,并讨论设计摘要中的一些变更。任务报告包括支持信息、手工计算和电脑输出。

任务报告和补足计算提交船级社评审、批注、批准,其可作为制造期间设计人员的参考。

20.6.3　结合船级社批注

设计摘要和任务报告的批注应该结合适当的修改文件。如果必要的话,报告和最终批准可以发表修改文件。

参考文献

[1] ABS. Rule for Building and Classing Steel Vessels[R]. American Bureau of Shipping:2002.

[2] API. Recommended Practice for Planning, Designing, and Constructing Tension Leg Platforms[R]. API Recommended Practice 2T (RP 2T), First Edition, American Petroleum Institute:1997.

[3] API RP 2FPS. Recommended Practice for Planning, Designing and Constructing Floating Production Systems[R]. First Edition:2001.

[4] AWS. AWS Structural Welding Code-Steel, AWS D1.1-96[R]. American Welding Society:1997.

[5] Bai Y. Pipelines and Risers[M]. Elsevier Ocean Engineering Book Series, Vol.3:2001.

[6] BSI. BSI 7608 - Code for Practice for Fatigue Design and Assessment of Steel Structures[R]. British Institute of Standards:1993.

[7] DNV, RP – C203. Fatigue Strength Analysis of Offshore Steel Structures[R]. Det Norske Veritas:2000.

[8] Forristall G Z. On the Statistical Distribution of Wave Heights in A Storm[J] J. of Geophysical Research,83(C5),1978:2353 – 2358.

[9] Fylling I J,Larsen C M. Leg Platforms—A State of the Art Review[M]. [S. l.]:Demirbilek,Z. 1989.

[10] HKS. ABAQUS/Standard User's Manual,Version 5. 6[R]. Hibbitt,Karlsson& Sorensen,Inc:2002.

[11] HSE. Offshore Installation, Guidanceon Design, Construction and Certification[R]. UK Health and Safety Executives,4th Edition,Section 21:1995.

[12] Jha A K,Winterstein S R. Stochastic Fatigue Damages Accumulated Due to Nonlinear Ship Loads[C]. Proceedings of OMAE,Lisbon:1998.

[13] Longuest-Higgins M S. On the Joint Distribution of Wave Periods and Amplitude in a Random Wave Field[J]. Proc. of Royal Society of London,1983:241 – 258.

[14] Luo Y H,Lu R,Wang J, et al. Time-Domain Analysis for Critical Connections of Truss Spar[J]. Proceedings of ISOPE,Stavanger,2001.

[15] MCS. Flexcom 3D User's Manual[R]. Marine Computational Services.

[16] UK Den. Offshore Installations:Guidanceon Design,Construction,and Certification[R] 3rd Edition,UK Department of Energy (Now UK Health and Safety Executives):1990.

第21章 断裂力学的应用

21.1 引言

21.1.1 概述

在海洋结构设计中断裂力学的应用包括:
(1)最终断裂估算;
(2)确定裂纹增长以计划检查、维修和确定结构的剩余寿命;
(3)$S-N$疲劳估算不适用时,运用断裂力学进行疲劳估算;
(4)疲劳设计$S-N$曲线的校核。

本章略述了三个级别的断裂估算,使用 Paris 等式预测裂纹增长,并比较$S-N$曲线疲劳估算和断裂力学疲劳估算的结果。

21.1.2 断裂力学设计校核

应用三种方法进行极限工况的断裂力学设计校核,即估算以下几个值:
(1)最大许用应力;
(2)最小断裂韧度;
(3)最大容许缺陷尺寸。

具体叙述如下:

1. 最大许用应力

可使用断裂力学强度标准,得到横截面上的最大许用应力。材料断裂韧度和缺陷尺寸确定后,就可得到最大许用应力值。如果实际局部应力超过最大许用应力,应采用单独的局部设计,以降低局部应力等级和满足断裂力学标准。

2. 最小断裂韧度

确定设计形状和缺陷公差参数后,使用断裂力学设计校核得到最小断裂韧度。断裂韧度允许范围内,设计者可以为特殊结构挑选一种合适的材料。

3. 最大容许缺陷尺寸

得到所选材料的形状和断裂韧度后,就可得到最大容许缺陷尺寸。对于受静载荷作用的结构,最大容许缺陷尺寸必须满足断裂力学标准。对于受动载荷作用的结构,最大容许缺陷尺寸代表疲劳失效时的临界裂纹尺寸,可以用来降低在结构的使用寿命过程中可能出现的断裂风险。该结果也能直接输入到疲劳裂纹扩展期的计算中。

用于断裂估算的三个水准的方法(Reemsnyder, 1997)包括:

水准1:使用裂纹尖端张开位移(CTOD)设计曲线(详见 21.2 节)。

水准 2:使用失效估算图,得到标准估算或设计安全格式(详见 21.3 节),这里无须使用经验安全系数。

水准 3:使用详细的材料应力 – 应变曲线失效估算图,对缺陷尺寸和应力水准使用局部安全系数(详见 21.4 节)。

在 API579(2001),Andersen(1991)和 BSI(1999)中能得到更多的信息。

21.2　水准 1:CTOD 设计曲线

21.2.1　经验公式

使用 CTOD 设计曲线是为了评估结构(如管道、压力舱、船舶和平台结构、建筑物和桥梁)抵抗断裂的能力。使用最广泛的 CTOD 设计曲线是英国焊接协会(AWI)得到的曲线,它涉及一些临界状态(屈服应力 σ_Y,切口处的名义应力 ε 和裂纹尺寸 a)下的 CTOD(Burdekin 和 Dawes,1971;Dawes,1974)。最早的设计曲线出现在指导性文件 BSI 的第一版中(BSI PD 6493,1980)。BSI(1980)CTOD 设计曲线可表述为

$$\phi = \left(\frac{\varepsilon}{\varepsilon_\gamma}\right)^2 \qquad 当\ \frac{\varepsilon}{\varepsilon_\gamma} \leqslant 0.5 \tag{21.1}$$

$$\phi = \left(\frac{\varepsilon}{\varepsilon_\gamma}\right) - 0.25 \qquad 当\ \frac{\varepsilon}{\varepsilon_\gamma} > 0.5 \tag{21.2}$$

式中,ϕ 是无量纲的裂纹尖端张开位移(CTOD)。

$$\phi = \frac{\text{CTOD}}{2\pi\varepsilon_\gamma a} \tag{21.3}$$

式中 ε_γ 是屈服应变。

$$\varepsilon_\gamma = \frac{\sigma_\gamma}{E} \tag{21.4}$$

式中,a 是无限大平板贯穿裂纹的长度,E 是杨氏模量。

21.2.2　英国焊接协会(CTOD 设计曲线)

图 21.1 是 BSI(1980)CTOD 设计曲线,它是在裂缝尺寸 a、安全系数 2 的宽平板的试验结果。

下面是 CTOD 曲线的三种应用:

(1)最大许用应变:求解式(21.1)和式(21.2)中的 $\varepsilon/\varepsilon_\gamma$、给定材料断裂韧度 CTOD 和裂纹尺寸 a,我们可以定义最大许用应变。

(2)最小疲劳韧度:在临界区域上选择具有足够韧度的 CTOD 材料,并给出最大可能裂纹尺寸 a 和应变水平 $\varepsilon/\varepsilon_Y$。

(3)最大许用裂纹尺寸(可以以下面方式使用设计曲线):由结构应力分析给定临界区域的 $\varepsilon/\varepsilon_Y$ 值,从图表中确定 ϕ 值。通过这个 ϕ 值和给定材料的韧度 CTOD,就可确定在临界区域内的最大许用裂纹尺寸 a。

美国石油协会也采用 TWI CTOD 设计曲线,并把其中的 API 1104(1983)作为检验标准的基础。

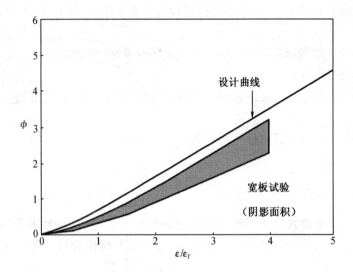

图 21.1　英国焊接协会 CTOD 设计曲线

21.3　水准 2：CEGB R6 图

水准 2 的估算提供了一种简单方法,来校核结构上出现的裂纹能否导致断裂失效,或者不经过更复杂的估算过程来判断裂纹是否安全。这种方法适用于在裂纹尺寸平均值为 2 的基础上使用可变安全因子进行初步估算。在水准 2 的估算中不使用额外的局部安全因子。

下面指定和给出了两个规格化参数:

$$K_R = \frac{K}{K_{MAT}} \tag{21.5}$$

$$S_R = \frac{\sigma_N}{\sigma_{FLOW}} \tag{21.6}$$

式中　K_R——断裂比;

　　　K——构件断裂处的应力强度因子(净截面应力 σ_N、裂纹尺寸 a 与几何形状等的函数);

　　　K_{MAT}——构件的线弹性断裂韧度;

　　　S_R——失效率;

　　　σ_N——构件断裂处的净截面应力;

　　　σ_{FLOW}——应力,在 BS 7910(1997)中,它被定义为屈服应力和张应力的平均值。

英国中央电力局(CEGB)做出了最早的失效估算图(FAD),图 21.2 中就是 FAD。CEGB 方法(Milne 等,1986,1988;Kanninen 和 Popelar,1985)提出屈服后断裂在两种极限情况之间的插值公式。这两种极限情况是线弹性断裂和塑性破坏。插值公式称为失效估算或 R6 曲线(如图 21.2)。

$$K_R = \frac{S_R}{\sqrt{\frac{8}{\pi^2}\ln[\sec(0.5\pi S_R)]}} \tag{21.7}$$

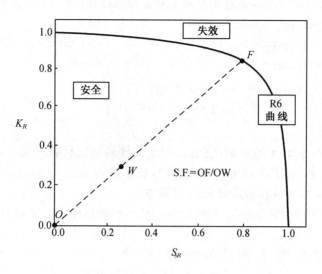

图 21.2　CEGB R6 曲线

　　式(21.7)的右边是对小范围屈服假定的塑性修正。图 21.2 中的 CEGB R6 曲线解释如下:如果表征结构元件状态的节点 W 在 R6 曲线内侧,则该结构元件是安全的;如果点 W 在 R6 曲线上或外面,则该结构元件失效。载荷的利用系数是 OW/OF,其中,点 F 在 R6 曲线上,点 O 为原点。

21.4　水准3:失效估算图(FAD)

　　用图表表示出水准 3 估算使用的 FAD,见图 21.3。

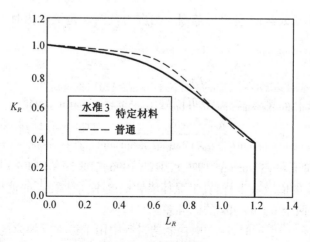

图 21.3　失效评估图

　　(1)破坏率 L_R 是断裂处的净截面应力与流动应力的比值;

　　(2)断裂率 K_R 是裂纹驱动力(包括残余应力)与材料韧性(K_{MAT} 或 CTOD)的比值。

失效估算曲线是可预测的失效构件的工况载荷、材料应力－应变性质和形状的临界组合。应用 FAD 的设计规范包括：

（1）CEGB R6－修订 3；

（2）BSI（1999）PD 6493；

（3）电力研究机构/总电力（EPR/GE）模型；

（4）ASME 第 XI 节有关铁制管道的规范（DPFAD）；

（5）API 579（2001）。

在三种水准中，水准 3 最复杂，它通常用来估算高硬化材料和稳定撕裂。在 PD 6493（现在是 BS 7910）中，水准 3 的 FAD 由两种校核方法组成：（1）总体 FAD；（2）特殊材料 FAD，材料应力－应变曲线也输入到 FAD 评估中。

CTOD 在英国等欧洲国家使用广泛，而美国核工程普便使用 J 积分。

21.5　基于断裂力学的疲劳评估

21.5.1　由恒幅载荷导致的裂纹增长

最终断裂的周期总数是裂纹初始阶段与裂纹增长阶段的周期的总和。裂纹增长阶段的周期数 N_P 可以这样估算

$$N_P = \int_{a_0}^{a_{CR}} \frac{\mathrm{d}a}{\mathrm{d}a/\mathrm{d}N} \tag{21.8}$$

式中，a_0 和 a_{CR} 分别是裂纹初始和最终断裂的裂纹深度（或长度）。a_{CR} 值可使用在 21.1 节到 21.4 节中论述的估算最终断裂的方法来确定。使用 Paris 定律来预测裂纹增长。Paris 定律带入方程（21.8），我们可以得到

$$N_P = \int_{a_0}^{a_{CR}} \frac{\mathrm{d}a}{C(\Delta K)^m} = \int_{a_0}^{a_{CR}} \frac{\mathrm{d}a}{C(S\sqrt{\pi a}F)^m} \tag{21.9}$$

式中，F 也叫裂纹形状因素；S 是应力范围。当应力范围 S 是恒振幅时，式（21.9）的方程我们可以写成

$$N_P = \frac{1}{C(S\sqrt{\pi})^m} \int_{a_0}^{a_{CR}} \frac{\mathrm{d}a}{(\sqrt{a}F)^m} \tag{21.10}$$

如果 F 不取决于 a，则式（21.10）可以导出（Almar－Naess，1985）：

$$N_P = \frac{a_{CR}^{1-m/2} - a_0^{1-m/2}}{C(S\sqrt{\pi}F)^m(1-m/2)} \qquad \text{当 } m \neq 2 \text{ 时} \tag{21.11}$$

Paris 参数 C 和 m 可在 Gurney（1979），IIW（1996），BS 7910（1999）和 API 579（2001）中查找。参数 C 和 m 的值取决于材料、工况环境和应变率。参数 C 的值也可由试验来确定，取值为平均值加上两个 $\log \mathrm{d}a/\mathrm{d}N$ 的标准差。

确定初始裂纹的尺寸 a_0 时，应考虑在制造过程中用于检查其缺陷的非破坏性试验的准确性。

21.5.2　由变幅载荷导致的裂纹增长

21.5.1 中的公式可能适用于风险勘测，其使用 Paris 定律来预测裂纹增长。预测变幅

载荷下的裂纹增长阶段周期数是十分复杂的,同时需要使用计算机程序对式(21.9)进行数值积分得到。对于深度从 a_i 到 a_{i+1}、应力范围为 S_i 的裂纹,出现数 n_i 可以用下式估算(Almar-Naess,1985):

$$n_i = \frac{1}{C(S_1\sqrt{\pi})^m}\int_{a_1}^{a_{i+1}}\frac{da}{(\sqrt{a}F)^m} \tag{21.12}$$

在恒应力 S_i 下的疲劳寿命 N_i 为

$$N_i = \frac{1}{C(S_i\sqrt{\pi})^m}\int_{a_0}^{a_{CR}}\frac{da}{(\sqrt{a}F)^m} \tag{21.13}$$

因此,可以使用 Miners 定律来计算累积疲劳损坏

$$D = \sum_{l=1}^{K}\frac{n_l}{N_l} \tag{21.14}$$

21.6　使用断裂力学和 $S-N$ 曲线方法进行疲劳评估的对比

如表21.1对比所示,Paris 公式可以转化为 $S-N$ 曲线公式。式(21.10)可以写成

$$N_P = \frac{I}{C_l(S)^m} \tag{21.15}$$

式(21.15)中的 I 是个积分。因为裂纹扩展开始阶段周期数是很少的,周期数 N 接近于 N_P。因此,式(21.15)可以写成

$$N = \frac{I}{C_l}(S)^{-m} \tag{21.16}$$

表 21.1　断裂力学和 $S-N$ 曲线对疲劳的对比

断裂力学	$S-N$ 曲线
区域 I:起始区域(无裂纹增长)	耐疲劳极限(无限寿命)
区域 II:Paris 公式	$S-N$ 曲线(高周期疲劳)
区域 III:最终断裂(屈服)	低周期的疲劳,失效区域

21.7　断裂力学在航天、发电领域的应用

航天工业断裂的控制是基于假定存在的裂纹增长的断裂力学分析,裂纹的尺寸基于检查、探测能力(Harris,1997)。对于空间结构,NASA(1988)要求适用于航天飞机的所有载荷,也适用于太空应用的寿命/任务控制项目,如太空站。使用初始裂纹尺寸进行构件的断裂力学分析,该尺寸可参见无损检测(NDE)尺寸。如果使用具有更好的勘测能力的特殊的检测方法,则分析中可采用更小裂纹尺寸。在裂纹增长的计算中使用肿部材料的性质来计算。商业软件要根据断裂力学来计算裂纹增长,要求裂纹尺寸能在四倍寿命期内满足要求。

由于保守设计产生的对可靠性的高要求和可能产生的严重不利后果,已经在飞机结构上运用断裂力学,使用概率方法来处理初始裂纹和载荷谱的随机性。Provan(1987)用损伤

容许限度和失效安全性来描述军用飞机,详见第三部分22.4节。损伤容许限度分析的目的是在结构寿命内确保结构的安全性。分析评估了在使用寿命内可能发生的意外损坏的影响,并检查结构到下次检查前或到任务完成时是否能够承受其损坏,其中安全因数为2。

　　Harris(1997)在电力工业重新评估了断裂力学的使用,如核压力容器核、蒸汽涡轮转子等。极高可靠性的要求与全尺寸试验(如航空行业)的天价费用,导致了断裂力学被广泛用来预测缺陷部分的性能。ASME(1989)锅炉和压力容器规范第ⅩⅠ部分中介绍了在裂纹增长导致结构失效前,使用无损检测来检测出裂纹的方法。规范中定义了检测区域、所使用的程序及发现裂纹后分析其可能趋势的程序。随着断裂力学在航空领域和飞行器中使用,ASME规范给出了断裂力学分析中确定初始裂纹尺寸、材料性质(疲劳裂纹增长)和应力强度因子的方法。如果缺陷尺寸较小时无须进一步分析,可用裂纹尺寸表格定义裂纹尺寸。如果经过详细分析后,发现在裂纹的剩余寿命期内,裂纹增长不超出其临界尺寸的规定比例,则大于表中数值的裂纹也可让其继续服役。ASME(1991,1992,1994)提出了高危区域进行风险检测的规范,并因此提供了一定数目检测的更大风险减少量或对同样风险减少量进行较少检测。

　　统计断裂力学已经在船舶、桥梁、油气等行业应用,并进一步发展了海洋结构物的设计和制造方法,特别是管道安装的缺陷控制标准、管子接头和管道的破损/缺陷承受标准和检测方法都得益于航天航空业的研究成果。

　　断裂力学在使用适宜服务的化学工业和石油工业的失效分析和控制方面也起到很大的作用。

21.8　例子

例 21.1　对接焊缝允许的最大缺陷尺寸。

问题:对接焊的板厚是150 mm,屈服应力是500 MPa,一个裂纹的高宽比是 $c/a = 1$,它最小的临界裂纹尖端张开位移是0.000 36 m,对焊缝施加垂直于裂纹平面的单轴向张力,焊件应力小于或等于屈服应力的0.60倍,最大许用裂纹宽度是多少?

解
$$\frac{\varepsilon}{\varepsilon_y} = 0.60$$

$$\phi = \frac{\delta_c}{2\pi\varepsilon_y a_{\max}} = \frac{0.000\ 36}{2\pi\dfrac{500}{2.0E5}a_{\max}} = \frac{0.025\ 9}{a_{\max}}$$

则下面的关系成立:

$$\phi = \frac{\varepsilon}{\varepsilon_y} - 0.25 = \frac{0.025\ 9}{a_{\max}}$$

因此,最大的半宽是 $a_{\max} = 0.074$ m。

参考文献

[1] Almar-Naess A. FatigueHandbook, Offshore Steel Structures[M]. Norway: Tapir, 1985.

[2] API 1104 Alternate Standards for Acceptability for Girth Welds. Appendix A, Standards for Welding Pipelines and Related Facilities[R]. American Petroleum Institute: 1994.

[3] API 579, Recommended Practice for Fitness for Service[R]. American Petroleum Institute: 2001.

[4] ASME, ASME Boiler and Pressure Vessel Code, Section XI, Rules for In-service Inspection of Nuclear Plant Components[R] American Society of Mechanical Engineers: 1989.

[5]　ASME, Risk-Based Inspection-Development of Guidelines, Vol. 20. 1 [R] American Society of Mechanical Engineers: 1991.

[6] Andersen T L. Fracture Mechanics—Fundamentals and Application[M]. [S. l.] : CRC Press: 1991.

[7] BSI. PD 6493 – Guidanceon Some Methods for the Derivation of Acceptance Levels for Defects in Fusion Welded Joints[R]. London: BSI, 1980.

[8] BSI . BS7910-Guidance on Methods for Assessing the Acceptability of Flows in Fusion Welded Structures [R] London: BSI, 1999.

[9] Burdekin F M, Dawes M G. Practical Use of Linear Elastic and Yielding Fracture Mechanics with Particular Reference to Pressure Vessels[C] London: The Institution of Mechanical Engineers, 1971: 28 – 37.

[10] Dawes M G. Fracture Control in High Strength Weldments[J]. Welding Journal 53, 1974, 369 – s – 379 – s.

[11] Gurney T R. Fatigue of Welded Structures[M]. [S. l.] : Cambridge University Press: 1979.

[12] Harris D O. Prevention of Fracture in Ship Structures[M]. Washington, D. C. : [s. n.], 1995.

[13] Hertzberg R W. Deformation and Fracture Mechanics of Engineering Materials, 3rd Edition[M]. 1989.

[14] IIW, Fatigue Design of Welded Joints and Components[R] Cambridge: 1996.

[15] Kanninen M F, Popelar C H. Advanced Fracture Mechanics [M]. New York: Oxford University Press, 1985.

[16] Milne I, Ainsworth R A, Dowling A R, et al. Assessment of the Integrity of Structures Containing Defects. R/H/R6[R] Surrey: Central Electricity Generating Board, 1986.

[17] Milne I, Ainsworth R A, Dowling A R. Assessment of the Integrity of Structures Containing Defects[J]. International Journal of Pressure Vessels and Piping 32, 1988, 3 – 104.

[18] NASA. Fracture Control Requirements for Payloads using the National Space Transportation System, NASA NHB 8071. 1[R] National Aeronautics and Space Administration: 1988.

[19] Newman J C, Raju I C. An Empirical Stress Intensity Factor Equation for the Surface Crack[J]. Engineering Fracture Mechanics, Vol. 51, 1981: 185 – 192.

[20] Provan J W. Probabilistic Fracture Mechanics and Reliability[M]. Boston: Martinus Nijhoff Publishers, 1987.

[21] Reemsnyder H S. Prevention of Fracture in Ship Structures[M]. Washington, D. C: National Research Council, 1997.

第22章　材料选择和标准

22.1　引言

本章将讨论疲劳和断裂技术在工程中的应用,包括:

(1)材料的选择和断裂的预防;

(2)焊接改进和修理;

(3)破损评估和损伤容限标准;

(4)无损检验。

22.2　材料选择和断裂预防

22.2.1　材料选择

抗拉强度是结构强度设计中的关键力学性质,所使用的材料应该满足预定环境(温度)中的焊接要求和断裂韧度。疲劳和腐蚀也是重要的材料特性。设计规范要求材料和焊缝满足船体和机械建造的规定,详见 ABS(2002),而规范中详细说明了低碳钢、高强度钢和低温材料,包括:

(1)制造过程;

(2)化学成分;

(3)供应条件;

(4)张拉性质;

(5)冲击性质;

(6)标志;

(7)表面加工。

为了检验材料是否符合上述要求,测试样品和测试数量应由规范给出,焊接过程的批准要求和焊工的资格也应由规范给出。

22.2.2　高强度钢

对于船舶结构,低碳钢的屈服强度是 24 kg·f/mm²(或 235 N/mm²)。高强度钢是 HT32(局部强度是 32 kg·f/mm²)和 HT36(Yamamoto 等,1986)。船体梁强度的许用应力是根据材料等级来定义的,使用高强度的钢可能减小平板的厚度。尽管如此,高强度钢的耐腐蚀性与低碳钢相同。因此,腐蚀余量也应取 2.5～3.5 mm。弹性屈曲强度由几何尺寸来决定,不受屈服强度的影响。对于更高强度钢,板厚减小,可能导致其弹性屈曲强度的降低。为了避免屈曲强度的降低,有必要减小加劲肋的间隔。高强度钢的后屈服行为不同于低碳钢,高强度钢强度越高,线性应力极限和屈服强度之比越大。例如:屈服强度在 50 和 60 kg·f/mm² 之间的钢的比例极限是 0.7 到 0.8。然而,低碳钢的比例极限是 0.6,因此钢强度越高,拉伸应变越小(在拉伸破坏时),且在后屈服区域的强度冗余也越小。在热影响区(HAZ),高强度钢的 V 形缺口冲击能量可能显著降低,因此有必要控制焊接过程的热能和增长单边焊穿透数量。

钢的可焊性可以度量是否容易生产无裂缝、完好的结构连接。评估可焊性的碳含量(C_{eq})可根据下列方程,通过桶样(Ladle)分析计算得到

$$C_{eq} = \left[C + \frac{M_n}{6} + \frac{C_r + M_0 + V}{5} + \frac{N_i + C_n}{15} \right] \times 100\% \tag{22.1}$$

C_{eq} 和它最大值的选取要得到制造者和钢铁厂的认同,因为它的数值代表抗拉强度和可焊性。C_{eq} 的数值越高,抗拉强度越高而可焊性越差。

焊接工艺应该基于钢铁的化学性质而不是公布的最大合金含量,因为大多数选材通常低于规范中的最大合金含量。当工厂生产一系列钢铁后,化学含量也应记录在工厂测试报告中。如果其化学含量的变化超出其极限值,应该采用特殊的焊接工艺,以保证充分的焊接连接。

对于高强度钢,焊接构件应力集中区域的应力增长时,其抗疲劳性不随之增长。因此,焊接构件有必要减少应力集中,并提高抗疲劳性。

22.2.3　断裂的预防

二战期间,出现过焊接船舶由于脆性断裂而导致事故的例子。在美国,对脆性断裂的温度影响进行了全面的研究。现已知 Mn/C 比率很高,则韧度也很高,随着断裂力学的发展,低温时(0 ℃以下),由于断裂韧度 K_{IC} 减小,因此脆性断裂就变得很明显。为了确定断裂韧度,有必要使用大型试件提高测量精度。对于实践要求,已将 V 形缺口的冲击试验结果与断裂韧度 K_{IC} 相联系,并将其运用在钢铁低温情况的使用说明中。在船舶设计规范中,对产品等级 A 不做 V 形缺口的冲击试验要求,对 B,D,E 等级分别在 0 ℃,10 ℃,-40 ℃进行试验。标准冲击试验样品的冲击能量平均值要求超过 27 J。对于船体结构使用的钢,E 等级具有最高的韧度,可作为裂纹阻止器来阻止脆性断裂的增长。他们被用在对纵向强度起着决定作用的主要杆件上。在一些情况下,次要构件的韧度标准不作要求。

为了预防焊接构件的疲劳裂缝,船舶设计规范已经规定了许用应力的标准,这基于简化疲劳分析(详见第三部分第 19 章)及假设设计寿命是 20 年。许用应力标准可用于净板厚的确定。

对于质量控制,应该对钢厂的钢铁进行材料检查。船级社规范中给出了检查要求,对于运营的船舶,应用船级社对其进行检查,确定由于腐蚀造成的壁厚减少量,同时,调查过程中应注意疲劳断裂和凹痕损伤。如果有必要,应检查损坏原因、修补破损或修补焊接构件。在本章 22.4 节将讨论损伤容许标准。工艺检查的反馈信息促使规范和设计指导文件的改进,并对其设计方案进行调查和修改,如抗疲劳构件,详见本章 22.3.2 节。

22.3　焊接的改进和修补

22.3.1　概述

在很多情况下,剧烈受荷构件应设计成抗疲劳构件,以提高焊接构件的等级,使得其具有更高的疲劳强度以改进其疲劳性能。在某些情况下,焊接程序可以减少焊接的应力集中的严重程度,可以移除其缺陷,或在焊缝处采用局部压应力,以提高其疲劳寿命。类似地,这些疲劳改进技术可作为补救措施,用于延长断裂处临界焊接构件的疲劳寿命。

随后的章节将讨论通过修正焊趾外形和残余应力分布(Almar – Naess, 1985; Kirkhope, 1997)来改进焊接的方法。

22.3.2　抗疲劳的构件

焊接构件的疲劳强度取决于良好的制作工艺,包括:

(1)设计:减少十字形接头未对准、环形连接和角焊缝的约束和几何中断。

(2)焊接实践:角焊缝的填充、焊缝形状和连续性。

(3)残余应力。

(4)焊趾的表面处理。

基于船级社的规范,Glenn 等(1999)对油船、散货船、集装箱船和军舰的抗疲劳构件进行了分类。这些可为设计者提供指导,同时 MA 等(2000)标准可用来估算特殊结构的设计(详见第三部分 19.6 节)。

22.3.3　焊接的改进

推荐使用焊缝外形轮廓打磨和焊趾区域的局部打磨来修改其焊接轮廓和提高疲劳强度。

修改焊趾轮廓的基本目标:

(1)移除焊趾的缺陷;

(2)实现焊接材料和平板的平稳过渡。

采用局部打磨或重熔技术来减少缺陷和中断,从而延长了疲劳寿命。

1. 打磨

广泛使用的打磨方法有全剖面毛口打磨、焊趾毛口打磨或局部全盘打磨。考虑到打磨所需的时间,局部焊趾打磨已成为一个最佳的打磨方法。焊趾仔细的局部打磨能在空气中至少提高样本 30% 的疲劳强度,这相当于增加大于 2 倍的疲劳寿命。但是,为了获得这样的打磨效果,就应扩大钢板表面厚度约 0.04 in(1 mm)。

2. 腐蚀控制

另一种焊接改进技术则使用的是高压水冲法。在严格控制条件下,焊趾区域可以被削掉。早期研究表明,打磨水冲法(AWJ)和焊趾打磨法相比,对提高疲劳寿命的效果相近。腐蚀控制的优点是它不需要加热,就能迅速地完成打磨。

3. 重熔技术

焊趾深度较浅的材料采用重熔焊接技术,这样可移除夹杂物,并帮助实现在焊缝和钢板的平稳过渡。钨极惰性气体焊(TIG 焊)和等离子焊不是常规使用的技术,但 TIG 和等离子敷料(Dressing)可用来改善指定关键区域的疲劳强度。

TIG 焊基于纵向焊缝处理。通过其他过程完成 TIG 焊的焊接敷料,其中熔化很浅的焊趾区域不使用填充材料。重熔区域的渣粒被带到表面,这使得焊趾区域几乎无缺陷。应该持续输入高温,以获得好的轮廓和低硬度。热影响区(HAZ)的低硬度也可使用二次 TIG 技术实现。

等离子敷料要求使用等离子弧焊接技术重熔焊趾。这非常类似于 TIG 焊敷料,但是等离子敷料使用了更广泛的熔池和更高的热量输入。这种技术不受电极位置的影响,因为使用等离子敷料来提高疲劳强度,优于使用 TIG。

虽然考虑整体焊接造型以改善疲劳强度,除 API(2001)之外的规则和建议,不允许通过焊接造型来改善疲劳强度,除非使用焊趾打磨进行焊接造型。还应该注意,与焊接造型和焊趾打磨相关的数据非常有限,因此,应采用专家意见来量化疲劳强度改进。

22.3.4 改进残余应力分布

可以使用下列方法消除不合理的焊接拉伸残余应力,以便获得焊趾区域的压应力。

1. 应力消除

简单小板的各种疲劳试验表明,可以通过焊后热处理(PWHT)来消除应力,从而提高疲劳强度。但是,连续结构的板和支撑构件很少需要应力消除。复杂结构单元受约束时能有效地释放压力。

2. 压缩超限应力

压缩超限应力是一种使焊趾出现残余压应力的技术。试验和分析结果表明了预加超限应力的效果,但是执行过程不能表示其可用于大多数海洋结构物。

3. 敲击

敲击是一种冷加工处理,产生表面变形以增加其残余压应力。当材料表面受冲击载荷作用时,可能导致表面层侧面扩张,表面底层阻止这样的扩张,从而在表面产生残余压应力。典型的敲击方法是锤头敲击、喷丸敲击和喷针敲击。

22.3.5 讨论

疲劳强度改善技术耗时、耗资,并且不普遍适用。对比不同的技术,可以估算他们的效率和成本。推荐使用的方法应依据(整体和局部)结构特征和效率、成本和装配场地特征等选取。

可提高焊接构件疲劳强度的各种方法对比如下:

(1)全轮剖面打磨仅优于焊趾毛口打磨或全盘打磨,因为在一定成本内它能得到更高的疲劳强度。

(2)全盘打磨需要的时间和金钱是最少的,但是它产生的划痕垂直于主应力方向,使得这种技术比其他技术的效率低。

(3)为了控制焊趾区域的腐蚀,可使用高压水冲(AWJ)方法,这种方法与打磨是同效的。该方法简单、快速,不需热量,这些对控制腐蚀很有效。

(4)与 TIG 敷料法相比,宽广的焊接池使等离子敷料法对电极相对焊趾的位置要求较小。因此,等离子敷料法在改善疲劳强度方面要优于 TIG 敷料法。

(5)打磨、重融和敲击技术需要大幅提高疲劳强度。使用 TIG 焊和用锤头敲击可获得最好的疲劳强度,焊趾全盘打磨法是效率最低的方法。

22.4　损伤容限标准

22.4.1　概述

遭受各种周期性载荷作用的海洋结构物在焊缝处可能导致疲劳裂纹的增长,这些裂纹的增长最终可能威胁结构强度和稳定性。因此,检测到的严重的装配瑕疵和裂纹应该及时修补。同样,腐蚀缺陷和凹痕损伤也需要检测和修补。为了优化寿命周期检查和降低维修费用,需要合理的标准来确定损伤的可接受性。

损伤容限是在结构出现疲劳裂纹、腐蚀或意外载荷造成损坏,直到这些损坏被检测和修补的情况下,承受预期载荷的能力。在本节中,主要介绍疲劳裂纹。疲劳裂纹的损伤容限分析使用断裂力学来估算有裂纹焊接构件的残余强度和剩余寿命。

Yee 等(1997)和 Reemsnyder(1998)出版了关于海洋结构物损伤容限分析的详细规范。损伤容限分析包括以下几个方面:

(1)使用疲劳估算图表来估算裂纹构件的局部残余强度;

(2)对疲劳裂纹增长使用线性弹性力学模型来预测裂纹结构的剩余寿命;

(3)估计峰值应力和循环载荷;

(4)检测缺陷损坏及其精确性。

以上条款将在以下部分进行讨论。

22.4.2　使用疲劳估算图表估算剩余强度

疲劳估算图表(FAD)可用于预测给定疲劳韧度和缺陷尺寸的裂纹元件的残余强度,详见本书第三部分 21.1.2 节。如果峰值应力超过了 FAD 的剩余强度,则会失效。剩余强度的精确预测,对于以下方面很重要:

(1)估算最大缺陷尺寸,考虑勘察构件的损伤可拆分性;

(2)确定材料韧度和剩余应力;

(3)选择适当的失效估算图谱,并定义它的净截面应力和应力强度因子。

剩余强度代表损坏元件的承受能力,载荷是评估间隔时间中,作用在裂纹构件上的峰值应力。应力和断裂驱动力的计算也可能对断裂焊接构件安全核对的结果造成显著影响。

22.4.3　使用 Paris 定律预测剩余寿命

使用 Paris 定律可以计算恒幅或变幅周期性载荷产生的裂纹增长,详见第三部分 21.5 节。对于裂纹增长的可靠预测,以下方面的准确性很重要:

(1)预测 Paris 方程中的 Paris 参数(C 和 m);

(2)使用 Paris 方程估算裂纹的初始尺寸;

(3)计算周期应力和应力范围。

Paris 积分方程的检测裂纹结果是构件最终断裂的周期数。损伤容限标准要求预测疲劳寿命要长于到下次检测前的时间和修补时间的总和。如果检测中没有发现损坏,裂纹最小检测尺寸可作为初始裂纹尺寸。

22.4.4　讨论

在设计和制造阶段,可以进行损伤容限分析,并进行检测或延长结构的设计寿命。损坏承受分析使用 BS 7608(BSI,1993)。推荐使用它是因为可以在材料选择和降低应力方面使裂纹增长率降低和使临界裂纹尺寸变大。它对检测构件和滞止裂纹也有很大帮助。

以上讨论以疲劳和断裂为例子,腐蚀缺陷和磨损也进行了相似的讨论。在腐蚀缺陷的容限标准的估算中,预测下面几方面是很必要的:

(1)初始腐蚀缺陷尺寸;

(2)腐蚀构件的残余强度;

(3)利用充分腐蚀率模型来预测腐蚀缺陷的增长;

(4)对于关注时期内或到设计寿命结束时出现的最大载荷。

由于意外载荷造成的凹痕损坏将不会增长,因此它的容限标准可简单地由关注期内最大载荷的残余强度来决定。

22.5　无损检测

Almar – Naess(1985)和 Marshall(1992)共同提出了检测焊接构件裂纹的几种方法,如:

(1)液体渗透(用来显示表面裂纹,需要干净表面);

(2)磁性粒子(用来显示表面裂纹,不需要干净表面);

(3)涡流(基于磁场来检测表面裂纹);

(4)放射线(在薄膜上使用 X 或 γ 射线来检测初始裂纹);

(5)超声探测(UT)(使用超声波确定初始缺陷尺寸)。

放射线检测对于体积缺陷最有效,如多孔和熔渣。因为探测与按尺寸排列裂纹状缺陷十分困难,任何可发觉的缺陷都不能使用。

在以上的探测方法中,超声探测是探测和确定内部缺陷最可靠的方法。超声工作非常像雷达,探测器能够在区域表面移动而进行检测,在缺陷区域电压晶体发出超声信号。波可通过被检测元件表面反射,也可被缺陷反射。探测器能发出信号,也能探测这些回波。通过测量发射信号和接收信号的时间间隔,可以确定缺陷的位置。以下是 UT 的基本特征:

(1)UT 对严重缺陷更加敏感,因为它依赖反射信号。严重的缺陷有裂纹、未焊透、不完全渗透、熔渣和多孔。

(2)UT 能够确定缺陷的三维位置。

(3)UT 操作简单、快速,并无辐射危险。

(4)UT 通过传导器来掌握焊缝连接处的复杂形状。

UT 能够检查出超过 70% 的缺陷,失误率在 30% 以下。

当必须进行放射线探测或超声探测时,探测的区域和位置及探测方法的选择都要参照 AWS(1997)和 ABS(1986)、材料和相关的焊接工艺、质量控制过程和视测结果。在 AWS(1997)和 ABS(1986)中,有相关标准来确定检测结果(信号)是否一致,或认为可以忽视,或评估为不符合缺陷接受标准。

参考文献

[1] ABS. Rules for Non-destructive Inspection of Hull Welds[R]. 1986.

[2] ABS. Rule Requirement for Materials and Welding[M]. American Bureau of Shipping.

[3] Almar-Naess A. Fatigue Handbook, Offshore Steel Structures[M]. Norway: Tapir, 1985.

[4] API 1104. Alternate Standards for Acceptability for Girth Welds. Appendix A, Standards for Welding Pipelines and Related Facilities, 8th edition. [R]. 1994.

[5] AWS. AWS Structural Welding Code-Steel, AWS D1.1 − 96[R]. American Welding Society, 1997.

[6] Bai Y. Pipelines and Risers[M]. Elsevier Science Ocean Engineering Book Series, 2001.

[7] BSI. BS 7608 − Code of Practice for Fatigue Design and Assessment of Steel Structures[R]. 1993

[8] BSI. BS7910 − Guidance on Methods for Assessing the Acceptability of Flows in Fusion Welded Structures[R]. 1999.

[9] Glenn I F, Paterson R B, Luznik L. Fatigue Resistant Detail Design Guide for ShipStructures[C]. Ship Structures Committee Report SSC − 405: 1999.

[10] Kirkhope K J, Bell R, Caron L. Weld Detail Fatigue Life Improvement Techniques[C]. Ship Structures Committee Report SSC − 400: 1997.

[11] Ma K T, Srinivasan S, Zhang H. Developing Design Criteria for Connections Around Cutout (Slot) Openings[J]. SNAME Transactions, 2000: 227 − 248.

[12] Marshall P W. Design of Welded Tubular Connections[M]. Amsterdam: Elsevier Press, 1992.

[13] Reemsnyder H S. Guide to Damage Tolerance Analysis[J]. Fatigue and Fracture Analysis of Ship Structures, SSC.

[14] Yamamoto Y, Ohtsubo H, Sumi Y, et al. Ship Structural Mechanics[M]. Nariyamatou Book: 1986.

[15] Yee R D, Malik L, Basu R. Guide to Damage Tolerance Analysis of Marine Structures[C]. Ship Structures Committee Report SSC − 402: 1997.

第四部分
结构可靠性

第23章 结构可靠性理论基础

23.1 引言

第四部分主要介绍了用于海洋结构物设计的结构可靠性方法,着重论述了该方法的相关基本概念、方法论以及在船舶结构等方面的应用实例。有关结构可靠性理论的具体论述可以参照 Ang 和 Tang(1975,1984),Thoft – Christensen 和 Baker(1982),Madsen(1986),Schnerder(1997),Melchers(1999)。这些文献主要讨论了基于对数正态分布假设的简单分析方程。另外,在 Song 和 Moan(1998)等有关数值方法的文献中也曾简要地提及了这方面的内容。

本部分将详细阐述以下内容:

(1)海洋结构物可靠性;

(2)基于可靠性的设计与规范校核;

(3)疲劳可靠性;

(4)基于概率与风险的检测规划。

23.2 不确定性和不确定性模型

23.2.1 概述

通常,海洋结构物分析中要处理载荷影响(要求)和结构强度(能力)。在设计中,根据要求和能力之间所需的安全余度确定结构构件尺寸。

在结构分析的所有步骤和强度估算过程中总是存在不确定性。这些不确定性是由环境、几何尺寸和材料特性的随机性,以及载荷、响应和强度的不准确预测等引起的。

海洋结构物的合理设计与分析需要考虑所有的不确定性,包括预测载荷效应和结构模型。不确定性分析是任何可靠性分析的关键,如基于可靠性的海洋结构物设计与检修。

概率分析方法和设计规范的发展使量化不确定性的重要性增加。不确定性模型的研究成果可以用来评估各种不确定性类型的相关重要性。例如,某项海洋结构物研究得出了这样一个结论:在整个寿命周期内极值波高的不确定性是最重要的。错误预测设计周期内的最严重海况是不确定性的一个主要因素。

结构体系的可靠性取决于载荷和强度的不确定性。每一种不确定性都能用不同精度进行计算。例如,对于大部分情况而言,近海平台对静载荷的响应可以进行高精度计算,而若用相同的精度测算波浪引起的响应可能就无法得到同样的可信度。因此,在估算结构安全性和确定设计方案时,我们必须考虑与各种载荷和强度变量相关的可信度的差异。例如,基于可靠性的海洋结构设计规范中,波浪载荷的载荷系数大于静载荷,因为前者模型的不确定性要大些。

23.2.2　自然不确定性和模型不确定性

海洋结构物分析的不确定性可以分为自然(随机)的和模型的两类。前者归因于环境和相应载荷的统计学特性,后者归因于对各种现象的不完全认识,以及分析模型的理想化和简单化。这些不确定性导致了分析结果的偏差和离散。例如,在海洋中某特定位置波高的不确定性即属于自然不确定性。而只因结构分析时的假设和简化使得在已知外施载荷作用下,计算结构应力和强度时产生误差,则属于模型不确定性问题。

数学模型具有更高的精度,使用数学建模可以降低建模的不确定性。但是,即使收集了更多的信息,也不会降低自然不确定性。在进行可靠性分析时和基于可靠性的设计规范不断发展中,随机性和模型不确定性都必须量化和说明。

把目标量的实际值设为 X,设计规范中规定的相应值设为 X_0,根据 Ang 和 Cornell (1974)有

$$X = B_\mathrm{I} B_\mathrm{II} X_0 \qquad (23.1)$$

式中　$B_\mathrm{I} = X_p/X_0$,其中 X_p 是该量的理论预测值;

　　　$B_\mathrm{II} = X/X_p$;

　　　B_I 是自然(随机)变异性的一个量度,B_II 是模型不确定性的一个量度。

随机变量 B_I 和 B_II 平均值 $E(B_\mathrm{I})$ 和 $E(B_\mathrm{II})$ 的偏倚分别与自然随机性和模型不确定性有关。假设随机性和模型不确定性在统计意义上是独立的,且使用线性扩展表达随机变量平均值 B,我们可以量化 X 的总不确定性,如下:

$$E(B) = E(B_\mathrm{I})E(B_\mathrm{II}) \quad 和 \quad COV_B = (COV_{B_\mathrm{I}}^2 + COV_{B_\mathrm{II}}^2)^{1/2} \qquad (23.2)$$

式中,$B = B_\mathrm{I} B_\mathrm{II}$,$COV$ 表示其下标所示变量的相关系数。

式(23.2)只适用在变量相关系数较小(小于0.10)的情况,但在一些近似计算中也经常使用。

23.3　基本概念

23.3.1　概述

在结构工程的结构中,计算物的力、位移和应力等方面时均须考虑载荷(S)和强度(R)的关系。结构设计规范一般都规定了可供使用的载荷、强度和适当的安全系数。结构可靠性理论是在考虑载荷和强度的不确定性前提下,估算失效概率的理论。在过去的二十年中,结构可靠性及其在结构工程中的实际应用均取得了很多成就。

23.3.2　极限状态和失效模型

结构构件可以分为安全和失效两种状态。安全和失效状态之间的分界线(面)称为极限状态,表示为 $g(Z) = R - S$。下述情况描述了结构构件的可能状态:

$g(Z) < 0$ 表示失效状态,载荷 S 大于强度 R;

$g(Z) > 0$ 表示安全状态,强度 R 大于载荷 S;

$g(Z) = 0$ 表示极限状态。

图 23.1 简略地说明了极限状态的概念。

对于海洋结构物,极限状态可根据适用性、极限强度等不同的要求进行定义。

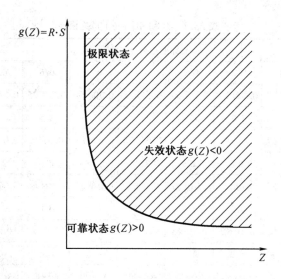

图 23.1　极限状态的概念

23.3.3　结构可靠度计算

使用概率方法量化不确定性,结构可靠度可以使用失效概率来计算。

如果一个结构由一系列随机变量 Z 的联合分布函数 $f_z(z)$ 来描述,那么任何一组给定的 Z 值都可以确定该结构是否失效。这就使 Z 空间分成两部分,分别叫安全区和失效区,这两部分被失效面(极限状态)分开。

结构失效概率 P_f 可以根据下式计算:

$$P_f = P(g(Z) \leqslant 0) = \int_{g(Z) \leqslant 0} f_z(z) \mathrm{d}z \tag{23.3}$$

可靠度 R 可以根据下式得到:

$$R = 1 - P_f = P(g(Z) > 0) \tag{23.4}$$

这种精确的数值积分只适用于很有限的一些简单问题,另有一系列不同复杂程度的方法可以用来计算失效概率,如安全指数法、分析法和数值法。

1. Cornell 安全指数法

假设极限状态函数如下:

$$g(Z) = R - S \tag{23.5}$$

式中,R 和 S 分别代表强度和载荷的随机变量。

Cornell(1969)提出用下式估算安全指数:

$$\beta = \frac{\overline{g(Z)}}{\sigma_g} = \frac{\overline{R} - \overline{S}}{\sqrt{\sigma_R^2 + \sigma_S^2}} \tag{23.6}$$

式中,$\overline{R}$ 和 $\overline{S}$ 分别是 R 和 S 的平均值;σ_R 和 σ_S 分别代表 R 和 S 的标准差。安全指数只与失

效概率有关：

$$P_f = \Phi(-\beta) \tag{23.7}$$

式中，Φ 是标准正态分布函数，参见表 23.1。

表 23.1　β 和 $\Phi(-\beta)$ 的关系

标准正态分布表									
β	0.0	0.1	0.2	0.3	0.4	0.5	0.6	0.7	0.8	0.9
$\Phi(-\beta)$	0.5	0.460 17	0.420 74	0.382 09	0.344 58	0.308 54	0.274 25	0.241 96	0.211 86	0.184 06
β	1.0	1.1	1.2	1.3	1.4	1.5	1.6	1.7	1.8	1.9
$\Phi(-\beta)$	0.158 66	0.135 67	0.115 07	0.096 80	0.080 76	0.066 81	0.054 8	0.044 57	0.035 93	0.028 72
β	2.0	2.1	2.2	2.3	2.4	2.5	2.6	2.7	2.8	2.9
$\Phi(-\beta)$	0.022 75	0.017 86	0.013 9	0.010 72	0.008 2	0.006 21	0.004 66	0.003 47	0.002 555	0.001 866
β	3	3.1	3.2	3.3	3.4	3.5	3.6	3.7	3.8	3.9
$\Phi(-\beta)$	0.001 499	0.000 968	0.000 687	0.000 483	0.000 337	0.000 233	0.0 001 591	0.0 001 078	0.0 000 723	0.0 000 483
β	4	4.1	4.2	4.3	4.4	4.5	4.6	4.7	4.8	4.9
$\Phi(-\beta)$	3.170×10^{-5}	2.070×10^{-5}	1.330×10^{-5}	8.500×10^{-6}	5.400×10^{-6}	3.400×10^{-6}	2.100×10^{-6}	1.300×10^{-6}	8.000×10^{-7}	5.000×10^{-7}

可靠性指标 β 与失效概率的近似关系可以表示如下：

$$P_f \approx 0.475\exp(-\beta^{1.6}) \tag{23.8}$$

或

$$P_f \approx 10^{-\beta} \tag{23.9}$$

2. Hasofer – Lind 安全指数法

Hasofer 和 Linda(1974)对失效概率的计算做出了重大贡献，他们把极限状态函数变换到标准空间。这种变换只针对变量 R 和 S。

随机变量 R 和 S 分别经变换后标准化为 U_1 和 U_2：

$$U_1 = \frac{R - \mu_R}{\sigma_R} \tag{23.10}$$

$$U_2 = \frac{S - \mu_S}{\sigma_S} \tag{23.11}$$

因此，随机变量 R 和 S 可以分别表达为

$$R = U_1\sigma_R + \mu_R \tag{23.12}$$

$$S = U_2\sigma_S + \mu_S \tag{23.13}$$

因而，新变量的平均值为 0，标准差为 1。在新坐标系中，直线可由下式表述：

$$g(Z) = R - S = (\mu_R - \mu_S) + (U_1\sigma_R - U_2\sigma_S) \tag{23.14}$$

从设计点到原点的距离标记为 β，即 β 安全指数（β 指数或 Hasofer – Lind 指数），如图 23.2 所示。

在 23.11 节中给出例 23.1 来说明 β 指数法。

3. 分析法

作为计算失效概率的一种近似方法，一阶可靠性方法(FORM)是最被广泛接受的方法。FORM 同时提供了不同输入参数的失效概率灵敏度，这在设计、建造和维护中对结构可靠性

的优化十分重要。

二阶可靠性方法(SORM)通过一个与设计点适合的二阶面来近似表达极限状态面。最常用的近似面是抛物面。

FORM 和 SORM 对小概率问题有很好的近似,但是随着极限状态的非线性和非正态随机变量的数目增加,这两种方法的准确性和适用性会降低。这种情况下,失效概率可以使用仿真法估计。

4. 仿真法

与解析法不同,Monte Carlo 仿真法(MCS)是一种基于数字计算机实验的数值方法,失效概率被转换为相关频率。MCS 采用随机采样

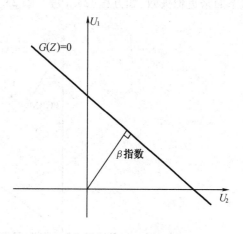

图 23.2 β 指数法

的方法,抽取大量数据得到失效函数 $g(Z)$,并观察结果,失效函数是否小于或等于 0。如果实验重复 N 次,且失效发生 n 次,则失效概率可以估算为 $P_f = n/N$。

在可靠性分析中主要使用两类仿真法:(1)0−1 示踪法;(2)半解析条件预期法。

23.3.4 FORM 的计算简介

在一阶可靠性方法(FORM)中,失效区这样近似:首先把极限状态面转换到 U 空间,然后在设计点 u^* 处用切超平面代替它。

使用 Rosenblatt 变换得

$$U_i = \Phi^{-1}(F_i(Z_i \mid Z_1, \cdots, Z_{i-1})) \quad i = 1, 2, \cdots, n \tag{23.15}$$

如果随机变量 Z 是相互对立的,则变换简化为

$$U_i = \Phi^{-1}(F_i(Z_i)) \quad i = 1, 2, \cdots, n \tag{23.16}$$

Z 空间的极限状态面 $g(Z) = 0$ 转换为 U 空间上相应的极限状态面 $g(u) = 0$。接下来,在 U 空间确定设计点。设计点在 $g(u) = 0$ 上,而且是失效区上概率密度最大的点,也就是失效面上距 U 空间原点最近的点。可使用交互式程序寻找设计点 u^*,表述为

$$u^* = \beta\alpha^* \tag{23.17}$$

式中,β 是一阶可靠性指标,亦即设计点和原点的距离。在失效面上 u^* 点处的单位法向量 $\boldsymbol{\alpha}^*$ 可以通过下式得到

$$\alpha = -\frac{\nabla g(u^*)}{|\nabla g(u^*)|} \tag{23.18}$$

式中,$\nabla g(u)$ 是梯度向量。实际极限状态面 $g(u) = 0$ 可通过近似得到,在设计点 u^* 上有如下公式:

$$g(u) = \beta + \alpha^{\mathrm{T}}u = 0 \tag{23.19}$$

一阶安全余度 M 可以定义为

$$M = g(U) = \beta + \alpha^{\mathrm{T}}U \tag{23.20}$$

相应的失效概率近似为

$$P_f \approx \Phi(-\beta) \tag{23.21}$$

通过上述对 FORM 的描述,可以看出 FORM 是在 u 空间的设计点处,用平面代替极限

状态面来近似失效,如方程(23.19)。图23.3 说明了这种方法。

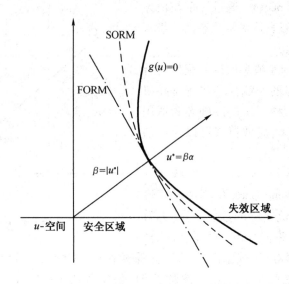

图23.3　FORM 和 SORM 的说明

　　这是失效概率 P_f 的一阶近似,β 是相应的可靠性指标的一阶近似值。计算精确取决于实际失效面线性近似的程度,而且通常使用 SORM(详见下节)进行改进。影响精确度的最主要问题是 FORM 不能在多重设计点中找到全局性设计点。

23.3.5　SORM 的计算简介

　　在二阶可靠性方法(SORM)中,极限状态面使用一个有相同切超平面和设计点处主要曲率的抛物面进行近似。失效概率可以近似为

$$P_{f,\text{SORM}} \approx \Phi(-\beta) \prod_{j=1}^{n-1} (1-\beta_{k_j})^{-1/2} + [\beta\Phi(-\beta) - \varphi(\beta)]\{ \prod_{j=1}^{n-1} (1-\beta_{k_j})^{-1/2} -$$

$$\prod_{j=1}^{n-1} (1-(\beta+1)_{k_j})^{-1/2}\} + (\beta+1)[\beta\Phi(-\beta) - \varphi(\beta)]$$

$$\{ \prod_{j=1}^{n-1} (1-\beta_{k_j})^{-1/2} - \text{Re}[\prod_{j=1}^{n-1} (1-(\beta+i)_{k_j})^{-1/2}]\} \quad\quad (23.22)$$

式中,第三项中的 i 是虚数单位,Re( )是实部,$k_j(j=1,2,\cdots,n-1)$ 是设计点处的主曲率。第一项是当 $\beta\to\infty$ 时的渐近结果。

　　使用 SORM 时,等价超平面可以通过对可靠性指标对应的真实失效面进行线性近似来定义:

$$\beta_{\text{SORM}} = -\Phi^{-1}(P_{f,\text{SORM}}) \quad\quad (23.23)$$

实际上,单位法向量 α_{SORM} 近似等于 FORM 得到的值。

　　在 SORM 中,极限状态面可以通过在设计点 u^* 处使用合适曲率的抛物面进行近似,如图23.3 所示。SORM 与 FORM 相比,估算的精确度通过二阶近似得到了提高。

23.4　构件可靠性

23.3 节的概念主要是构件水平上的可靠性估算,主要考虑使用单一极限状态函数来模拟失效概率。因为所有海洋结构物均由构件组成,所以构件可靠性是结构体系可靠性分析的基础。

23.5　可靠性分析

23.5.1　概述

对于体系可靠性分析,必须考虑多个极限状态函数,本节将讨论这类问题的失效概率计算公式和估算方法。一个体系通常由许多单元组成,而每个单元根据各自的极限状态函数,可能有一个或多个失效模式。此外,一个系统可以有很多失效模式,因为每个体系的失效模式可能与一个单元失效或几个单元联合失效有关。

串联体系和并联体系是两类基本体系类型,通过这两类基本体系可以构建任何体系。

23.5.2　串联体系可靠性

如果体系中的任意一个单元失效都会导致整个体系失效,该体系就被称为串联式体系,通常可参照弱连接体系,典型的例子是海底管道和立管。

串联体系的失效概率可以由失效事件概率的并集得到。对一个用安全余度 M_i 定义的有 m 个失效单元的体系,失效概率可以用下列公式表达:

$$P_{f,sys} = P\Big[\bigcup_{i=1}^{m}(M_i \leq 0)\Big] = P\Big[\bigcup_{i=1}^{m}(\beta_i - \alpha_i^{\mathrm{T}}u)\Big] = 1 - \Phi_m(\boldsymbol{\beta},\boldsymbol{\rho}) \tag{23.24}$$

式中,Φ_m 是 m 维的标准正态分布函数,$\boldsymbol{\beta} = [\beta_1,\beta_2,\cdots]$ 是 m 个失效单元的可靠性指标的向量,$\boldsymbol{\rho}$ 是相应的相关矩阵。

有关串联体系的可靠度计算,可参考 23.11 节给出的例子。

23.5.3　并联体系可靠性

并联体系的所有单元都失效时,体系失效。对于并联体系,单元必须全部失效体系才会失效。失效概率可以由单元失效事件概率的交集得到

$$P_{f,sys} = P\Big[\bigcap_{i=1}^{m}(M_i \leq 0)\Big] = P\Big[\bigcap_{i=1}^{m}(\beta_i - \alpha_i^{\mathrm{T}}u)\Big] = \Phi_m(-\boldsymbol{\beta},\boldsymbol{\rho}) \tag{23.25}$$

由式(23.24)和式(23.25)可知,计算串联体系和并联体系失效概率归结为计算标准多重积分,然而对于大尺度问题,这是很困难的。

有关简单并联体系的可靠性计算问题,可参考 23.11 节给出的例子。

23.6　统计组合

23.6.1　概述

一般说来,基于载荷形式和来源的统计学特征,可以将载荷分为以下三类:

（1）不随时间变化的载荷，如静载荷；

（2）随机载荷，如波浪载荷；

（3）瞬态随机载荷，如地震作用。

当两个或两个以上的随机载荷作用在结构上时，必须根据各个载荷的统计学特性考虑统计载荷的组合。例如，作用在船舶上的载荷组合主要类型包括：

（1）船体梁载荷；

（2）船体梁载荷及局部压力；

（3）船体梁载荷及瞬态载荷。

简单的载荷组合问题，例如船体梁失稳，可以由下式表示：

$$M_t(t) = M_s(t) + M_w(t) \tag{23.26}$$

式中　$M_t(t)$——作用在船体梁上的总弯矩；

$M_s(t)$——静水弯矩；

$M_w(t)$——垂向波浪弯矩。

在大部分现行的船舶设计规范中，应用静水弯矩和垂向波浪弯矩组合的峰值一致法，如下所示：

$$M_{t,max}(t) = M_{s,max}(t) + M_{w,max}(t) \tag{23.27}$$

这是非常保守的假设，即两种弯矩同时达到最大值。但是，统计载荷的组合非常复杂，且有多种方法来解决这类问题，这里只介绍 Turkstra's 法（1972）和 FerryBorges – Castanheta 模型（1971）。

23.6.2　Turkstra's 法

施载过程可用来寻找体系内一些确定的最大值，由 Turkstra（1972）推导的方法使这个过程应用到实际当中。它以平稳随机过程的组合模型为依据，具体的原理是当一个随机载荷在 T 时刻达到最大值时，其他载荷的瞬时值可用来构成最大载荷组合值。假设随机载荷由 $S_i(t)$ 表示，载荷组合用 $S(t)$ 表示，即

$$S(t) = \sum_i S_i(t) \tag{23.28}$$

那么，最大值 $S(t)$ 可以表示为

$$S_M = \max_{t \in T} S(t) = \max_{t \in T} \left[\max_{t \in T} S_i(t) + \sum_{j=1}^n S_j(t) \right] \tag{23.29}$$

式中，$\max S_i(t)$ 是 T 时刻 $S_i(t)$ 的最大值；$S_j(t)$ 是其他随机的瞬时值。

必须指出，使用式（23.29）计算时应该使用不同的载荷组合以求得最大值。

23.6.3　Ferry Borges – Castanheta 模型

Ferry Borges – Castanheta（FBC）模型（Ferry – Borges，1971）描述的是一系列矩形脉冲形式的独立随机过程，如图 23.4 所示。每个脉冲值代表载荷的强度，脉冲的持续时间在系列中保持一致。时间间隔的选择使得脉冲可视为独立重复过程。

不同过程的时段选取原则是在整个过程中长时段是相邻短时段的整数倍。这是能够简单计算两个过程组合分布最大值的先决条件，因为在长周期的脉冲持续时间内，短周期过程的脉冲可以精确地重复 n 次。

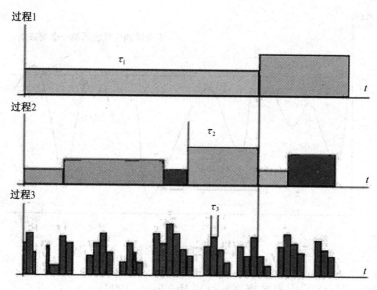

图 23.4 FCB 模型

考虑有 X_1,X_2 和 X_3 三种施载过程作用在海洋结构物上。FCB 载荷模型要假定一个新的变量,该变量由时段 τ_2 内 X_3 的最大值加上 X_2 得到。接着在时段 τ_1 内搜索这个变量的最大值,然后加到 X_1 上。最后,在寿命期 T 内的最大值即可代表全部三个过程的变量。

变量 Y 表示三个过程载荷组合的最大值,则可以表示为

$$Y = \max_{T}\{X_1 + \max_{\tau_1}\{X_2 + \max_{\tau_2} X_3\}\} \tag{23.30}$$

式中,X_i 代表载荷分布;max X_I 项分别代表随机变量 X_I 在时间段 τ_1 或 T 内的最大值。

23.7 时变可靠性

海洋结构物可能遭受随时间变化的载荷,如风载荷,同时结构强度也呈现出时变性,例如由腐蚀造成的构件强度的减弱。与这些时间相关值有联系的基本变量都是随机的。可靠性问题变成时变问题,相关定义如下。

基本随机过程的集合:

$$X(t) = \{X_1(t),X_2(t),\cdots,X_n(t)\}$$

$X(t)$ 的联合分布函数:

$$F_{X(1)}(X(t),t)$$

极限状态曲面:

$$g(x(t)) = 0$$

时变可靠性问题主要关注的是,在结构的寿命周期内,第一次从安全区($g(x(t)) > 0$)穿跃到失效区($g(x(t)) \leqslant 0$)的时间 $t(t \in [0,T])$,如图 23.5 所示。T 是海洋结构物的设计寿命周期或者是可靠性分析的参考周期。第一次偏离 $g(x(t)) \leqslant 0$ 的时间 t 叫作失效时间,它也是一个随机变量。

在海洋结构物的设计寿命周期 T 内,$g(x(t)) \leqslant 0$ 出现的概率叫作首次穿越概率,这个

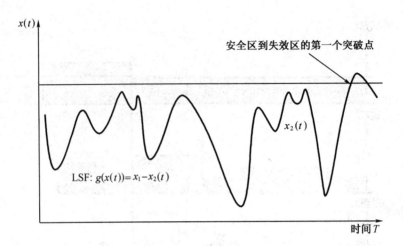

图 23.5　时变可靠性

概率等于给定时间段 $[0,t]$ 内失效概率 $p_f(t)$（Melchers，1999）。

$$p_f(t) = 1 - P[N(t) = 0 \cap g(x(0)) > 0] \tag{23.31}$$

或　　　　$$p_f(t) = 1 - P[N(t) = 0 \mid g(x(0)) > 0] \cdot p[g(x(0)) > 0] \tag{23.32}$$

式中，$N(t)$ 是在时间段 $[0,t]$ 内穿越的次数，穿越是指从安全域偏移到失效域。

对海洋结构物分析而言，经常用非时变随机变量代替随机施载过程来表示整个寿命周期内的载荷，这也适用于同步随机载荷情况。极限载荷组合的情况需要妥善考虑，因为不同施载过程各自的最大值不是同时发生的。这取决于上节中描述的载荷组合方法的应用。

23.8　可靠性更新

可靠性理论可以用来再次评估结构的完整性。当检查结果有效或设计条件变化时，这种再评价是必要的。结构可靠性更新是根据新资料得到的，该资料可分为两类：

（1）大量实例取样；

（2）观察报告。

为了说明可靠性更新，这里以载荷为 S 和强度为 R 的构件为例。失效概率为

$$P_f = P[R - S \leqslant 0] = \int_{-\infty}^{\infty} F_R(s) f_s(s) \mathrm{d}s \tag{23.33}$$

假设构件受到验证载荷 q^* 作用，而且能够承受该载荷，这说明强度 $r \geqslant q^*$。

P_f 更新的形式如下：

$$\begin{aligned} P_{f,up} &= P[R - S \leqslant 0 \mid R \geqslant q^*] = P[R - S \leqslant 0 \mid H \geqslant 0] \\ &= \frac{P[R - S \leqslant 0 \cap H \geqslant 0]}{P[H \geqslant 0]} = \frac{P[R - S \leqslant 0 \cap -H \leqslant 0]}{P[-H \leqslant 0]} \end{aligned} \tag{23.34}$$

式中，$H = R - q^*$。

一般来说，根据新资料，可以使用不同的方法来更新结构可靠性。Moan 和 Song（1998）提出了适用于船舶和自升式平台的可靠性更新方法，这将在第四部分第 27 章中详细说明。

23.9　目标概率

23.9.1　概述

相关指导方针为结构设计师提供了每种失效模型的容许失效概率,也就是最小容许可靠性指标 β_0,通常被称为目标概率。在进行结构可靠性分析时,应根据失效结果、相关设计规范、检验和维修的可达性等因素选取适当的安全等级。目标概率等级必须满足设计要求,以保证达到指定的安全等级。

23.9.2　目标概率

如果满足下列条件,则设计是安全的。

$$\beta > \beta_0 \tag{23.35}$$

式中　β_0——目标安全指标;

　　　β——分析中估算出的安全指标。

由管理机构、船级社或行业确定一个合理值,该值也可用于新式结构。

规范校核是指校核现行规范中包含的可靠性等级。具体来说,是对一个成熟规范中各个条款包含的风险等级进行评估,调整安全余度来消除相关要求中的差异,这种方法经常用来改进规范。

选择目标概率用来最小化结构服务期内的预期总成本。可使用成本效益分析方法来确定设计的目标概率,而设计失效只会导致经济上的损失和后果。尽管这种方法在经济原理上是合理的,但它的主要缺点是需要确定人类生命的价值尺度。

如 Bai 等人(1997)指出的那样,对可靠性设计而言,目标概率在现行设计实践中校核安全等级的基本指标。该方法存在这样的争论:规范是否可代表一种公认的实践资料。因此,它可以看成是规范修订和校核的出发点。根据可靠性规范,任何对安全等级的调整都应该是为了确保设计结果中可靠性的连续一致。

23.9.3　船舶结构推荐目标安全指标

在表 23.2 中,总结了船体梁(主要)、加强板(次要)、非加强板(再次)失效模型的推荐目标安全等级以及相应的概念失效概率(Mansour,1997)。必须指出,目标安全指标的值也依赖于校核可靠性等级的方法。

表 23.2　船舶结构目标安全

失效模型	商业船舶	军舰
首要(初始屈服)	$5.0(2.97 \times 10^{-7})$	$6.0(1.0 \times 10^{-9})$
首要(极限)	$3.5(2.3 \times 10^{-4})$	$4.0(3.2 \times 10^{-5})$
其次	$2.5(6.2 \times 10^{-3})$	$3.0(1.4 \times 10^{-3})$
再次	$2.0(2.3 \times 10^{-2})$	$2.5(6.2 \times 10^{-3})$

23.10　可靠性计算的软件

下面是计算结构可靠性的一些计算机程序。

PROBAN:由 DNV 开发的用于普通结构的概率分析工具,是 SESAM 包的一个模块。

STYREL:由德国 RCP 咨询公司开发的一种普通结构可靠性分析软件,包括构件可靠性计算(COMREL)、体系可靠性计算(SYSREL)和可靠性数据的统计分析(STAREL)等。

ISPUD:专门设计的使用 Monte Calo 仿真法进行结构可靠性计算的软件。

CALREL: 由 U. C. Berkeley 开发的普通结构可靠性软件。它的功能包括:①估算构件失效概率;②估算体系失效概率;③FORM 和 SORM 分析;④直接 MCS 分析;⑤灵敏度分析。

23.11　举例

例 23.1　船体安全指数的计算

问题:船体上分别作用弯曲力矩以及极限力矩时,船体梁的载荷及强度的概率密度函数(PDF)如图 23.6 所示。假设载荷 S 和强度 R 都符合正态概率分布,平均值分别是 $\mu_s = 20\ 000$ ft – ton 和 $\mu_z = 30\ 000$ ft – ton,标准差分别是 $\sigma_z = 2\ 500$ ft – ton 和 $\sigma_s = 3\ 000$ ft – ton。问:船体失效概率是多少?

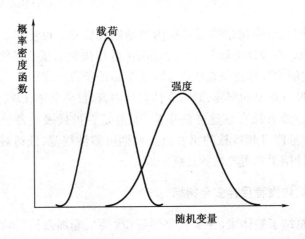

图 23.6　载荷和强度的概率密度函数

解　可以根据 Cornell 安全指数法,计算可靠性指标

$$\beta = \frac{\mu_R - \mu_S}{\sqrt{\sigma_R^2 + \sigma_S^2}}$$

带入 $\mu_s, \mu_R, \sigma_R, \sigma_s$ 的数值,可以得到

$$\beta = \frac{30\ 000 - 20\ 000}{\sqrt{2\ 500^2 + 3\ 000^2}} = 2.56$$

相应的失效概率为

$$P_f = 5.23 \times E - 3$$

例 23.2　β 安全指标法

问题：假设随机变量 R 和 S 符合船体梁弯矩的正态分布。R 和 S 的平均值和标准差分别是 $\mu_R = 150, \sigma_R = 20$ 以及 $\mu_s = 90, \sigma_s = 30$。问：使用 Hasofer Lind 法计算指数 β 和 P_f 的值。

解　极限状态函数如下：

$$g(z) = R - S$$

根据式(23.12)和式(23.13)，随机变量 R 和 S 可以用标准正态分布区间表示：

$$R = 20 \times U_1 + 150$$
$$S = 30 \times U_2 + 90$$

那么极限状态函数变为

$$G(Z) = 20U_1 - 30U_2 + 60$$

到坐标系原点的直线距离可很快算出：

$$\beta = \frac{60}{\sqrt{20^2 + (-30)^2}} = 1.664$$

使用标准正态分布表(表23.1)，失效概率估算如下：

$$P_f = \Phi(-\beta) = \Phi(-1.664) = 4.9\%$$

例 23.3　串联体系的可靠性计算

问题：考虑一个简单结构，如图 23.7 所示。假设构件 1 和构件 2 的承受能力分别为 $R_1 = 1.5R$ 和 $R_2 = R$，作用载荷为 P，抗力为 R。符合独立的正态分布，特征值如下：

$$\mu_P = 4 \text{ kN}, \sigma_P = 0.8 \text{ kN}$$
$$\mu_R = 4 \text{ kN}, \sigma_R = 0.4 \text{ kN}$$

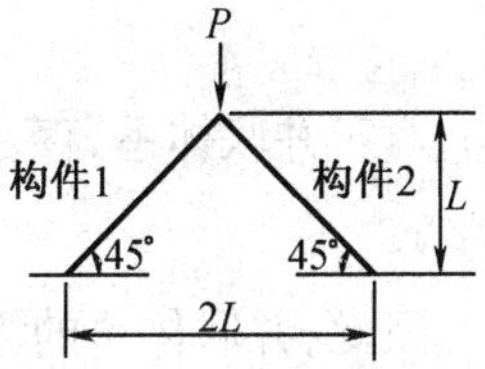

问：这个体系的失效概率是多少？

解　构件 1 和构件 2 的 LSF 分别是

图 23.7　结构图

$$g_1(Z) = \frac{3}{2}R - \frac{\sqrt{2}}{2}P$$

$$g_2(Z) = R - \frac{\sqrt{2}}{2}P$$

将以上方程中的随机变量正态化，可以得到下式：

$$x_1 = \frac{R - 4}{0.4}$$

$$x_2 = \frac{P - 0.4}{0.8}$$

根据23.3.3节和例23.2中 β 安全指标法，可得到以下式子：

$$Z_1 = 0.728x_1 - 0.686x_2 + 3.846$$
$$Z_2 = 0.577x_1 - 0.816x_2 + 1.691$$

所以构件 1 和构件 2 的安全性指标分别为

$$\beta_1 = 3.846$$
$$\beta_2 = 1.691$$

得到相应的失效概率为

$$P_{f,1} = \Phi(-\beta_1) = 0.00006$$

$$P_{f,2} = \Phi(-\beta) = 0.047\ 94$$

体系的失效概率近似为

$$\max P_{f,i} \leqslant P_{f,sys} \leqslant \sum P_{f,i}$$

所以有

$$0.047\ 94 \leqslant P_{f,sys} \leqslant 0.048\ 00$$

此外,Z_1 和 Z_2 的相关系数如下:

$$\rho = \sum a_i b_i = 0.728 \times 0.577 + 0.686 \times 0.861 = 0.98$$

对于这个系统,其相关系数近似等于 1。因此,体系的失效概率 $P_{f,sys}$ 近似于下限,也就是 $P_{f,sys} = 0.047\ 94$。

例 23.4 并联系统的可靠性计算

问题:假设一个系统由四个并联构件构成,相应的可靠性指标分别为 $\beta_1 = 3.75$,$\beta_2 = 3.41$,$\beta_3 = 4.24$ 和 $\beta_4 = 5.48$。问:并联体系失效概率的范围。

解 每个构件的失效概率估算如下:

$$P_{f,1} = \Phi(-\beta_1) = 1.784\ 9 \times 10^{-4}$$
$$P_{f,2} = \Phi(-\beta_2) = 3.248\ 1 \times 10^{-4}$$
$$P_{f,3} = \Phi(-\beta_3) = 1.117\ 6 \times 10^{-5}$$
$$P_{f,4} = \Phi(-\beta_4) = 2.126\ 6 \times 10^{-8}$$

对于并联体系,存在下列范围:

$$\prod P(Q_i) \leqslant P_{f,sys} \leqslant \min P(Q_i)$$

因此,并联体系的简单概率范围如下:

$$1.377\ 9 \times 10^{-20} \leqslant P_{f,sys} \leqslant 2.126\ 6 \times 10^{-8}$$

相应的可靠指标范围如下:

$$5.48 \leqslant \beta_{sys} \leqslant 9.23$$

必须指出的是,一般说来由上述并联体系公式得到的限定值范围太大。

参考文献

[1] Ang A H S, Cornell C A. Reliability bases of structural safety and design[J]. Journal of the Structural Division, 1974, 100(Proc. Paper 10777).

[2] Ang A H S, Tang W H. Probability concepts in engineering planning and design[M]. 1984.

[3] Bai Y, Xu T, Bea R. Reliability-based design and requalification criteria for longitudinally corroded pipelines[C]//The Seventh International Offshore and Polar Engineering Conference. International Society of Offshore and Polar Engineers, 1997.

[4] ELL C A C. A probability-based structural code[J]. Aci Journal, 1969.

[5] Ferry-Borges J, Castrnheta M. Structural Safety[M]. Laboratoria Nacional de Engenhera Civil, Lisbon. 1971.

[6] Lind H. An Exact and Invariant First-Order Reliability Format[J]. Journal of Engineering mechanics, 1974, 100.

[7] Madsen H O, Krenk S, Lind N C. Methods of structural safety[M]. Courier Corporation, 2006.

[8] Assessment of Reliability of Ship Structures, Appendices[M]. Ship Structure Committee, 1997.

[9] Robert E, Melchers. Structural reliability analysis and prediction[M]. [S. l.]: John Wiley & Son Ltd,1999.

[10] Moan T,Song R. Implications of inspection updating on system fatigue reliability of offshore structures [J]. Journal of Offshore Mechanics and Arctic Engineering,2000,122(3):173 – 180.

[11] Consult R C P. STRUREL-a structural reliability analysis program system[J]. 1999.

[12] Schneider J. Introduction to safety and reliability of structures[M]. [S. l.]: Iabse,2006.

[13] Song R,Moan T. Fatigue reliability of large catamaran considering inspection updating[C]//The Eighth International Offshore and Polar Engineering Conference. International Society of Offshore and Polar Engineers,1998.

[14] Palle T C,Michael J B. Structural reliability theory and its applications[J]. 1982.

[15] Turkstra C J. Theory of structural design decisions[M]. Waterloo, Ont.: Solid Mechanics Division, University of Waterloo,1970.

第24章 随机变量和不确定性分析

24.1 引言

严格地讲,工程结构中的所有变量在一定程度上都是随机的。结构可靠性分析在结构工程的设计、审查、维护和方案确定中能够合理解决随机变量和不确定性问题。

本章中给出了可靠性分析的基础——随机变量统计学描述的基础知识来讨论不确定性计算,同时以船舶结构的载荷和其承载能力为例来说明不确定性分析,可以进一步参考Ang 和 Tang(1975),Benjamin 和 Cornell(1970),Thoft – Christensen 和 Baker(1982),Mansour(1997)和 Melchers(1999)。

24.2 随机变量

24.2.1 概述

海洋结构物承受自然界的随机载荷,如浪、流和风等的作用。准确地预测这些载荷是不可能的,比如作用在结构物上的波浪高度和方向。同样,也不可能准确预测结构物下一时刻的运动响应。

随机变量可以用来说明一些基本变量的不确定性,如外部载荷的空间和时间变化、材料特性、几何尺寸等。实践中这些随机变量是工程师和分析人员在结构设计和分析时大量使用的基本量,例如:以钢材的屈服强度作为基本随机变量,进行结构可靠性分析。必须指出,一般不能得到足够的统计数据来模拟结构的受力和强度变化。当需要的时候必须依靠分析员的能力来综合处理这些高级信息。

24.2.2 统计学描述

随机变量 X 是基于样本空间的一个真实函数。对于每一个真实的数值 x 都存在一个概率 $P[X \leqslant x]$。随机变量 X 的真值 x 是随机现象 X 的一种结果。在本节中,大写字母表示随机变量,相应的小写字母表示真值。

一个随机变量由其概率密度函数 $p(x)$ 和累积分布函数 $F_X(x) = P[X \leqslant x]$ 来表示。随机变量经常用统计说明来描述,也就是平均值(或期望值)和变异性(或标准差),所示如下:

n 阶原点阶

$$\mu_n = E[X^n], n = 1, 2, 3, \cdots \tag{24.1}$$

n 阶中心矩

$$\zeta_n = E[(X - \mu_1)^n] \tag{24.2}$$

式中　μ_1——X 的平均值（或期望值）；

　　　$\zeta_2 = \text{Var}[X]$——X 的方差；

　　　$\sigma_X = \sqrt{\zeta_2}$——$X$ 的标准差。

平均值是概率密度函数的重心；标准差是围绕平均值离散性的描述；系数(Cov)是随机变量 X 的不确定性的量度，由下列无量纲中心矩的值定义。

下面无量纲的中心矩可以定义为

变异系数：
$$COV = \frac{\sqrt{\zeta_2}}{\mu_1} \tag{24.3}$$

斜率：
$$\gamma_1 = \frac{\zeta_3}{\zeta_2^{3/2}} \tag{24.4}$$

峰度：
$$\gamma_2 = \frac{\zeta_4}{\zeta_2^2} \tag{24.5}$$

24.2.3　概率分布

一个随机变量可以由它的累积分布函数表述。一些分布模型对海洋结构物的随机性和可靠性分析是很有用处的。这些模型有正态分布、对数正态分布、雷利(Rayleigh)分布和韦伯(Weibull)分布，这些将在下文详细说明。Melcher(1999)也定义了一些其他类型的分布函数，如 Poison，Gamma，Beta，以及极限值分布 I 型、II 型、III 型等。

1. 正态分布（或 Gaussian 分布）

正态分布的概率密度函数和累积分布函数如下：
$$p(x) = \frac{1}{\sqrt{2\pi}\sigma_X}\exp\left[-\frac{1}{2}\left(\frac{x-\mu_X}{\sigma_X}\right)^2\right] \quad -\infty \leqslant x \leqslant \infty \tag{24.6}$$

$$F_X(x) = \frac{1}{\sqrt{2\pi}}\int_{-\infty}^{s}\exp\left(-\frac{1}{2}v^2\right)\mathrm{d}v \quad -\infty \leqslant x \leqslant \infty \tag{24.7}$$

式中，$s = (x-\mu_X)/\sigma_X$。$\mu_X = 0$，$\sigma_X = 1$ 时的正态分布叫作标准正态分布。

2. 对数正态分布

对数正态分布的概率密度函数和累积分布函数如下：
$$p(x) = \frac{1}{\sqrt{2\pi}x\sigma_{\ln X}}\exp\left[-\frac{1}{2}\left(\frac{\ln(x)-\mu_{\ln X}}{\sigma_{\ln X}}\right)^2\right] \quad x \geqslant 0 \tag{24.8}$$

$$F_X(x) = \Phi\left(\frac{\ln(x)-\mu_{\ln X}}{\sigma_{\ln X}}\right) \quad x \geqslant 0 \tag{24.9}$$

式中，平均值和标准差由下式算得：
$$\mu_X = \exp\left(\mu_{\ln X} + \frac{\sigma_{\ln X}^2}{2}\right) \tag{24.10}$$

$$\sigma_X = \sqrt{\mu_X^2[\exp(\sigma_{\ln X}^2)-1]} \tag{24.11}$$

3. 雷利(Rayleigh)分布

Rayleigh 分布由下式定义：
$$p(x) = \frac{(x-u)}{\alpha^2}\exp\left[-\frac{1}{2}\left(\frac{x-u}{\alpha}\right)^2\right] \quad x \geqslant u \tag{24.12}$$

$$F_X(x) = 1 - \exp\left[-\frac{1}{2}\left(\frac{x-u}{\alpha}\right)^2\right] \quad x \geq u \tag{24.13}$$

式中，u 是定位参数；α 是尺度参数。

平均值和标准差由下式给出：

$$\mu_X = u + \alpha\sqrt{\frac{\pi}{2}} \tag{24.14}$$

$$\sigma_X = \alpha\sqrt{\frac{4-\pi}{2}} \tag{24.15}$$

4. 韦伯（Weibull）分布

Weibull 分布由下式定义：

$$p(x) = \frac{(x-u)^{\lambda-1}}{\alpha^\lambda}\lambda\exp\left[-\left(\frac{x-u}{\alpha}\right)^\lambda\right] \quad x \geq u \tag{24.16}$$

$$F_X(x) = 1 - \exp\left[-\left(\frac{x-u}{\alpha}\right)^\lambda\right] \quad x \geq u \tag{24.17}$$

式中，u 是定位参数；α 是尺度参数；λ 是形状参数。

Weibull 分布的平均值和标准差可以由下式计算：

$$\mu_X = u + \alpha\Gamma\left(1 + \frac{1}{\lambda}\right) \tag{24.18}$$

$$\sigma_X = \alpha\sqrt{\Gamma\left(1 + \frac{2}{\lambda}\right) - \Gamma^2\left(1 + \frac{1}{\lambda}\right)} \tag{24.19}$$

24.3 不确定性分析

24.3.1 不确定性分类

为进行可靠性分析，不确定性可以分为以下几类：

1. 固有不确定性

固有不确定性也称为基本不确定性或物理不确定性。它是变量的自然随机性，如波浪和风载荷的可变性。不确定性不会因为信息的增多而减少。这些不确定性是由波浪、风或者人为造成的自然固有可变性。例如，在给定有效波的高度和周期的海况下，波高的变化基本是随机的。由波高 H_s 和周期 T_s 表征的海况的发生也是随机的。人造基本随机现象的例子是结构上的功能载荷和结构抗力。与自然过程相反，人造过程可以受人为干扰因素的影响，如人为活动 QA/QC 和装配式结构本身的干扰。

2. 测量不确定性

这种不确定性是由于仪器的缺陷和仪器观察时的样本干扰。这种不确定性可以随信息的增多而减少。

3. 统计不确定性

统计不确定性是由信息的有限引起的，如某个量有限的观察次数。很明显，更多的信息可以减小这种不确定性。

应用统计方法时，统计不确定性与有限的数据相关。数据可以通过一个合适的概率分布类型、参数值的确定来选取。在实践中，大量的样本需要选取分布类型，可靠地估计它的参数值。因此,对于给定的一组数据,分布参数可看成是随机变量,其不确定性取决于样本的数量及以前的认识。

4. 模型不确定性

模型不确定性是由于载荷和抗力的物理模型构建得不完整、理想化,以及模拟的不确定性概率分布类型的选择所造成的。

除了很少的特殊情况,即使在精确知道输入量的情况下,要极为精确地预测典型结构对载荷的响应量也几乎是不可能的。换句话说,除了这部分由基本施载和强度变化引起的不确定性,结构响应还包括一部分不确定性。这部分额外的不确定性由模型的不确定性引起,它是简化假设、未知边界条件以及模型未考虑其他变量的未知作用和它们之间的相互影响等的结果。

模型不确定性可通过与其他精确的方法、实验的结果以及使用经验相比较的方式估算。假设 X_{true} 是在实际应用中或实验中观察到的真实值,X_{pred} 是预测值,则模型的不确定性 B 定义如下式:

$$B = \frac{X_{true}}{X_{pred}} \qquad (24.20)$$

通过大量的观察和相应的预测,B 会呈现出概率特性。平均值不等于 1 说明模型存在偏差。标准差说明模型预测的变异性。在很多情况下,模型不确定性对结构可靠性有很大影响,不能被忽略。

24.3.2　不确定性建模

由经验或灵敏性研究得到的、重要的不确定性变量应该用随机变量表示。相应的概率分布可以通过对单个变量有效观察数据的统计分析得出,它能提供平均值、标准差、与其他变量的相关性及其分布类型等信息,如本章 24.2 节所述。在某些情况下,变量之间存在相关性,例如描述 Weibull 长期压力分布的两个参数。

24.4　分布函数的选择

随机变量的概率分布函数易由标准分布结合某些分布参数求出。一个变量有效观察数据的回归分析通常不能提供足够的信息来说明不确定量的分布类型,须进一步选择分布类型。可靠性分析的结果可能对概率分布的峰值(Tail)很敏感,所以分布类型的合理选择至关重要,而平均值和标准差通常可以通过已知的数据得到。

当没有详细的信息时,经常使用正态分布和对数正态分布。对数正态分布用来描述载荷变化,而正态分布用来描述抗力变化。但是,通常对数正态分布中的变量不能是负值,正态分布中可以取负值。下面的步骤可以用来决定分布类型以及估算相应的分布参数。

(1)基于相似问题类型、物理知识或者分析结果得到的经验,选择一系列可能的分布。

(2)通过对不确定量的有效观测数据进行统计分析,估算这些分布的参数。回归分析可基于以下几点:

①矩估计量(Moment estimators);

②最小二乘法(Least square fit methods);

③最大似然估计法(Maximum likelihood methods);

④概率纸上数据的目视检查(Visual inspections of data plotted on probability paper)。

(3)如果有几个可能的选择,下面的方法可以用来判断是否选择某个分布函数:

①对坐标纸上的数据图或矩的比较进行目视鉴定;

②统计实验,例如 Chi - square;

③极值分布的渐进性。

(4)如果两个类型的分布有同样良好的适用性,建议选择峰值更吻合观测数据的分布,尤其对载荷变量而言。

当用上述方法选定分布后,应确保这些选择及选择过程都应该有完整的记录。

24.5 船舶结构设计中的不确定性

24.5.1 概述

任何方法合理的结构设计都应考虑不确定性。不确定性由结构上的外部作用、结构单元的强度和响应特性等引起,可以通过在结构设计中引入概率的概念来考虑不同的不确定性。

船舶结构设计中,St. Denis 和 Pierson 在确定由现实随机海况引起的船舶运动、结构载荷时引入了这些概念。同时,结构的概率设计领域也在进行着其他相关工作。

Freudentha 曾给出了在工程结构的安全设计中概率论方法的基本应用,之后又特别将其应用于海洋结构中。其他人,包括 Mansour(1972, 1997),Mansour 和 Fauikner(1973)以及 Stiansen 等(1980),考虑结构可靠性理论应用到船舶问题中。Nikolaidis 等(1991, 1993)评估了海洋结构物应力分析的不确定性,而且给出了船舶结构可靠性评估的方法。

纵向强度分析主要基于弹性梁理论,强调最大预期载荷(弯矩)和以安全系数防止未知失效的最小强度。如果能清楚完整地定义载荷(要求)和强度(能力)的概率分布,我们就可以计算失效概率。本节的目的是讨论载荷(要求)以及强度(能力)的不确定性。

24.5.2 船舶载荷的不确定性

作用在船体上的主要载荷,特别考虑船体纵向弯曲,可以归结如下:

(1)由于重力和浮力的不均衡分布导致的静水弯矩;

(2)相对较长的遭遇波引起的准静态弯矩;

(3)由波浪冲击或高频波浪力引起的动弯矩;

(4)不均匀温度梯度引起的温度载荷。

其他载荷还包括液体货物、机器和螺旋桨等引起的内部载荷,搁浅和入坞的碰撞载荷,空气动载荷以及冰载荷等。

1. 波浪准静态弯矩

波浪准静态弯矩用概率论方法计算,这是因为引起弯矩的波浪只能用统计学方法描述。某种特定的海况完全可以由方向谱描述,它定义了分量波的频率和方向。

不确定性由以下原因引起:

(1)波浪谱方向特征的可变性,这方面只有有限的可用数据;

(2)两个风暴,或者大浪和涌浪的组合影响;

（3）给定有效波高谱形的可变性。

参照第一部分第 3 章,短期响应（Short-term response）可以通过 RAO（响应幅值算子）的线性叠加用统计方法计算得到。RAO 是船舶对一定频率的单位正弦波的响应幅值。计算 RAO 时包含的不确定性来自于假设与波高有关的响应是线性的、薄片理论的不精确性以及运动中质量分布变化的影响。另外,在响应统计上也存在不确定性。使用简单的 Rayleigh 分布可能导致一定的偏差——在恶劣海况数值会偏高。

船舶操作也可能增加波浪弯矩的不确定性,包括:

（1）货物分布及其导致的吃水;

（2）船航向;

（3）船速。

2. 静水弯矩

如果知道货物分布和其他质量,很容易计算静水弯矩,但是静水弯矩在航行过程中总在变化,并且在很多情况下没有记录,因此,可用的统计数据很少。弯矩可根据新船设计中的常规计算进行评估。

3. 载荷组合

上面讨论的载荷之间存在相关性。例如,高动态载荷经常发生在恶劣的海况下,此时也会存在大量低频载荷,但是高温影响一般发生在平静、阳光充足的日子,此时波浪引起的载荷相对较小。将准静态载荷和高频波浪载荷叠加是很困难的。

24.5.3　船舶结构承载能力的不确定性

考虑结构失效时,需要单独分析所有可能的失效模式,例如:

（1）拉伸断裂;

（2）屈曲和倒塌;

（3）脆性断裂;

（4）疲劳。

屈曲和倒塌是需要着重考虑的,因为屈曲失效模式比拉伸断裂模式的强度小得多。可以通过提高材料的韧性,改进结构单元的设计、工艺,使用防裂装置等来控制脆性断裂。尽管疲劳裂缝本身通常不会引起船体梁的整体失效,但疲劳失效仍需要着重考虑。

极限失效是很复杂的,因为屈曲会出现在结构的不同部分,而且第一次发生时通常不会引起失效。载荷会不断地从屈曲部分转移到其他仍有效的部分。

客观不确定性是可度量的,包括:

（1）船体的主尺寸;

（2）材料特性,包括屈服强度、极限强度和杨氏模量;

（3）材料厚度和外观尺寸的变异性;

（4）制造缺陷,包括制造公差、焊接质量、校中和焊接残余应力的变异等;

（5）腐蚀、磨损和疲劳裂缝及时变强度。

必须指出,以上所有的不确定性包括船舶建造方法中或材料使用中的物理不确定性。计算结构响应的方法也会造成不确定性,包括边界条件、材料和结构的物理特性的可变性的影响。

主观不确定性需要判断,包括（Mansour 和 Faulkner,1974）:

（1）剪滞和其他剪切影响（可忽略）；

（2）主要的不连续部位，开口、上部结构等；

（3）扭转翘曲和畸变翘曲；

（4）泊松比的影响，尤其是在横舱壁和腹板；

（5）由变形、非弹性或者两者共同作用导致强度变化而引起的应力重分布；

（6）总体板的非线性压缩、有效宽度、非弹性、残余应力和抖动影响（可忽略）。

其他主观不确定性还有总体板极限强度之后的残余强度，它可能会显著影响极限强度及其变异性。

参考文献

[1] Ang A H S, Tang W H. Probability concepts in engineering planning and design[M]. 1984.

[2] Benjamin J R, Cornell C A. Probability, statistics and decision for civil engineers[J]. 1975.

[3] Mansour A E. Probabilistic design concepts in ship structural safety and reliability[J]. 1972.

[4] Mansour A E, Faulkner D. On applying the statistical approach to extreme sea loads and ship hull strength[J]. 1972.

[5] Assessment of Reliability of Ship Structures, Appendices[M]. Ship Structure Committee, 1997.

[6] Robert E, Melchers. Structural reliability analysis and prediction[M]. [S. l.]: John Wiley & Son Ltd, 1999.

[7] Nikolaidis E, Kaplan P. Uncertainties in stress analysis on marine structures[R]. VIRGINIA POLYTECHNIC INST AND STATE UNIVBLACKSBURG DEPT OF AEROSPACE AND OCEAN ENGINEERING, 1991.

[8] Nikolaidis E, Hughes O, Ayyub B M, et al. A methodology for reliability assessment of ship structures [C]//Ship Structures Symposium. 1993, 93: H1 − H10.

[9] Stiansen S G, Mansour A. Reliability methods in ship structures[J]. Naval Architect, 1980.

[10] Palle T C, Michael J B. Structural reliability theory and its applications[J]. 1982.

第 25 章　船舶结构可靠性

25.1　引言

从研究人员首次将概率方法应用到船舶的结构设计中(Mansour, 1972；Mansour 和 Faulkner, 1973)开始,至今该设计方法已经取得了巨大的成就。早期可靠性方法在船舶结构上的应用主要集中在波浪弯矩作用下船体梁总的可靠性方面(Mansour, 1974；Stiansen 等,1980；White 和 Ayyub, 1985；Guedes Soares, 1996)。近年来,使用二阶矩法将可靠性方法应用到总体板的极限强度上(Nikolaidis 等,1993),这方面工作的前景已相当可观。Casella 和 Rizzuto(1998)给出了双体油船的二阶可靠性分析。Frieze 和 Lin(1991)评估了船舶纵向强度的可靠性。现在仍需要继续研究怎样将这些方法和步骤应用到体系分析中。

为了发展载荷效应的统计学模型,仍需要进行大量的工作(如 Guedes Soares 和 Moan, 1985, 1988；Ochi, 1978；Sikora 等, 1983；Mansour, 1987)。近来的研究包括载荷和载荷效应的不确定性(Nikolaidis 和 Kaplan, 1991)、载荷以及载荷组合的相关问题(Mansour 等, 1993)。

浮式储油卸油装置(FPSO)作为发展海上油气的一条经济途径,在世界范围内得到了广泛应用。实际上,许多 FPSO 装载在有动载荷的位置,该动载荷比在自由工况下引起的(动载荷)要小很多。FPSO 船体梁在特定位置情况下的可靠性,与油船在自由工况下的可靠性很不同。因此,需要分析 FPSO 船体梁的可靠性,以发展合理的设计规范。

对于远洋货船,FPSO 最大的灾难是船体梁由于极限弯矩而引起的结构失效。在它的服务期内,FPSO 船体梁主要承受静水弯矩和波浪弯矩,前者由自重、货物(或载重量)引起,后者由特定区域波浪作用引起。引入环境恶劣系数(ESFs)来考虑波浪弯矩在特定位置的情况(ABS2000)。因为静水弯矩和波浪弯矩的最大值不同时发生,需要使用随机组合法来更合理地决定载荷组合的最大值,可参考 Guedes Soares (1990), Mansour (1994) 和 Wang 等(1996)。

在做连续倒塌失效的可靠性分析时,极限状态函数非常复杂,而且可能无法直接表达。在能解决这类问题的方法中,响应面法是一个有效的方法,其极限状态函数可由样点处的简单显式函数近似,可参考 Bucher (1990) 和 Liu 等(1994)。

本章给出了一种方法,用以解决在腐蚀和疲劳导致的结构强弱减弱的情况下,相应于船体梁中间部分极限强度的时变可靠性评估问题,包括三个方面:①船体梁可靠性估计的闭合方程;②载荷效应和载荷组合;③时变可靠性。在时变可靠性中使用的船体梁强度的连续倒塌分析是修正的 Smith 方法(Smith, 1977)。修正是为了考虑腐蚀缺陷和疲劳裂缝的影响,详见第二部分第 13 章。

25.2　船体梁可靠性的闭合法

对于船体梁的竖向弯曲,船航行状态下船体梁极限状态函数可以由下式表达:

$$g(X_i) = M_u - (M_{SW} + M_{MV}) \tag{25.1}$$

式中　M_u——极限垂直弯矩；

　　　M_{SW}——船航行状态下的静水弯矩；

　　　M_{WV}——中垂或中拱状态的垂直波浪弯矩。

假设这些载荷和抗力的变化服从正态分布，且有相同的 COV，基于 Cornell 安全指数法，由公式(23.6)，可以得到下面的公式：

$$\beta = \frac{M_u - (M_{SW} + M_{WV})}{COV \cdot \sqrt{M_u^2 + M_{SW}^2 + M_{WV}^2}} \tag{25.2}$$

此外，考虑随机变量模型采用的假设，公式(25.2)说明船航行状态下的安全指数与 COV 成反比，COV 增加 50%，安全指数减少 35%。

Cornell 安全指数法，也叫平均值一阶二次矩法(MVFOSM)，可靠性指标 β 的定义是极限函数除以它的标准差。

不同失效模式的极限函数和可靠性指标 β 如下。

25.2.1　船体主要失效模型

$$g = M_u - [M_s + k_w(M_w + k_d M_d)] \tag{25.3}$$

$$\beta = \frac{\mu_g}{\sigma_g} \tag{25.4}$$

式中

$$\mu_g = \mu_{M_u} - [\mu_{M_s} + k_w(\mu_{M_w} + k_d \mu_{M_d})] \tag{25.5}$$

$$\sigma_g = \sqrt{\sigma_{M_u}^2 + \sigma_{M_s}^2 + k_w^2 \sigma_{M_d}^2 + k_w^2 k_d^2 \sigma_{M_d}^2 + 2\rho_{M_w M_d} k_w k_d \sigma_{M_w} \sigma_{M_d}} \tag{25.6}$$

式中　M_u——极限强度；

　　　M_s——静水弯矩；

　　　M_w——波浪弯矩；

　　　M_d——动态弯矩；

　　　k_w——静水和波浪/动态弯矩的载荷组合系数；

　　　k_d——波浪和动态弯矩载荷组合系数；

　　　μ_i——i 单元的平均值；

　　　σ_i——i 单元的标准差。

25.2.2　次要及再次失效模型

$$g = f_u SM - [M_s + k_w(M_w + k_d M_d)] \tag{25.7}$$

$$\beta = \frac{\mu_g}{\sigma_g} \tag{25.8}$$

式中

$$\mu_g = \mu_u \mu_{SM} - [\mu_{M_s} + k_w(\mu_{M_w} + k_d \mu_{M_d})] \tag{25.9}$$

$$\sigma_g = \sqrt{(\sigma_u^2 \sigma_{SM}^2 + \sigma_u^2 \mu_{SM}^2 + \mu_u^2 \sigma_{SM}^2) + \sigma_{M_s}^2 + k_w^2 \sigma_{M_d}^2 + k_w^2 k_d^2 \sigma_{M_d}^2 + 2\rho_{M_w M_d} k_w k_d \sigma_{M_w} \sigma_{M_d}} \tag{25.10}$$

式中　SM——截面模量；

f_u——极限应力；

M_s——静水弯矩；

M_w——波浪弯矩；

M_d——动态弯矩；

k_w——静水和波浪/动态弯矩的载荷组合系数；

k_d——波浪和动态弯矩载荷组合系数；

μ_i——i 单元的平均值；

σ_i——i 单元的标注偏差。

25.3　载荷效应和载荷组合

下面的部分基于 Sun 和 Bai(2001)提出一些修正方法。FPSO 船体梁主要遭受静水弯矩和波浪弯矩的组合作用。静水弯矩(SWBM)由船体自重、货物、载重吨以及浮力的作用产生。与远洋船舶不同，由于施载模式和人类活动的影响，FPSO 的 SWBM 会非常频繁地从一种载荷状态变化到另一种载荷状态，同时也需要考虑为一个长期随机过程。

对于 FPSO 来说，一般用时域内泊松矩形脉冲过程来模拟其静水弯矩。根据 Wang，Jiao和 Moan (1996)的理论，SWBM 中垂状态的累积分布符合 Raleigh 分布，中拱状态的积累分布符合指数分布。

中垂的静水弯矩：

$$F_{M_s}(M_s) = 1 - \exp\left[- \ln(\nu_s T_0)\left(\frac{M_s}{M_{s,0}}\right)^2 \right] \tag{25.11}$$

中拱的静水弯矩：

$$F_{M_s}(M_s) = 1 - \exp\left[- \ln(\nu_s T_0)\left(\frac{M_s}{M_{s,0}}\right) \right] \tag{25.12}$$

式中　M_s——单一载荷状态的静水弯矩；

ν_s——一种载荷状态的平均到达率。

设计寿命 $T_0 = 20$ 年的额定最大静水弯矩 $M_{s,0}$(IACS，1995)为

$$M_{s,0} = \begin{cases} - 0.065 C_w L^2 B(C_B + 0.7) & （中垂） \\ C_w L^2 B(0.122\ 5 - 0.015 C_B) & （中拱） \end{cases} \tag{25.13}$$

式中，L，B 和 C_B 分别是船的长、宽和方形系数；C_w 是波浪系数，可由下式计算

$$C_w = \begin{cases} 10.75 - ((300 - L)/100)^{3/2} & 100 < L \leqslant 300 \\ 10.75 & 300 < L \leqslant 350 \\ 10.75 - ((L - 350)/150)^{3/2} & L > 350 \end{cases} \tag{25.14}$$

使用极限理论，能找到由 $\nu_s T$ 次方表示的最大单一 SWBM 累积分布函数(CDF)为

$$F_{X_s} = \exp\left[- e^{-\alpha_s(X_s - \mu_s)} \right] \tag{25.15}$$

式中，$X_s = M_s/M_{s,0}$，参数 α_s 和 μ_s 由下式给出：

$$\mu_s = \sqrt{\frac{\ln(\nu_s T)}{\ln(\nu_s T_0)}},\ \alpha_s = 2\sqrt{\ln(\nu_s T_0)\ln(\nu_s T)} \quad （中垂）$$

$$\mu_s = \frac{\ln(\nu_s T)}{\ln(\nu_s T_0)},\ \alpha_s = \ln(\nu_s T_0) \quad （中拱）$$

现在,很多人正努力使用线性和非线性的方法来预测在自由工况下船体遭受的 VWBM。VWBM 是一个自然的随机过程,可以由短期和长期统计资料描述,长期的 VWBM 基于加权的短期统计资料。一般认为长期的 VWBM 可以当作泊松过程来模拟,每个独立 VWBM 的峰值 M_w 可以很好地由韦伯分布近似得到:

$$F_{M_w} = 1 - \exp\left[-\ln(\nu_w T_0)\left(\frac{M_w}{M_{w,0}}\right)^{h_w} \right] \tag{25.16}$$

式中　ν_w——一个波浪周期的平均到达率;

　　　h_w——形状系数,在 0.9 ~ 1.1 之间,取 1 为代表值;

　　　$M_{w,0}$——设计寿命 T_0 为 20 年的情况下,VWBM 的最大值。

$$M_{w,0} = \begin{cases} -0.11(ESF)_s C_w L^2 B(C_B + 0.7) & (\text{中垂}) \\ 0.19(ESF)_h C_w L^2 B C_B & (\text{中拱}) \end{cases} \tag{25.17}$$

式中,$(ESF)_s$ 和 $(ESF)_h$ 分别是中垂和中拱状态的环境恶劣度系数,在特定安装位置下取值范围为 0.5 ~ 1.0(ABS,2000)。

与 SWBM 相似,能找到由 T 次方表示的最大单一 VWBM 的 CDF 为

$$F_{X_w} = \exp\left[-e^{\alpha_w(X_w - \mu_w)} \right] \tag{25.18}$$

式中,$X_w = M_w/M_{w,0}$;参数 μ_w 和 α_w 由下式给出

$$\mu_w = \frac{\ln(\nu_w T)}{\ln(\nu_w T_0)}, \ \alpha_w = \ln(\nu_w T_0)$$

基于 Ferry - Borge 方法,组合弯矩的累积分布函数可以表示如下(Wang 等,1996):

$$F_{M_t}(M_t) = \int_0^{M_t} \frac{f_{M_s}(M_t - u)\,\mathrm{d}u}{1 + \nu_w/\nu_s[1 - F_{M_w}(u)]} \tag{25.19}$$

在给定时间 T 内的组合弯矩可以由下式得到:

$$F(M_t) = 1 - 1/\nu_s T \tag{25.20}$$

考虑实际设计,SWBM 和 VWBM 的组合载荷系数用 φ_s 和 φ_w 表示如下:

$$M_{t,T} = M_{w,T} + \varphi_s M_{s,T} = M_{s,T} + \varphi_w M_{w,T} \tag{25.21}$$

最大单一组合弯矩的 CDF 可以表示为上述分布函数的 $\nu_s T$ 次方,如下:

$$F_{\max}(M_t) = [F(M_t)]^{\nu_s T} \tag{25.22}$$

25.4　船舶结构可靠性分析的步骤

25.4.1　概述

自 20 世纪 70 年代早期研究人员试图将概率论方法应用到船舶的结构设计中以来,已经出版了大量关于现有船舶可靠性分析的书籍。各种分析方法的细节可能不同,但是,总体说来现有船舶的可靠性分析应包含以下的基本步骤。

步骤 1:定义目标船舶及其任务

为了对一艘船进行可靠性分析,应该知道这艘船的外形及几何尺寸。另外,应该定义船服务期内所遭遇的环境条件,包括载荷条件和海况。

步骤 2:定义极限状态函数

超过极限状态,船舶将无法实现其固有的功能。熟悉这一概念,无疑将会帮助我们更加准确地评定船舶的安全界限。能表达极限状态的方程称为极限状态方程。在可靠性分析过程中,建立极限状态方程是非常重要的步骤。一般说来,有两类极限状态方程:正常使用极限状态方程和承载能力极限状态方程。对于每一类,极限状态有如下四个等级。

(1)船体梁失稳的极限状态函数;

(2)加强板的极限状态函数;

(3)加强板屈曲的极限状态函数;

(4)关键结构单元疲劳的极限状态函数。

步骤 3:定义随机变量的统计特征

步骤 4:选择可靠性计算方法

步骤 5:给定船舶各种失效模式的失效概率计算

当极限状态函数复杂时,可以使用多项式函数用响应面方法来近似极限状态面。使用响应面方法时,标准的 RORM/SORM 算法可以用来估算失效概率。

25.4.2　响应面法

FPSO 船体梁极限强度失效时,t 时刻的极限状态函数如下:

$$g(x \mid t) = C_u M_u(t) - C_p [\phi_s M_s(t) + M_w(t)] \tag{25.23}$$

式中,$M_u(t)$是极限强度;$M_s(t)$和 $M_w(t)$分别是静水弯矩和波浪弯矩;C_u 和 C_p 代表在预测船体极限强度和船舶遭受的组合弯矩中产生的模型误差。T 时刻的失效概率表示如下:

$$P_f(T) = \int_0^T \Big[\int_{g(x \mid t) < 0} \cdots \int f_X(x \mid t) \, dx \Big] f_T(t) \, dt \tag{25.24}$$

式中,$f_X(x \mid t)$是联合概率密度函数;$f_T(t)$是 T 时刻的概率密度函数,假设其为均匀分布,$f_T(t) = 1/T$。因此,公式(25.24)可以写成

$$P_f(T) = \frac{1}{T} \int_0^T \Big[\int_{g(x \mid t) < 0} \cdots \int f_X(x \mid t) \, dx \Big] dt \tag{25.25}$$

$P_f(t)$为 t 时刻条件失效概率:

$$P_f(t) = \int^{g(X \mid t)} < 0 \cdots \int f_X(X \mid t) \, dx \tag{25.26}$$

失效概率的简单形式为

$$P_f(T_s) = \frac{1}{T} \int_0^T P_f(t) \, dt \tag{25.27}$$

当极限状态函数 $g(x \mid t)$用隐式表达,且为非线性形式时,为了避免评估失效概率时式(25.25)复杂的积分计算,可以应用响应面法(Bucher, 1990)。

响应面法的基本概念是使用简单的和显式的函数来近似表达复杂的和隐式的极限状态函数,结果的精确性高度依赖于近似函数表达初始极限状态特征值的精确性。响应面选择的恰当与否主要取决于取样点的位置合适与否。现在已经有许多选择取样点的算法,它们能够提供更合适的响应面。另外,基本函数类型也是一个主要考虑因素,它影响响应面法的精度和可靠性计算方法的选择。

如果失效面 $G(x)$是用显式闭合形式表达的,则很多实用的可靠性评估方法都是可用的。在这些方法中,一阶方法高效且准确,应用广泛,需选取设计点的线性化极限状态,并确定结构系统

的可靠性余度,即在独立的标准正态空间中,原点到初始非线性极限面的最小距离。

在这个研究中,响应面的多项式函数包括平方项,但不包括交叉项:

$$G(x) = a + \sum_{i=1}^{r} b_i x_i + \sum_{i=1}^{r} c_i x_i^2 \tag{25.28}$$

式中,r 是基本随机变量的数目;$x = (x_1, x_2, \cdots, x_r)$ 是基本随机向量;a_i, b_i 和 c_i 是未知量系数,可以由 $2r+1$ 个取样点确定。选择取样点,以便确定设计点 $(\bar{x}_1, \bar{x}_2, \cdots, \bar{x}_r)$ 和另外的 $2r$ 个点 $(\bar{x}_1, \cdots, \bar{x}_i \pm f\sigma_i, \cdots, \bar{x}_r)$,其中,$f$ 是决定所选范围上下界限的参数。这个过程是反复进行的,以保证从新设计点中选择的取样点能包括初始失效面的足够信息。一旦响应面确定,失效概率就能用修正的 Monte Carlo 模拟方法进行计算(Sun, 1997)。

25.5　FPSO 船体梁时变可靠性的分析

本节将说明 FPSO 船体梁遭受腐蚀和疲劳后的时变可靠性分析问题。表 25.1 罗列了 FPSO 的相关主要信息,中横剖面如图 25.1 所示,表 25.2 总结了估算中的变量,各种变量可根据以前 FPSO 的研究确定。

表 25.1　FPSO 的主要信息

说明	数值
垂线间长	194.2 m
结构长度	194.2 m
型宽	32.0 m
包括箱型龙骨的型深	18.0 m
由基线算起的型深	16.0 m
方形系数	0.816
横向框架肋骨间距	3.7 m

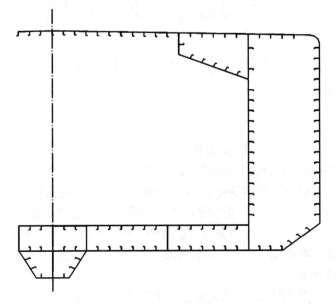

图 25.1　FPSO 的中横剖面

表 25.2　变量的描述

变量	说明
E	弹性模数,正态变量,$Mean$(平均值) $= 2.06 \times 10^5$ MN/m^2,$COV = 0.08$
σ_y	屈服应力,正态变量,$Mean = 315$ MN/m^2,$COV = 0.06$
Δ	板的偏心率,正态变量,$Mean = 0.005\,55$ m,$COV = 0.1$
τ_t	板的初始中心挠度,正态变量,$Mean = 0.5$,$COV = 0.1$
W/h_p	腐蚀转变期,常量,$\tau_t = 3$ a
μ_c^d	甲板加强板的稳定腐蚀速率,正态变量,$Mean = 1.14 \times 10^{-4}$ m/a,$COV = 0.1$
μ_c^s	舷侧和纵舱壁加强板的稳定腐蚀速率,正态变量,$Mean = 1.25 \times 10^{-4}$ m/a,$COV = 0.1$
μ_c^{ob}	船底外侧加强板的稳定腐蚀速率,正态变量,$Mean = 5.4 \times 10^{-5}$ m/a,$COV = 0.11$
μ_c^{ib}	船底内侧加强板的稳定腐蚀速率,正态变量,$Mean = 1.79 \times 10^{-4}$ m/a,$COV = 0.16$
μ_c^c	折角单元的稳定腐蚀速率,正态变量,$Mean = 5.4 \times 10^{-5}$ m/a,$COV = 0.1$
C	Paris – Erdogen 公式中的材料参数,正态变量,$Mean = 4.349 \times 10^{-12}$ m/a,$COV = 0.206$
M	Paris – Erdogen 公式中的材料参数,常量,$m = 3.07$
a_0	内部裂缝尺寸,正态变量,$Mean = 1.0 \times 10^{-3}$ m/a,$COV = 0.18$
M_s	静弯矩的最大值,第一类极值变量,平均到达周期$(1/\nu_s) = 1$ d
M_w	波浪弯矩的最大值,第一类极值变量,设计寿命 20 年的平均到达率$(\nu_w) = 10^8$
$(ESF)_s$	中垂状态的环境劣度系数,常量,$(ESF)_s = 0.80$
$(ESF)_h$	中拱状态的环境劣度系数,常量,$(ESF)_s = 0.80$
C_u	极限强度预测的模型误差,正态变量,$Mean = 1$,$COV = 0.1$
C_p	全部弯矩组合预测的模型误差,正态变量,$Mean = 1$,$COV = 0.1$

25.5.1　载荷组合系数

中垂状态下的失效模式最重要,其相关结果叙述如下。

首先给出 FPSO 载荷组合系数 φ_s 和 φ_w 的参数分析。

图 25.2 说明了 SWBM 的平均到达周期 $(1/\nu_s)$ 对组合系数的影响,选择 20 年服务期的波浪循环数为 10^8,环境劣度系数 $(EFS)_s$ 取为 0.80。可以发现载荷组合系数对 SWBM 的平均到达周期很敏感。

图 25.3 表明了在环境劣度系数 $(EFS)_s$ 取 0.80 时,载荷组合系数的相关性,该图说明载荷组合系数随着服务年限的增加而减少。

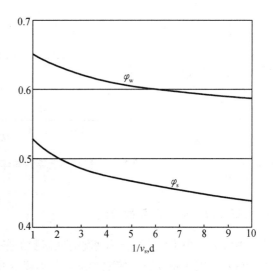

图 25.2　载荷组合系数和 $1/\nu$

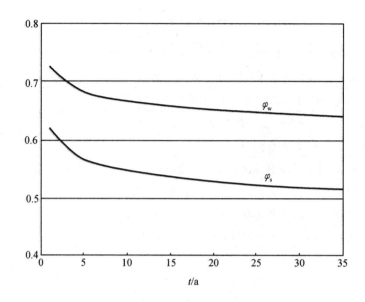

图 25.3 作为时间函数的载荷组合系数

图 25.4 表明了 20 年服务期的波浪循环系数为 10^8、平均到达周期($1/\nu_s$)为一天的载荷组合系数的相关性。可以看到,当环境劣度系数增加时,φ_s 的减小趋势要比 φ_w 的增加趋势明显得多。它说明载荷组合导致环境劣度系数的作用减小了。

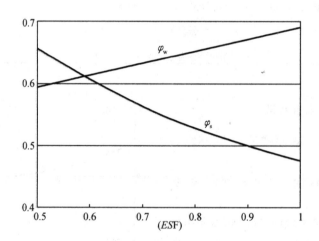

图 25.4 载荷组合系数与环境恶劣系数(ESF)的关系

25.5.2 时变可靠性评估

图 25.5 说明了四种衰减情况时间函数的条件可靠性。这里将条件可靠性定义为 $R(t) = 1 - P_f(t)$。对于不同服务年限和不同平均稳定腐蚀速率,对应于初始值的条件可靠性指标减少率在表 25.3 中列出。

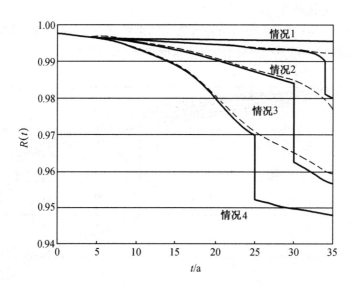

图 25.5　四种平均腐蚀速率情况下的条件可靠性

表 25.3　条件可靠性指标的减少率

服务年限 腐蚀情况	5	10	15	20	25	30	35
情况 1	95.17%	93.91%	93.29%	92.64%	92.37%	92.45%	91.67%
情况 2	95.10%	93.11%	91.01%	89.64%	87.88%	86.81%	72.23%
情况 3	94.76%	91.50%	86.94%	82.39%	78.60%	62.66%	60.26%
情况 4	94.87%	88.15%	81.09%	72.35%	58.86%	57.99%	57.45%

与平均极限强度一致,船体梁的条件可靠性也有很大的降低。如果为了保证船体的可靠性等级而选择可靠性指标减少率 90% 作为可靠性门槛,检测时应该使用情况 3 和情况 4 在 10 年服务年限的标准。疲劳裂缝在不稳定扩展之前的劣化影响似乎对船体梁可靠性不那么重要,但是在检测时应注意潜在的危险。不稳定的疲劳裂缝扩展可能会引起 FPSO 的灾难性事件。

把 SWBM 和 VWBM 的最大值简单地叠加是非常保守的。在图 25.6 中,"LC" 和 "NLC" 分别

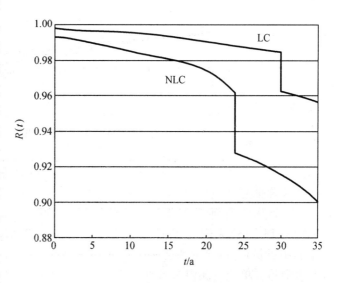

图 25.6　载荷组合对条件可靠性的影响

代表载荷组合情况和无载荷组合情况。

　　图 25.7 说明了环境劣度系数对条件可靠性的影响,图中的数字是 *ESFs* 的值。特定点设备条件的准确量度对 FPSO 船体梁的设计和检测都非常重要。

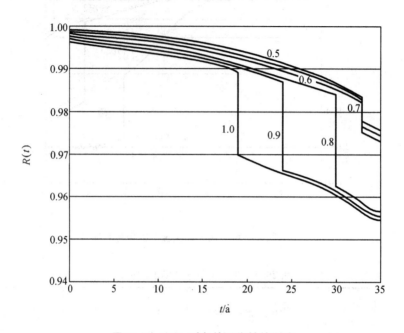

图 25.7　*ESFs* 对条件可靠性的影响

　　过渡时间 τ_t 是与可靠性相关的另一个重要参数,不同数值的影响在图 25.8 中给出,图中曲线上的数值是过渡年数。较长的过渡时间将会使可靠性保持在相对高的水平上,并且能推迟疲劳裂缝不稳定扩展的发生。Guedes Soares 和 Garbatov(1999)给出了腐蚀保护板的可靠性分析,也得到了同样的结果。

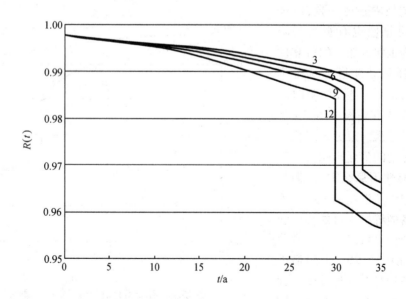

图 25.8　条件可靠性过渡时间的影响

腐蚀损耗有许多影响因素,包括被覆性能、货物组成、惰性气体性质、货物温度以及维护系统和使用。另外,正常厚度测量的抽样检测不会在同一个位置进行后续抽样,这从理论上讲使腐蚀模型明显不同。在数值分析中曾使用平均稳定腐蚀速率,它对应于船级社规范对油船腐蚀损耗规定的允许值。腐蚀率的变异系数通常在 10 年服务年限内由 10% 增到 100%,或者在 20 年服务年限内达到更大的值,但是基于灵敏度分析,它对船体梁极限强度总体不确定性的影响非常有限(参见图 25.9)。

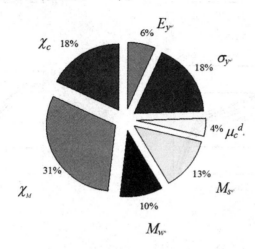

图 25.9　20 年服务年限正常腐蚀率的灵敏度数据

图 25.10 给出了船体梁极限强度不确定性分析的结果。在这个分析中,CRM 代表由响应面法得到的结果,可以发现,在任何腐蚀情况下极限强度的变异系数均在上界的 10% 范围内。

在文献中有一些腐蚀率模型,其中最简单的是假设腐蚀率恒定的模型,它完全是由一部分常规测量结果估算出的。由于腐蚀产物的影响,腐蚀速率会随时间而减慢,但是根据其他油船上的观察数据,发现大部分情况下腐蚀率随时间的增加而增加,之后保持不变。出现这种情况的原因似乎与在海洋环境中动载荷会剥落腐蚀产物有关。本部分提出的腐蚀率模型与这种情况相适应,但是有更多可用的腐蚀损耗数据时,仍需要做很多工作以进一步发展腐蚀率模型。在当前实践中,使 FPSO 船体梁保持在安全水平的方法是建立基于风险的检测规划程序,以及针对腐蚀构件建立基于可靠性的腐蚀更新标准。

25.5.3　结论

FPSO 船体梁的时变结构可靠性评估与极限强度相关,需要考虑以下三个方面:(1)载荷效应以及载荷组合;(2)船体极限强度;(3)可靠性分析方法。

引进环境劣度系数,使波浪弯矩适应特定位置的海况。使用 Ferry – Borges 方法来组合静水和波浪弯矩的随机过程,并且用其评估最大组合弯矩随时间的变化。

(1)使用平均值一阶二次矩方法来计算船舶结构的失效概率;

(2)发展了时变可靠性分析的步骤;

(3)用有效响应面法来求取样点的失效函数,使用修正的 Monte Carlo 模拟法来估算失效概率;

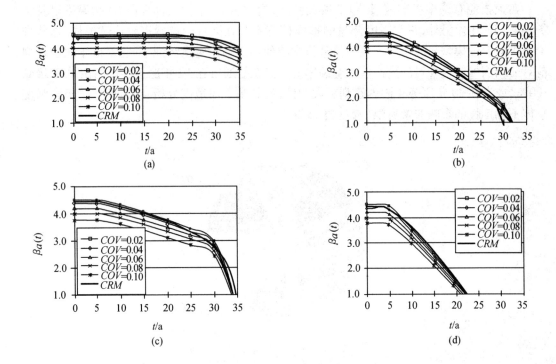

图 25.10　极限强度的不确定性分析

(a)无腐蚀；(b)轻微腐蚀；(c)正常腐蚀；(d)严重腐蚀

（4）对 FPSO 船体梁的时变可靠性和参数分析进行定量，可以发现当前腐蚀模型中的稳定腐蚀率、SWBM 和 VWBM 的组合、环境劣度系数以及过渡时间对船体梁的可靠性计算十分重要；

（5）使用这种方法得到的载荷组合系数，取决于 SWBM 的平均到达率、使用寿命和环境劣度系数。

参考文献

［1］ ABS. Guidefor Building and Classing Floating Production Installations［M］.［S. l.］：American Bureau of Shipping. 2000.

［2］ Bucher C G，Bourgund U. A fast and efficient response surface approach for structural reliability problems ［J］. Structural safety，1990，7（1）：57－66.

［3］ Casella G，Rizzuto E. Second-level reliability analysis of a double-hull oil tanker［J］. Marine structures，1998，11（9）：373－399.

［4］ Frieze P A，Lin Y T. Ship longitudinal strength modelling for reliability analysis［C］//Proceedings of the Marine Structural Inspection，Maintenance and Monitoring Symposium，SSC/SNAME，Arlington，VA. 1991，3：1－20.

［5］ Ghose D J，Nappi N S，Wiernicki C J. Residual Strength of Damaged Marine Structures［R］. DESIGNERS AND PLANNERS INCARLINGTON VA，1994.

［6］ Gordo J M，GuedesSoares C，Faulkner D. Approximate assessment of the ultimate longitudinal strength of the hull girder［J］. Journal of Ship Research，1996，40（1）：60－69.

[7] Soares C G. Probabilistic Models for Load Effects in Ship Structures: Dissertation Submitted in Partial Fulfilment of the Requirements for the Degree of Doktor Ingeniör at the Norwegian Institute of Technology [M]. MarintekniskAvdeling, Norges Tekniske Høgskole, Universiteteti Trondheim, 1984.

[8] GuedesSoares C. Stochastic Models of LoadsEffects for the Preliminary Ship Hulls[J]. Structural Safety, 1990, 8 : 353 - 368.

[9] GuedesSoares C, Moan T. Uncertainty analysis and code calibration of the primary load effects in ship structures[C]//Fourth international conference on structural safety and reliability. 1985, 3 : 501 - 512.

[10] Soares C G, Moan T. Statistical analysis ofstillwater load effects in ship structures[J]. Society of Naval Architects and Marine Engineers-Transactions, 1988, 96.

[11] Soares C G, Dogliani M, Ostergaard C, et al. Reliability based ship structural design[J]. 1996.

[12] Soares C G, Garbatov Y. Reliability of corrosion protected and maintained ship hulls subjected to corrosion and fatigue[J]. Journal of ship research, 1999, 43(2) : 65 - 78.

[13] Soares C G, Garbatov Y. Reliability of maintained, corrosion protected plates subjected to non-linear corrosion and compressive loads[J]. Marine Structures, 1999, 12(6) : 425 - 445.

[14] IACS. Requirement S11, Longitudinal Strength Standards [S]. Int. Association of Classification Societies. 1995.

[15] Liu Y W, Moses F. A sequential response surface method and its application in the reliability analysis of aircraft structural systems[J]. Structural Safety, 1994, 16(1) : 39 - 46.

[16] Mansour A E. Probabilistic design concepts in ship structural safety and reliability[J]. 1972.

[17] Mansour A E, Faulkner D. On applying the statistical approach to extreme sea loads and ship hull strength[J]. 1972.

[18] Mansour A E. Approximate probabilistic method of calculating ship longitudinal strength[J]. Journal of Ship Research, 1974, 18(3).

[19] Mansour A E. Extreme value distributions of wave loads and their application to marine structures [C]//Marine Structural Reliability Engineering Symposium. 1900.

[20] Mansour A E. An introduction to structural reliability theory [R]. MANSOUR ENGINEERING INCBERKELEY CA, 1989.

[21] Mansour A, LIN M, Hovem L, et al. PROBABILITY-BASED SHIP DESIGN PROCEDURES: A DEMONSTRATION; FINAL REPT[R]. 1992.

[22] Probability-based ship design procedures: loads and load combinations [M]. Ship Structure Committee, 1994.

[23] Mansour A E. Extreme Loads and Load Combination[J]. Journal of Ship Research, 1995, Vol. 39, No. 1.

[24] Mansour A E, Wirsching P H. Sensitivity factors and their application to marine structures[J]. Marine structures, 1995, 8(3) : 229 - 255.

[25] Assessment of Reliability of Ship Structures, Appendices[M]. Ship Structure Committee, 1997.

[26] Nikolaidis E, Kaplan P. Uncertainties in stress analysis on marine structures [R]. VIRGINIA POLYTECHNIC INST AND STATE UNIVBLACKSBURG DEPT OF AEROSPACE AND OCEAN ENGINEERING, 1991.

[27] Nikolaidis E, Hughes O, Ayyub B M, et al. A methodology for reliability assessment of ship structures [C]//Ship Structures Symposium. 1993, 93 : H1 - H10.

[28] Ochi M K, Ochi M K. Wave statistics for the design of ships and structures[J]. Publication of Society of Naval Architects & Marine Engineers, 1978.

[29] Sikora J P, Dinsenbacher A, Beach J E. A method for estimating lifetime loads and fatigue lives for swath and conventional monohullships[J]. Naval Engineers Journal, 1983, 95(3) : 63 - 85.

[30] Smith C S. Influence of Local Compressive Failure on the Ultimate Longitudinal Strength of a ShipHull
[C]. In:Proc. of Int. Symposium on Practical Design of Ships (PRADS'77),1977,Tokyo,Japan,pp.
73 – 79.

[31] Stiansen S G,Mansour A. Reliability methods in ship structures[J]. Naval Architect,1980.

[32] Sun H H,Chen T Y. Buckling strength analysis of ring-stiffened circular cylindrical shells under hydrostatic
pressure[C]//The Seventh International Offshore and Polar Engineering Conference. International Society of
Offshore and Polar Engineers,1997.

[33] Sun H H, Xiao T Y, Zhang S K. Reliability analysis based on ultimate strength of midsections for
corroding ship primary hulls[J]. Proceedings of 18th OMAE,1999.

[34] Sun H H,Bai Y. Reliability of Corroded and Cracked Ships[C]. ISOPE'2000.

[35] Sun H H,Bai Y. Time-variant reliability assessment of FPSO hull girders[J]. Marine Structures,2003,
16(3):219 – 253.

[36] Wang X,Jiao G,Moan T,et al. Analysis of oil production ships considering load combination,ultimate
strength and structural reliability. Discussion. Authors' closure [J]. Transactions-Society of Naval
Architects and Marine Engineers,1996,104:3 – 30.

[37] WHITE G J,AYYUB B M. Reliability methods for ship structures[J]. Naval Engineers Journal,1985,
97(4):86 – 96.

[38] Wirsching P H,Ferensic J,Thayamballi A. Reliability with respect to ultimate strength of a corroding
ship hull[J]. Marine Structures,1997,10(7):501 – 518.

[39] Yamamoto N. Reliability based criteria for measures to corrosion[C]//Proceedings of the 17th International
Conference on Offshore Mechanics and Arctic Engineering (OMAE'98),Safety and Reliability Symposium,
New York,USA:ASME. 1998.

第 26 章　基于可靠性的设计和规范校核

26.1　概述

结构可靠性方法最重要的应用可能是基于可靠性的设计和设计规范中的安全系数校核。本章将对这两个主题进行详细说明。

在结构设计中,确定载荷和强度时经常涉及不确定性,一直以来,工程设计过程中用安全系数来考虑这些不确定性。但是,借助于可靠性方法,可以更加全面考虑这些不确定性。特别是使用概率设计标准,可能产生更好的工程设计。使用概率设计标准设计出的海洋结构与现行结构流程设计出的相比,有以下优点:(1)更高等级的可靠性;(2)更低的总体质量(这意味着更低的成本);(3)以上两者都有。

26.2　一般的设计原则

这部分说明在实践中使用的一般设计原则。基于可靠性的设计是设计方法之一,但在这一章中它将作为单独的部分给予特别说明。

26.2.1　安全系数的概念

不同类型的结构安全措施经常被使用,但是通常都没有给出其明确的物理意义。在没有给出关于结构安全水平任何相关数值量度的情况下,经常使用这个概念。传统的设计实践是基于一些确定性的安全量度。一个事件的忽略程度越大,需要的安全系数就越大。重要的是,构件设计检查的安全系数应该取决于失效的严重性和结构模型的类型。

26.2.2　许用应力(ASD)设计

ASD 规范使用明确的设计公式,已经有较长的使用历史了,它可表示如下:

$$\sigma \leqslant \sigma_A$$

其中

$$\sigma_A = \frac{\sigma_L}{\gamma} = \eta\sigma_L \tag{26.1}$$

式中,σ 是最大载荷情况下根据线弹性理论得到的结构上的应力;σ_A 是许用应力;σ_L 是屈服应力;γ 是安全系数;$\eta(\eta = 1/\gamma)$ 是使用系数。在 ASD 方法中,设计校核就是检查构件首次屈服的强度/载荷等级。

线弹性分析用来说明在额定设计载荷条件下结构的响应特性。设计形式的复杂程度取决于失效模式,如受压失效、拉伸失效和屈曲失效等。设计规范给出了相关公式和安全系数。ASD 方法的缺点是,对各种载荷和抗力不确定性的差异考虑不周以及超安全标准设计。

AISC 使用的 ASD 设计在 APIRP2A 中称为 WSD。

26.2.3　载荷和抗力系数设计

由于外加载荷和构件抗力的统计可变性,以及在设计过程中的特定假设和近似,对所有的载荷组合使用单一的安全系数不能保证恒定的结构安全等级。分项安全系数一般可以用来反映载荷和强度的内在不确定性,以及失效和安全原理的重要性。

载荷抗力系数设计(LRFD)规程由美国钢结构协会(AICS)于 1986 年颁布。AICS LRFD 标准在 T. V. Galambos 领导下进行了修订,可参考发表在 ASCE 期刊结构板块上的 8 篇论文,如 Ravindra 和 Galambos(1978)。

此外,美国石油协会(API)在 1989 年对 API RP2A - LRFD 进行了完善,将该技术推广到海洋结构物领域。

作用在结构上的载荷可以分为不同类型,如功能载荷、环境载荷等。如果引入多项载荷系数的概念,LRFD 设计标准可以由下面的形式表示:

$$R\left(\frac{f_k}{\gamma_m}, \cdots\right) \geqslant S(\gamma_{fi} \Psi_i Q_i) \tag{26.2}$$

式中,γ_{fi} 是载荷组合系数,用来说明每个独立载荷 Q_i 和 Ψ_i 的不确定性。在公式(26.2)中的安全系数 γ_m 反映给定构件的不确定性,由尺寸、形状、局部应力集中、冶金影响、残余应力和装配过程等的变化引起。外加载荷的安全系数 γ_f 反映了估计外加载荷量级,及把这些载荷变换为应力的不确定性。

如果 R 和 S 分别是 f_k 和 Q_i 的线性系数,则上面的形式可以写为

$$\phi R(f_K) \geqslant \sum_{i=1}^{m} \gamma_{fi} \Psi_i S(Q_{ik}) \tag{26.3}$$

式中,Ψ_i 是载荷组合系数。在 API - LRFD 规范中,定义了抗力系数 $\phi(=1/\gamma_m)$ 来代替材料系数。

必须强调的是,安全系数 γ_m 和 γ_{fi} 应该与载荷和抗力的特征值定义以及计算方法一同考虑。即使不同区域设计规范中的特征值相同,安全系数也可能不同,这是因为载荷和抗力不确定性、目标安全性水平,以及环境和土壤条件不同。

LRFD 方法与 WSD 方法比较,可以发现,在 LRFD 方法中,载荷和强度可由统计不确定性因素修正,这使得大范围的载荷、载荷组合以及构件类型有一致的安全等级。尽管 LRFD 和 ASD 在形式上相似,但是它们的物理含义有实质性的不同。

设计格式应该说明不同的条件和结构不确定性的相关量级。Efthymiou 等人(1997)简要概括出:APIRP2A LRFD 中的载荷和抗力系数是以 API - RP2 WSD 的校准为基础得到的。其目的是得到载荷和抗力系数,平均起来能与 API - RP2A WSD 方法得出同样的计算结构可靠性。为了达到这个目的,对于一系列的重力和环境载荷情况,根据 API - RP2A WSD,使用可靠性分析得到安全指数,再平均以得到 LRFD 规范的目标安全指数。

26.2.4　塑性设计

传统上,AISC 规范的第二部分称为塑性设计。塑性设计是极限状态设计的一个特殊情

况,极限状态的强度要达到塑性弯矩强度 M_p。塑性弯矩强度是横截面的所有纤维都达到屈服点时的弯矩强度,这种设计原理参照 AISC,并应用到梁柱等挠曲杆件上。近年来,塑性设计变为了 LRFD 的一部分。

26.2.5　极限状态设计(LSD)

海洋结构物是由一系列构件组成的,如管子接头、支架、板等。这些构件都承受不同的载荷工况,包括功能载荷、环境载荷以及偶然载荷等,并且失效模式不同。通常,某种特定失效模式的极限状态(ULS)可由一个数学公式表达,这个公式与载荷、强度和模型的不确定性有关。

LSD 检查失效的结构状况,对比安全性校核中减小的性能与增大的载荷效应。此外,LSD 包括多种失效模式,如:

(1)极限状态(ULS);

(2)疲劳极限状态(FLS);

(3)偶然极限状态(ALS)。

LSD 标准可以由 ASD 形式或 LRFD 形式阐述。ASD 和 LSD 的关系已由 Song,Tjelta 和 Bai(1998), Bai 和 Song(1997,1998)等人讨论过了。

26.2.6　寿命期成本设计

使用结构可靠性方法,目的是在符合经济、操作和安全性的复杂组合要求的情况下,得到一个最优的寿命期成本(LCC)结构设计。这些目标可能在时间和空间上是不同的,更进一步,可能一直受到科技进步和市场运行的影响。为了在结构设计中处理这些设计目标,需要正式优化规范以确定材料、构造和船材尺寸等。因此,在最优化设计过程中,关键步骤是说明最佳设计目标。一般的设计目标是成本(开始/运营)、功效和可靠性。

使用 LCC 设计,可通过数学形式表达设计总成本,一般的表述如下:

$$TOTAL(NPV) = CAPEX(NPV) + OPEX(NPV) + RISKEX(NPV) \tag{26.4}$$

式中　CAPEX——初始投资费用;

OPEX——运营成本;

RISKEX——未预计的风险成本;

NPV——净现值。

经常遇到的难题是确定意外情况的成本,如船舶搁浅或碰撞。在这种情况下,尽管成本因素很重要,但是安全性是首要的设计目标。处理这种情况的一种方法是在特定的失效模式下引入高成本损失,例如在下面公式中对 C_F 取大值:

$$C_T = C_1 + P_F C_F = C_1 + R \tag{26.5}$$

$$R = P_F C_F = \sum (P_{F_i} C_{F_i}) = \sum R_i \tag{26.6}$$

式中　P_{F_i}——特定模式 i 的失效率;

C_{F_i}——与失效模式有关的成本损失。

26.3　可靠性设计

26.3.1　概述

在传统的确定设计中,安全系数用来考虑不确定性的影响。这些安全系数是从长期经验中总结出来的。但是经验不能从一种结构类型转移到另一种结构类型上,也不能轻易地推断新的结构类型,同时也发现任何单一的传统设计结构在实际安全等级上存在很大的差异,这意味着可以更加优化地利用资源。尤其是在当前可靠性设计的背景下,可靠性方法适合于弥补传统设计中的不足,这是因为通过可靠性方法可以直接定量考虑性能的不确定性。

与安全规范的传统系统法相比,利用概率设计规范应能设计出更好的工程结构。相关文献中详细地给出了其优点:

(1)更有效的平衡设计,减轻结构质量,提高可靠性;

(2)更加严密地处理了设计中不确定性;

(3)由于总体设计过程的进步,可靠性设计的发展可以促进结构工程的进步;

(4)法规变得更为现实,它们便于定期修改,包括新的信息资源和反映设计因素中附加的统计数据;

(5)分项安全系数为将已有的设计实践推广到经验有限的新船中提供了一个框架。

经验说明,使用概率设计规范可以使结构质量大大减轻。设计人员指出,与传统的工作应力规范相比,新的 AISC – LRFD 规范节约了钢材质量的 5% ~ 30%,通常为 10%。该值不一定是由船舶或其他海洋结构物得出的。

海洋工程结构物的可靠性设计中,载荷、强度和环境的不确定性影响是直接说明的,相关安全措施用于评估设计和确定设计目标。

26.3.2　可靠性方法在 ASD 格式中的应用

使用 ASD 格式,设计方程可以表示为

$$R_D \geqslant \eta \cdot S_D \tag{26.7}$$

安全系数可以反映整个结构系统性能。根据需求和性能(服从对数正态分布)的特点,ASD 中的系数 η 可表述如下:

$$\eta = \alpha \frac{B_S}{B_R} \exp[(\beta\sigma - 2.33\sigma_S)] \tag{26.8}$$

式中　η——使用(安全)系数;

　　　α——交互动态效应(系统的瞬时载荷和动态行为)系数;

　　　B_S——最大需求(载荷)的中心偏差;

　　　B_R——单元性能的中心偏差;

　　　β——年安全指数;

　　　σ——需求和性能的总不确定性;

　　　σ_S——年最大预期载荷的不确定性。

式(26.8)中的数值 2.33 引用了平均值的标准差,或者平均值的 99%,这等价于平均回归周期为 100 年的设计载荷。在 10 年回归周期条件基础上定义的安装条件下的情况,应该使用数值 1.28(90%)。

瞬时载荷/动载荷 - 非线性性能系数 α 取决于柔韧性(拉伸 - 变形 - 变形性能)、残余强度(载荷 - 超过屈服的应力性能)以及结构的异常特征(循环载荷 - 变形 - 衰减性能),它也依赖于瞬间载荷/动载荷。

安全指标可以作为一类安全系数:随着 β 变大,系统变得更可靠。要求 S 和性能 R 的总不确定性定义如下:

$$\sigma = \sqrt{\sigma_S^2 + \sigma_R^2} \qquad (26.9)$$

式中　σ_S——年最大要求的不确定性;

　　　σ_R——构件性能的不确定性。

26.4　基于可靠性的规范校核

26.4.1　概述

结构可靠性方法的一个重要应用是校核设计中的安全系数,以便达到符合要求的安全水平。确定安全系数,使不同情况下校核的失效概率 $P_{f,i}$ 尽可能接近于目标可靠性水平 P_f^T。下面将确定和给出可靠性规范校核中的各种条件和步骤。

26.4.2　规范校核原理

结构设计规范由下列因素的可能组合设计情形构成:

(1)结构形式;

(2)材料;

(3)环境和土壤条件;

(4)规范要求的失效模式或者极限状态。

规范的目标是在设计中可靠性指标要符合设计安全等级。简单地说,是所有极限状态的相同 β_i 都包含在规范中。但是在实际中,如果失效的严重程度不同,各种极限状态的 β_i 就不同。

需求函数表达了在数据空间一个特定点出现的频率,也就是结构形式、材料、地理位置和极限状态的一个特定组合。需求函数用来定义规范范围内,不同结构、材料、地理位置和极限状态组合权重系数 w。因此,权重系数代表规范中的不同设计情形的相对频率,且它们的总和是 1.0,权重系数是这些预期要求的代表。为了这个目标,通常假设用过去需求代表未来需求。

因为规范不能校核,为了使设计总是能达到目标可靠性,需要定义一个严谨的措施,这可以由目标可靠性偏差的补偿函数形式表达。补偿函数存在一些可能的选择,一个在等同于 β 水平补偿超安全或欠安全的设计可以是

$$M = \sum_i \sum_j \sum_k \sum_l (w_{i,j,k,l}(\beta_{i,j,k,l} - \beta_t)^2) \qquad (26.10)$$

式中,M 是补偿符号;$w_{i,j,k,l}$ 是由指数 (i,j,k,l) 确定的设计实例的权重系数;$\beta_{i,j,k,l}$ 是根据规范设计的案例得到的可靠性指标。补偿函数 M 的表达式可以认为是超过设计范围的目标

可靠性的期望平方差。

对于一系列处于整个规范范围内的普通安全系数校核的主要要求是,当超出规范范围时,校核系数要使设计的安全等级尽可能地接近目标要求,因此通用的安全系数定义为使补偿函数 M 最小的 γ 系列:

$$\text{Minimize}\{M\} \tag{26.11}$$

适合于

$$\beta_{ijkl} \geq \beta_{\min} \tag{26.12}$$

超出规范的范围。

式中,$\beta_{\min}$ 是最小可接受的可靠性指标。它可以由最优方法得到,如果选择别的补偿函数,也可以使用这个方法,例如欠安全设计比超安全设计偏差更大的补偿函数。

26.4.3　规范校核过程

在上面的内容中给出结合实际设计考虑的校核原理,一般说来,根据规范校核过程,下面的步骤被认为是合理可靠的。

步骤1:确定设计方案的失效模式;

步骤2:定义设计方程;

步骤3:构造极限状态函数(LSF);

步骤4:估计 LSF 中所有变量的不确定性;

步骤5:估算失效概率;

步骤6:确定目标安全等级;

步骤7:校核安全系数;

步骤8:评估结果。

26.4.4　规范校核的简单实例

为了说明规范校核的原理和步骤,下面给出一个简单的实例。

问题:假设船舶结构的强度设计检查用抗力 R 和载荷效应 S 来说明,它们由下式给出:

$$R_C \geq \gamma \cdot S_C$$

式中,特征强度

$$R_C = 0.85 \cdot \mu_R$$

特征载荷效应

$$S_C = \mu_S$$

式中,μ_R 和 μ_S 是平均值,相应的变异系数 $V_R = 0.1$ 和 $V_S = 0.2$,标准差 $\sigma_R = V_R \mu_R$ 和 $\sigma_S = V_S \mu_S$。假设设计校核由等号表达,问当 γ 值是多少时,设计校核的失效概率分别为 10^{-3} 和 10^{-4}?

求解

已知:

$$R_C = 0.85\mu_R, S_C = \mu_S$$

利用设计校核公式的相等条件,有

$$R_C = \gamma S_C, 0.85\mu_R = \gamma\mu_S, \mu_R/\mu_S = 1.18\gamma$$

可靠性指标 β 由下式给出:

$$\beta = \frac{\mu_R - \mu_S}{\sqrt{\sigma_R^2 + \sigma_S^2}} = \frac{\mu_R - \mu_S}{\sqrt{(V_R\mu_R)^2 + (V_S\mu_S)^2}}$$

所以

$$\beta = \frac{(\mu_R/\mu_S) - 1}{\sqrt{0.01(\mu_R/\mu_S)^2 + 0.04}} = \frac{1.18\gamma - 1}{\sqrt{0.014\gamma^2 + 0.04}}$$

当失效概率为 10^{-3} 时, 有

$$\Phi(-\beta) = 10^{-3}$$

$$\beta = \frac{1.18\gamma - 1}{\sqrt{0.014\gamma^2 + 0.04}} = 3.09$$

所以 $\gamma = 1.56$。

当失效概率为 10^{-4} 时, 有

$$\Phi(-\beta) = 10^{-4}$$

$$\beta = \frac{1.18\gamma - 1}{\sqrt{0.014\gamma^2 + 0.04}} = 3.72$$

所以 $\gamma = 1.76$。

注意: 假设 μ_R/μ_S 服从对数正态分布, 可靠性指标 β 定义如下:

$$\beta = \frac{\ln(\mu_R/\mu_S)}{\sqrt{V_R^2 + V_S^2}}$$

26.5　管状结构的数字模型

26.5.1　案例描述

为了说明校核过程, 下面给出一个从 Song, Tjelta 和 Bai(1998)的论文中直接引用的详细案例。这个案例研究的是简单 T 形接头, 几何特征和标记符号如图 26.1 所示。

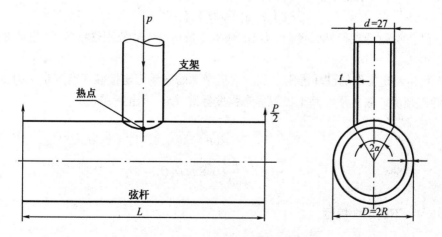

图 26.1　简单 T 型接头的几何外形

26.5.2　设计方程

在图 26.2 中给出的是固定式海洋平台上的一个简单 T 形接头,相关物理量和几何参数定义如下:θ 是从弦杆到撑杆的角度,g 是撑杆间距离,t 是撑杆壁厚,T 是弦杆壁厚,d 是撑杆直径,D 是弦杆直径。无量纲的几何参数包括直径比($\beta = d/D$)、弦杆硬度($\gamma = D/2T$)、壁厚比($\tau = t/T$)、弦杆长度参数($\alpha = L/D$)和间隙参数($p = g/D$)。

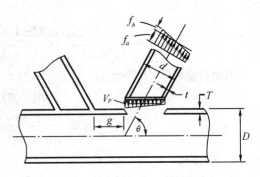

图 26.2　简单管连接的几何参数

根据 API RP2A – LRFD 中的规定,简单接头的强度校核要求接头性能满足下式:

$$P_D < \phi_j P_{uj} \tag{26.13}$$

$$M_D < \phi_j M_{uj} \tag{26.14}$$

式中,P_D 是撑杆单元的设计轴向载荷;P_{uj} 是轴向极限强度;M_D 是撑杆单元的设计弯矩;M_{uj} 是极限弯矩;ϕ_j 是管接头的抗力系数。

极限强度定义(API,1993)如下:

$$P_{uj} = \frac{F_Y T^2}{\sin\theta} Q_u Q_f \tag{26.15}$$

$$M_{uj} = \frac{F_Y T^2}{\sin\theta} (0.8d) Q_u Q_f \tag{26.16}$$

式中,F_Y 是接头处弦杆单元的屈服强度;Q_f 是弦杆纵向设计负载的设计数;Q_u 是极限强度数,它随接头和载荷类型的不同而变化。这两个参数可参照规范(API,1993)来确定。

26.5.3　极限状态函数(LSF)

一般说来,为了方便可靠性安全系数校核,LSF 可以表示如下:

$$g(Z) = g[(\gamma_i Q_i),(\varphi_j R_j)] \tag{26.17}$$

式中,Q_i 和 R_j 分别是载荷和强度(抗力)的随机变量;γ_i 和 ϕ_j 分别是校核 Q_i 和 R_j 的分项安全系数。

LSF 可由特定案例的破坏准则得到。这里考虑的简单管连接破坏准则定义为 API 规范校核时静态强度的超出量。基于极限静态强度标准,LSF 可由下式表示:

$$g(Z) = \phi_j \frac{F_Y T^2}{\sin\theta} Q_u Q_f - P_D \tag{26.18}$$

$$g(Z) = \phi_j \frac{F_Y T^2}{\sin\theta} (0.8d) Q_u Q_f - M_D \tag{26.19}$$

26.5.4　不确定性模型

不确定性分析主要是确定和量化不确定性的不同来源,并且确定如何考虑接下来的可靠性分析。不确定性由概率分布函数及其统计值确定。

考虑 LSF 中包含的不确定性,每个随机变量 X_i 可以由下式确定:

$$X_i = B_X \cdot X_C \tag{26.20}$$

式中，X_C 是 X_i 的特征值；B_X 是一个反映 X_i 不确定性的规范化变量。

除了上面讨论的模型不确定性，涉及的其他主要不确定性还包括：

（1）屈服强度的不确定性 X_Y：屈服强度的不确定性通常取决于管件连接的材料和制造规范。可使用正态分布来估算 $COV = 2\% \sim 5\%$ 的不确定性。

（2）直径不确定性 X_D：由装配和测量引起。直径足够大时，认为该不确定性的 COV 不大。

（3）壁厚不确定性 X_T：由装配和测量引起。弦杆和撑杆厚度的不确定性可以认为偏差 X_T 符合正态分布。

（4）载荷不确定性 X_S：这是由环境类型和载荷计算的不确定性或变异性引起的。对于由恒定的有效波高和全部波浪定义的海况，通常用 Rayleigh 分布来模拟最大波浪的分布。前面提到的分布的 COV 是一个描述短期变量的参数，对于不同风暴类型的变化范围是 $7.5\% \sim 15\%$（Efthymiou 等，1997）。由 COV 给出的波浪载荷变异性是由波高的自然变化引起的。波浪理论的缺陷、力系数也是引起波浪载荷计算产生不确定性的原因。由全尺寸测量可知，波浪载荷谱不是很明显。比较一些研究，波浪力模型的不确定性可用 $COV = 8\%$ 表示。这种表达方式被认为趋于保守（Efthymiou 等，1997）。分析中包含这种不确定性是因为在 LSF 中引入了带 COV 的偏离系数 X_S。目前，一般用对数正态分布来考虑这种不确定性。

（5）极限强度不确定性 X_R：海上框架结构的极限强度主要由构成单元（撑杆）挤压和拉伸的强度特性，以及管状接头在轴向载荷作用下的强度决定。对于这些关键部件，根据美国和欧洲的强度资料，构件强度的不确定性可以用 $COV = 10\%$ 充分表示（Efthymiou 等，1997）。当构件包含在破坏机构中时，系统强度的不确定性会减小，这意味着所提供的非线性分析方法是足够精确的，对于柔性系统而言，系统强度中的变异性要小于 10%。

通过把这些不确定性引入 LSF 中，LSF 可以简化为

$$g(Z) = X_Y X_T^2 X_R X_M - \phi X_S \tag{26.21}$$

$$g(Z) = X_Y X_T^2 X_D X_R X_M - \phi X_S \tag{26.22}$$

可根据表 26.1 给出的概率数据进行可靠性分析。

表 26.1　基本概率参数说明

随机变量	分布	平均值	COV
模型不确定性，X_M	对数正态分布	1.16	0.138
屈服强度不确定性，X_Y	对数正态分布	1.14	0.04
直径不确定性，X_D	正态分布	1.02	0.02
壁厚不确定性，X_T	正态分布	1.04	0.02
载荷不确定性，X_S	对数正态分布	0.90	0.08
强度不确定性，X_R	对数正态分布	1.05	0.05

26.5.5 目标安全等级

当进行结构可靠性分析时,应该根据失效的重要性、相关规范以及检查和维修等因素,选择合适的安全性,称之为目标安全性等级。在设计中要满足目标安全等级,以确保能达到确定的安全等级。

任何安全等级的估算,都应该根据设计规范中关于安全等级的信息和已报告的失效案例中相关部件的历史数据进行。如果可靠性大体上可以接受,那么根据传统步骤设计的管状接头安全等级可以作为目标安全等级的参考。要特别注意的是这只适用于平均失效率,因为实际上一个接头与另一个接头的安全性有很大变异,该变异是由以往设计中的差别及缺陷引起的。目标安全等级应该进一步涉及失效模式以及失效,从中可能会发现对于一些特定失效模式,其目标可靠性等级可增加或可减少。

目标安全等级通常应该反映失效、安全理念、检查和维修以及结构构件变化的重要性。安全等级主要基于失效模式及相关结果确定,根据所考虑的平台和构件,其安全等级可以分为低、正常和高三个等级(表26.2)。

低安全等级:构件和管状接头的失效对人员安全和环境破坏没有威胁。当某损坏发生于该等级时,其发生状况可以被监视,且不需要采取其他的措施。

正常安全等级:该等级下的失效对人员安全的危险可忽略,对平台主要部分有较小威胁,对环境有较小的破坏,并有一定的经济损失。

高安全等级:该等级下的失效意味着对平台的全部安全设备、人员安全和环境污染都有威胁,将产生不可避免的较大经济损失。

表 26.2　建议目标安全性水平

安全	目标	安全性
低	$PF = 10^{-2}$	$\beta = 2.32$
中	$PF = 10^{-3}$	$\beta = 3.09$
高	$PF = 10^{-4}$	$\beta = 3.72$

26.5.6 安全系数校核

除了直接使用代表全概率设计的可靠性方法对管节点进行设计外,可靠性方法也可间接用于基于规范校核的设计目标,以达到统一的安全等级。管状接头设计可靠性校核的主要目的是在同一安全水平上获得一系列最优的分项安全系数。

根据管状接头低、中、高三个安全等级,应该分别使用不同的安全系数。图26.3给出了可靠性指标设计中安全数的影响。相应于低、中、高三等级,安全系数分别建议使用1.1,0.95和0.86。必须指出校核后的安全系数可能与实际应用的安全系数不同,应根据实际的工程评判对校核后的安全系数进行必要修正,在评判中应考虑安全系数在特定管状接头中应用的现有经验。

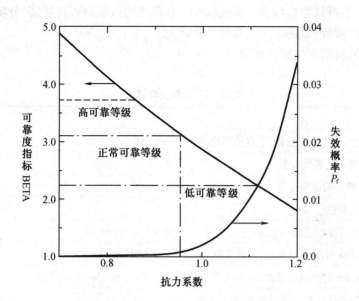

图 26.3　管状接头设计的安全系数校核

26.6　FPSO 的船体梁崩塌的数值算例

参考第二部分第 13 章和第四部分第 25 章,本节给出 FPSO 船体梁崩塌的可靠性校核(Sun 和 Bai, 2001)。弯矩标准可以表示为

$$\gamma_s M_s + \gamma_w \varphi_w M_w \leqslant \varphi_u M_u$$

式中,γ_s,γ_w 和 ϕ_u 是分项安全系数。

选择目标可靠性水平是一项困难的工作,应该根据失效的重要性、可靠性公式以及检测的可行性和维修的可能性选择。

下面是已应用的三个方法(Mansour, 1997):

(1)对毫无设计经验的新结构,需共同商定一个"合理"数值。

(2)使用现行的设计规范校核可靠性等级(经常使用在规范修订中)。

(3)成本利益分析。选择目标可靠性使结构在使用周期内的总成本最低。这个方法虽好,但其对相关资料有一定的要求,因此该法是不实用的。

Mansour(1997)重新评估了目标可靠性,建议民用船舶强度失效的可靠性指标定为3.5。Guedes Soares 等人(1996)建议抵抗船体梁崩塌的假定可靠性指标应该为 3.7(已建状态)、3.0(低腐蚀程度的船体)。这是基于对世界范围内现有船舶设计过程的结构安全等级的调查。腐蚀程度定义为初始(新建)剖面模数的 90%。有两个方法可以用来评估分项安全系数,叙述如下:

γ_s,γ_w 和 φ_u 由变量的设计值和名义值的比值给出。根据一阶可靠性方法,设计值是最可能的失效点,可以由下面的关系给出(Mansour, 1997):

$$\gamma_s = \frac{\chi_s^* M_s^*}{M_s^n}, \gamma_w = \frac{\chi_u^* M_w^*}{M_w^n}, \phi_u = \frac{\chi_u^* M_u^*}{M_u^n} \tag{26.23}$$

式中,χ^* 是设计值;χ^n 是名义值。

对于给定目标可靠性指标 β_0,强度(COV)和载荷的概率分布特征值、分项安全系数,以及最小需求强度等都可以由一阶可靠性方法确定。

表 26.3 用来说明船体梁强度设计。

表 26.3　变量参考度量

变量	说明
M_u	极限强度,对数正态变量,平均值不确定,$COV = 0.10$
M_s	SWBM,第一类极限变量
M_w	VWBM,第一类极限变量
ϕ_w	载荷缩减系数
χ_u	预测极限强度时的模型误差,正态变量,平均值 $= 1$,$COV = 0.05$
χ_s	预测 SWBM 时的模型误差,正态变量,平均值 $= 1$,$COV = 0.1$
χ_w	预测 VWBM 时的模型误差,正态变量,平均值 $= 1$,$COV = 0.24$(中垂状态)
β^O	新建状态的目标年可靠性指数 $\beta^O = 3.7$
β^C	腐蚀状态的目标年可靠性指数 $\beta^C = 3.0$

图 26.4 和 26.5 给出了新建和改建 FPSO 的极限强度要求,作为环境劣度系数和几何参数 Ψ 的函数,定义为

$$\Psi = C_W L^2 B (C_B + 0.7) \tag{26.24}$$

Ψ 的数值范围在 1.3757×10^8 到 5.2879×10^8 之间,根据现有的 FPSO 数据主要长度在 $180 \sim 260$ m 之间,型宽在 $30 \sim 46$ m 之间,方形系数在 $0.80 \sim 0.92$ 之间。图 26.4 和图 26.5 中符号 A1 ~ A5 表示的 Ψ 数值分别为 1.3757×10^8,2.0884×10^8,2.8879×10^8,4.04504×10^8 和 5.2879×10^8。随着环境劣度系数或者尺度参数 Ψ 的增加,极限强度要求增加。极限强度要求近似等于一个关于环境劣度系数和几何参数 Ψ 的双线性函数。

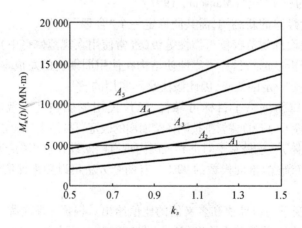

图 26.4　新建的 FPSO 在最小极限强度要求条件下
环境劣度系数和船舶主要项目的影响

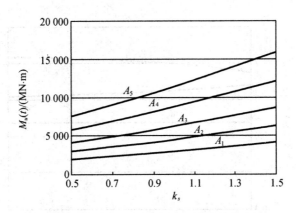

图 26.5　改装的 FPSO 在最小极限强度要求条件下
环境劣度系数和船舶主要项目的影响

根据现有计算还可以得到分项安全系数。可以发现抗力系数对环境劣度系数稍有依赖,而与几何参数 Ψ 无关。新建和改装的 FPSO 的分项安全系数和环境劣度系数的关系在图 26.6 和图 26.7 中给出。

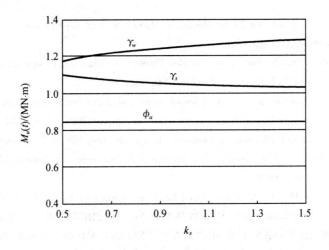

图 26.6　新建 FPSO 的分项安全系数

根据图 26.4 和 26.5 的结果,可以得到下面两个回归公式。

对于新建 FPSO:

$$M_u = -0.065(1 + 2.778k_s)C_WL^2B(C_B + 0.7) \tag{26.25}$$

对于改装 FPSO:

$$M_u = -0.060(1 + 2.635k_s)C_WL^2B(C_B + 0.7) \tag{26.26}$$

必须强调,上面的公式不能用一种绝对的方式解释,引用的数值只能作为参考。但是当数据充足时,这个方法也可以用来发展新建和改装 FPSO 的结构设计标准。

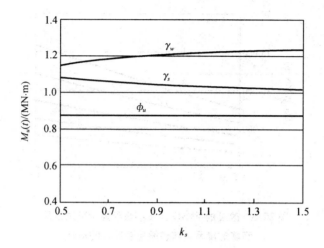

图 26.7　改装 FPSO 的分项安全系数

参考文献

[1] AISC. Load and Resistance Factor Design, in Manual of Steel Construction[J]. American Institute of Steel Construction, Chicago. 1986.

[2] American Petroleum Institute. Recommended Practice for Planning, Designing, and Constructing Fixed Offshore Platforms[M]. American Petroleum Institute, 1989.

[3] Bai Y, Song R. Fracture assessment of dented pipes with cracks and reliability-based calibration of safety factor[J]. International journal of pressure vessels and piping, 1997, 74(3): 221 – 229.

[4] Bai Y, Song R. Reliability-based limit-state design are re-qualification of pipelines[C]//American Society of Mechanical Engineers, 17th International Conference on Offshore Mechanics and Arctic Engineering (USA). 1998: 8.

[5] Bea R G, Craig M J K. Reliability Based Load and Resistance Factor Design Guidelines for Offshore Platforms to Resist Earthquakes[C]//PROCEEDINGS OF THE INTERNATIONAL CONFERENCE ON OFFSHORE MECHANICS AND ARCTIC ENGINEERING. AMERICAN SOCIETY OF MECHANICAL ENGINEERS, 1997: 303 – 314.

[6] Birkinshaw M, Smith D. The setting of target safety levels for the assessment of offshore structures[C]// The Sixth International Offshore and Polar Engineering Conference. International Society of Offshore and Polar Engineers, 1996.

[7] Efthymiou M, van de Graaf J W, Tromans P S, et al. Reliability-based criteria for fixed steel offshore platforms[J]. Journal of Offshore Mechanics and Arctic Engineering, 1997, 119(2): 120 – 124.

[8] GuedesSoares C, Dogliani M, Ostergaard C, et al. Reliability based ship structural design. Discussion. Authors' closure[J]. Transactions-Society of Naval Architects and Marine Engineers, 1996, 104: 357 – 389.

[9] MacGregor J R, Black F, Wright D, et al. Design and construction of FPSO vessel for the Schiehallionfield [J]. Trans RINA, 2000, 142: 270 – 304.

[10] Assessment of Reliability of Ship Structures, Appendices [M]. [S. l.]: Ship Structure Committee, 1997.

[11] Ravindra M K, Galambos T V. Load and resistance factor design for steel[J]. Journal of the Structural

Division,1978,104(9):1337 - 1353.

[12] Song R,Tjelta E,Bai Y. Reliability-based calibration of safety factors for tubular joints design[C]//The Eighth International Offshore and Polar Engineering Conference. International Society of Offshore and Polar Engineers,1998.

[13] Sun H H, YONG B A I, BEA R, et al. Time-variant reliability of FPSO hulls. Discussion. Authors' closure[J]. Transactions-Society of Naval Architects and Marine Engineers,2001,109:341 - 366.

第 27 章 疲劳可靠性

27.1 引言

传统的强度评估是在最大设计静载荷下考虑海洋结构物的安全性。但是,海洋结构物在很大程度上受时变应力的影响。这些应力由海面和推进设备产生,也随货物载荷而变化。

结构遭受疲劳载荷而失效的现象,与其只遭受静载荷的情况明显不同。静载荷能导致各种形式的失效,如屈服、失稳和脆性断裂。这些失效都会在单一的极限载荷条件下发生。而由疲劳载荷引起的破坏可以描述如下:在裂缝的初始阶段,由于反复的塑性变形积累而产生微小的疲劳裂纹,此时会发生局部结构变化以及微结构变化等。在以后的破坏过程中,疲劳裂缝由一条或更多条微小裂纹沿滑移线扩展而成。

疲劳是结构物使用期内的一种典型失效模式。疲劳现象的正确预测,对于维持结构物足够的可靠性和完整性是非常重要的。

对于海洋结构物的某些焊接构件,高周疲劳是一个控制设计标准,这些构件由于使用高强度钢,尤其是弦杆之间以及弦杆与甲板之间的连接处存在高动荷、高度应力集中以及高应力等级等特性,所以船舶的主要强度需要考虑疲劳的影响。但是,大部分疲劳裂缝发生在次要构件上,如横向框架,尤其是纵向加强筋和框架之间的结合处。

由于各种假定和推断的使用,疲劳评估中引入了很多不确定性,数据的缺乏和分析中存在的固有随机性也会产生额外的不确定性。这使得统计方法和可靠性方法的使用变得非常必要。

本书的第四部分说明了船舶和海洋结构物的疲劳强度评估的基础,同时可参考 Almar - Naess(1985),Rice 等人(1988), Maddox(1991)。

27.2 疲劳应力模型的不确定性

27.2.1 应力模型

构件的应力计算过程包括以下步骤:
(1)定义和模拟环境条件;
(2)把环境条件转换为结构上的作用力;
(3)计算结构对环境载荷的响应;
(4)计算构件的名义应力;
(5)计算在设计中使用的应力,如应力集中点的应力。

以上每个步骤都有假设,所有这些假设都包含一些不确定性。

27.2.2　应力模型误差

估计应力模型误差的一个简单方法是用变量 B 定义模型不确定性,参考第四部分的第 23 和第 24 章:

$$S_a = B \cdot S \tag{27.1}$$

式中　B——模型误差的偏差;

　　　S_a——实际应力;

　　　S——估算应力。

造成模型不确定性的因素有很多,例如 Wirsching 和 Chen(1988)指出的:

B_M——制造和装配;

B_S——海况类型;

B_F——波浪力预测;

B_N——构件名义载荷;

B_H——应力分析中的应力集中系数(SCF)的预测。

用这五个偏差因数,得到下面 B 的表达式:

$$B = B_M \cdot B_S \cdot B_F \cdot B_N \cdot B_H \tag{27.2}$$

假设每个变量符合对数正态分布,则 B 的平均值 $\bar{B}$ 和协方差 COV 分别为

$$\bar{B} = \prod_i \bar{B}_i \tag{27.3}$$

式中,$i = M, S, F, H$。对应于模型误差偏差的 COV 为

$$C_B = \sqrt{\prod_i (1 + C_i^2) - 1} \tag{27.4}$$

改进的应力分析可能有四种等级,见表 27.1。必须指出由于对数正态分布不对称,所以区间也不对称。

表 27.1　应力预测不确定性

等级	变异因数 C_B	公差等级[*]
1	0.30	0.55 ~ 1.80
2	0.25	0.61 ~ 1.65
3	0.20	0.67 ~ 1.50
4	0.15	0.74 ~ 1.35

[*]假设:(1)$\bar{B} = 1.0$;(2)B 是对数正态分布;(3)公差基于 ±2 标准差。

下面是关于等级选择的一般性指导方针:

等级 1:用于设计应力的安检表达。为韦伯分布形状参数和使用寿命假定缺省值,在估算载荷时并不可靠。

等级 2:对长周期应力范围使用韦伯模型,对参数的合理估计是可行的。

等级 3:对长周期应力范围使用韦伯模型,并且通过类似的船舶试验可知其对参数的估计是很好的。参数估计的柱状图和/或谱方法只有中等的可靠性。

等级 4:进行船舶的预期服务周期内的动力和结构综合分析,并把它作为柱状图方法或者谱方法的基础。

27.3　疲劳可靠性模型

27.3.1　概述

结构构件疲劳破坏的计算需要以一些变量为基础。每一个变量都有一定程度的随机性,为了考虑这些随机性,广泛使用了隐式和显式的安全系数。因为它的校核是根据以往的经验,所以安全系数是非常主观的量度。不同变量不确定性程度的信息无法有效利用。

可靠性理论提供了在疲劳破坏计算中考虑不确定性信息的方法。它能够计算构件的可靠度,也就是一个构件在特定的使用周期结束时的失效概率。可以使用系统可靠性来估算结构构件的可靠度。

疲劳周期预测的概率方法包括与 $S-N$ 方法或断裂力学方法结合使用的概率方法。结合 $S-N$ 方法的概率分析经常用在结构设计阶段,检查后的剩余使用周期的概率分析通常根据断裂力学(FM)方法做出。

本节将说明疲劳可靠性模型。有许多这方面的论文,例如 Wirsching(1984), White and Ayyub(1987), Hovde and Moan(1994), Xu and Bea(1997), Wirsching and Mansour(1997)可供参考。

27.3.2　疲劳可靠性——$S-N$ 方法

根据第三部分第 19 章内容,在 N_0 个循环周期内累积疲劳损伤可以表示如下:

$$D = \frac{N_0}{K} \cdot \frac{S_0^m}{(\ln N_0)^{\frac{m}{\xi}}} \Gamma\left(1 + \frac{m}{\xi}\right) \tag{27.5}$$

式中,K 和 m 是材料参数;$\Gamma(\ )$ 是伽马函数;S_0 和 ξ 是长期应力分布范围中的最大应力范围和韦伯形状参数。

疲劳失效的标准定义为

$$D \geqslant \Delta \tag{27.6}$$

式中,Δ 是失效时 Miner 的和。

疲劳极限 N_0 的不确定性可考虑为一个变量 X_{N0},其服从 COV 范围在 5%~20% 的对数正态分布。引入应力模型参数 B,极限状态函数(LSF)可以写为

$$g_i(Z) = \Delta - \frac{N_0}{K} \cdot \frac{B^m S_0^m}{(\ln N_0)^{\frac{m}{\xi}}} \Gamma\left(1 + \frac{m}{\xi}\right) \tag{27.7}$$

上面的 LSF 亦可重新写为

$$g_i(Z) = K\Delta \cdot \frac{(\ln N_0)^{\frac{m}{\xi}}}{B^m S_0^m \Gamma\left(1 + \frac{m}{\xi}\right)} - N_T \tag{27.8}$$

式中,N_T 表示目标服务周期。

27.3.3　疲劳可靠性——断裂力学(FM)方法

概率断裂力学由确定的每个周期断裂增加量 Paris – Erdogan 公式扩展而来:

$$\frac{\mathrm{d}a}{\mathrm{d}N} = C \cdot (\Delta K)^m \tag{27.9}$$

式中　a——断裂深度;

　　　N——周期数;

　　　C,m——材料常数;

　　　ΔK——应力强度范围, $\Delta K = K_{max} - K_{min}, K = S \cdot \sqrt{\pi \cdot a} \cdot F$;

　　　S——结构单元上垂直裂缝的公称应力;

　　　F——依赖于结构单元和裂缝几何特性的修正因数。

1. 初始裂缝尺寸

表面缺陷通常比内部缺陷更危险,因为它会形成应力集中,有形成裂缝的倾向而且垂直于主应力方向。这种缺陷的统计分布是分析中必要的信息。假设裂缝初始尺寸是独立的,且作为一个符合指数分布的随机变量:

$$F_{A_0}(a_0) = 1 - \exp\left(-\frac{a_0}{\lambda_0}\right) \tag{27.10}$$

式中, λ_0 是初始裂缝尺寸的分布参数。

2. 裂缝开始时间

对于缺少裂缝开始时间数据的情况,用一个简单的模型来假定裂缝开始时间 t_0 是裂缝传播时间 T_p 的某个百分数,可表示如下:

$$t_0 = \delta \cdot T_p \tag{27.11}$$

式中, δ 是常数; T_p 是裂缝传播时间。

3. 裂缝传播预测

考虑到应力比的影响,修正的 Pairs 定律可以写为

$$\frac{\mathrm{d}a}{\mathrm{d}N} = C\left(\frac{\Delta K}{1 - R}\right)^m \tag{27.12}$$

式中　a——裂缝尺寸;

　　　N——应力周期数;

　　　C 和 m——依赖于材料和环境的参数;

　　　R——随机内应力幅值的应力比, R 在下面的分析中为零;

　　　ΔK——应力强度因子范围,可以根据下面的 Newman 近似值(Newman 和 Raju, 1981)进行估算:

$$\Delta K = S\varepsilon_Y Y(a, X)\sqrt{\pi a} \tag{27.13}$$

式中　S——强度范围;

　　　$Y(a, X)$——表示样本和裂缝几何特性的几何函数;

　　　ε_Y——几何函数的随机模型不确定性。

通过对式(27.12)进行变量分离,并根据式(27.13),可得

$$\frac{\mathrm{d}a}{\varepsilon_Y^m \cdot Y(a, X)^m \cdot (\sqrt{\pi a})^m} = C(\Delta S)^m \mathrm{d}N \tag{27.14}$$

则微分方程可以表示为

$$\int_{a_0}^{a_N} \frac{\mathrm{d}a}{\varepsilon_Y^m \cdot Y(a,X)^m \cdot (\sqrt{\pi a})^m} = C\sum_{i=1}^{N}(\Delta S_i)^m = N\sum_{i=1}^{N}\frac{1}{N}(\Delta S_i)^m = NE[(\Delta S)^m]$$

$$(27.15)$$

因为由海洋载荷引起的应力响应是一个明显的窄带过程,裂缝的应力周期数 N 可以定义如下:

$$N = \nu_0(r \cdot t - t_0) \tag{27.16}$$

式中　ν_0——船舶服役周期内的平均零交叉率;

r——船舶服役周期的分数。

t 时刻船舶结构的裂缝尺寸,可以由上面的公式在 $R = 0$ 时得出:

$$a_i(t) = \Psi^{-1}\left[\Psi(a_{0i}) + C_i\nu_0(rt - t_0)\varepsilon_S^m A_i^m \Gamma\left(1 + \frac{m}{\xi}\right)\right] \tag{27.17}$$

式中, $\Psi(\ )$ 是辅助函数,它随着 a 的尺寸而单调增加,可表示为

$$\psi(a) = \int_0^a \frac{\mathrm{d}a}{[\varepsilon_Y Y(a,X)\sqrt{\pi a}]^m} \tag{27.18}$$

$$A_i = \frac{S_0}{(\ln N_0)^{\frac{1}{\xi}}} \tag{27.19}$$

假设 $\ln A_i$ 符合正态分布。

4. 疲劳失效标准

当定义裂缝尺寸 a_C 时,可根据适用性进行考虑,循环 N 次时的疲劳失效标准定义如下:

$$a_C - a(t) < 0 \tag{27.20}$$

5. 极限状态函数

基于断裂力学,失效标准从 t 时刻的裂缝尺寸中给出。船舶结构第 i 个单元的极限状态函数(LSF)可写为(参见 Madsen, 1986)

$$g_i(Z) = \int_{a_{0i}}^{a_{Ci}} \frac{\mathrm{d}a}{(\varepsilon_Y Y(a,X)\sqrt{\pi a})^m} - C_i\nu_0(rt - t_0)\varepsilon_S^m A_i^m \Gamma\left(1 + \frac{m}{\xi}\right) \tag{27.21}$$

式中, Z 是材料和应力参数、几何函数、裂缝初始尺寸及裂缝发展时间等的一系列随机变量; a_{Ci} 是第 i 条裂缝的临界裂缝尺寸; a_{0i} 是第 i 条裂缝的初始裂缝尺寸,这可以根据 $S-N$ 曲线的裂缝增长部分来校核。

6. 断裂力学模型的不确定性

与概率断裂力学模型相关的不确定性包括以下方面:

(1)裂缝初始尺寸;

(2)长期载荷;

(3)材料参数;

(4)应力强度计算中的几何修正系数;

(5)临界裂缝尺寸。

裂缝初始尺寸主要依赖于材料微观结构、制造工艺和焊接质量。因此,裂缝初始尺寸有很明显的不确定性。通常把裂缝初始尺寸作为随机变量处理,分布选为式(27.10)给出的指数分布。

裂缝增长分析的材料常数用两个参数 C 和 m 表示。根据试验中观察到的不确定性, C

和 m 应该作为随机变量,一般认为 C 符合对数正态分布, m 符合正态分布。

几何修正系数由 Newman – Raju 公式或者由包含较大不确定性的混合方法确定。其不确定性包含在 ε_Y 中。

根据适用性条件,临界裂缝尺寸可以作为随机变量或者常量。

27.3.4　简化疲劳可靠性模型——对数正态形式

疲劳可靠性估算中使用对数正态形式会引入不确定性,因为疲劳应力程度的变异系数和其他与疲劳强度有关的不确定性都作为对数正态变量。这种方法是由 Wirsching(1984)首先提出的,Wirsching 和 Chen(1988)做了进一步的改进。

式(27.8)可以重新写为

$$g_i(Z) = \frac{K\Delta}{B^m\Omega} - N_T \tag{27.22}$$

式中,应力参数定义如下,而且它是确定的。

$$\Omega = S_0^m \frac{\Gamma\left(1 + \dfrac{m}{\xi}\right)}{(\ln N_0)^{\frac{m}{\xi}}} \tag{27.23}$$

疲劳失效概率的闭型解:

$$P_f = P[N \le N_T] \tag{27.24}$$

假设解析形式符合对数正态形式,则可靠性指标 β 可以定义为

$$\beta = \frac{\ln\left(\dfrac{\widetilde{N}_T}{N_T}\right)}{\sigma_{\ln N}} \tag{27.25}$$

$$\widetilde{N} = \frac{\widetilde{K}\widetilde{\Delta}}{\overline{B}^m\Omega} \tag{27.26}$$

$$\sigma_{\ln N} = \sqrt{\ln\left[(1 + C_K^2)(1 + C_\Delta^2)(1 + C_B^2)^{m^2}\right]} \tag{27.27}$$

式中, C_S 代表每一个变量的 COV。

不确定性估算:对于 Wirsching $N - S$ 对数正态可靠性模型,需要明确 K, B 和 Δ 的平均值和 COV,假定它们是符合对数正态分布的变量。

变量 B 和 Δ 常用来量化模型误差,这些误差是由应力分析和描述疲劳强度时使用的假设产生的。

随机变量 Δ 描述了与 Miner – Palgam 假设相关的误差,下面的变量 $\overline{\Delta}$ 和 C_Δ 使用广泛,其中 $\overline{\Delta} = 1.0$, $C_\Delta = 0.3$。

随机变量 K 与 $S - N$ 关系的不确定性有关。对于由疲劳试验得出的 $S - N$ 曲线,平均值是由不同 $S - N$ 类型的试验得出的。根据实验数据分析,可知 COV 在 $0.3 \sim 0.6$ 之间。

27.4　$S - N$ 方法校核断裂力学模型

$S - N$ 方法和断裂力学方法都用来计算失效概率。

基于 $S - N$ 方法和 Miner 定律,极限状态函数(LSF)可以写成式(27.7)的形式, Δ 是失效的 Miner 总和, N_0 是在设计服务期内引起发生和扩展的循环数, $\ln K$ 用正态分布模拟。

另一方面,在基于 LSF 式(27.21)的断裂力学方法(FM)中使用的 a_0 和 t_0,可以通过在公式中忽略 t_0 项,并用 $a_{0.eq}$ 代替 a_0 而结合起来, $a_{0.eq}$ 是相应于裂缝开始时间的裂缝初始尺寸。

因此,这两种方法有一定的联系。这意味着断裂力学模型中裂缝初始尺寸可以用 $S-N$ 方法校核(Song 和 Moan,1998)。

失效的应力循环数可以写为

$$N = KS^{-m} = N_i + N_g = N_i + \int_{a_0}^{a_c} \frac{\mathrm{d}a}{C(\varepsilon_Y Y(a,X) \sqrt{\pi a})^m} \tag{27.28}$$

式中, a_0 是裂缝开始 N_i 个循环后的裂缝尺寸。

假设 $N_i = \delta \cdot N$,初始裂缝尺寸 a_0 可以根据下式进行校核:

$$N - N_i = (1-\delta)N = \int_{a_0}^{a_c} \frac{\mathrm{d}a}{C(\varepsilon_Y Y(a,X) \sqrt{\pi a})^m} \tag{27.29}$$

裂缝初始值 a_0 的平均值可以用式(27.29)中的其他变量进行校核。一般认为校核 a_0 也依赖于由 δ 表征的裂缝开始时间。在校核中, m 可以模拟为一个正态分布的常量或者随机变量。

相似地, $S-N$ 方法也能够校核断裂力学方法。换句话说,裂缝尺寸可以由 $S-N$ 曲线明确表达。无论使用哪种方法校核,校核的原则是不同的方法应该符合一致的疲劳寿命。

27.5　疲劳可靠性应用——疲劳安全检查

27.5.1　疲劳的目标安全指标

基本设计要求是指描述构件可靠性的安全指标超过最低允许的或目标的安全指标。

$$\beta \geq \beta_0 \tag{27.30}$$

通过使用 β_0 的值和设计变量的统计数据来得到目标破坏等级的表达式。

对于安全检查的表达式,需要给定最小许用安全指标(或者目标安全指标) β_0。选择每一类的目标安全指标,使其适应于其他类似的情况(表27.2)。

表 27.2　目标安全(Mansour,1997)

	说明	目标安全指标 β_0
第一类	认为一个明显的疲劳裂缝不会危及人员安全,不会危及船舶结构的完整性,不会导致污染;修理费用相对较低	1.0
第二类	认为一个明显的疲劳裂缝不会立即危及人员安全,不会立即危及船舶结构的完整性,不会导致污染;维修费用相对较高	2.5
第三类	认为一个明显的疲劳裂缝会危及船舶的完整性和人员的安全,会导致污染;裂缝显著扩展会引起严重的经济和政治影响	3.0

27.5.2　分项安全系数

使用疲劳极限状态的概率设计标准的另一种方法是使用分项安全系数。式(27.22)可

以写成

$$N = \frac{K\Delta}{B^m S_e^m} \tag{27.31}$$

令失效周期 N 等于使用周期 N_s, 且假设 $\tilde{B} = 1.0$, 则式 (27.32) 可写为

$$S_e = \left[\frac{K\Delta}{N_s} \right]^{1/m} \tag{27.32}$$

假设 S_e, Δ 和 K 是随机变量, 可以定义下面的安全检查表达式:

$$S_e \leqslant \frac{1}{\gamma_S} \left[\frac{(\gamma_\Delta \Delta_n)(\gamma_K K_n)}{N_s} \right]^{1/m} \tag{27.33}$$

式中, 下标 n 表示名义值或者设计值。可以使用可靠性方法来校核分项安全系数, 分项安全系数包括应力系数 γ_S、破坏安全系数 γ_Δ 和材料特性安全系数 γ_K。关于这方面的最新进展可参见 Stahl 和 Banon (2002)。

27.6 数值算例

27.6.1 例 27.1: 基于简单 $S-N$ 方法的疲劳可靠性

问题: 假设疲劳强度由 $S-N$ 曲线描述, 疲劳载荷由韦伯分布描述, 可由公式 (27.7) 得到疲劳破坏:

$$D = \frac{N_0}{K} \cdot \frac{S_0^m}{(\ln N_0)^{m/\xi}} \Gamma\left(1 + \frac{m}{\xi}\right)$$

假设只有 Δ, S_0 和 K 是随机变量, 失效概率可以写为

$$P_f = \int_{g(Z) \leqslant 0} f_X(x) \, \mathrm{d}x \tag{27.34}$$

式中

$$g(\underline{Z}) = X_1 - k \frac{X_2^m}{X_3} \tag{27.35}$$

k 是常数。

假设 $m = 3$, $k = 10^6$, X_1, X_2 和 X_3 是独立的, 在表 27.3 中给出。直接使用简单方法可找出 $g(\underline{Z})$ 的分布并计算出失效概率。

表 27.3 输入值

随机变量	平均值	COV	分布
X_1	1	0	确定性分布
X_2	200	0.2	对数正态分布
X_3	6.93×10^{13}	0.5	对数正态分布

解 使用 FORM (一阶可靠性方法) 之前, 可知能够使用简单方法计算 P_f。公式 (27.51) 可以改写为

$$g(Z) = \ln X_1 - m \ln X_2 + \ln X_3 - \ln k \tag{27.36}$$

因为 X_1 是确定的且等于 1，公式(27.36)可以写成下面的简化形式：

$$g(Z) = -m\ln X_2 + \ln X_3 - \ln k \tag{27.37}$$

随机变量 X_2 和 X_3 是对数正态分布的，这说明 $\ln X_2$, $\ln X_3$ 和 $g(Z)$ 是正态分布的，其平均值和 COV 值如下所示：

$$\sigma_{\ln X_2} = \sqrt{\ln(1 + COV_{X_2}^2)} = 0.198$$

$$\mu_{\ln X_2} = \ln\mu_{X_2} - 0.5\sigma_{\ln X_2}^2 = 5.279$$

$$\sigma_{\ln X_3} = \sqrt{\ln(1 + COV_{X_3}^2)} = 0.472$$

$$\mu_{\ln X_3} = \ln\mu_{X_3} - 0.5\sigma_{\ln X_3}^2 = 31.758$$

$$\sigma_g = \sqrt{m^2\sigma_{\ln X_2}^2 + \sigma_{\ln X_3}^2} = 0.759$$

$$\mu_g = -m\mu_{\ln X_2} + \mu_{\ln X_3} - \ln k = 2.105$$

则可靠性指标和失效概率为

$$\beta = \frac{\mu_g}{\sigma_g} = 2.774$$

$$P_f = \Phi(-\beta) = 2.76 \times 10^{-3}$$

27.6.2　例 27.2：大型铝制双体船的疲劳可靠性

这个例子直接来源于 Song 和 Moan(1998)，说明了疲劳可靠性在大型铝制双体船上的应用。

1. 问题描述

在图 27.1 和图 27.2 中，给出了双体船的中横剖面和焊缝附近的局部结构构件。材料是铝合金 5083。材料特性如下：杨氏模量 $E = 68.6 \times 10^3$ MPa，屈服强度 $\sigma_y = 250$ MPa，密度 $\rho = 2\,700$ kg/m³。假设 $COV = 0.5$，从表 27.4 中得到材料参数 $\ln C$ 的统计值。尺度参数 A 是由疲劳损害标准决定的，并在表 27.5 中给出。疲劳参数 K 和 m 由 BS8118 规范(BSI, 1992)确定，R 等于 0。根据表 27.6 中的参数进行数值计算。

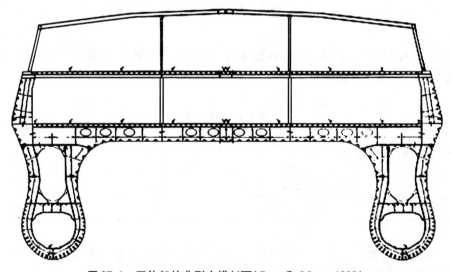

图 27.1　双体船的典型中横剖面(Song 和 Moan,1998)

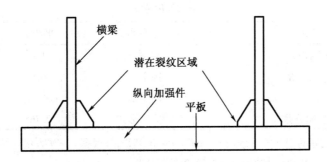

图 27.2　考虑的细部构件

表 27.4　材料参数 lnC 的统计值（Song 和 Moan，1998）

	m（BS8118）	$\log C = a + bm$	$\ln C$
$R = 0$，$a = 6.74$，$b = -1.04$	3.25	−10.12	−23.30
	3.5	−10.38	−23.90
$R = 0.3$，$a = -7.09$，$b = -0.85$	3.25	−9.852 5	−22.69
	3.5	−10.065	−23.18

表 27.5　基于 BSB8118（BSI，1992）的应力水平参数

D	$S - N$ 特征值	参数 A	$\ln A$
0.1	$K = 2.09 \times 10^{11}$，$m = 3.25$	$0.277\ 07 \times 10^1$	$0.101\ 9 \times 10^1$
	$K = 9.60 \times 10^{11}$，$m = 3.5$	$0.358\ 42 \times 10^1$	$0.127\ 6 \times 10^1$
0.3	$K = 2.09 \times 10^{11}$，$m = 3.25$	$0.388\ 50 \times 10^1$	$0.135\ 7 \times 10^1$
	$K = 9.60 \times 10^{11}$，$m = 3.5$	$0.490\ 58 \times 10^1$	$0.159\ 0 \times 10^1$

表 27.6　疲劳分析的概率参数（Song 和 Moan，1998）

变量	分布类型	平均值	COV
初始裂缝尺寸，a_0	指数分布	0.02	1.0
裂缝初始时间比，δ	固定形式	0.10	—
可探测的裂缝尺寸，a_D	指数分布	1.0	1.0
几何偏差，ε_Y	正态分布	1.0	0.1
应力模型错误，ε_S	对数正态分布	1.0	0.1
材料参数，$\ln C$	正态分布	−23.30	0.022
应力尺度参数，$\ln A$	正态分布	1.019	0.10
裂缝纵横比，a/c	固定形式	0.5	—
a/c 随机偏差，$\varepsilon_{a/c}$	正态分布	1.0	0.1
失效的 Miner 总和，Δ	对数正态分布	1.0	0.3
$S - N$ 疲劳参数，$\ln K$	正态分布	27.065	0.019
应力形状参数，ξ	固定形式	0.95	—
材料参数，m	正态分布	3.25	0.06
板厚，T_H	固定形式	30	—

表 27.6(续)

变量	分布类型	平均值	COV
板宽,w_P	固定形式	100	—
应力比,R	固定形式	0.0	—
每年应力循环,ν_0	固定形式	2.5×10^6	—
海上船舶分数,r	固定形式	0.765	—

注意:m 和 $\ln C$ 之间的相互关系是 $\rho(m,\ \ln C) = -0.95$;a_0 是根据 $S-N$ 方法校核的;$\ln A$ 是根据规范 BSB8118,在 $D=0.1,K=2.09 \times 10^{11}$ 和 $m=3.25$ 条件下计算的。

2. 结论和评估

(1)断裂力学模型的校核:$S-N$ 曲线根据实验室试验得到了发展。另一方面,在 FM (断裂力学)预测中使用的材料参数存在极大的不确定性。因此用 $S-N$ 曲线校核断裂力学材料参数是很有用的。人们做了许多不同 FM 模型的分析。为得到恒定的疲劳寿命,分别根据断裂力学和 $S-N$ 方法的校核结果,在图 27.3 中给出。可以发现,如果 FM 和 $S-N$ 方法使用同一参数 $m=3.25$,则校核的结果是 $a_0 - \text{EXP}(0.02)$,$m - N(3.25,0.06)$ 和 $\rho(m, \ln C) = -0.95$,或 $a_0 - \text{EXP}(0.007)$ 和固定的 $m=3.25$。如果 FM 和 $S-N$ 方法中使用固定的 $m=3.5$,校核的结果是 $a_0 - \text{EXP}(0.007)$ 或者 $a_0 - \text{EXP}(0.015)$,$m - N(3.5,0.06)$ 和 $\rho(m,\ln C) = -0.95$。但是,不同模型可使用不同的 m 值。如果在 FM 模型中使用 $m=3.5$,而在 $S-N$ 模型中使用 $m=3.25$,那么校核的 a_0 值符合 $\text{EXP}(0.02)$。很明显地,基于做出的假设,不同的 a_0 校核值是有效的。如果裂缝初始时间比 $\delta=0.1$,与 $\delta=0$ 的情况相比 a_0 的值增加了约 20% 。如果假设在裂缝开始时有更多的循环 N,预计校核值 a_0 将会更大。

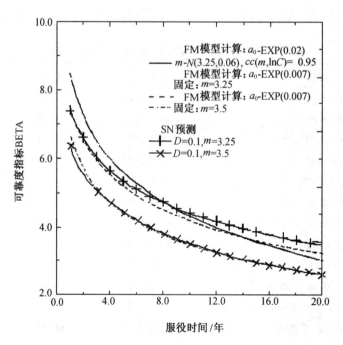

图 27.3　在累积破坏 $D=1$ 时,$S-N$ 方法对 FM 模型校核(cc 表示相关系数)
(Song 和 Moan,1998)

（2）基本参数研究：图27.3 给出了在 $t = 4$ 年时,没有通过 FORM 分析和检查的可靠性的灵敏度。

（3）$S - N$ 疲劳参数的影响：$S - N$ 公式中疲劳参数 K, m 的确定在很大程度上取决于结构单元如何分类。假设未明确的累积损害 D 分别等于 0.1 和 0.3,相应的参数 K 和 m 在表27.6 中给出,$\ln C$ 和 $\ln A$ 的 COV 分别等于 0.5 和 0.1。

（4）韦伯形状参数的影响：基于对长期分布的初步研究,假设在该案例中 $B = 0.95$,在图27.4 中给出了一个参数研究结果,可以看出形状参数 B 对疲劳可靠性的影响

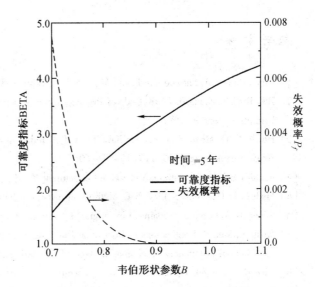

图27.4　参数 B 对 β 和 P_f 的影响
（Song 和 Moan,1998）

非常明显。一般地,船舶的形状参数 B 在 0.8 ~ 1.0 之间。参数 B 可以作为一个随机变量,而不用固定值。从图27.5 中的结果可知,在 $\mu = 1.0526, COV = 0.1$ 时,如果 $1/B$ 模拟为正态分布,则与 B 值固定时相比 β 的值将会减少。如果假设 $\rho(1/B, \ln A) = -0.8$,B 的影响几乎与 B 固定时的影响相同。

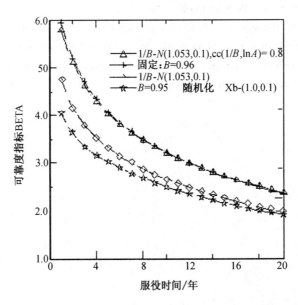

图27.5　不同模型的形状参数 B 对 A 构件 β 的影响（cc 表示相关系数）
（Song 和 Moan,1998）

参考文献

[1] Almar-Naess, A. Fatigue handbook[M]. [S. l.]：Tapir,1985.

[2] BSI. British Standards 8118, Code of Practice forthe Structural Use of Aluminum[S]. British Standards Institution, London. 1992.

[3] Hovde G O, Moan T. Fatigue reliability of TLP tether systems[J]. Journal of Offshore Mechanics & Arctic Engineering,1997,119(1):53 – 60.

[4] Maddox S J. Fatigue strength of welded structures[M]. [S. l.]：Woodhead publishing,1991.

[5] Madsen H O, Krenk S, Lind N C. Methods of Structural Safety[J]. Dover Pubns,1986.

[6] Miner M A. Cumulative damage in fatigue[J]. Journal of applied mechanics,1945,12(3):159 – 164.

[7] Moan T, Song R. Implications of Inspection Updating on System Fatigue Reliability of Offshore Structures [J]. Journal of Offshore Mechanics & Arctic Engineering,2000,122(3):173 – 180.

[8] Rice R C. Fatigue Design Handbook[J]. Society of Automotive Engineers,1988.

[9] Song R, Moan T. Fatigue Reliability of Large Catamaran Considering Inspection Updating[J]. 1998.

[10] Banon H, Stahl B, et al. Fatigue Safety Factors for Deepwater Risers[C]// ASME 2002, International Conference on Offshore Mechanics and Arctic Engineering. 2002:349 – 355.

[11] Anon. Reliability-based fatigue design for ship structures[J]. Naval Engineers Journal,1987,99(3): 135 – 149.

[12] Wirsching P H. Fatigue Reliability of Offshore Structures[J]. Journal of Structural Engineering,1984, 110(10):2340 – 2356.

[13] Paul H, Wirsching C. Considerations of Probability Based Fatigue Design Criteria for Marine Structures [J]. Marine Structures,1988,1(1):23 – 45.

[14] Wirsching P H, Mansour A E. Reliability in fatigue and fracture analyses of ship structure[C]// Symposium and Workshop on the Prevention of Fracture in Ship Structure,1997.

[15] Xu T. Marine Infrastructure Rejuvenation Engineering-Fatigue and Fracture of Critical Structural Details (CSD)[M]. University of California：Berkeley,1996.

第 28 章　基于概率和风险的检测规划

28.1　引言

海洋结构物在服役期内进行检测的目的是确保结构的完整性。为了优化使用期内的检测,需要正确处理设计、装配和损害检测中的不确定性,以及重要部件有限次检查的适当性。在通过检测和维修来提高可靠性方面已经有了很多研究成果,具体参见 Moan(1993,1997)以及 Xu 和 Bea(1987)。Moan 和 Song(1998), Song 和 Moan(1998)的文章研究了基于系统考虑的检测更新。Yazdan 和 Albrecht(1990)等给出了概率检测在其他工程领域的应用。

风险评估对确定检测和维修的次序非常有用。关于风险评估的全面讨论将在本书的第五部分给出。本章将介绍以下内容:

(1)风险检测的概念;

(2)概率检测的可靠性更新理论;

(3)风险检测的案例;

(4)风险检测的优化。

28.2　风险检测规划概念

28.2.1　风险的类型

一般地,风险可以分为以下三种主要类型:

(1)人身风险:①生命风险;②伤害风险。

(2)环境风险。

(3)财产风险:①材料(结构)损害风险;②生产延期风险。

28.2.2　风险的定义

风险可以定义为

$$R = f(P_f, C) \tag{28.1}$$

式中　P_f——失效概率;

　　　C——失效结果。

实际计算中,风险的一个更普通的表达式是

$$R = \sum (P_{f_i} \cdot C_i) \tag{28.2}$$

那么,就可通过使风险最小化来进行风险检测规划:

$$\min\{R\} \tag{28.3}$$

开发一个系统级的风险检测过程包括对系统、子系统和部件进行风险评估的优先顺序,以及确定检测策略(即频率、方法以及范围或样本尺寸)。这个过程也包括确定检测之后的维护和修理。最终,使用检查结果会得到一个指定系统、子系统和构件/元件的更新检测策略。

28.2.3　风险检测的过程

图 28.1 综合说明了风险检测的过程,包括以下四个步骤:

(1)定义需要检测的系统;

(2)使用定性的风险评估,利用专业意见和经验确定系统和构件的失效模式、原因以及初始等级;

(3)应用定性风险分析方法,主要使用放大的失效模式、影响和重要性分析(FEMCA),需要的话,要把检测的重点放在对安全性、经济和环境风险要求最高的系统和构件上;

(4)开发构件检测程序,根据检测的结果和经验,使用决策分析考虑经济因素,开始于

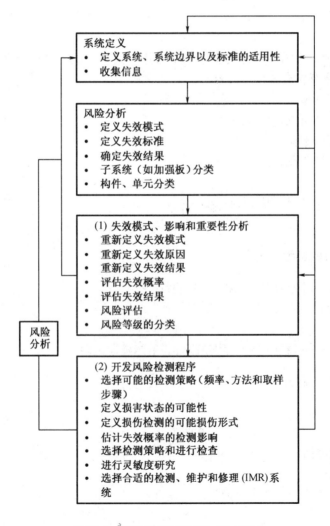

图 28.1　风险检测过程(Xu 等,2001)

初始检测策略,结束于检测策略的更新。

图 28.1 中给出了表示系统定义、构件等级和对每个构件的检测策略等的反馈回路。发展风险检测过程的重要目的是通过建立检测策略,把新信息结合到下一次检测中以不断更新策略。

28.3　概率的检测规划可靠性更新理论

28.3.1　概述

Baysian 模型已经应用到概率检测规划的可靠性更新中。本节将会给出在过去的 30 年中发展的两种主要方法。

1. 通过检测事件更新

对于直接更新事件(如疲劳失效)的概率(Yang, 1976;Itagaki 等人, 1983;Madsen, 1986;Moan, 1993,1997),Yang(1976)和 Itagaki 等人(1983)提出了简化的 Baysian 方法,即只把裂缝形成、扩展和检测作为随机变量和串联系统中的独立部分来考虑。

2. 通过变量来更新

使用缺陷尺度的更新概率分布,重新计算失效概率(Shinozuka 和 Deodatis, 1989)。可靠性指标的变化是由随机变量的变化引起的,变量的分布可根据检测事件进行更新。当变量更新时,失效概率可以很简单地使用更新变量计算出来。但是,如果一些变量根据同一个检测事件更新,那么应该考虑更新变量之间增加的相互关系。

在下面的部分中将会进一步说明检测事件更新的方法。

28.3.2　疲劳破坏的检测规划

疲劳失效定义为疲劳裂缝扩展达到了临界尺寸,例如管的壁厚。根据断裂结构力学,标准是以 t 时刻裂缝尺寸的形式表达的。通过整合 Paris 定理,极限状态函数可以写为(参见本书第四部分第 27 章,Madsen 等,1986)

$$g(Z) = \int_{a_0}^{a_c} \frac{\mathrm{d}a}{\left[\varepsilon_Y Y(a,X) \sqrt{\pi a} \right]^m} - C\nu_0 t \varepsilon_s^m A^m \Gamma\left(1 + \frac{m}{\xi} \right) \tag{28.4}$$

式中　$Y(a,X)$——有限几何修正因数;

　　　ε_s——应力模型误差;

　　　ε_Y——几何函数的随机修正因数;

　　　ν_0——使用周期内应力循环的平均零交叉率;

　　　$\Gamma(\cdot)$——Gamma 函数。

一般地,这里考虑两类最常见的检测结果,也就是无裂缝检测、裂缝检查和测量(及维修)(参见 Madsen,1998)。

1. 无缝检测

这意味着不存在裂缝或者存在的裂缝太小而检测不到。第 i 个单元检测的余度可以表达如下:

$$I_{no,i}(t_i) = a_D - a_i(t_i) = \Psi(a_D) - \Psi(a_{0i}) - C_i \nu t_i \varepsilon_s^m A_i^m \Gamma\left(1 + \frac{m}{\xi} \right) > 0 \tag{28.5}$$

式中　$a(t_i)$——检测时刻 t_i 预测的裂缝尺寸;

a_D——可检测的裂缝尺寸。

因为是用随机变量反映实际检测概率(POD)曲线,所以检测裂缝尺寸 a_D 与特定的检测方法及模型相关。在这些有效的 POD 方程中,通用的指数分布如下:

$$P_D(a_D) = 1 - \exp\left(-\frac{a_D}{\lambda}\right) \tag{28.6}$$

式中 λ——可检测裂缝的平均尺寸。

2. 裂缝检查和测量

如果在焊接构件 i 上检测到裂缝,这个检测事件可以写为

$$I_{yes,i}(t_i) = a_m - a_i(t_i) = \Psi(a_m) - \Psi(a_0) - C_i\nu_0 t_i \varepsilon_s^m A_i^m \Gamma\left(1 + \frac{m}{\xi}\right) = 0 \tag{28.7}$$

式中,a_m 是 t_1 时刻测量的裂缝尺寸,由于测量中包含不确定性,把 a_m 作为随机变量。$\Psi(a)$ 是反映从无裂缝至裂缝达到一定尺寸的损伤累积函数,定义如下(Paris 和 Erdogn,1963;Newman 和 Raju,1981):

$$\Psi(a) = \int_0^a \frac{\mathrm{d}a}{\left[\varepsilon_Y Y(a,X)\sqrt{\pi a}\right]^m}$$

3. 维修事件

检测工作本身不能增加结构的可靠性,但是一旦发现裂缝,就可以采取必要的纠正措施,如维修。维修之后,可以认为材料参数和初始裂缝尺寸符合之前的模型,但在统计分析上为独立的事件。由于裂缝检查和测量的维修工作与式(28.7)给出的情况相同,也就是 $I_R = I_{yes}$,在维修之后失效事件要如下面讨论的那样做出修改。

4. 维修后的可靠性更新

检查、测量和维修了裂缝后,希望得到同一量级但相对独立的材料统计学特性。在(水下)维修后,焊接缺陷 a_R 决定于维修及维修后的处理方法(打磨 a_{Rg} 或焊接 a_{Rw})。这里假设其符合与 a_0 相同的模型。维修后新的安全余度 $M_R(t)$ 变为

$$M_R(t) = \int_{a_R}^{a_c} \frac{\mathrm{d}a}{\left[\varepsilon_Y Y(a,X)\sqrt{\pi a}\right]^{m_R}} - C_R\nu_0(t - t_R)\varepsilon_s^{m_R}A\Gamma\left(1 + \frac{m_R}{\xi}\right) \tag{28.8}$$

式中,t_R 是维修时间。假设参数 a_R,C_R,m_R 符合之前的模型,但都是统计上独立的。

对于维修后结构单元的更新失效概率可以表示为

$$P_{F,up} = P[M_R(t) \leqslant 0 \mid I_R(t_R) = 0] \quad t > t_R \tag{28.9}$$

必须说明,考虑维修影响的另一种方法是,首先更新基于检测事件的式(28.8)中的随机变量。然后可以通过维修安全余度估算可靠性,维修安全余度可根据所使用的维修方法引入初始裂缝尺寸 a_R 得到。

28.4 风险检测的案例

本书第四部分 25.5 节中给出的理论可扩展到风险检测规划(Sun 和 Bai,2001)。举一个例子,风险的定义为

风险 = 失效结果 × 失效的可能性

式中失效结果可以通过以下方式衡量:

C1——船体、货物和使用寿命的损失,这是最严重的后果;

C2——少量原油泄漏,适用性降低,以致需要海上救援;

C3——临时修理和适用性降低。

失效的可能性可以分为三类:

L1——快速腐蚀率;

L2——正常腐蚀率;

L3——缓慢腐蚀率:

在目前的分析中,假设全部具有腐蚀损耗的构件大于临界尺寸,且其特定的检查概率(POD)将会被更换,之后它们的状态会恢复到最初状态。

根据船级社的检查规定,检测分为每年进行一次(年检)、每两年半进行一次(中期检验)和每五年进行一次(专门检验)。在检测条件下,考虑厚度测量 POD 的四个等级,即 60%,80%,90% 和 95%,当构件的腐蚀厚度到达初始壁厚的 75% 时,POD 是 99.9%。

船体梁失稳(最严重的失效结果)的试验可靠性指标,对于新建造的船舶设定为 3.7,对于腐蚀程度低的船体设定为 3.0。

图 28.2 给出了在 C1 和 L1 的联合风险下的时变可靠性。可以发现,为了使年可靠性指标超过安全等级的最低限度,在服役 10 年之后,对于 POD 低于 80% 的构件必须在每次年检中进行厚度测量和更新。

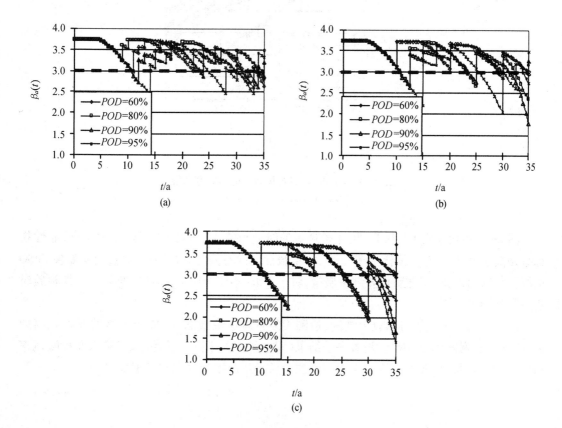

图 28.2　C1 和 L1 联合风险下的时变可靠性

(a)年检;(b)中期检验;(c)专门检验

图 28.3 说明了在 C1 和 L2 联合风险下的时变可靠性。可以从图中看出,对 *POD* 低于 80% 的构件应该进行厚度测量和更新,以保证在第一个 20 年服役周期内的年检可靠性指标高于安全等级的最低限。这些检查可能在第一个 20 年的第三个专门检验时就完成了,但是如果 FPSO 服役 20 年之后还需要继续服役,上述检测应该在年检中进行。

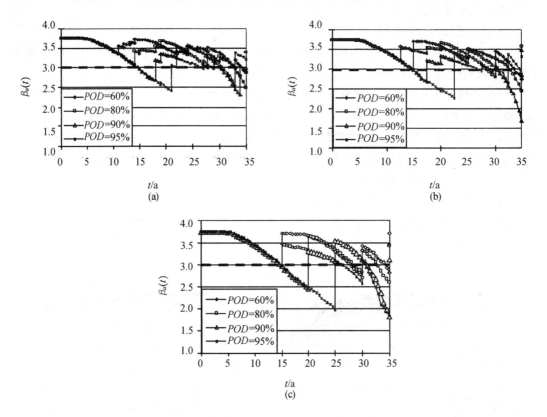

图 28.3　C1 和 L2 联合风险下的时变可靠性

(a)年检;(b)中期检验;(c)专门检验

图 28.4 给出了在 C1 和 L3 联合风险下的时变可靠性。从图中可以发现,年可靠性指标总是高于安全水平的下限,在第一个 20 年服役期内不需要进行厚度测量,但是如果 FPSO 的服役年限超过 20 年之后仍要继续服役,对于 *POD* 小于 80% 的构件就需要在中期检验时进行厚度测量和更新。

从上面的例子我们得出以下结论:检测规划依赖于失效结果(安全等级的下限)、腐蚀率、船龄和检测概率(*POD*)。随着失效结果(安全等级的下限)、腐蚀率、船龄以及检测概率(*POD*)等的增加,检查的要求也需逐渐增加。后者使厚度测量和判断更加困难。

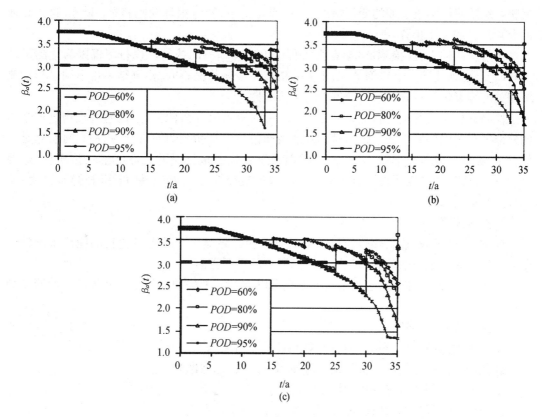

图 28.4　C1 和 L3 联合风险下的时变可靠性

(a)年检；(b)中期检验；(c)专门检验

28.5　风险最优化检测

这一部分内容依据的是 Xu 等人(2001)的理论,对船舶和海洋结构物使用周期内的检查经验充分说明了主要存在两类损伤:

①已经预测或者可以预测的部分(自然的,可预测的);

②不能预测的(人为的,不可预测的)。

大量的(或者是大部分)损害属于第二类不可预测的损伤,源于人员错误操作和懒散。

通过提供时间、位置以及如何检测和维修,量化检测分析(例如概率或者风险检测的方法和规范),这有助于考虑第一类损伤。可是,这种分析不能为处理第二类损伤提供信息,必须用专业的观察和推理(判断)技术来处理第二类损伤。

这类识别技术促进了最优化检测方法的发展(Xu 等,2001)。最优化检查方法的总目标是,在结构体系的使用管理周期中开发一个有效而且高效的安全和质量控制系统。

1. 检测的执行

检测的执行受船舶、检测人员和环境的影响。

船舶的因素可以分为两类——设计因素和条件/维护因素。设计因素包括结构布局、尺寸和涂料,是在初始设计中或者重新设计中确定的,而且可以随时修正。条件/维护因素反映船舶随使用年限增加的变化情况,包括作业记录、特殊损坏缺陷特征(裂缝、腐蚀和屈曲等)、尺寸和发生位置。

执行检测的人员(检测员)会在很大程度上影响检测的执行。执行不仅因为检测员的不同而变化,即使同一个检测员,由于他的精神和身体状况不同,检测结果也不同。与检测员相关的因素包括经验、培训、劳累程度和积极性。

检测的环境对其执行有较大的影响。环境因素可以分为两类:不能通过检测过程修正的外部因素和能够修正的过程因素。外部因素包括天气和船舶的位置(指检测时船舶是在航行中、在港口或是在干船坞中)。过程因素反映检测执行时的条件(光线、洁净程度、温度、通风程度)、检测需要的管理方式(采集方法、检查方法、船员支持、可用时间)和检测(检测类型)的总体说明。

2. 检测策略

检测、数据记录、数据存档(存储)和数据分析应该是一个综合且优化的检测系统的一部分。记录和对记录中信息的理解是检测规划的重要方面。

检测是系统的一部分,它用来帮助发现可以预期或无法预期的缺陷和损坏。检测规划的确定应该考虑:

①需要检测的构件(位置和数量);

②需要检测的缺陷、退化以及损坏类型(检测对象);

③检测、记录、存档以及报告结果等使用的方法(怎么做);

④检测的时间和时序安排(什么时间进行);

⑤组织、选择、培训、认证、冲突解决和责任(谁来执行);

⑥检测的目的(为什么进行检测)。

根据以下两个主要方面确定需要检测的部件:

①缺陷和损坏的重要性;

②缺陷和损坏的可能性。

重要性评估主要关注对 FPSO 质量和安全性有主要影响的构件和单元。潜在重要性的评估需要根据历史数据(经验)和分析,来定义对维持 FPSO 的完整性非常重要的构件。可能性评估关注那些有高损坏可能性的构件。经验和分析是确定这些构件的互补方法。

3. 检查对象

大量的(或者大部分)损坏是不可预测的,它们是由人员不可预测的误操作和懒散引起的。

现在的经验也指出,大多数与事故有关的损坏(碰撞、物体坠落)在事故发生后被发现。在例行检测中发现大约60%的损坏与疲劳和腐蚀有关,但是剩下的40%是偶然中发现的,或在非例行检测时发现的。

4. 如何做

在 FPSO 检测中使用的方法是观察。在任意一种方法中,这些方法主要是检测员离需要检查的表面尽可能近,以便能够看出是否有严重的缺陷或损坏,但是有时对一些结构物也使用超声波检查、磁性粒子检查、X 光检查和其他非破坏性方法检查。

5. 时间

对于检查的时间问题没有通用的答案。检查的时间取决于:

①FPSO 结构初始特征和长期耐久性特征;

②操作人员需要的超过最低值的合适余额,以保证有足够的时间来计划或者进行有效的维修;

③检查和维修的质量;

④维护的基础——"需要时"(发生损坏或泄漏时修理)或"定期进行"(在标准的时间基础上修理或更换)。

6. 人员

经验充分地说明了检测系统最重要的部分是检测人员。检测人员的技能、知识、积极性和诚信是非常重要的,同等重要的还有施加在检测人员身上的组织影响,检测人员需要遵守的步骤和过程,工作的环境条件和用来执行其工作的硬件、系统。因此,检测人员受影响的因素包括:组织、程序、硬件(设施)和环境。

现在已经对如何提高检查人员的有效性和效率问题做了很多研究。当设计了一个新的检测系统时,把检测人员视为系统的一部分是很重要的。

7. 目的

检测应该有一些不同水平的目标:首先,为了目标评估的适用性,它应该提供服役结构物的总体信息和知识。其次,它应该检查有无损坏、缺陷,以便有效和高效执行维护和修理计划来修正这些损坏和缺陷(质量控制和保证)。再次,它是安全性控制的工具,用来防止在检测期间内处于服役期内的结构失效或者损失发生(安全性控制和保证)。

不同水平目标的检测策略(时间、地点、方式、执行人员)应当是不同的。为使评估目标合适,第一等级检查应该选择典型单元/构件来提供服役期内结构的总体信息。长期性的维护和修理程序很少用于频繁的细节检查。第二等级的检查(质量控制)应当关注重要的构件单元,以查出尽可能多的损坏/缺陷,这与短期维护和修理计划相关联。第三等级检查(安全控制)用来防止最严重的损坏缺陷或者错误,以确保在检查期间的安全操作,这是最精细和最困难的检查,需要检查出与安全性相关的可预测和不可预测的损坏缺陷或者错误。对每一个特定船队的检查作业都应该综合这三个不同的检查策略。

不同水平目标检查的价值也应当是不同的。第一等级检查的价值是关于结构是否满足长期运营的目的。第二等级检查的价值是关于是否需要改变维护和修理计划的决定。第三等级检查的价值是关于是否做出立即采取措施的决定。价值分析(信息价值)有助于做出这些决定。

8. 最优化的方法

最优化的检测方法是预测性(关注于防止)的或者是易于做出反应的(关注于修正)。它应当有五个功能:

①评估现役海洋结构的总体情况;

②确定需要考虑的因素:指出基于技术分析的结果可以预测的固有损坏/缺陷;

③在检查之前发现未知因素,指出不能基于技术分析而预测的损坏/缺陷;

④控制可预测和不可预测的损坏;

⑤发展高质量的维护和修理计划。

最优检测程序应当是从结构(概念)设计时开始,贯穿于结构的整个服役周期,在结构废弃时结束(寿命周期)。最优的检测程序不仅包括整个船体,也包括设备以及工作人员。最优的检测应当是评估整个结构的总体状况的方法。最优检测也应是检测结构单元不可预测的缺陷和损坏的方法,而且允许采取适当的措施来维持结构的安全性和完整性。最优检测也是保证一切按计划进行、结构单元按预期服役、腐蚀保护及减缓策略(例如修补凹陷,更新局部腐蚀过度的板)正常施行的方法。

最优检测方法从调查结构通常存在的固有损坏开始。根据经验,对固有损坏的检查可通过一种合理的方式进行。前面的章节中讨论过的现行风险检测方法是评价结构体系固有损坏缺陷的基础。根据概率检测的研究结果,概率检测方法可以用于特定的单元、构件上。对于每个独立结构的外来损坏,应当发展知识诊断方法,系统的知识诊断过程是一种可能的确定外来损坏的方法。

知识体系通常使用三种方法进行诊断推理:模型诊断法、启发式分级法和案例推理法。我们的体系综合利用了这几种方法。

模型诊断(MBD)是为了确定一大类可能存在的问题的细节,启发式分级是为了确定出现的一系列特殊问题,案例推理(CBR)是为了比较现在观察资料与之前的案例的差别。

最优检测方法可能包括:

①形成一个标准的任务检查单,以确保相关信息和任务不会因分心和工作负担而遗漏;

②进行总体调查来提高对潜在的可预测和不可预测的损坏及缺陷等的认识;

③检查损坏和缺陷程度高的部分和非常重要的部分,如果发现一些可疑情况,应该通过模型诊断、启发式分级、案例推理加强检查,直到确定根本原因(非表面原因)为止;

④随着衰退/缺陷与损坏发生的增加,减少定期检查的时间间隔;

⑤在发生事故或者检测到"早期警报信号"之后进行检查;

⑥根据检查结果执行长期和短期的维护和修理计划;

⑦基于调查结果以及维护与修理的结果,更新 IMMR(检查、维护、监测和修理)计划;

⑧进行检查和引起潜在缺陷和损坏的环境是不相关的;

⑨使用有资格和经验丰富的检测人员,他们有足够的知识和积极性来完成质量检验。

在任何一般的检测开始之前,应根据结构生命周期信息管理系统建立一个标准的检测目录和流程,以便进行一般条件下结构的有效评估:

①结构图纸;

②作业记录和条件;

③前期损坏、缺陷检查结果;

④防护涂层的情况和范围;

⑤入级情况;

⑥前期的修理和维护工作;

⑦关于不可预测损坏或缺陷的前期信息;

⑧专家判断和解释;

⑨从相似结构物中得到的相关信息。

根据历史数据、分析结果和专家判断,可得出结构系统中包含潜在损坏、缺陷的重要构件\子系统,有了与它们相关的信息和前期检查指导方针,对于一般检查和检查的初始范围,可以设定这些潜在位置合适的检查计划。在完成确定系统概况的初始检查后,检测人员可以对其形成整体认识以确定一些潜在的不可预测的重要损坏与缺陷的位置。之后应该对这些可疑区进行更深入的知识诊断。知识诊断一般与细节检测一起进行。

9. 检测数据系统

现今很少有人考虑有效收集数据和信息的问题,更不用说去考虑获得这些数据和信息后如何处理,而能对这些数据进行存档、分析和编写报告的就更少了。对收集数据、存档、分析和编写报告之间的连接问题进行系统考虑的研究亦是收获寥寥。因此,当前的工作还不能确定一个连贯且优化的检查数据系统。

信息技术的进步已经产生了更好的方式将信息用于安全和高效的船舶和海洋结构物的管理。独立系统与改进的信息记录、组织、交流相整合,大大有益于船舶和海洋结构物的生命周期管理。生命周期结构信息管理系统(SMIS)是用来精简生命周期管理的,包括设计、建造以及操作(包括检查、维护、监管和修理——IMMR)。检测数据系统是 SMIS 中 IMMR 模块的一个组成部分。

检测数据系统的一般目标包括:

①收集检测数据;

②存储数据;

③为逻辑检测数据管理提供方法;

④以一种适合目标分析、失效分析的方式,提供检测数据的组织管理;

⑤分析数据;

⑥给出例如与结构完整性相关的损坏/缺陷等信息的趋势;

⑦交流和报告数据。

结构物一旦准备服役,就要根据检测规划进行一系列的检测。确定内部舱室检测的目标和范围,选择评估方法和数据记录方法,执行检测工作。检测结果包括腐蚀测定、裂缝检查、保护涂层情况和腐蚀保护系统以及其他结构设备缺陷等,这些都要更新相应的数据库。使用检测数据可以建立维护和修理策略,最终进行修理工作。

参考文献

[1] Itagaki H, Akita Y, Nitta A. Application of subjective reliability analysis to the evaluation of inspection procedures on ship structures[C]//Proc. Int. Symp. On the Role of Design, Inspection and Redundancy in Marine Structural Reliability. 1983.

[2] Madsen H O, Krenk S, Lind N C. Methods of Structural Safety[J]. Dover Pubns, 1986.

[3] Moan T. Reliability and risk analysis for design and operations planning of offshore structures[J]. Structural Safety and Reliability, 1994, 1: 21 – 43.

[4] Moan T. Current trends in the safety of offshore structures[C]//The Seventh International Offshore and Polar Engineering Conference. International Society of Offshore and Polar Engineers, 1997.

[5] Moan T, Song R. Implications of Inspection Updating on System Fatigue Reliability of Offshore Structures [J]. Journal of Offshore Mechanics & Arctic Engineering, 2000, 122(3): 173 – 180.

[6] Newman J C, Raju I S. An Empirical Stress-Intensity Factor Equation for Surface Crack[J]. Engineering Fracture Mechanics, 1981, 15(s 1 – 2): 185 – 192.

[7] Paris P, Erdogan F. A Critical Analysis of Crack Propagation Laws[J]. Journal of Basic Engineering, 1963, 85(4): 528 – 533.

[8] Shinozuka M, Deodatis O. Reliability of marine structures under Bayesian inspection[J]. Report of Princeton University, 1989.

[9] Song R,Moan T. Fatigue Reliability of Large Catamaran Considering Inspection Updating[J]. 1998.

[10] Song R,Zheng P. Reliability Assessment of Offshore Structures at Cold Phase Considering Inspection Effect. Proceeding of the 9th International Offshore and Polar Engineering Conference (ISOPE'99), Brest,France,May. 1999.

[11] Sun H H,Bai Y. Time-variant reliability assessment of FPSO hull girders[J]. Marine Structures,2003, 16(3):219 − 253.

[12] Xu T. Marine Infrastructure Rejuvenation Engineering-Fatigue and Fracture of Critical Structural Details (CSD)[M]. University of California,Berkeley,1996.

[13] Xu T,Bai Y,Wang M,et al. Risk Based 'Optimum' Inspection for FPSO Hulls[J]. 2001.

[14] Yang J N,Trapp W J. Inspection frequency optimization for aircraft structures based on reliability analysis[J]. Journal of aircraft,1975,12(5):494 − 496.

[15] Yazdani N,Albrecht P. Probabilistic fracture mechanics application to highway bridges[J]. Engineering Fracture Mechanics,1990,37(5):969 − 985.

第五部分
结构风险评估

第29章 风险评估方法

29.1 引言

29.1.1 健康安全和环境保护

近几年,健康、安全和环境保护(HSE)的管理成为海洋结构物建造和设计的一个重要课题。设计方案的目的是用最小的寿命周期成本建造坚固耐用的结构系统。HSE 的目标是在设计和建造过程中有一个零伤害的工作空间(Toellner,2001)。此外,为了健康,工效学和噪音控制也已得到关注(ASTM,1988,1995)。HSE 中的其他重要课题包括紧急情况响应、撤离、逃脱和救援、防火和医疗救护。从环境保护的角度来说,管道、立管、油轮和设备中碳氢化合物泄露量要满足所要求的标准。在许多深海平台项目中,要进行环境影响评估,控制废气的排放量。

风险评估是一种有关安全、健康和环保的管理工具。

29.1.2 风险评估概要

风险评估在安全管理、环境和商业风险中应用得越来越多,本章将讨论风险评估的基本步骤,其流程如图 29.1 所示(NTS, 1998),此外,本章介绍了风险的概念和风险承受标准。可以从 NORSOK 标准(NTS, 1998),Arendt 等(1989),Avens(1992,1994),Guedes Soares(1998)中得到更多的信息。

风险评估最初由核工程界提出,称为"概率安全评估"(NRC,1983)。在化学工业中称为"定量风险评估(QRA)",用于化学过程和化学品运输的风险管理(CCPS, 1989, 1995;Arendt 等,1989)。近几年,风险评估被应用于船舶和海洋工业中,参见 Vinnem(1999)和 CMPT(1999)。Wilcox 和 Ayyub(2002)讨论了它在一般工程系统中的应用,最近发表了很多关于海洋风险评估的论文,可以在 ISSC(2000)上查找。

如图 29.1 所示,风险评估的主要步骤包括:

(1)风险分析规划;

(2)系统描述;

(3)危险鉴定;

(4)原因分析和始发事故频率;

(5)结论和深入分析;

(6)可能降低风险的措施的鉴定。

下面对上述各步骤做进一步讲述。

风险评估给出了风险的定性定量估量,通过危险鉴定可以将关键危险与非关键危险区

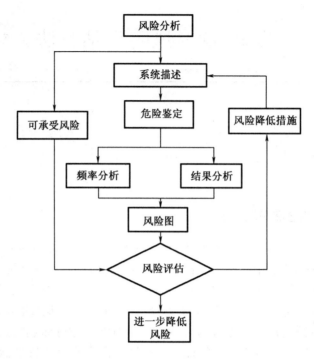

图 29.1　风险估计、分析和评价

分开来,在风险降低措施的实施过程中,可以通过成本效益设计和改进程序来控制风险。

29.1.3　风险分析规划

风险分析是设计和建造项目中的一个综合环节,因此这些分析构成了安全、技术健全、具有成本效益和环境友好的设施设计的成功决策基础。

风险分析与主要设施的变更有关,比如设施地点的变换或者设施的更换、退役,以及组织和人员配置的重大变化。

根据工作需要,风险分析工作的目的和领域应该明确指定,在开始风险分析前要先确定风险承受标准,这对工作人员执行操作很有帮助。在船舶、移动式钻井装置、浮式生产设备的设计和建造中,都要用适当的法规、船级社规范和行业标准规格说明。

当进行定量风险分析时,需要选择合适的数据基础。为了得到可靠的结论,必须有充足、广泛的数据基础。在有些情况下,相对风险研究会得到更有意义的结论。

将事故发生频率或原因进行量化,建立可靠的数据基础是特别重要的。数据基础要与相应的阶段和操作一致,分析模型要满足输入数据和假设的要求等。事故频率、升级和结果建模的质量和深度决定了分析所涉及系统所得结论的详细程度。基于用来进行事故频率及结果量化的数据和模型,其分析结果的准确等级可能并不比某些合理的准确等级更高。例如,当基于分类对频率和结果进行估计时,风险也许不能用连续的标度来表达。

29.1.4　系统描述

风险评估的下个步骤是对系统的详细研究,包括系统结构和操作的一般性描述、系统单元之间的功能关系以及任一其他系统约束。对系统的描述包括技术体系、时间周期、人员队伍、外部环境、与风险评估有关的资产，以及抵御失效和意外的系统性能。

29.1.5　危险鉴定

危险鉴定为后续的事故频率及后果估计建立了基础，危险鉴定给出了突发情况的清单，这些突发情况能导致各种潜在危险。在风险评估中，鉴定潜在危险是为了避免潜在危险事故。危险鉴定也包括对与总风险有关的每种危险重要性进行排序。为进行后续分析，危险被粗略分为关键危险和非关键危险，对危险筛选使用的标准应加以说明，对于非关键危险的分类做出的评价应记录在案。

危险鉴定有几种方法，能否成功使用这些方法取决于可用的知识和信息。可进行危险鉴定的方法和工具包括：文献综述、核查清单、事故统计、HAZOP(HAZard and OPerability)研究、FMEA(Failure Mode and Effect Analysis)。安全审计、头脑风暴和先前经验可能也会对此有所帮助。另外，操作人员也很重要。

29.1.6　初始事故频率及原因的分析

初始事故发生原因的分析为确定相关措施打下了最好的基础，这些措施将扼杀危险事件的萌芽，从而避免事故的发生。

频率评估方法包括：

(1)历史数据分析；

(2)故障树分析；

(3)事件树分析；

(4)故障模式和效果分析(FMEA)；

(5)人员可靠性分析。

人员和操作因素也很重要。

在很多情况下，频率可以通过直接比较经验数据或由历史数据推断出的结果来估算。但是在大多数风险评估中，事件发生的频率很低，因此对频率进行合成会涉及：

(1)适当的概率计算；

(2)从现有行业数据中得到的基本失效数；

(3)确定失效和可引起事故的环境的组合。

29.1.7　结果分析和深入分析

这部分被广泛运用于估计偶然载荷及其响应和结果模拟、升级模拟。根据分析目的和性质，原因分析和结果分析在一定程度上有区别。深入分析最常用的方法包括：

(1)事件树分析；

(2)故障树分析；

(3)仿真/概率分析。

结果分析涉及如下几点：

(1)用结果分析中的实验和分析模型确定危险引起的材料或能量的损失；

(2)在关注的环境目标上，测量或估计材料或能量的损失；

(3)量化安全、健康、环境和经济对目标的影响，如死亡和受伤的数量、释放入环境中的物质数量以及财物损失等方面。

如同频率估计,由于与时间有关的气象条件不同,基本的物理和化学性能的不确定性,以及模型的不确定性,所以结果估计也有很大的不确定。

案例中,对假设和边界条件中的改变结果的不确定性和灵敏度进行检验可能会提供很有益的结论。依据事故类型的数量和事故的次序,把风险评估 $1/3 \sim 1/2$ 的工作放到结果估计中是十分必要的。

29.1.8　风险估计

风险 R 的一般表达为

$$R = \sum f(p,C) \tag{29.1}$$

式中,p 和 C 分别表示事故的频率和结果,由于所有可能发生的风险均应在总结分析中考虑,不确定性分析的结果可以用一个有上下限的置信区间和最佳估计表示。即使风险(频率和结果的乘积)相同,比起小事故,应更关心潜在的重大事故。

另外,可把估计的频率和结果整理成与具体承受标准相对的绝对偏差形式或相对偏差形式,以避免一些绝对值充分性上的争论。

当求风险估计时,建议计算各构件、人为失误和事故现场对整个风险的影响。改变假设、频率或危害来计算总的风险估计敏感性是很有用的。通过这些工作,可以找出导致风险的主要因素,实施相应的降低风险措施。

29.1.9　风险降低措施

风险降低措施包括频率降低措施、危害降低措施以及二者的组合。措施的类型可以是技术性的、操作性的或组织性的。措施类型的选择通常基于对风险各方面的综合评估。总评估中,强调风险降低措施的综合影响。如果推荐其他措施,那么这些措施间的耦合要明确告知决策者,优先选择那些可以降低可能会发生或发展成事故的危险情况频率的措施。为了减小危害,在设计承载结构和防火保护等时应采用这些措施。布局安排要适于操作,最大限度地减少人员意外伤害。

在选择风险降低措施时,要考虑它们的可靠性,并记录和验证风险降低估计程度的可能性。危害降低措施(尤其是被动措施,例如被动防火保护)通常比频率降低措施具有更高的可靠性,特别是对操作条件来说。

一些因素决定了执行某种风险降低措施的可能性,如现有技术、当前作业阶段和成本效益分析的结果。因此,风险降低措施的选择要从这些方面来考虑。

29.1.10　应急预案

应急预案也是风险评估的一部分,它的目的是当事故发生时采取最合适的行动,把人员转移到安全的地方,将事故的影响最小化(NTS,1998;Wang,2002)。在英国,没有应急预案的海上安装是不合法的。

29.1.11　风险时变函数

风险 $R(t)$ 是时间的函数,可以用概率时变函数 $p(t)$ 和危害时变函数 $C(t)$ 的组合表示:

$$R(t) = \sum \{p(t) \times C(t)\} \tag{29.2}$$

风险的时间变化率可以写成

$$\frac{\mathrm{d}R(t)}{\mathrm{d}t} = \sum \left\{ \frac{\mathrm{d}p(t)}{\mathrm{d}t} \times C(t) + p(t) \times \frac{\mathrm{d}C(t)}{\mathrm{d}t} \right\} \tag{29.3}$$

式(29.3)表示降低风险的最有效方法是降低最大危害事件的概率和降低最高概率事件的危害,风险降低措施的影响以增量形式表示为

$$\mathrm{d}R(t) = \sum \{\mathrm{d}p(t) \times C(t) + p(t) \times \mathrm{d}C(t)\} \tag{29.4}$$

$\mathrm{d}R(t)$ 为负值时表示由于降低了概率、危害或者两者之和,总风险减少了。

29.2　风险估计

29.2.1　人员风险

人员风险一般是指人员死亡或受伤,应急预案分析中通常需要估计事故中人员的伤亡。

1. 个人风险

死亡风险最一般的衡量是个人风险,PPL(潜在死亡)可以由以下公式计算:

$$PPL = \sum_N \sum_J f_{nj} \times c_{nj} \tag{29.5}$$

式中　f_{nj}——人员危害 j 意外情况 n 的发生率;

c_{nj}——人员危害 j 意外情况 n 的年死亡数量;

N——所有事件树中意外情况的总数;

J——人员危害类型的总数,如紧急、逃脱、撤离和救援等。

用 FAR(致命事故率)和 AIR(平均个人风险)表示 IR(个人风险)。FAR 值表示一组规定人员每 1 亿作业小时的死亡数,AIR 值指出了在船上每个作业工人的死亡风险。进一步讨论,根据海上时间(一年 8 760 小时),FAR 和 AIR 的方程式如下:

$$FAR = \frac{PLL \times 10^8}{Exposed\ hours} = \frac{PLL \times 10^8}{POB_{ev} \times 8\ 760} \tag{29.6}$$

$$AIR = \frac{PLL}{Exposed\ Individuals} = \frac{PLL}{POB_{ev} \times \dfrac{8\ 760}{H}} \tag{29.7}$$

式中　POB_{ev}——每年的平均人员配置数;

H——每年每个人的出海时间。

2. 社会风险和 f - N 曲线

经验表明:社会关注的是事故对社会整体的影响,因此需要一些社会风险措施,这是由群体风险(GR)实现的,群体风险通常表示为 f - N 曲线(f = 频率,N = 死亡人数),如图 29.2 所示。

f - N 曲线描述了可承受的风险程度,曲线中的频率取决于危害的程度,例如每个事故的死亡人数。f - N 曲线的计算值是累计的,即特定的频率对应了相应的或更多的死亡值 N。

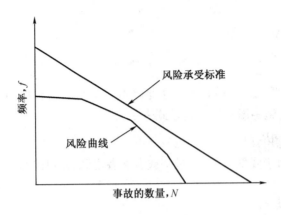

图 29.2　$f-N$ 曲线

29.2.2　环境风险

环境风险评估包括泄漏时间的分布规律的建立、石油泄漏情况的模拟、对环境资源的影响和恢复时间的估计。

环境风险估计(NTS,1998)的总原则包括:

(1)确定 VECs(重要生态成分);

(2)重点评估"最脆弱的资源";

(3)评估每个 VEC 损坏频率;

(4)用恢复时间衡量环境损坏。

根据恢复时间,环境破坏分类如下:

(1)轻度——环境破坏的恢复时间为 1 到 12 个月;

(2)中度——环境破坏的恢复时间为 1 到 3 年;

(3)重度——环境破坏的恢复时间为 3 到 10 年;

(4)严重——环境破坏的恢复时间为 10 年以上。

29.2.3　资产风险(材料损坏和生产减少或延误)

资产风险通常是指材料损坏和生产减少或延误。材料损坏可以分为局部、单个功能模块、多个功能模块或整体损坏四种情况,生产延误根据延误的时间可以分为 1 ~ 7 天、1 周 ~ 3 个月、3 个月 ~ 1 年、大于 1 年等。

为了估计资产损坏和生产延误的风险,要确定事故持续时间的分布区域,并以设备和结构的形式计算响应。

29.3　风险承受标准

29.3.1　概述

如何保证足够的安全呢? 风险承受标准定义了全部的风险可承受的级别,给出了风险降低措施需要的参考值,因此在我们开始风险分析前,就要确定风险承受标准。风险承受标准要反映安全目标和施工的突出特点。

风险承受标准可进行定性和定量的描述,这取决于风险的表示。它们定义的基础包括:

(1)施工中政府法规对安全的要求;

(2)对施工工作标准的认识;

(3)对事故及其影响的认识;

(4)已有和过去的施工经验。

根据目的和风险分析的详细程度,承受标准可分为三类:

(1)定量研究的高标准;

(2)风险矩阵和 ALARP 原则;

(3)风险比较标准。

Fischhoff 等给出了选择风险承受标准的很多方法,他们指出了价值观、信仰和其他因素影响风险承受标准的选择。定义风险承受标准的复杂性是由定义模糊、缺少事实参考、社会价值观的冲突、技术专家和大众之间意见不一导致的。风险承受标准的选择要进行相关问题的严格论证,如理论前提、技术可行性、政治接受性、基本假设的合法性。

29.3.2　风险矩阵

在一个矩阵中(图 29.3),排列事故频率和相应的危害可以很清楚地表述风险(哪里是事故多发区,哪里难以估算单值),矩阵被划分为以下 3 个区域:

(1)不可承受的风险区域;

(2)可承受的风险区域;

(3)介于上述两者间的风险区域,此处要进行进一步的估算,以决定是否要采取更多的风险降低措施或是进行更多的详细研究。

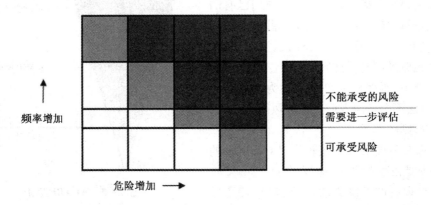

图 29.3　风险矩阵

可承受的限度在矩阵中用区域的形式表示,分别代表不可承受的风险和可承受的风险。风险矩阵可以用作定性和定量的研究。如果频率被分为一些大类,如罕见的和频繁的,危害被分为轻微、中等和严重,那么风险矩阵中可能会出现定性研究的结果。类型划分对定性分析尤为重要。

风险矩阵中的类型和格子可以用连续变量替换,图 29.4 给出了它的图释。

下面是一些很适合应用风险矩阵的例子：

（1）人员风险估计的不同算法，如整体与分成4份进行比较；

（2）一些工作的风险估算，如勘测钻井；

（3）特定系统的风险估算，如机械管道装卸；

（4）环境风险的估算。

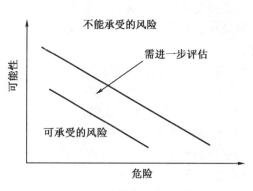

图 29.4　连续变量的风险矩阵

29.3.3　ALARP 原则

ALARP（"As Low As Reasonably Practicable"，如图 29.5 所示）原则有时用于工业（UK HSE，1993）。ALARP 原则就是既要满足要求，又要尽可能地把风险降到最低，ALARP 估算被大量文献证明了其正确性。在 ALARP 区域（介于"可承受下限"和"可承受上限"之间），只有风险降低很困难或者改进措施的花费不值得时，风险才可以被接受。判断什么是可行的一般做法是使用成本 - 效益评估来决定是否实施某种风险降低措施。如果高于可承受上限，在任何常规情况下风险都不会被调整。"可承受上限"一般都确定了，而"可承受下限"有时不能确定，但这并不妨碍方法的有效使用，它说明了需要进行风险降低措施的 ALARP 估计。ALARP 原则适用于个人、环境和资产风险。Trbojevic（2002）说明了在设计中 ALARP 原则的用法。

29.3.4　比较准则

这个准则适用于更受限的研究，其目标是为特殊目的将某些概念或者解决办法与已有的或公认的进行比较。准则适用于那些重复性工作，比如钻井和油井措施、重物吊运操作、潜水等。使用比较准则时，要精确表述比较的依据。在这种背景下，承受标准可能表述为新的解决方法，此方法不会增加当前作业的风险。

比较准则的例子：

（1）防水防火系统的比较设计（新技术的运用）至少要和通常技术一样安全；

（2）与现有的解决方法对比，对环境造成的风险不能增加；

（3）新解决方法的花费不能高于惯例。

这种风险承受标准也适用于个人、环境和资产风险。

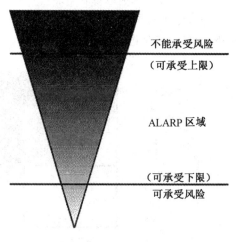

图 29.5　ALARP 原则

29.4　用风险评估确定性能标准

29.4.1　概述

1999 年 LR 出版了用风险评估技术决定性能标准的指导原则,其风险评估方法与本章 29.1 节到 29.3 节描述的方法很相似,该原则的附加内容包括:

(1)"重要元件"可以是设施的一部分,或者是一个系统、子系统或部件,它出现危害时会影响到设施的安全性和完整性;

(2)"性能标准"可以被定性和定量地表示,重要单元的性能要求是为了在出现危险时保证设施的安全性和完整性;

(3)"校验"是通过设计、制造、建造、安装和对重要元件调试等一系列过程来完成的,以论证它们符合性能标准的要求。"校验"用于新的建造和在役设施;

(4)"检查和维修计划"是指业主/施工人员的定期检查和维修工作,其用以确保设备在工作后仍能达到要求的性能标准,对已确定的危险能保证设施的安全性和完整性。

29.4.2　重要焊接细部的风险疲劳标准

确定重要焊接细部的疲劳承受标准和相应的检查和维修计划的实例应用如下:

(1)重要元件(焊接细部)的疲劳破损要在简化疲劳评估的基础上通过筛选分析来确定,为了设施的安全性和完整性,要说明失败的危害;

(2)在设计阶段,性能标准(疲劳承受标准)可能会被定量表示,焊接元件(焊接细部)有环境要求,以保证不会出现疲劳破损而威胁到设施的安全性和完整性;

(3)新建造项目要经过校验,确保选择的重要元件(焊接细部)满足事先规定的性能标准(疲劳承受标准);

(4)对一个在役的设施,要建立一个检查和维修的工作安排和计划,以确保疲劳程度在要求的范围内。校验工作实施,要确保重要焊接细部满足事先规定的疲劳标准。

29.4.3　工程系统的风险顺应程序

由于用规范要求所有系统设计是很困难的,所以在政府规程和工业设计规范中提供了一些条款,使得一些满足已有要求的相关设计都是等效的。Wilcox. R. 和 Ayyub. B. M. 于 2000 年提出了基于风险审批程序来处理新的设计理念和特殊类型的工程设计,针对现行标准和已认可的设计建立安全等效性。风险作为一个总的性能指标辅助于系统设计的决策,基于风险审批程序的方法作为一种辅助方法,确定了系统的重要部分,并且估计了性能的最低限度。这个程序也适用于估计常规工程系统和履行安全校正。通过现有规范和安全目标的检查可以建立风险承受标准,测试和监控程序可以加强系统性能,帮助控制风险,提高生产和作业阶段的质量。

参考文献

[1] Astm. Standard Practice for Human Engineering Design for Marine Systems, Equipment, and Facilities [S].

[2] Aven T. On safety management in the petroleum activities on the Norwegian Continental Shelf[J]. Reliability Engineering & System Safety, 1994, 45(3):285 - 291.

[3] Zio E, Baraldi P, Cadini F. Reliability and Risk Analysis[M]. [S. l.]: Springer Netherlands, 1992.

[4] Library L. Guidelines for chemical process quantitative risk analysis[J]. Epfl, 1989(3):18 - 21.

[5] CCPS. Chemical Transportation Risk Analysis [M]. [S. l.]: Center for Chemical Process Safety, American Institute of Chemical Engineers, 1995.

[6] Arendt J S, Lorenzo D K, Lusby A F. Evaluating process safety in the chemical industry: a manager's guide to quantitative risk assessment[M]. [S. l.]: Chemical Manufactureres Association, 1989.

[7] Spouge J. A guide to quantitative risk assessment for offshore installations[M]. London: [s. n.], 1999.

[8] Fischhoff B, Lichtenstein S. Acceptable risk[M]. Cambridge: Cambridge University Press, 1984.

[9] Soares C G. Risk and reliability in marine technology[M]. [S. l.]: Crc Press, 1998.

[10] ISSC. Risk Assessment[C]. Proceedings of the International Ship and Offshore Structures Congress, Nagasaki, Japan. 2000.

[11] LR. Guidelines for Classification using Risk Assessment Techniques to Determine Performance Criteria, Part1 A of the LR Rules and Regulations for the Classification of a Floating Offshore Installation at a Fixed Location[R]. Lloyd's Register. 1999.

[12] Hickman. PRA Procedures Guide: A Guide to the Performance of Probabilistic Risk Assessments for Nuclear Power Plants (NUREG-2300)[M]. London: [s. n.], 1983.

[13] Standard N. Z-013[S]. Risk and Emergency Preparedness Analysis, Rev, 2001, 2.

[14] Toellner J. "Safety Partnerships" with Contractors: A Hoover/Diana Project Success Story[M]. London: [s. n.], 2001.

[15] Trbojevic V M. ALARP Principle and Design[C]// ASME 2002, International Conference on Offshore Mechanics and Arctic Engineering. 2002:291 - 294.

[16] UK HSE. Safety Case Regulations[R]. Health and Safety Executives, HMSO. 1992.

[17] Vinnem J E. Quantified Risk Assessment-Principles, Modelling and Applications of QRA Studies[M]. [S. l.]: Kluwer Academic Publishers. 1999.

[18] Wang J. A Brief Review of Marine and Offshore Safety Assessment[J]. Marine Technology, 2002, volume 39(2):77 - 85(9).

[19] Wilcox R, Ayyub B M. A Risk-Based Compliance Process for Engineering Systems[C]. SNAME Annual Conference Proceedings and Transactions. 2002.

第 30 章　海洋结构的风险评估

30.1　概述

在 19 世纪 70 年代后期,基于核电工业的方法和数据资料,风险评估开始应用于海洋结构物。1981 年发生的 Alexander L. Kielland 事故造成了整个平台损坏和 123 人死亡,由此,挪威石油协会发表指导方针,指出所有新的海上设施在概念设计阶段都需要做定量的风险评估(NPD,1992)。1988 年发生的 Piper Alpha 事故,导致整个平台损坏和 165 人死亡(UK HSE, 1992, 1995),英国在 1992 年为此制定了相关的安全条例法规,这是海洋结构风险评估发展的另一重要阶段。

海洋结构风险的形式如下所示:

(1)结构和海洋事故;

(2)碰撞;

(3)火灾;

(4)坠落物;

(5)爆裂;

(6)立管/管道泄漏、加工泄漏;

(7)运输事故。

由结构失效引起的风险在第四部分讨论过了。CCPS(1995)和 CMPT(1999)讨论了由爆裂,立管、管道碳氢化合物泄漏,加工泄漏,运输事故引起的风险。一些专业参考书(如 Vinnem 1999)论述了评价危害的基础方法,这些方法包括:

(1)危害模型和原因分析;

(2)故障树分析和事件树分析;

(3)故障模型和影响分析。

有关碰撞、爆破、火灾和坠落物引起的危害将会在下面的章节里讨论,包括:

(1)概述;

(2)频率分析;

(3)载荷和后果分析;

(4)风险降低。

30.2　碰撞风险

船舶和平台的碰撞是海上勘测和生产活动的主要风险之一,其中,平台和海上供给船只之间经常发生相撞,大多数情况下,在这种相撞中,平台只受到较小的损毁。

30.2.1　碰撞船只的类型

确定与海上平台相撞的船只类型是评价碰撞风险的第一步。供应船只的碰撞有高频率、低危害的特点。过往船只在失去动力和漂移时可能与平台碰撞。在北海,商船会造成巨大的危害,因为它们体积庞大从而在碰撞中对平台产生巨大的冲击。而且,在一些地区,商船运行较频繁。表 30.1 是根据 Vinnem(1999)的信息而概括的碰撞船只类型,其只统计了外来过往船只的碰撞。

表 30.1　碰撞船舶类型

对外交通		本地交通	
商业	商船	海洋结构 (来自本地,或到本地来)	备用船只 补给船 作业船 海洋油轮
海军	水面舰艇 潜艇		
渔业	渔船		
海洋结构 (来自其他地区,或到另一个地区)	备用船只 补给船 海洋油轮 拖轮	浮式结构	储藏船 驳船 钻井平台 起重船、潜水船

30.2.2　碰撞频率

根据 Haugen(1991)提出的碰撞风险模型,过往船只的碰撞可以划分为两类。

(1)动力碰撞:由于船舵手疏忽,将船撞向海上平台;

(2)漂浮碰撞:船只失去了控制,顺漂流撞向海上平台。

总的碰撞频率可以表达为

$$P_{CP} = P_{CPP} + P_{CPD} \tag{30.1}$$

式中　P_{CP}——过往船只与平台相撞的频率;

　　　P_{CPP}——过往船只有动力驱动时与平台相撞的频率;

　　　P_{CPD}——过往船只漂浮状态与平台相撞的频率。

有动力船只和漂浮无动力船只与海上平台相撞的频率一般取决于船只航线与海上平台的位置关系。这一结论是根据船只航线数据库或对地区做局部调查得出的。

(1)动力船只碰撞

当满足下面三个条件时,就可能发生动力船只与海上平台相撞:

①船只航行在与平台相撞的航线上;

②在船撞向平台之前,船舵手没有及早发现危险;

③船和海上平台都偏离正常位置。

动力船只碰撞频率的基本表达方式可以写成

$$P_{CPP} = N \cdot P_{CC} \cdot P_{FSIR} \cdot P_{FPIR} \tag{30.2}$$

式中　N——每年过往船只的数量;

P_{CC}——过往船只在相撞航线上航行的概率；

P_{FSIR}——船只没能调整路线的概率；

P_{FPIR}——海上平台没能调整好位置的概率。

过往船只行驶在相撞航线上的概率 P_{CC} 是一个几何因子，它取决于运输流量的组成和位置。对于没有提前准备避开某个位置的船只，可以设想它在一条中心路线上，碰撞船只的碎片通常能根据航行图来打捞，相撞直径相当于海上平台的尺寸。对避开平台做了谨慎准备或用平台进行定位的船只，减轻交通分配需要重建模型，通常采用非对称分配来代替常规分配。

船只调整路线可以分为两种情况：早期调整和晚期调整。早期调整通常是通过声音指令完成，船只从碰撞航线的早期阶段开始调整。当早期调整失败时，就采用晚期调整，这可以反映出船只对紧急情况的认识和迅速做出反应进行调整的能力。船只早期调整失败的频率可以用故障树来计算，这个故障树包括很多方面，比如监控失败模式、能见度、船只的型号和大小分类、交通规划小组、船只的旗帜等。

海上平台调整主要是用平台和守备船及时警告过往船只以避免碰撞。平台调整的失败大多是由于船只调整的失败。这可以从是否及时采取了以下行动的角度来进行估计：

①确认船只可能存在的危险；

②用无线电警告船只、VHF；

③守备船停在迎面行驶的船的旁边；

④正确躲避船只的运动。

（2）漂浮船只的碰撞

当具备以下条件时，漂浮船只就可能发生碰撞：

①船只失去推进力；

②船只漂向海上平台；

③缺乏外界的帮助和自身调整措施的失败导致船只难免碰撞。

根据推进故障率、舰船尺寸、型号和旗帜等信息，可以估计舰船漂浮碰撞的可能性。当舰船漂浮时，可用航线图判断漂浮的可能位置，这些数据可以用来判断舰船漂浮时撞上平台的概率。

外来援助包括将漂浮舰船拖离等，它成功与否取决于舰船的相对尺寸和牵引装置的位置。舰船避免碰撞的自身措施取决于漂浮舰船恢复动力（如重启发动机）的时间或舵驾驶避免碰撞的可能性。

上面讨论的是船和固定平台之间的碰撞研究，对于新的浮式结构如 FPSO，需要额外考虑卸载期间的碰撞。

Chen 和 Moan（2002）指出 FPSO 和卸货船舶碰撞的概率，是船舶移动不受控制的概率和船舶与 FPSO 调整失败概率的乘积。在开始阶段的失控概率可以预测为船舶在动力驱使下驶向平台的概率和船舶漂向这个方向的概率之和。漂浮移动概率低、危害低，动力移动的概率模型牵涉到人 – 机器间的复杂影响、人为因素和他们间的相互影响。

30.2.3　碰撞危害

很多因素影响碰撞的危害程度，如：

（1）相撞船只的质量和速度；

（2）碰撞部分的几何形状；

（3）设计平台的标准；

（4）平台布局；

（5）平台的保护物和加固物。

上面所有因素中最重要的是相撞的质量和速度,它决定了碰撞能量等级。另外,碰撞部分的几何形状也是一个重要的因素,它会影响舰船和船舶间碰撞能量分布。对于导管架结构,下面给出了碰撞部分几何形状的差别:

（1）撞击立柱或支撑装置:舰船碰撞立柱和支撑装置会导致平台承受很大的能量,因而导致很大的塑性变形。

（2）船首擦边碰撞:如果是船首擦边碰撞,碰撞后将会有大量的动能保留在船上,导致这种情况可能是因为船舶在最后时刻采取了回避动作。

（3）舰船转动碰撞:动能可能转换成船只转动,因此有限的能量被平台吸收。

（4）船只点接触碰撞: 舰船的接触点是很重要的,如果船撞到了"硬点"会产生高穿透负载。

可以用非线性有限元分析法来预测碰撞时平台的响应和结果,见本书第二部分第14 章。

30.2.4　降低碰撞风险

当考虑降低碰撞风险的措施时,需要对作为平台最大风险因素的船的类型进行分析,对偶然的船舶碰撞,风险降低措施包括:

（1）加强平台位置相关信息的发布,这些措施可以增加确定出平台位置的可能性,这样,船舶就可以提前修改其航线来避免碰撞;

（2）尽早警告那些航行在碰撞航线上的船,通过 VHF、无线电警告船舶,用备用船去拦截来船也是有效的风险降低措施。

碰撞危害降低措施包括在平台上使用按标准设计的橡胶保护板和保护网。

30.3　爆炸风险

油气爆炸是一个燃料和空气混合物压力迅速增加的过程,气体爆炸可以发生在生产设备、管道、建筑或舱内,可以发生在开放空间里,也可以发生在封闭空间里。为了防火和抵抗爆炸,上部结构的设计有特殊的考虑,包括:

（1）爆炸的特点,如高压和气体速度;

（2）结构的响应,包括抵抗爆炸的高应变材料保护设计;

（3）结构的性能要求,如强度、变形极限和负荷削减;

（4）耐高温材料保护设计,主要用于防火;

（5）对火灾和爆炸的分析方法;

（6）基于规范和先进技术的设计方法,如基于风险的方法。

爆炸载荷可根据最大压力来分类,例如:

（1）如果高压值小于 0.2 bar(1 bar＝0.1 MPa),认为它是"可忽略"的爆炸;

（2）如果高压值大于 2 bar(1 bar＝0.1 MPa),认为它是严重的爆炸。

在 Piper Alpha 事故中,由气体泄漏引起的爆炸带来了不可控制的大火,最后大火烧毁了整个平台。在过去的几年里,对爆炸模型进行了大量的实验研究,结果显示以前低估了爆炸载荷,并且这种载荷在很多情况下不能被事先设计。因此,爆炸风险比以前想的要更加严重。

30.3.1　爆炸频率

如果气体泄漏形成的气体云在易爆浓度的范围之外,或者缺少火源,将不会产生爆炸,之后气体云将变稀薄并消失。因此,引起爆炸的因素有 3 个:气体泄漏源、通风扩散和火源。爆炸的总频率可以表示为

$$P_{EP} = P_{Leak} \cdot P_{GC} \cdot P_{ignition} \tag{30.3}$$

式中　P_{EP}——爆炸频率;

　　　P_{Leak}——气体泄漏概率;

　　　P_{GC}——气体聚集的概率;

　　　$P_{Ignition}$——着火概率。

气体泄漏源对气体的消散很重要,一般需要考虑以下方面:

(1)三维空间中泄漏源的地点;

(2)气体的成分和特点,如温度和比重;

(3)泄漏流量;

(4)泄漏源气体的流动方向;

(5)气体喷出是否受限或者气体是否四散泄漏。

通风条件也影响泄漏气体的消散和气体云的产生,很多平台有自然通风系统,也就是说泄漏气体消散依赖于风速和风向。

着火源的类型不同,着火源的实际位置也不一样,着火源一般分为以下三类:

(1)转动设备:主要设备单元,每个单元位置离散分布;

(2)电气设备:数量很多的着火源,可以描述为连续分布;

(3)高温作业:在大多数位置都可能存在,如焊接,可以描述为区域内的连续分布。

可以用事件树分析来估算爆炸事件的频率,如给出一个气体泄漏的问题,要考虑很多条件来判断发生爆炸的可能性,然后事件树中的所有事件发生频率的乘积就是总爆炸事件的频率,简单事件树假设所有气体泄漏的着火源都导致爆炸,更详细的事件树在着火源导致爆炸还是火灾这个问题上区分得更明确。

30.3.2　爆炸载荷估计

自 1990 年以来,在气体爆炸方面进行了许多深入的研究,同时分析了其载荷特征,包括:

(1)对各种典型平台进行了实验研究;

(2)对计算机仿真模型进行了研究;

(3)根据现象的或基于计算流体力学的正式爆炸模型评估草案。

为了确定爆炸载荷,每个结构单元都需要建立函数。这种函数被定义为"超过规定超压载荷的年频率作为超压等级的函数",它取决于变量的不定分析和概率分布,如:

(1)泄漏源的位置和方向;

(2)泄漏的流量;

(3)风速和风向;

(4)着火源和强度。

泄漏位置和方向的分布通常都基于几何考虑,流量分布可以用漏洞的尺寸来得到,而这个尺寸通常可以由泄漏统计获得,风的数据可以从环境标准中获得。这种变量通过计算流体力学(CFD)产生分散模型,非相关的分散方案将被排除,可以通过爆炸模拟来判断爆炸载荷。当模拟了所有情况的爆炸载荷后,就可以用模拟爆炸载荷和方案频率来得出爆炸载荷的分布。

30.3.3　爆炸结果

结构物上的爆炸载荷计算和响应估计涉及下面的计算:

(1)气体泄漏;

(2)爆炸超压载荷(它是时间的函数);

(3)结构对超压载荷的响应;

(4)次要爆炸影响,如导弹、飞行物等。

爆炸的危害也取决于含有气体云的空间和环境,因此,爆炸可分为以下三种:

(1)约束爆炸,发生在舰船、生产设备、管道和封闭舱室中。对这种爆炸,燃烧过程不能太快,否则会出现严重的压力增高。

(2)部分约束爆炸,发生在半开放的建筑里。典型情况是空压机房和平台舱。爆炸压力只有通过出口或者通过无法承受爆炸压力的地方释放出去。

(3)非约束爆炸,发生在开放区域,如处理厂。真正非约束、无障碍的气体云燃烧产生的高压值很低。在处理厂中有一些狭小的区域,这些区域部分禁闭和堵塞,它们会产生很高的爆炸压力。如果一个未约束的气体云被点燃,它的爆炸压力可高达 20 bar(1 bar = 0.1 MPa)。

根据爆炸载荷的大小,结构的损伤类型包括:

(1)直接灾难性失效;

(2)由后继火灾引起的进一步的严重损伤;

(3)结构微小损伤或没有损伤,但是安全系统损坏,因而不能控制火灾;

(4)防火保护装置损伤,降低了构件的生命力;

(5)生产设备损伤,直接导致事故升级。

结构损伤可以用简单分析(如单自由度动态模拟)预测,用非线性有限元分析模拟,这种方法与本书第二部分第14章碰撞分析相似。爆炸的危害也取决于超压负荷持续期,与结构能够承受爆炸载荷的固有周期有关。例如:

(1)持续时间小于结构固有周期的冲击载荷;

(2)持续时间与结构的固有周期相近的动载荷;

(3)缓慢施加的准静态载荷。

在爆炸结果分析时应对过度压力时间关系曲线进行适当的模拟,因为它对分析结果有重要的影响。

可承受标准(性能要求)包括结构失效的强度标准和操作关键设备的形变标准。

30.3.4　降低爆炸风险

要降低爆炸风险,最重要的是降低它发生的频率,这可以通过下面的 3 种措施来实现(Vinnem,1999):

(1)防止气体泄漏

防止气体泄漏最有效的方法是减少潜在泄漏源的数量,如法兰的数量。这对新平台很容易实现,但是对已有平台则非常困难。气体泄漏量也可以通过以下方法来降低:

①提高加工区域的维护质量;

②选择高材质的封垫圈;

③监控不重要的泄漏,判断是否有出现危险的趋势。

(2)防止可燃气聚集

降低爆炸风险的下一步是防止可燃气体形成,如增加自然通风。在设计阶段,一般会提供好的自然通风。在工作时,通风可能被有意降低,比如:安装临时设备或改善工作环境。所以很难处理增加自然通风和恶化工作环境之间的关系。机械通风系统对小的气体泄漏很有效,但对大型的气体泄漏,机械通风通常是不够的。

(3)防止点火

下一步是防止可爆气被点燃,这方面有一些可行的方法。第一种方法是减小高温作业的范围,这已在很多装置上成功实现了,用冷处理完成了很多作业。第二种方法是加强对“防爆”设备的维护,也要注意所谓的“连续源”,也就是电源,是经常活跃的着火源,如电灯闪烁。

下面的措施可以有效降低爆炸危害。

(1)防止高湍流

湍流是流体流过障碍物,如缆绳托盘及管架等产生的,湍流有可能急剧地增加燃烧速度,这是由于大涡流使火焰起皱,热量剧烈流动并形成很大的作用。一些基本设计可以防止高湍流,如最优化的设备布置可错开复合设备及最优化管架的位置并远离火源。

(2)防止高阻塞效应

小尺寸物体最有可能造成舱拥塞,形成高压,缓解措施包括:①移走临时设备、集装箱、小障碍物和防雨覆层;②用可使火焰的阻塞最小化的方式布置舰船。

(3)人员活动区远离潜在爆炸源

控制室、运输设施和住宿设施的位置要远离潜在爆炸源。

(4)设置防火和防爆屏障

在各部件间设立防火防爆屏障可以防止爆炸进一步扩大,但是障碍物本身可能影响通风,建造、维修这些屏障也涉及高温作业,因此这种措施在早期设计中更有效。

(5)气体泄漏的有效浸没

泄漏源浸没在水中可以防止爆炸或着火,浸没对防止所谓的火焰失控有很好的效果,它也可以降低高压的峰值。

使用浸没方法最重要的是要在着火前启动,着火模型显示释放和着火的间隙时间是 2~3 分钟,所以源浸方法要在开始的半分钟内实施才有效。

(6)加强设备和结构的抵抗力

最后一种减小爆炸危害的方法是加强设备和结构对爆炸载荷的抵抗力,但是为抵抗最严重的爆炸而进行结构设计是不经济的,所以这种方法可能是十分昂贵的。

30.4　火灾风险

在海洋结构物的风险估计中,通常考虑两种火灾风险:上层火灾和海上火灾,后面几节主要涉及上层火灾。另外,烟影响分析和火中结构响应通常要归结到火灾风险评估中。

"火灾"和"爆炸"的区别是相对主观的,"Piper Alpha"平台发生了小爆炸,但是损伤主要是由火灾造成的。

30.4.1　火灾频率

火灾频率分析和爆炸频率分析非常相似,火灾的总频率可以表示为

$$P_{FP} = P_{Leak} \cdot P_{GC} \cdot P_{Ignition} \tag{30.4}$$

式中　P_{FP}——火灾频率;

　　　P_{Leak}——气体泄漏的概率;

　　　P_{GC}——气体聚集概率;

　　　$P_{Ignition}$——着火概率。

可燃气的浓度范围决定了其着火后是爆炸还是火灾。更深入地说,火灾主要是由下面几个因素引起:井喷、立管失效、管道失效、生产设备故障和坠落物。不受控制的碳氢化合物流动(井喷或立管失效)是产生火灾的主要因素,坠落物只会在它们砸坏储油设备时才可能引起火灾。在某些情况下,结构失效和碰撞也能导致火灾,它们的最终危害很大程度上取决于升级次序。

30.4.2　火灾和结果评估

火灾结果分析的一些重要因素简述如下:

(1)火灾的类型和特点

尽管火焰是燃烧反应引起的,但它的过程可能涉及燃烧的非直接因素。火灾通常可分为下面几种类型:

①封闭空间(封闭或部分封闭)里通风不畅的火灾;

②围栏内燃料控制的火灾;

③空旷区域和舱中的池火;

④喷射火焰;

⑤流动液体起火;

⑥火球;

⑦气体火(混合,扩散)。

其他类型的火灾发生在电器设备里、住所中或海上,这里不包括那些"非气体"火。

Burgan 和 Hamdan 出版了研究火灾、爆炸载荷、结构响应分析和性能要求的书。火载荷可能转化为作用于结构单元上的热载荷(温度 - 时间曲线)。一些温度 - 时间曲线可以从设计书中获得,结构单元的温度 - 时间关系曲线受热载荷、单元形状和防火材料的影响。

表 30.2 概括了这些火灾类型需要考虑的主要因素。

表 30.2 火特征

喷射火	扩散气体火	池火	海上火
孔的尺寸 释放速度 方向 泄漏持续期 气体源	释放速度 泄漏持续期 气体源	池的尺寸 风向 火和泄漏的持续期 气体源	散布 风向 风速 油层燃尽

（2）火灾响应分析步骤

结构的火灾响应评估有如下计算步骤：

①碳氢化合物的释放（燃烧、辐射和对流）；

②火载荷；

③结构的时间－温度分布；

④温度分布引起的结构响应。

上面的计算都可以用简单模型或非线性有限元模拟来完成，手算和计算机电子表格虽可以简化计算，但缺点是不能解决火灾期间结构内力重分布的问题。但是，简化计算一般偏保守并且可以用实验结果校准。

（3）烟气影响分析

烟气不会影响结构单元，但是它是火灾中人员的主要威胁之一，特别是在石油火灾中。烟气影响包括：

①降低能见度；

②高温烟气使人员受伤和痛苦；

③有毒或刺激成分使人员无法动弹或死亡。

从文献、实验室试验和真正火灾的经验，如 Piper Alpha 平台火灾中，可以获得有关烟气产生、流动及其对人员和设备的影响等方面的知识。通过适当的 CFD 规范，可以完成烟气影响分析，上述三个方面的结果可以和限界值进行比较。

（4）火对结构的响应

以火试验和火工程编码方法的结果为基础，可以得到结构对火响应的简化方法。复杂的电脑模型使用有限元方法，基于给定的温度辐射曲线和随温度变化的材料热特性计算结构单元的温度增量。

火灾的危害包括：

①"小损害"和"重要损害"。它们不会导致主要和次要结构（支撑结构、主甲板结构和舱室结构）的损伤，但是对第三结构和其他设备会造成损坏；

②更大的损伤。更大的损伤，即"严重损伤"和"全部损失"，他们会对主要和次要结构造成相当大的损伤。

相关的性能要求用以保护主要结构和关键安全设备及系统，它们被定义为强度极限（对结构失效而言）和变形极限（确保能够支撑安全结构并且不危及防火墙、防爆墙的性能）。

30.4.3 降低火灾风险

火灾风险降低措施可以从以下 4 个方面考虑（详见 Vinnem，1999）：

泄漏预防：	燃点预防：
采用焊接连接	高温作业过程
采用法兰结构降低泄漏概率	防爆装置
	电气设备的维护
泄漏检查：	预防火灾扩大：
气体检查	设备布局
火险检查	区域隔离
紧急刹车系统	主动防火保护，如洪水系统、二氧化碳系统等
紧急爆裂系统	被动防火保护，如 H－60、H－30 隔离等

30.4.4　火灾和爆炸设计指导

新版 NORSOK 指导文件（Pappas，2001）和 Corrocean（Czujko，2001）出版的新版工程手册中提出了概率方法。Walker 等（2002）根据 API RP 2A（第 21 版）描述的风险矩阵法，给出了指导文件。火灾和爆炸工程采用了 API 风险分类方法。这些方法被用来导出有规划的爆炸高压，它一般用在评估结构抵抗爆炸的柔韧性问题的静态和动态分析中。在爆炸评估中爆炸载荷被分为两个等级。

对"柔性"爆炸，系统具有如下的性能标准：在爆炸事故发生后至少有一条逃生通道可以使用，供幸存者逃离。对载人平台要有一个安全的聚集避难场所，保护爆炸附近的人员免受伤害。

对"设计性"爆炸，要求主要结构保持弹性，必要的安全系统保持性能。爆炸高压是由设备中积累的压力释放出去产生的，显示为不超过给定高压的概率。爆炸高压可以用重现周期（年）的函数来表示。

30.5　坠落物

坠落物危害主要是由起重机物体坠落引起的，起重机的吊臂或整个起重机坠落的情况都有记载。北海起重机事故的风险图显示整个起重机倒塌导致了不幸的发生。在钻探勘探期间，BOP（Blow Out Preventers）坠落导致了海底井口的损坏。

30.5.1　坠落物撞击频率

坠落物撞击频率定义如下（Vinnem，1999）：

$$P_{DOI} = \sum_I N_i \cdot P_{Di} \cdot \sum_J P_{Hij} P_{Fij} \qquad (30.5)$$

式中　P_{DOI}——坠落物撞击的发生频率；

N_i——每年吊运载物 i 的数量；

P_{Di}——载物 i 从起重机上掉落的概率；

P_{Hij}——设备 j 被载物 i 击中的概率；

P_{Fij}——载物 i 击中设备 j 后设备 j 损毁的概率。

1. 每年吊运数量和载物分布

表 30.3 显示了两种典型载物分布,表 30.3 中也给出了每年吊运这些载物的数量。

表 30.3 典型吊运物分布情况

分类	分布/%	
	钻井和生产同时进行	正常生产
重物或多轴钻井设备	22.2	0
其他重物(>8 t)	0.3	0.7
中间重物(2~8 t)	27.1	33.6
轻载(<2 t)	50.5	65.7
每年起重机的数量	20 884	8 768

2. 载物坠落的概率

在工作时载物坠落的概率取决于载物的类型和环境条件。一般只估计一种平均概率,如每年每台起重机或每次提升的平均坠落概率。

坠落物的典型频率是每年每台 10^{-5} 到 10^{-4} 次坠落。对重要的吊运工作,特别强调坚持严格的程序,对这种情况也称为"程序吊运",坠落频率比一般情况要低 30% 到 70%。

3. 撞击物体的概率

坠落物可能撞击三种物体,下面给出每种撞击的最坏结果。

击中概率通常基于吊物经过区域的几何因素考虑。除非有特殊的情况,吊物从生产区域上方经过通常是被操作程序禁止的。如果吊物坠落到这样的区域,将可能发生重大事故。上部结构设备被击中的概率可以表示为

$$P_{Hij} = \frac{A_{lij}}{A_{tot-i}} \cdot f_{crit} \tag{30.6}$$

式中 A_{lij}——载物 i 偶尔经过的设备 j 区域;

A_{tot-i}——载物 i 经过的所有碳氢化合物设备区域;

f_{crit}——吊装经过的关键区域与总区域中的比例。

击中结构构件和水下设备的概率可由与上面相似的方程式确定。

30.5.2 坠物撞击估计

起重机上坠落的物体要考虑两种情况:

①坠物击中海面上的装备、结构、甲板或其他位置时的载荷;

②坠物掉落到海中,可能击中水中结构或海底水下装置时的载荷。

第一种情况只有一个阶段,即在空气中下落。第二种情况有三个阶段:空气中的下落、对海面的作用和在水中的下落。确定 3 个阶段冲击速度的理论计算在下面简要给出,当计算海底最可能的着陆点时,还要考虑水流产生的漂浮运动。

1. 空气中的下落

在重力作用下,坠物会向海面加速下落,撞击海面的速度 V_1 为

$$V_1 = \sqrt{2gh} \tag{30.7}$$

式中　h——坠物初始位置的高度；

　　　g——重力加速度。

2. 水面的影响

坠物会撞击海面然后以速度 V_2 穿过水面，V_2 由公式(30.8)确定，式中积分表示物体冲击水面后的动量损失。

$$V_2 = V_1 - \int_0^t \frac{P(t)}{M} dt \tag{30.8}$$

式中　M——物体质量；

　　　$P(t)$——冲击力。

3. 水中的下落

冲击过后，在水中物体将从速度 V_2 开始加速到极限速度 V_t。

$$V_t = \sqrt{\frac{2(W - O)}{C_d \cdot A \cdot \rho}} \tag{30.9}$$

式中　W——重力；

　　　O——浮力；

　　　ρ——水的密度；

　　　A——横截面积；

　　　C_d——物体形状系数，取决于雷诺数。

同时，我们知道物体在水中下落时会向一边漂移，这种漂移运动取决于物体冲击水面的角度和物体的形状。表面积大的棒状物体比块状和球形的物体更容易漂移，漂移物体的极限速度比非漂移物体的要小。

30.5.3　坠物撞击结果

撞击结果取决于坠物怎样撞击(上部或水下)设备和结构单元，如下落的速度、撞击点、碰撞角度、碰撞时间和接触面积，计算一般都是针对理想情况。通常自然地把坠物区分为长柱状物体和大体积物体，因为它们有不同的下落速度，水中的轨迹和对结构、装置的影响。表 30.4 所示为冲击结果。

表30.4　冲击结果

上部设备	可能造成对储油设备完整性的破坏，并可能引起火灾
水面或水上结构单元	可能导致结构失效，或稳定性和浮力的损失
水下设备	可能造成生产设施(包括储油设备)的损失，可能导致较大的石油泄漏。

上部设备非常脆弱，如压力容器、分离器。水下处理系统和管线同样对坠物非常敏感，计算显示一个 2 t 的坠物可以很容易地破坏水下处理系统的驱动装置，同样的质量也可以造成管线损坏或泄漏。对结构单元，要重点考虑下面几种结构：(a)上部结构；(b)支撑梁；(c)支撑结构；(d)浮力舱。

30.6　案例研究——浮式生产系统的风险分析

30.6.1　概述

风险评估作为海上平台发展领域的一部分,它包括:

①合理选择所有构件,以及为满足 FPSO 的生命循环各构件应具备的性能标准,保证各构件的有效性,功能、结构完整,可存性和相互依赖性。必须验证重要构件是否满足使用目的和达到性能标准。

②在风险评估前要定义风险承受标准,提出相当于规范和法规的安全等级。

③确认所有可能导致重大事故的潜在威胁,估计他们的风险并确定降低风险的措施。

FPSO 的风险类型取决于使用的船舶类型和所在地理位置。北海的 FPSO 主要是带转塔式的新型船舶,储油船每星期清空储油箱一次,频繁地接触和潜在的严重后果可能导致储油船与 FPSO 的碰撞。迄今为止,西非的 FPSO 平台开采石油主要用多点系泊和单点系泊,其他地区的 FPSO 主要采用改装船。

下面,举个墨西哥湾中 FPSO 风险评估的方法作为例子,这种方法也适用于其他类型的浮式生产系统,如张力腿平台、Spar 平台和半潜式平台。

FPSO 风险评估包括对以下系统的估计:

1. 处理系统

处理系统包括:

①三级分离处理设备、甲板上的气体压缩系统和涡轮发电系统;

②管道、生产和储藏设备的压力容器;

③货物箱、吸油系统和卸油系统。

生产风险主要是碳氢化合物泄漏导致爆炸和火灾,生产系统的风险评估使用常规平台 QRA 方法:

①开发隔离部分;

②用部分计数法总结密封损失的频率;

③确定能导致升级的相互作用的空间。

泄漏频率主要从平台工业数据库得到,要说明密封损失事故的紧急检查和生产控制响应。

工业上使用 API RP 14J(1993)进行平台生产设备的设计和危害分析,这里 RP 主要处理碳氢化合物着火的火灾问题,推荐使用危险分析方法。API 方法也可以估计爆炸风险,在风险管理,如平台装置布局、危害缓解和人员撤离等方面给出了指导,附录中的检验单给出了设施布局、生产装置、安全和电气系统、防火和漏气保护以及机械系统等的详细资料。

2. 船舶系统

船舶系统包括:

①货物箱,吸油室,锅炉和引擎室,发电、供电系统,压载系统和机翼油箱等;

②逃脱、撤离系统和装置。

船舶系统的风险评估和生产系统的很相似,不同之处是船舶系统风险的范围比气体泄漏的要广。船舶系统风险主要是气体泄漏和电气系统引起的火灾,但缺少FPSO火灾初始频率数据对火灾风险进行的量化。

3. 结构系统

结构系统包括：

①船体结构,特别是可以容纳炮塔的月池区域;

②锚泊定位系统,如系泊、锚和动力定位系统;

③立管和出油管道;

④顶部结构;

⑤直升机甲板和直升机;

⑥废气处理系统。

结构体系风险在本书第四部分中已经说明。

30.6.2　风险识别

在 FPSO 风险评估中,风险识别的主要目的是识别和记录可能升级为事故的风险事件。风险识别工作在概念设计阶段可能是粗糙和主观的,在详细设计阶段变得更加具体,下面给出了典型风险的部分清单。

1. 货物箱和压载箱的爆炸、火灾

货物压载箱的爆炸和火灾可能导致船体结构损坏和石油泄漏。

2. 动力舱和泵舱的爆炸、火灾

动力舱和泵舱的爆炸、火灾可能导致生产减少、延误,而且可能蔓延到货物箱。

3. 与穿梭船只或其他船只的碰撞

穿梭船只、补给船和过往船只可能由于锚泊定位系统故障、错误的航运和卸载操作及动力故障等原因撞上 FPSO。

4. 坠落物

坠落物可能导致结构损坏、失去浮力,引发设备和海下出油管道损坏,导致气体泄漏和人员伤亡。

5. 天气

天气条件可能会比设计中考虑的要严峻得多。对有些波浪,它们的高度小于百年设计波浪的高度,但是他们具有对振动更敏感的波浪周期,可能引发大型船舶移动和上浪冲击。

6. 上浪

上浪能对船艏楼、船甲板边缘产生冲击载荷,可能导致撤离通道的损坏。

7. 结构失效,如腐蚀和疲劳破裂

波浪载荷和结构细节设计不足会导致疲劳破损。货物箱、管道和压力容器都会出现腐蚀。

8. 立管、出油管道破裂和卸油软管泄漏

腐蚀、疲劳和偶然载荷可能引起立管、出油管道和卸油软管破裂。

9. 定位系统失效

定位系统的部分失效会使立管损坏,导致石油泄漏和火灾,失去定位能力,进而可能导致在浅海水域的碰撞和搁浅。

30.6.3　风险承受标准

在第五部分第 29 章提到的风险矩阵法可以用于风险承受标准,它由事故频率和危害组成。

事故频率被分为高、中、低和微四个等级。下面给出了它们的定义:

(1)高频——过去一年至少发生一次并且预计会再次出现的事故,频率 >0.1;

(2)中频——系统寿命期内至少发生一次,但不能确定能否发生的事故, 0.01 <频率 <0.1;

(3)低频——预计不会发生的事故,但在工业领域发生过 1 次或 2 次类似的事故, 0.0001 <频率 <0.01;

(4)微频——确实存在,但在系统寿命期内不希望发生的事故,频率 <0.0001。

事故的危害取决于风险的类型,例如人员风险、经济风险和环境风险。下面给出了事故后果的简单分类:

(1)灾难性——死亡或残疾,FPSO 的重大损失或生产的长期损失,石油和气体泄漏导致长期的环境污染;

(2)严重——人员受伤严重,FPSO 损伤严重,石油和气体泄漏严重;

(3)重大——无严重受伤人员,某些装置和系统损坏,微小的减产,石油泄漏需要监管、发布通告;

(4)较小——无人员受伤,最低限度的部件损坏,无减产,记录事故但不涉及监管。

在后果模型中要考虑的物理现象包括:

(1)释放模型、多相、近场流动状态和内部压力 – 时间关系曲线;

(2)喷射火焰和油池火对人和装置的热辐射影响;

(3)爆炸高压对人和装置的影响;

(4)人员的撤离。

30.6.4　风险估计和降低措施

如果风险高,不能被接受,那么将采取措施排除或降低风险,其方法包括:

①修改设计来排除风险;

②降低诱导事件发生的频率;

③降低引起诱导事件变成事故的事件的频率;

④减少人员和设备在风险中的暴露;

⑤执行严格操作程序、安全程序和紧急情况响应程序。

下面进行主要风险估计和降低措施的介绍。

1. 生产泄漏

生产系统一般是产生人员风险的主要因素,气体压缩具有最高的泄漏频率。但多数泄漏量很小,如小于 10 mm,相当于孔的尺寸。生产泄漏可能导致爆炸和火灾。除非爆炸产生的火焰蔓延到储油箱,威胁到整只船,一般情况下,关闭生产和隔离系统可限制污染的泄漏,重新布置生产控制中心,在船首和船尾设置逃离路线,在生产区域安装气体探测器,可以降低生产泄漏。

2. 卸载船和穿梭船风险

有两种类型的石油卸载系统：串联卸载系统和单点系泊系统。前者用于转塔式锚泊的FPSO，后者用于分散系泊的FPSO。串联卸载系统的主要风险是穿梭船只与FPSO间的碰撞和软管破裂引起石油溢出。改变软管的连接位置可能使软管破裂，原因是结构上的缺陷，疲劳载荷作用，过度的张力、压力或激烈摆艉。在严酷的环境中，卸载管道可能会使疲劳破裂。如果单点系泊系统采用输送管道，那么输送管道可能会导致系统事故。

降低风险措施的一些例子：

①提高察觉事故的能力，使关闭系统工作灵活；

②监控运输、系泊锚链和甲板执勤；

③加强人员培训，提高处理事故的能力（Karsan 等，1999）；

④把卸油管道和单点系泊系统的浮标隔离开；

⑤使用备用船，它可以完成很多操作，如提供紧急牵引力、帮助系泊和提起软管（Daughdrill 和 Clark，2002）；

⑥设计适当的卸载系统。

Daughdrill 和 Clark 概述几个指导卸载设计的出版物：

为预测 FPSO 和穿梭船只间的相对运动和碰撞的概率，Chen 等（2002）提出了基于时间 - 区域模拟代码 SIMO 的模拟诊断法，碰撞被模拟为 2 个阶段：初始阶段和恢复阶段。初始阶段是指某些事情导致船在航行方向上不受控制，恢复阶段是指在初始阶段发生后船避免碰撞的过程。在初始阶段的概率模拟中，Chen 等（2002）综合了技术行动、人员行动和它们的互相影响。北海的一个 FPSO 和 DP 穿梭油轮应用了 SIMO 模拟模型，使用统计学模型来分析 FPSO 和油轮之间的相对距离和航向的极限值，Chen 等（2002）估算每年过度飙升和偏离航线的概率的数量级为 10×10^{-3}，研究各种技术和操作因素的灵敏度，并确定了使碰撞可能性最小的措施。

3. 船舶系统风险

这里只考虑储油罐、惰性气体系统和供给储油罐原油洗涤系统，虽然储油罐可能发生爆炸和火灾，但是缺少事故的频率量化数据。储油罐爆炸可能破坏结构和生产装置，这可能导致生产设备气体泄漏，随即导致火灾的发生。直接导致死亡的因素主要是生产区域爆炸。吸烟是人员安全问题。降低潜在风险的措施包括：

①提高惰性气体系统的可靠性；

②安装推进器使船可以改变航向（避免火灾吞没住所）；

③加强住所墙壁的防火、防爆保护。

4. 碰撞风险

船舶压载翼型舱要有双倍的障碍物以防止刺穿储油罐。避免碰撞和降低危害的措施包括雷达监视、配置备用船只、加强风险管理计划和安装推进器以减少船舶的漂移碰撞。立管、卸油管道和流体转移管道设计时要满足能量吸收要求。

MacDonald 等人（1999）综述了船舶、FPSO 的碰撞风险，提出了一种可以定量估算这些事故频率和危害的方法。对可能导致污染、死亡、财产损失以及生产减少、延误的碰撞要特别关注，并确定相应的降低风险措施。

5. 爆炸风险

在详细设计阶段，要估计爆炸风险并且最小化爆炸高压，主甲板上的气体生产线、立管和流体转换管道要布置好,并且使泄漏可能最小化。

6. 火灾风险

喷射火焰和油池火会危害装置,设计要便于人员逃到安全地带,并降低气体对环境的污染。

7. 坠落风险

保护装备的设计标准取决于吊物的尺寸、位置以及吊运操作的频率,坠落物研究是详细设计的一部分,包括计算坠落物的质量和对装置的冲击载荷,以及估计结构响应和事故频率。

30.6.5　相对风险分析

风险评估也应用相对风险分析的方法,将特定设计和其他满足安全标准的设计进行比较。例如,Gilbert 等 (2001)提出把从未在墨西哥湾使用的 FPSO 的风险和墨西哥湾已有的深水浮式生产系统(TLP 和 Spar)进行比较。深水平台一般用浅水导管架,要考虑把气体从油井输送到岸上的整个生产系统。对于一个 20 年寿命的系统,需要分析和确定其 3 种风险:人员死亡的总数、油泄漏的总体积和单一事故中气体泄漏的最大值。通过研究可以断定人员风险和环境风险间没有显著的区别。这个研究对是否允许管理机构和海洋工业在墨西哥湾建造 FPSO 非常有用。

30.6.6　风险检测

风险检测要解决三个基本问题(Xu, 2001):

(1)检测什么?

(2)对单一构件要做多少工作?

(3)什么时候进行检测?

检测的关键步骤是检测构件的等级,同时要建立评级体系,包括频率结果分析和缺陷检测。频率分析的基础是事故频率数据库和分析方法,或者是它们的结合。

FPSO 结构检测要考虑的失效后果包括以下方面:

(1)结构,包括船体和顶部结构

①灾难性——失去稳性和结构完整性,或者停工时间超过 1 年;

②严重——失去结构完整性,干坞修理需要长时间或停工时间为 6 个月到 1 年;

③重大——中等程度的结构破坏,干坞修理需要较短时间或停工时间为 1 个月到 6 个月;

④较小——微小的损坏,需要快速船载修理或停工时间短于 1 个月。

(2)用于定位的系泊系统和推进系统

①灾难性——造成重大财产损失或停工时间长于 1 年;

②严重——导致严重的碰撞和搁浅,停工时间为 6 个月到 1 年;

③重大——导致轻微碰撞,停工时间为 1 个月到 6 个月;

④较小——维修和更换几条生产线。

(3)进(出)口系统,如立管、出油管道和卸油系统

(1)灾难性——气体严重溢出或引发火灾;

(2)严重——气体中等溢出,停工时间长于 6 个月;

（3）重大——管道破裂需要维修和更换，停工时间为 1 到 6 个月；

（4）较小——维修或更换立管生产线和卸油系统，停工时间少于 1 个月。

风险检测的一般方法参考 API RP 580（API，2002），RP 的新发展包括如下几个方面：

（1）风险的介绍；

（2）界限确认；

（3）RBI 评估数据和信息的收集；

（4）确定机械装置的恶化和故障模式；

（5）估计失效的可能性；

（6）估计事故结果；

（7）估计风险；

（8）风险管理的检查活动；

（9）其他风险降低措施；

（10）RBI 的重新评估和升级；

（11）作用、责任、培训和资格证书；

（12）RBI 文献和记录。

风险检测的概率公式在第四部分第 28 章中给出，检测的有效性取决于机械装置的性能、检测范围、频率和探测能力以及减缓措施等。

对于 FPSO，进行检测风险评估最大的好处是可以降低生产损失。

30.7　环境影响评估

在很多情况下，在进行海上油田开发前要进行环境影响评估，环境影响评估的结果可以把环境对油田操作的影响降到最低限度，环境影响风险评估的范围取决于地理位置和油田的特点，可能包括以下几个方面：

（1）调查主要生物的分布、数量和种类，如鱼、鸟和哺乳动物等；

（2）估计食物链和生态系统中的能量转移；

（3）估计沉积物、底栖生物和鱼中的毒素；

（4）建立石油溢出模型；

（5）建立环境数据库。

从环境保护角度出发，要考虑下面几个方面（Gudmestad 等，1999）：

（1）钻井作业的排放物，如泥浆和切割物；

（2）生产水处理；

（3）压载水舱；

（4）选择化学品时考虑其毒性、可降解性和潜在的生物富集；

（5）在装载期间进行装载操作，降低石油溢出的可能性；

（6）油轮运输以避免石油溢出；

（7）石油溢出应急方案，如现场燃烧、生物降解等；

（8）废物处理；

（9）CO_2，No_x 和 SO_x 的释放。

参考文献

[1] API R P. 14J, Design and Hazards Analysis for Offshore Production Facilities. 1993 [J]. Washington, DC: API.

[2] API R P. 580 Recommended Practice for Risk-Based Inspection [J]. American Petroleum Institute, Washington, DC, 2009.

[3] Bai Y, Pedersen P T. Elastic-plastic behaviour of offshore steel structures under impact loads [J]. International Journal of Impact Engineering, 1993, 13(1): 99 – 115.

[4] Burgan B A, Hamdan F H. Response of Topside Structures to Fires and Explosions: Design Considerations [C]. 2002.

[5] CCPS. Chemical Transportation Risk Analysis [M]. Center for Chemical Process Safety, American Institute of Chemical Engineers. 1995.

[6] Haibo Chen, Torgeir Moan. Collision Risk Analysis of FPSO-Tanker Offloading Operation [C] // ASME 2002, International Conference on Offshore Mechanics and Arctic Engineering. 2002: 101 – 112.

[7] Chen H, Moan T, Haver S, et al. Prediction of Relative Motion and Probability of Contact Between FPSO and Shuttle Tanker in Tandem Offloading Operation [C] // ASME 2002, International Conference on Offshore Mechanics and Arctic Engineering. American Society of Mechanical Engineers, 2002: 91 – 100.

[8] Spouge J. A guide to quantitative risk assessment for offshore installations [J]. 1999.

[9] Anon. Design of offshore facilities to resist gas explosion hazard: engineering handbook [M]. CorrOcean ASA, 2001.

[10] Daughdrill W, Clark T. Considerations in Reducing Risks in FPSO and Shuttle Vessel Lightering Operations [C]. 2002.

[11] Gilbert R B, Ward E G, Wolford A J. A Comparative Risk Analysis of FPSO's with Other Deepwater Production Systems in the Gulf of Mexico [J]. Journal of Laboratory & Clinical Medicine, 2001, 84 (36): 94 – 95.

[12] Gudmestad O T. Basics of Offshore Petroleum Engineering and Development of Marine Facilities with Emphasis on Arctic Offshore. ISBN 1999, 5 – 7246 – 0100 – 1.

[13] Haugen S. Probabilistic Evaluation of Frequency of Collision between Ships and Offshore Platforms [R]. Dr. ing Thesis, Division of Marine Structures, NTNU, MTA-report 1991: 80.

[14] Karsan D I, Aggarwal R K, Nesje J D, et al. Risk Assessment of a Tanker Based Floating Production Storage and Offloading (FPSO) System in Deepwater Gulf of Mexico [J]. Optik-International Journal for Light and Electron Optics, 1999, 126(23): 4757 – 4762.

[15] Lassagne M, Pang D, Vieira R. Prescriptive and Risk-Based Approaches to Regulation: The Case of FPSOs in Deepwater Gulf of Mexico [J]. Polish Journal of Ecology, 2001, 116(10): 1303 – 1306.

[16] Macdonald A, Cain M, Aggarwal R, et al. Collision Risks Associated with FPSOs in Deep Water Gulf of Mexico [C]. 1999: 920 – 928.

[17] Nesje J, Aggarwal R, Petrauskas C, et al. Risk Assessment Technology and its Application to Tanker Based Floating Production Storage and Offloading (FPSO) Systems [C] // Offshore Technology Conference, 1999: 85 – 96.

[18] Directorate N P. Regulations relating to implementation and use of risk analyses in the petroleum activities [J]. Issued by the Norwegian Petroleum Directorate, 1990, 4: 12 – 17.

[19] Standard N. Design of Steel Structures [S]. N-004. Rev, 1998, 1.

[20] Pappas J, Sæter O. The NORSOK Procedure on Probabilistic Explosion Simulation [J]. Paper, 2001, 5

(1):2001 − 0575.

[21] Saubestre V, Khalfi J P, Paygnard J C. Integrated fire analysis：Application to offshore cases［J］. Offshore Platforms,1995.

[22] UK HSE. Safety Case Regulation［R］. United Kingdom Health and Safety Executives. 1992.

[23] UK HSE. Prevention of Fire and Explosion, and Emergency Response Regulation［R］. United Kingdom Health and Safety Executives,1995.

[24] Vinnem J E. Quantified Risk Assessment-Principles, Modelling and Applications of QRA Studies［M］. ［S. l. ］：Kluwer Academic Publishers,1999.

[25] Walker S, Corr B, Tam V, et al. New guidance on fire and explosion engineering［C］//ASME 2002 21st International Conference on Offshore Mechanics and Arctic Engineering. American Society of Mechanical Engineers,2002：707 − 716.

[26] Wolford A J, Lin J C, Liming J K, et al. Integrated Risk Based Design of FPSO Topsides, Structural and Marine Systems［M］. London：［s. n. ］,2001.

[27] Xu T, Bai Y, Wang M, et al. Risk Based 'Optimum' Inspection for FPSO Hulls［M］. London：［s. n. ］, 2001.

第 31 章　船舶工业标准安全评估(FSA)

31.1　引言

航运是一项传统工业,其安全问题已经讨论了百余年。与此同时,事故往往使人们认识到采取措施来控制海上风险的必要性。例如,在 1912 年 Titanic 灾难导致 1 430 人丧生,为此召开了第一次海上生命安全的国际会议(SOLAS),这是防止此类灾难的国际标准和规章。Andrea Doria 号客轮的倾覆促使美国代表团出席了 1960 年国际安全会议,并介绍了船舶安全应由船舶能够承受的损害程度来衡量的概念。公众对由油轮事故导致海洋污染的破坏性后果的日益关注,促使 20 世纪 70 年代的 MARPOL 公约组织的成立。1990 年 Exxon Valdez 事故导致 IMO 授权的双壳油轮的使用。这些事故说明商业航运界的现代风险评估技术永远有其存在的必要性。

20 世纪 60 年代,核工业开发了概率安全评估法。20 世纪 70 年代,化学工业率先使用量化风险评估法(QRA)。由于行业自律的发展,自 20 世纪 80 年代起,在 Alexander 事故后挪威海洋工业使用了 QRA,在 Piper – Alpha 事故后英国也开始使用 QRA。

1993 年,英国向 IMO 提出用于船舶安全制度的一套特殊类型的风险管理框架体系,称为标准安全评估(FSA)。自此,FSA 被作为 IMO 海洋安全委员会议程的优先条例。IMO 在制定规范时使用 FSA 进行相关规章的制订,并在 1997 年出版了 FSA 临时指导文件,在 2001 年出版了 FSA 指导文件。作为一种协助海事监管的工具,FSA 不适合于个别船舶,而是作为一般航运的一种通用方式。由 FSA 提出的主要内容包括:标准程序、可见过程、公共安全目标和基于成本效益的优先事项。这些使得 FSA 成为航运监管的一种更合理的风险评估办法。

应该承认,标准安全评估可用于特殊船型(如散装货船或高速船)或特定危险(如碰撞、搁浅和失火等)的安全问题。英国海洋工业的安全处理方式可用于特殊的海洋设备。

Yoshida 等(2000)在 ISSC 报告中,为"风险评估"专家委员会提供了关于海洋风险评估的近期出版物的综合总结。

本章以下各节将具体讨论 FSA,概述 FSA 的主要功能模块,并对各个模块进行详细描述;本章对 FSA 的一个案例研究进行简要的说明介绍,并讨论了 FSA 中列入的人为因素和组织因素;最后,讨论了 FSA 在航运业应用中的挑战、限制和关注。

31.2　标准安全评定的综述

作为基于风险的方法,FSA 在某些方面与英国的大陆架安全条例类似。一组安全条例应该可以应用于特殊的海洋设备,但是,FSA 是作为整体应用于航运或船型安全问题的,如油轮或高速客船。这种应用类型是由多种原因所致,例如,航运业的独特特点:在世界现有的海洋工业范围内,航运业没有统一的监管机构,没有统一的文化,也没有专业教育和资格认证制度。FSA 是 IMO 制定规范的一种工具,它使决策过程更加合理,并提供了先进的技术和业务方面的方法。IMO 临时 FSA 指导规定:"FSA 作为一种工具可通过比较现有规范和可能改进了的规范来评估新的安全规范,实现不同技术和操作问题(包括人员要素)之间、安全和成本之间的平衡关系"。FSA 可用于开发"基于性能"的规则,该规则阐述了安全目标、功能要求以及基于性能规范的合理的"硬性标准"。

标准安全评估的主要特点介绍如下:

(1)系统方法把船作为社会技术系统考虑。系统包括硬件、环境、人员组织、运营和程序。

(2)危险可通过危险识别过程提前确定。有大量不同的危险识别方法可使用。

(3)描述和分析与各种危险相关的风险。风险是潜在危险事件发生的可能性和结果的综合。风险分析包含一定的时间跨度,即作业期限,并涉及各种定量或定性的工具,以进行可能性和后果的计算。

(4)一旦风险量化,有必要根据预定义的验收标准,确定风险是否可以接受。当风险可以接受时,可遵循成本效益分析来比较预防性/保护性措施的成本与收益。

(5)以上提到的基本要素可以统一到风险模型中,其目标是得到风险管理中有最佳成本效益的、预防性的和缓解的措施。

标准安全评估的功能模块如图 31.1 所示。作为一个基于风险的方法,看起来可能与海上 QRA 程序非常相似,但是,实际内容的每一个步骤以及使用的方法和工具均不同于其在海洋方面的应用。在 31.3 节将对其进行更详细的描述。

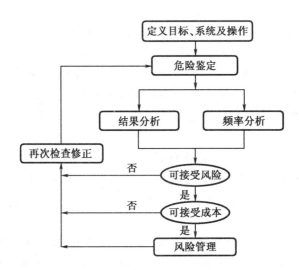

图 31.1　标准安全评定的功能模块

需要考虑的风险类型包括:

(1)人员安全的风险;

(2)环境风险;

(3)财产风险。

31.3　标准安全评定的功能模块

31.3.1　系统定义

详细的系统描述对风险评估来说必不可少。这样的描述通常由一个层次结构组成,包括所有硬件、人员、程序和环境,并采用"自上而下"的方式进行描述。构成普通船舶的硬件是系统定义中的最基本层;硬件和操作人员之间的界面,即所谓的人机界面,形成第二层;外部环境被认为是第三层。整体安全性受硬件、个人与组织以及外部环境的影响,这些因素在船的寿命期内可能会产生变化。因此,我们将在下面的各节中讨论船舶硬件、利益方(相关当事人)以及船的寿命期。

1. 船舶构件

船舶硬件可以大致分为两类:结构和机器。

传统上,将船舶结构分为三类:船体梁、内部结构和上层结构。结构单元在维持船舶完整性上起到不同的作用。结构失效可能导致开裂、局部进水,甚至在极端情况下会发生船体的断裂。在过去几十年里,使用现代 FEM 方法分析复杂船舶结构的强度已经有了很大的进展,参见第二部分第 13 章。尽管如此,结构误差和缺陷的不确定性,以及载荷预测的不确定性依然存在。

船舶机器包括许多子系统:发电系统、推进系统、转向和机动系统、导航和通信系统、货物—燃料—压载系统、系泊及锚泊系统、监测和紧急响应系统。这些系统的完整性对船舶作业非常重要。操作不当或系统意外失效直接会引起事故的发生,可能导致货物损失、人员伤亡和严重的环境污染。

2. 利益方

普通船舶可能涉及以下利益方:船员、船主或租借方、船级社、建造商、货物和货主、旅客、保险公司、港口和沿海国家。利益方有各自不同的安全标准,以及航运安全变化产生的成本或收益。各方之间的相互关系是复杂的,并将显著地影响航运安全。

3. 船舶寿命期

船的诞生源于船主决定要建造一艘新船,这艘船应具有满足功能要求的特征尺寸。接下来的第二阶段是设计阶段,需确定船舶结构和机器的规格。第三阶段是建造阶段,它包括建造、下水和码头舾装。第四阶段由正常运作组成,一艘典型新船的服务期在 30 年以上,并且满足 FSA 强调的正常运作。在船的服务期内,有 4 个主要作业期:远海航行、航道航行、港口作业和干船坞作业。现详细说明如下:

远海航行:大型船舶整个寿命周期中远海航行时间所占比例最大。

航道航行:这通常是船舶寿命周期内第二常见的作业期。大型船舶靠近(或离开)港口,需要寻找一个熟悉全部航道的领航员,引导船舶入港。

港口作业:货物的装卸载或旅客的上下船都是在港口完成的。发生在港口的许多事故都是由货物运输引起的。不同的船舶涉及不同类型的作业以及不同的持续时间。

干船坞作业:船舶定期入坞进行检查、修理和维护。干船坞可能涉及船级社代理检查和业主检查。

最后阶段是报废阶段。船舶在其寿命周期结束后在修理厂进行报废。

31.3.2　风险鉴定

FSA 中,风险的广义定义是对人员生命、环境和财产造成伤害的潜在情况。当它们发展成事故时风险就成为了问题,一般一系列事件的发生才会导致事故发生。船舶风险有两个特征,描述如下:

船舶风险的一个特征是很难达到把危险与船完全分离的理想水平,因为在船舶上有指挥和控制设施、生活与工作区域、燃料、推进设备、发电设备,以及应急系统。另一个船舶风险特征是,在不同的作业阶段,船舶可能遇到各种不同的危险。

风险鉴定由选定的专业人员来进行,其目的是确定所有可能和相关的危险。通常一个团队有 6 ~ 10 位专家,包括造船工程师、结构工程师、机械工程师、检查员、工程师、船长和会议主持人,他们会为课题研究提供必要的专业意见,然后利用历史事件数据库和专业意见来确定危险。可使用的分析方法有 FMEA,HAZOP 等。由风险等级确定方案排序,重点关注优先风险,并进行更详细的分析。

对于一般普通船舶及其子系统,需要确定重要危险类别,包括:(1)碰撞和搁浅;(2)火灾;(3)爆炸;(4)结构完整性丧失;(5)动力失效;(6)危险物品;(7)装载误差;(8)极端的环境条件。每一类都是复杂的,由大量不同的因素造成的。经过风险鉴定,根据对已鉴定风险的粗略估计,确定出危险的优先次序。

1. 碰撞和搁浅

碰撞发生在一艘船击打另一艘船或其他物体时。对于远洋船舶来说,这是一个有重大危害的风险。搁浅发生在当船底触及海底或水下岩石时。碰撞和搁浅的发生概率低,事故后果严重,特别是油轮,参看 Amrozowicz (1997)。

搁浅和碰撞的风险评估包括:

①搁浅和碰撞事故发生的频率;

②结构损伤、石油泄漏及其对环境、经济影响的后果。

Wennick (1992)使用"统计方法"和"因果关系法"研究了在海峡和港口航行时碰撞和搁浅的发生频率。"统计方法"使用历史事件来估计事故概率,而"因果关系法"建立了诱导因素和事故结果之间的关系。同时,"因果关系法"可以用来研究碰撞和搁浅的危险事故中物质相关变化的影响,它需要用"统计法"进行校核。

Sirkar 等(1997)提出了风险评估方法,用来说明碰撞和搁浅的危害。油轮环境风险的模型包括事故发生概率的计算、采用概率方法的石油泄漏分析和使用泄露响应模拟的危害估计。和海洋环境风险分析一样,测量环境风险的最好指标不是漏油量,而是石油泄漏的效应,参见第五部分第 29.1.7 节。Sirkar 等(1997)对损害和石油泄漏的概率分析是根据一个简化的石油泄漏概率方法进行的。他们使用 Monte Carlo 方法,通过模拟大量碰撞和搁浅事件的结构响应来计算,提出了计算损害程度和位置的概率分布的方法。在 Monte Carlo 模拟方法中,输入变量包括事故情况(如船舶特点、搁浅类型)与根据历史数据和专家判断确定的初始分布。

造成这类灾害的根本原因是信息匮乏,例如:在特定的时间自己位置的不确定性、未知的障碍、附近船只不准确的位置和速度信息都将造成上述威胁。恶劣的天气、人为失误(通常是领航员导致的信息传递错误)和不恰当的速度,都对灾害的发生起着重要作用。

2. 火灾

火灾对船舶的危害较大。据估计在 1987—1992 年期间,三分之一以上的船舶甲板毁坏都是由火灾引起(Hessler,1995)的。为了防止火灾,一般设置探测和报警系统通知机组人员采取适当的灭火措施,并提醒乘客撤离危险区域。尽早发现火灾至关重要。因为一旦起火,就很难扑灭,且很容易升级。由于船上狭窄的空间限制以及其他因素影响,如毒烟,导致有时难以进入火灾现场。消防人员的防火培训不充分也可能产生这个问题。

为了阻止火灾的扩大和蔓延,需测试材料和产品性能来限定热量释放,需要测试结构边界的热力学特性,并了解受限可燃材料的使用。这些测试要求对火源区域做出限制,使大火对逃生出口与救火入口的影响最小化。便于疏散乘客的系统设计对及时疏散乘客和灭火发挥着重要作用。

发生在轮机舱的火灾往往是由燃料输油管、润滑油或液压油的泄漏引起的,电气短路也是一个重要原因。厨房、洗衣房、娱乐场所和储藏区等区域包含诸如食用油、糖、面粉等可燃物,船员有时可能没有认识到这些危险。NK(1994)发表了基于一系列风险评估研究的保护轮机舱的指导条例。Arima 等(1994)总结了轮机舱火灾的因果关系的数据,约 0.1% 的船只损坏是由于轮机舱火灾引起的,而船体间隔室火灾也引起相同数目的船只损坏,75% 的轮机舱起火发生在船舶航行时,其中,50% 的船舶火灾无法控制。

3. 爆炸

过去发生的一些爆炸事件是在油轮卸载后在压载舱中发生的。原油中含有很多挥发性成分,能在空气中产生高爆炸性的混合气体。当船舱被清空或即将清空时,采用惰性气体保护技术,如向船舱输入纯氮气或二氧化碳去除氧气,这种方法已经取得了较好的效果。交流和严格地遵守规章是很重要的,这样在通风操作时可避免爆炸。

人为失误是导致灾害发生的另一个因素。一些爆炸事故实际上是由操作程序的错误和违规造成的,例如吸烟、非法切断程序等。

4. 结构完整性丧失

结构完整性丧失是船级社一贯关注的问题。船体的损坏可能是由于设计不当,建造、维护或者是操作失误引起的。另外,新技术、新船型的采用也可能会带来新的问题。

对超龄船的维护可能还不完善。对船体每个部位进行检查,确定所有结构部件的状况是不可能的,因为它们的状况永远也不可能确定下来。波浪的周期载荷不停地作用在结构构件上进而会引起疲劳,而疲劳降低船承载能力的具体限度也是很难估计的。另外,腐蚀也可能是个问题。以上所有提到的情况都有可能造成船结构整体性的丧失。

5. 动力失效

海上发电机失效是一个潜在的危险。没有动力,不可能操纵船,由于没有向前的速度或者螺旋桨转动,舵变得无效。轮船可能会撞到其他船或障碍物,或者在风、浪、流作用下漂流,最后搁浅。在恶劣海面上,船可能会随着风浪无定向地横转或沉没。

动力失效可能是由发动机的机械失效、发电机损坏、锅炉或者曲轴箱爆炸和轮机舱着火等引起的。功率耗损还可能是因为燃油供给系统被水侵入、海水浸入损坏的油箱,造成 BRAER(油轮)的动力丧失。

6. 危险物品

原油、天然气等货物危险是显而易见的。然而,动力铝和特殊类型面粉等这些材料的危险,往往被忽视。国际海事组织已经制定了已知危险物品规定。例如,装载危险物品的集装箱必须用一块写着"Dangerous and Hazardous"的明显标志来标明,并要准确标明物品信息。

在港口对集装箱的违规操作,也可能导致其破损及泄露。无论什么原因,集装箱内部一旦发生泄露,都可能持续一段时间后才被发现。未被察觉的有毒气体泄露可能是对全体船员的一个巨大威胁,在海上的排毒工作是很难进行的。

Romer 等(1993)根据1986年到1991年发生的151起事故的历史数据,给出了一份关于危险物品海上运输的风险评估,他们的文章给出了各种事故发生的频率、FN曲线及泄露的规模和频率。

7. 装载误差

不当的装载会影响船体的稳定性,也会对船体造成过度拉力以致增加海上失效概率。在极少的情况下,船体会因为不当装载而沉没。

对于运沙船来说,在风急浪高的海面,船体对于有效载荷的改变极为敏感。对于集装箱船来说,大量的集装箱可能会松动或者损坏,导致集装箱的移位或自由移动。这不仅仅危及船的稳定性,还会对人员、机械和船体形成威胁。也有出于经济利益把轮船装载至它的极限负载,一些过载的渔船沉没就是由于这个原因。

8. 极端的环境条件

很多的船都是在极端的天气条件下失事。海洋对于人和船来说都是一种危险的环境。

船员在暴风雨的甲板上很可能失去性命。保护装置也可能损坏,并对设备造成破坏。BRAER 号油船就发生过这种情况。在暴风雨的天气下,甲板上管道损坏,使得燃油舱的通气孔坏掉,导致海水进入油舱,最终造成动力丧失。船随着洋流漂流,燃油泄露。恶劣的天气也可能导致船员的疲惫和晕船,并增加船员操作失误的可能性。恶劣天气也会引起其他危害,例如:能见度、定位和通信的丧失,这会增加触礁和相撞的危险。

31.3.3　船舶事故的频率分析

风险的评估与两个量有关:事故发生的可能性和事故的危害。因此,频率分析是风险评估必要的一部分。CCPS (1995)列举出了轮船的各种事故模式(例如:碰撞、触礁、火灾、爆炸和危险物品设备失效),讨论了影响事故发生概率和危害可能性的参数,并建议了计算事故发生率的方法。

有时,充足的历史数据对避免严重的轮船事故是很有效的。其中,最好的数据资源之一是用在美国水路的美国海岸防护轮船伤亡文档——海事伤亡信息报告系统(USCG,1992),可以很简单地从这些以往数据中得到伤亡频率。然而在大多数情况下,频率分析可能不是那么简单的,还必须考虑导致实际事故的因素。在这个过程中,需要把复杂的事件分成各种独立的小事件,并把它们按照一定逻辑顺序放在一起以模拟危险是如何通过不同的破坏路径发展成事故的。

按照一定的情况,对独立事件进行综合后,事故发生的可能性或许可以通过故障树技术和事故树技术来评定。一般情况下,事故的可能结果可以通过事故树来跟踪,而故障树则被用作探究严重事故的原因。初始事故的发生频率可以从历史数据中得到,例如:失效率,两次维修之间的平均时间,或者事故发生率,然后依据现有系统的专业判断来进行修改。有时,对于类似的事故,只要他们关联性足够大,数据是可以被相互借鉴的。总之,可否获取适当的数据以避免船舶遇险是一个问题,有时数据的缺失会使得风险评估非常困难,如果获取不了就完全不可能进行评估。

31.3.4　船舶事故危害

事故危害在一定条件下取决于事故发生的可能性。船舶事故的一般危害由下列情况决定:

(1)人员伤亡;

(2)货物损失;

(3)船舶自身损坏或者其他船舶的损坏;

(4)环境破坏。

海运的一个独特的特点是不同的利益相关者对以上情况的看法、感受和评定是不同的。

1.人员伤亡

当量化死亡结果时,为了进行风险比较,分析家会提出一个很敏感的问题——人命到底值多少钱。根据以往的情况,对于死亡的唯一补偿方法是通过金钱方式。对于这种补偿有明确的程序。这里的金钱价值不应该看作是人命的价值,而是表明如果生命被挽救的话对其会有什么益处。

一般来说,船员和乘客的死亡是有区别的,因为前者应该知道他们在轮船上的危险程度,而后者却不知道。因此,乘客的潜在死亡数可能会非常大。

人们似乎会比较容易接受出现较少死亡人数的事故,然而对于死亡人数较大的情况就会不一样。后者往往不可避免地会引起公众的关注和探究,并且可能最终会就此制定新的规章。这种结果远远超过金钱的价值。

2.货物损失

货物损失在很多海洋事故中都会发生。通常,发货人会得到货物运输的保险金,对于丢失的情况,发货人会直接得到保险公司的补偿。赔偿款一般就是货物损失的程度。在某些情况下,运送的时间很关键,发货人可能得不到全部损失的赔偿。损失是难以评定的,可能每起事故都会不一样。

3.船舶自身损坏或者其他船舶的损坏

船舶失事或损坏的后果也涉及有形和无形两方面。如果船舶没有丢失,则有形后果就是将船舶驶入修理地点进行维修所需要的费用。如果一条船完全丢失的话,那就是这条船的更新费用。

船舶的损坏或者失事包含了许多无形后果,可能会比有形后果的成本更高,主要是商业方面的影响。

4.环境破坏

船舶破坏环境的方式有很多种,最显著的就是漏油导致的事故。很多事故类型的结果都是如此,包括搁浅、碰撞、火灾或者爆炸。漏油对于环境的影响取决于漏油量、当地的生态抵抗能力、事故发生时的风、浪、流和期间的清除情况等。

从 Amoco Cadiz,Exxon Valdez 和 Braer 事故来看,这种事故的损失相当大,甚至是船体和货物总值的几十或几百倍。

31.3.5　风险评价

风险评价能确定高风险的区域和主要危险的构成因素,然后对于人身安全、商业和环境的总风险就可以估计出来了。

风险评价的第一步是对人身安全、商业和环境可接受的风险等级做预定义。然后,可以通过目标等级来获得风险价值。不可接受的风险会导致系统修改,并需要再次执行先前的评估步骤。目标等级的确定可能是很困难的,因此,其主要依据为从现有船舶的风险分析中得来的数值。

人们所知道的 ALARP 原则也同样适用于 FSA,它需要风险适度、可行地降低。另外,应用 ALARP,需要定义风险极限。如果这种风险是被广泛接受的,那么就不需要进行任何工作。然而,如果这种风险在两个确定的等级之间,那么当风险被适度、可行地降低后通常会被接受,即进一步降低风险的成本和收益大体上不匹配,这就涉及成本收益分析。

31.3.6　风险控制和成本收益分析

控制风险有两种方法:

(1)预防方法:降低初始危险的发生率;

(2)减缓方法:降低失效的严重程度。

控制风险的行为包括工程应用和程序执行。实际的风险控制方法应该经过一定的调查研究,其控制能力也应记录下来。风险控制行为的效果由多次重复的风险分析与先前的情况做比较来得出。所得的利益是避免事故的发生,这些能够通过评估人身伤害、财产损失、环境和其他相关开销来衡量。为了实现平衡,风险控制衡量的利益应该与执行它所需要的成本比较,这将通过成本利益分析得出。

在成本利益分析中,风险控制项或其他选项包的成本估计需要考虑公共成本(执行、检查等)和商务成本(成本费用、税务等)。使用类似的应用进行利益的估计,对船舶估计会降低环境清洁的成本、增加船舶的寿命和获救人员的价值,等等。现在每种选项或选项包的净价值是从成本中减去收益。灵敏度分析可以围绕关键假设来估计与每个选项计算的净值相关的可靠等级。风险控制设定可以基于他们的有效成本来分级。标准安全评估的最后一步是"做出决定",对安全改进方面提出建议。决策制订中的安全控制项的选择要根据有效成本和 ALARP(适度可行)原则来进行。不管成本多大,不能承受的危险都要控制。"适度"意味着成本和收益大体均衡。

31.4　标准安全评定的人员和组织因素

IMO(1997)建议了人员和技术因素之间的平衡方法,技术因素反映对整个系统安全进行的考虑。IACS(1999)提出了一个在 FSA(标准安全分析)中进行人员可靠性(HRA)分析的指南草案。HRA 指南最终把 HRA 融入了 FSA 过程中。它提供了各种 HRA 技术的摘要和参考文献。

大部分的船舶事故都和人为因素有关。例如:装载错误、机器操作错误,等等。因此很有必要把人为组织因素(HOF)并入到 FSA 中。最后,在 FSA 队伍中包含 HOF 专家和操作经验也是至关重要的。

有两种方法来考虑 HOF。第一种也是难度最小的一种,就是在现象水平上培训人们的行为,来确定人员对操作中各个关键步骤做出不当决策的可能性。第二种也是比较难的一种,需要找出发生不当决策的原因。下面的例子用来说明第一种方法。

在船舷发生火灾的事故中,很多情况都是人为的直接结果,比如吸烟。人们通过用灭火器救火也会影响火灾发生的过程。这些影响可以被纳入 FSA 中。例如,人为的作用引起火灾应包含在实际的历史数据中。船员训练和安全准则的不同就要在风险分析中使用不同的事故树,因而导致不同的可能性。有意或无意的人员错误也可以同样纳入 FSA 中,但是要正确量化不同的人和组织因素影响通常是非常困难的。

31.5 船舶燃油系统的实例

上述标准安全评估方法可用于船舶的燃料系统,来确定适当的风险控制措施、减少潜在的火灾和故障,或减轻其后果。

先对一般船舶燃油系统进行描述以确定一个可能的方法。这包括定义全部燃油系统各个部分和燃油处理装置的本质特征,这里包括高压区和低压区。

由燃油系统失效引起的伤亡数据会被收集和归类至相关的事故类型中(火灾、硬件失效等)。可能会用到有关海洋方面的世界现有可靠性数据库,例如,旋转、往复运动的燃油管道和节点的数据。危害和可操作性研究(HAZOP)可用于识别最容易失效的通用燃料系统。建立故障树就可以组织信息并估计失败率,事故树也可以用来模拟可能的后果。

上述工作可得到用于描述每件事故发生率的一个事件次序表,这是结合后果的严重程度得出的。机舱火灾或停工的成本收益分析权衡了由稳定性提高带来的收益,可以为决策提供足够的信息。

31.6 海运中的 FSA 的使用问题

FSA 是一种可以支持合理规范发展的方法(例如 IMO),能关注重要问题,判断规范的修改或者发展是否合理。它提供了一种更好地进行危险源辨识和情况发展分析的方法。FSA 确实是一个掌控风险更系统的方法。

虽然这种方法的许多要素都已在其他领域中得到确认,但是对于船舶工业来说,它们的应用基本上还是全新的、未被证明的。试验性的应用正在进行中,主要目的是积累相关结果和经验。为了使 FSA 在未来能用于 IMO 委员会的决策中,其合理机制和程序的发展也是考虑的内容。有用的风险评估数据包括:事故统计、设备可靠性、结构可靠性、人员可靠性和舰船数据。成本数据一般与投资成本、生产成本、检测维护成本和清洁污物成本、污染等这些方面的估算有关。在很多情况下,对于适当的风险估算,所需数据是不够的。

对于所有的风险评估来说,获得结果依赖于数据,也依赖于对数据的说明、工业趋势的预测、技术改变的影响和未来事故隐患的判断等。因此,FSA 研究的结果依赖于相关数据的可用性和那些可以给出正确判断的分析数据。FSA 的质量好坏决定于提供的数据、使用的专业知识和数学模型。在收集和说明风险数据时会遇到很多挑战,在很多情况下,有些数据没有记录或对 FSA 不起作用。数学建模和计算机仿真或许是分析数据的另一种选择。专家的意见可能是对统计数据必要的替换或者补充。在这一过程中,或许可以发现那些有着丰富经验和良好相关专业背景的人士,他们也许不能很好地使用统计术语来表达他们的判断。基于信息不完整的 FSA 做出的判断主观性是非常大的。我们需要考虑如何建立一个关于海洋风险分析的现有数据库,同时还需要开发并实施一个收集补充数据的系统方法。

参考文献

[1] Amrozowicz M D,Brown A,Gola M. A Probabilistic Analysis Of Tanker Groundings[J]. 1997.

[2] Emi H,Matoba M,Yamamoto N,et al. Basic Investigation on Formal Safety Assessment:Risk Analysis of Fires in Ship Engine Rooms[J]. ClassNK technical bulletin,1997,15:31 −41.

[3] CCPS. Chemical Transportation Risk Analysis [M]. Houston: American Institute of Chemical Engineers,1995.

[4] Hesler B,MIFire E M. Training ship's crew for effective firefighting and emergency incident command [J]. IMAS,1995,95:221 −229.

[5] IACS. Draft Guidance on Human Reliability Analysis (HRA) within the Formal Safety Assessment[M]. Oslo:[s. n.],1999.

[6] MEPC M. Interim guidelines for the application of formal safety assessment(FSA) to the IMO rulemaking processes[R]. Technical Report MEPC/Circ,1997.

[7] Kristiansen S. An approach to systematic learning from accidents [C]//Conference Procccdings on Management and Operation of Ships-Practical Techniques for Today and Tomorrow (IMAS 95). 1995, 107(2).

[8] Department of Transport,London (United Kingdom). Marine Accident Investigation Branch;BRAER Report of the Chief Inspector of Marine Accidents into the engine failure and subsequent grounding of the motor tanker BRAER at Garths Ness,Shetland on 5 January 1993[M]. London:HMSO,1994.

[9] NK. Engine Room Fire,Guidanceto Fire Prevention[M]. Tokyo:Nippon KaijiKyokai,1994.

[10] Pålsson I,Swenson G. Formal Safety Assessment—Introduction of Modern Risk Assessment into Shipping[R].[S. l.]:Swedish National Maritime Administration,SSPA Maritime Consulting,1996.

[11] Rømer H,Brockhoff L,Haastrup P,et al. Marine transport of dangerous goods. Risk assessment based on historical accident data[J]. Journal of Loss Prevention in the Process Industries,1993,6(4):219 −225.

[12] Sirkar J,Ameer P,Brown A,et al. A framework for assessing the environmental performance of tankers in accidental groundings and collisions[J]. Report of SNAmE T&R Ad Hoc Panel on the Environmental Performance of Tankers,1997.

[13] Skjong R,Vivalda C. Use of Risk Assessment within the Maritime Industry[M]. Wageningen:[s. n.], 1998.

[14] USCG. The Marine Casualty Information Reporting Systems (CASMAIN),1981 − 1991 [M]. Washington:The U. S. Coat Guard,1992.

[15] Wennink C J. Collision and Grounding Risk Analysis for Ships Navigating in Confined Waters[J]. Journal of Navigation,1992,45(1):80 −90.

[16] Yoshida K. Risk Assessment[C]//Proceedings of ISSC −2000. Nagasaki,[s. n.],2000:89 −100.

第 32 章　油田开发的经济风险评估

32.1　引言

32.1.1　区域开发阶段

海洋区域开发工程一般有 4 个主要阶段:勘探、开发、作业和退役。图 32.1 所示说明了开发阶段(主要指前三项)的主要工作、持续时间和在每个阶段的成本。

时间	勘探		开发				作业		
许可同意									
1									
2	地质地貌	勘测及评估油井							
3									
4									
5									
6			蓄水工程及仿真						
7				运输、安装					
8					地貌	钻生产井			
9									
10							扩大生产		
11									
12									
13							蓄水工程(待续)	最大限度生产	
14									
15									
16									
17									
18									
19									
20									
21									
22							(待续)		下降
23									
24									
25									
26									
…									
退役									
技术成本的份额	10% ~20%		40% ~60%				20% ~60%		

图 32.1　区域开发阶段

勘探阶段开始于获得执照后。如果勘测井在某个区域发现了原油或者天然气,那么就会出台一个开发这个区域的可行性研究报告,以确定技术可行性和经济最优性。勘探阶段至开发和作业的计划获得 PDO 的权威认证时结束。

开发阶段始于基于 PDO 给出建议的工程阶段。最终区域开发阶段是随着经营理念、安全和环境项目等的确定而确定的,然后系统地执行整个计划——工程设计、采购、建造和安装。此时,如果需要预打钻的话,产油井将开始钻探工作。

作业阶段一般情况下是 20 年,产量不断增加并达到最大,随后逐渐下降。同时,若得到最新的储藏信息,储油工程将继续作业并使产量达到最大。区域开发的最后阶段就是退役阶段,平台会被抛弃,并从现场移除。

32.1.2　经济评价的背景

经济评价贯穿于区域开发的整个生命周期。净现值(NPV)和内部收益率(IRR)是两个最基本的决定因素。近年来寿命周期成本准则常用于决策当中,它实际上是基于净现值的衍生。

在勘探之前或者期间,经济评价主要用于评估对该工程进行投资是否有足够的盈利。一个勘探的决定就像一个搏命的赌博:或许会发现一个巨大的储藏区域,或许根本没有原油或者天然气。然而,如果勘探成功,区域的勘探成本与区域的开发相比是相对很低的。在勘探过程中,每个阶段经济评价会进行多次并得出相应结果,给最后决定是否开发提供参考。这个阶段首选是用净现值(NPV)和内部收益率(IRR)这样的经典经济评价方法。在附录 A 中给出了 NPV 和 IRR 的定义。

一旦项目获得批准且在开发和作业阶段之前,应用寿命周期成本(LCC)方法是比较好的。在 LCC 模型中,要考虑相关决策的经济影响和运营公司的影响。例如,使用 LCC 模型,生产设备的总成本可以用以下成本之和表示(NORSOK O-CR-0002):

(1)资本成本(CAPEX);

(2)营业成本(OPEX),包括经营成本和维护成本;

(3)延期生产成本。

设备的初始投资费用不是决策的唯一准则。相反,最优化设计概念可以使生命周期成本最少。

32.1.3　经济风险评价量化

涉及区域开发项目的经济风险是变化的,一般包括:(1)技术风险(极大地影响经济);(2)商业风险(主要与收入和成本变量有关);(3)潜在的自然灾害等。不确定因素包括:(1)储藏信息,如可生产概况,可开采的石油和天然气;(2)成本因素,如制造、运输、安装、作业和维修成本;(3)金融变化,如利率、油价等。因此,需要考虑系统的经济风险来评估整个区域开发工程的风险因素和不确定性的影响,并为决策提供充分必要的参考。

若采用概论分析方法,经济风险评估可以处理存在的不确定因素,并且用数值方法评估风险。因此,可以给出失效事故的可能性及每个不确定因素的重要性和敏感性。与简单的传统定性经济评估的"最好情况"和"最坏情况"评估方法相比,这个方法的结果会给决策提供更好的参考,并且有助于降低海洋开发的不确定因素。

本章将给出经济风险评估量化的方法。这是各种已经发表的经济风险研究的概述,例如：Skjong 等（1988），Bitner-Gregersen 等（1992），Cui 等（1998），Odland（1999）和 Bai 等（1999）。下面给出五个主要步骤：

（1）对区域开发阶段研究的认证。这在本书 32.1.1 节中已经讨论过。

（2）论证的决定需要在开发阶段确定，例如：开始勘探、对比早期的生产概念、评估不同的最终开发概念、运行和维护策略等。

（3）通过设置某些目标 NPV 值或者 IRR 值，或者最小化 LCC 来确定决策标准，然后列出极限状态函数。

（4）通过极限状态函数获得每个参数的统计数据，并计算失效概率来模拟经济风险，模拟和分析可靠性方法都可能被用到。极限状态函数中的参数可区分为成本变量和收入变量。他们能够通过统计分布或者具体的数值表示出来。

（5）改善决策过程，进行执行敏感度研究，提出经济风险降低措施和不确定因素降低的方法。

32.2　决策标准和极限状态函数

32.2.1　决策与决策标准

各种决策和决策标准都会因海洋领域开发项目的阶段不同而不同。下面列举三个主要例子，分别为勘探、开发和经营阶段。

（1）区域现在应该开发吗？

开发项目能否作为一种投资机会获得利润？在现有技术基础上开发能否有效地利用资源？例如，原油采收率、天然气的利用情况、安全和环境条件如何？基础设施建造是否符合时机？在此阶段，IRR 和 NPV 是适用的。

（2）如果区域确定开发，那么将要如何开发？

不同的区域开发概念或许是可行的。生产价值、投资成本、运营成本和逐步收支都应该用实际的平衡的方法来考虑。在此阶段，NPV 是最合适的标准。

（3）项目应该如何实施？

对于项目的日常工作，包括从承包人处选择设备和服务，都必须使用易于与决策后果相关连的标准。在此阶段，LCC 是适合的标准。

32.2.2　极限状态函数

极限状态函数在概率分析中一般根据 NPV 或者 IRR 来确定。LCC 标准实际上可归结到 NPV 标准中。

如果项目达到一个特定的内部收益率，那么极限状态函数可以写成如下形式：

$$G(X) = \sum_{n=6}^{30} \frac{I_n(X)}{(1 + irr)^{n-1}} - \sum_{n=1}^{30} \frac{C_n(X)}{(1 + irr)^{n-1}} \tag{32.1}$$

在方程（32.1）中考虑了 30 年的总期限。I_n 是指第 n 年的收入，C_n 是指第 n 年的花费。I_n 和 C_n 都是输入变量 X（基本变量）的函数。如果函数 $G(X)$ 是负数的话，那么内部收益率比 irr 小。

基于净现值理论，决策标准的极限状态函数类似于：

$$G(X) = \sum_{n=6}^{30} \frac{I_n(X)}{(1+irr)^{n-1}} - \sum_{n=1}^{30} \frac{G_n(X)}{(1+irr)^{n-1}} - npv \tag{32.2}$$

在这种情况下,如果净现值比内部收益率 irr 小的话,那么函数 $G(X)$ 就会是负值。

32.3 经济风险模拟

成本变量与设计、建造、安装和运营(包括维护)成本有关。而收入变量主要与储存规模和特征、油气价格、币值波动、通货膨胀和利率变化、税务政策有关。因此,模拟收入变量和成本变量的不确定性是经济风险模拟的核心部分。

以一个典型的处于开发经营阶段的北海石油和天然气区域项目为例来说明经济风险模拟。这些改编来自 Bitner-Gregersen 等(1992)。列举的这些数据仅仅是用作说明,若考虑每个项目实际情况还需要对其进行更新。在 5 年的建造和安装期后,假定区域可以生产 25 年。决策标准依据 IRR 或者是 NPV 将极限状态函数用方程(32.1)和方程(32.2)的形式来定义。成本变量、收入变量的模拟和他们的不确定因素将在下面的各节中给出描述。

32.3.1 成本变量模拟

下面给出开发和运营阶段的成本概况(Odland,1999):
(1)设备和钻井成本
——上部结构
——基础结构
——井/立管系统
——输出/输入系统
——项目管理和保险
——平台钻井
——预打钻
(2)运营和维护成本
——人事管理和餐饮
——油井维护
——后勤
——陆上组织和保险措施
(1)设备和钻井成本

与设备有关的成本一般都产生在平台设计、建造、安装阶段。各平均成本都有一个基本值和一些影响成本的变量。例如:模板材料成本就是由模板的质量和单位质量模板的价格构成的。为了量化成本变量的不确定因素,分析家评定相关因素并将最优估计值相乘以得到 10%,25%,50%,75%,90% 这些变量分位点的值。因此,可以对所有成本变量使用对数正态分布,分布参数可以用离散数据点分布的最小二乘法得出。

某些成本变量要比平均成本高。比如说,如果材料的数量超过基本估计,那么焊接材料的工时数也会超出基本估计值,这种关系应给予恰当考虑。相关系数的确定根据的是不同成本变量和现有数据经验之间的相互关系,所有成本随着计划表的时间进度分布。

（2）运营和维护成本

生产阶段的生产、调配和运输产生的额外费用在前面已经讨论过。这些成本会分到每种产品中,比如原油、天然气和液化天然气(LNG)。

32.3.2　收入变量模拟

收入变量分为如下三类:

1. 储存规模和生产利润

在决定开始建造平台时,总的可回收体积、达到最大生产量的时间和生产利润会有较大的不确定因素。这种不确定因素由地质特性、地质勘探数量和测试井的数量来决定。为了模拟随时间变化的生产率,生产率的分析可表述(Skjong,1988)为

$$v(t) = \frac{V_{tot}b^{ab+1}}{\Gamma(ab+1)}t^{ab}\exp(-bt) \tag{32.3}$$

式中,$v(t)$ 是 t 时刻的生产率;V_{tot} 是总的可回收体积;a 和 b 是描述生产利润的参数;Γ 是 Gamma 函数。令 V_{tot} 为一个随机变量,可以模拟可回收体积的不确定性。令 a 和 b 为随机变量,可得到最大生产量的出现时间和生产利润模拟的不确定性。

2. 石油、天然气、LNG 的价格

石油、天然气、LNG 价格在 5～30 年内的不确定性显然是非常大的。在这里使用一个简单的模型,5 年后的平均油价假设为每桶 23 美元,在基本期内随着通货膨胀变化。每年的价格是随机的,使用 20% 变量系数的正态分布拟合。因此,石油每桶价格低于 17.5 美元的可能性为 10%,石油每桶价格高于 29.4 美元的可能性也为 10%。

一年之内的石油价格可能与下一年的原油价格有很大的关系,这种关系在未来的几年会变小,在连续的两年相关性用 0.7 来模拟。

3. 税率、通货膨胀和利率

假设净利润的税率为 50.8%,石油公司 30% 的附加税加到 85% 的净利润上,资产税为 0.5%,并且折旧期为 6 年。从投资开始的第一年开始计算,这种结果给出离散和统一的情况。对于统一情况来说,不能使用负利润税,可以被公司用到其他地方并计入工程项目。

膨胀率假设恒为 6%,项目资金包含 50% 的流动资金和 50% 的贷款,贷款利率假设恒为 10%,资金模拟可以更实际些,比如根据不同流通领域的贷款和不同的汇率不确定性进行开发。

32.3.3　失效概率计算

根据 *IRR* 和 *NPV* 标准,列出极限状态函数后,在极限状态函数中得出负值的概率可以通过 Monte Carlo 模拟或者应用可靠性分析方法(FORM 和 SORM)算出。模拟方法代表基本计算技术,经常用来验证分析方法得出的结果。

根据极限状态函数(或功能函数)$G(X)$,一个预期或非预期事件的概率在方程(32.4)中被定义。如果极限状态函数得到负值,那么就没有达到预期目标。

$$P_E = P(G(X) \leq 0) \tag{32.4}$$

对照事件概率,可靠性指数 β_R 定义为

$$\beta_R = -\Phi^{-1}(P_E) \tag{32.5}$$

式中,Φ 是标准正态分布函数。概率分析方法也能用于同时满足几种标准的情况。

32.4　结果评估

32.4.1　重要性和可忽略因素

重要性参数 α_i 表示不确定变量引起的总不确定因素的分数。对于 FORM 分析,如果变量 i 的不确定性被忽略,并且这个变量被它的平均值(50%)代替而变为一个确定量,可靠性指标 β 会因因素 $1/\sqrt{1-\alpha_1^2}$(叫作可忽略因素)而增加。这些重要方法为选择哪些变量、降低整体不确定性提供有用的指导。

不确定性不同因素的重要性可通过 FORM 方法获得。一个项目总的不确定性受 3 个主要方面的影响,即设备(设计、建造和安装)、钻井(34.2%)、储存规模、生产利润(41.8%)以及油价(20.3%)。需要特别注意的是达到最大生产量时间的重要性。这些都清晰地显示了项目的经济成果取决于工程设计、计划和质量控制。很显然,在假设模型内,项目成果不完全由石油价格的不确定性所决定。

可忽略因素可通过研究预钻井的成本得出。假设预钻井的固定成本为起初分布的50%,这使得可靠性指标 β 通过因素 $1/\sqrt{1-\alpha_{30}^2}$ 变化。对于 $IRR = 11.3\%$(10%,最不好的情况)的 IRR 综合分析来说,可靠性指标的变化范围在 $1.28 \sim 1.34$ 之间,相应的失效概率是 9% 。这就意味着使用固定价格的预打井,未能使内部收益率 11.3% 的概率从 10% 降到 9% 。

32.4.2　敏感度因素

在决策期间内,下列问题经常被问及:"改变这个参数会有什么影响?"这个问题通常使用敏感度方法来回答,该方法会给出任意输入参数 θ 的增量 $\Delta\theta$ 的事件概率变化(通过可靠性指标的变化),无论这个输入参数是统计分布参数还是确定参数。

可以看出,达到最大生产量的时间对最后项目成果是很重要的。使用 IRR 综合分析方法来分析这个变量的敏感度,对应于分位点 10% 取 $IRR = 11.3\%$ 进行分析。从 FORM 分析得出,可靠性指标的变化可由达到最大生产率的平均时间从 2.5 年到 1.5 年的变化来决定。

$$\beta_{new} = \beta_{old} + \left(\frac{d\beta}{d\mu_{62}}\right)\Delta\mu_{62} = 1.28 + (-0.15)(-1.0) = 1.43 \tag{32.6}$$

相应的失效概率为 0.076,即不能达到预期内部收益率 11.3% 的概率从 10% 降到了 7.6% 。

影响最大生产量时间的不确定因素也能够研究。如果标准差可从 1.5 年降到 0.5 年,可靠性指标变化为

$$\beta_{new} = \beta_{old} + \left(\frac{d\beta}{d\sigma_{0.2}}\right)\Delta_{62} = 1.28 + (-0.044)(-1.0) = 1.32 \tag{32.7}$$

相关的失效率是 0.093,即未达到内部收益率 11.3% 的概率从 10% 降到 9.3% 。

32.4.3　权变因素

在 FORM 和 SORM 分析中,会得到设计点 X^*,如果不能满足功能函数,它给出了输入参数的最可能值:

$$X_i^* = F_{X_i}^{-1}(\Phi(\beta_R a_i)) \tag{32.8}$$

式中，$F_{X_i}()$ 是 X_i 的分布函数；a_i 是设计点对应的一个结果。不同变量的权变因素是设计点值与平均值的比率（或者是其他事先选好的基本值）。

权变因素取决于可靠度级别，即达到预期事件结果的置信度。在传统的确定分析中，基本值被乘以权变因素来检验是否能达到预期效果，但是权变因素不能通过严格的方法得到。然而，可靠性分析能为任何目标置信度提供一种权变因素的固定标准。

32.5　附录 A　净现值和内部收益率

工程经济效益的更多信息，可参考 Park 和 Sharp-Bette（1990）以及 Gudemestad 等（1999）的海洋开发应用领域的论著。海洋领域开发项目中经常使用可靠性分析标准，比较同一时间段（例如今天）资金流入和流出的净现值（NPV）。也可以使用内部收益率。如果一个投资项目的 IRR 超出了需要的折扣率，那么这个项目是有收益的。

现将下文中的变量含义解释如下：

I 是市场利率，或者是实际利率。

C_0 是 0 时刻的初期投资，正数。

C_n：当 $C_n \geq 0$，代表阶段 n 的投入；当 $I_n \geq 0$，代表阶段 n 的收益。

N 是项目期限。

F_n 是阶段 n 内的流动资金（$F_n = I_n - C_n$。如果 $I_n \geq C_n$，$F_n \geq 0$；如果 $I_n < C_n$，$F_n < 0$）。

1. 净现值（NPV）

考虑到项目在每个时期 n 内都产生资金收入。在整个项目期内资金收入的现值 I 表示为

$$I = \sum_{n=0}^{N} \frac{I_n}{(1+i)^n} \tag{A32.1}$$

假设在每个时期末的资金支出是 C_n（包括项目的初期投资 C_0）。资金支出的现值 C 表示为

$$C = \sum_{n=0}^{N} \frac{C_n}{(1+i)^n} \tag{A32.2}$$

项目的 NPV（用 $NPV(i)$ 表示）可用 I 与 C 的差来定义，即

$$NPV(i) = \sum_{n=0}^{N} \frac{I_n - C_n}{(1+i)^n} = \sum_{n=0}^{N} \frac{F_n}{(1+i)^n} \tag{A32.3}$$

当项目 NPV 为正值时，表示有正的盈余，如果有资金充足，我们应该采纳这个项目。如果项目的 NPV 是负的，那么就该拒绝这个项目，因为可以用市场利率 i 或者在市场外投资其他项目来做得更好。

2. 内部收益率（IRR）

IRR 是一个同 NPV 标准相似的时间折扣分析方法。项目的 IRR 定义为相当于全部流动资金的 NPV 的利率变为 0。项目的 IRR 数学表达式为

$$NPV(irr) = \sum_{n=0}^{N} \frac{F_n}{(1+irr)^n} = 0 \tag{A32.4}$$

注意，方程（A.4）是一个 irr 的多项式函数。通常不能直接求解此类函数，除非项目有 4

个时期或者更少。因此,通常使用两种逼近技术来求解多项式,一种是利用迭代方法(试验偏差方法),另一种是牛顿逼近法。

参考文献

[1] Bai Y,Sørheim M,Nødland S,et al. LCC modeling as a decision making tool in pipeline design[M]// Proc. of OMAE'99. 1999.

[2] Cui, Mansour, Tarek, et al. Reliability-based quality and cost optimization of unstiffened plates in ship structures[J]. Journal of Offshore Mechanics & Arctic Engineering,1991(3):111 – 124.

[3] Bitner-Gregersen E M, Lereim J, Monnier I, et al. Economic Risk Analysis of Offshore Projects[J]. Journal of Offshore Mechanics & Arctic Engineering,1991(3):165 – 174.

[4] Anon. Basics of Offshore Petroleum Engineering and Development of Marine Facilities with Emphasis on the Arctic Offshore[M]. [S. l.]:Neft'iGaz,1999.

[5] Lereim J. Uncertainty Modelling of Project Economy in the Light of Company Strategy[C]. 13th International Expert Seminar on Integration of Projects into the Company Organization, April 1989, Switzerland. 1989.

[6] NTS. NORSOK O – CR – 0002[R]. Norwegian Technology Standards Institution. 1996.

[7] Odland J. Lecture Note for 81063 – Development of Offshore Oil and Gas Fields(Part 6:Cost,Economics and Decision Criteria)[R]. Dept. of Marine Structures, Norwegian University of Science and Technology. 1999.

[8] Sharp-Bette G P,Park C S. Advanced engineering economics[J]. Journal of Offshore Mechanics & Arctic Engineering,1991(3):65 – 74.

[9] Skjong R, Lereim J, Madsen H O. Economic risk analysis of offshore field development project[J]. Veritas Research Report,1987:87 – 98.

第 33 章　人员可靠性评估

33.1　引言

人员可靠性分析在人－机系统的可靠性分析中起着重要作用。Bhopal，Three Mile Island，Chernyobl 和 Piper Alpha 等灾难性事故实际上说明了人为失误带来的灾难性后果。根据 Moore(1994)的研究，大约65%的灾难性事故都是由于人员操作或管理的失误造成的。在风险评估中，对正确评估人为失误的风险和降低人为影响的方法有明确的要求，这可以通过人员可靠性评估(HRA)得出。HRA 在很多领域中都有应用，如设计、制造、安装和作业等。

Swain(1989)总结了核工业中人员因素的早期研究，他的研究广泛用于化工工业以提高人员工作效率。Lorenzo(1990)列举了很多由失误造成事故的例子，提出了提高人员工作效率的策略，并发展了人员可靠性分析技术。

对于海洋工业来说，Bea(1994，1995)研究了人为失误在海洋结构的设计、建造和可靠性方面的作用。关于这个课题的更多信息，读者可以查阅 Bea(2001，2002)的近期出版物。人员和组织因素也是船舶工业中 IMO (1997)和 IACS(1999)提出的标准安全评估的重要因素，详见第五部分第31章。

本章涉及 HRA(Kirwan(1994))的基本原则，以及在海洋工业中的特殊应用(Bea，2001，2002)。HRA 有 3 个原则步骤：人为失误鉴定(判断哪些失误会发生)、人为失误量化(决定这种失误发生可能性)、人为失误的减少(减少失误的可能性)。如图 33.1 所示。

在下面各节中，首先给出 HRA 过程的概述。然后讨论每个主要步骤，主要涉及怎样去鉴定、评估和降低人为失误的内容。

33.2　人为失误鉴定

33.2.1　问题定义

对 HRA 问题定义的本质就是确定分析的范围，决定应该考虑哪些人际交互，并且在 HRA 起作用的范围内找出存在的约束。

在 HRA 中一般会出现 5 种常见的人际交互，最常见的就是人员对系统需求的反应，一般会引起一些系统失效。这种人际交互是许多风险研究的重点，因为这些事故一般出现在依靠人员可靠性来保持安全状态的系统中。HRA 分析也要考虑其他 4 种情况：①维护和测试失误；②人为失误诱导事故；③响应失效；④最终恢复方法和减缓措施。

可用资源包括基金、经验、先前研究和通过软件对 HRA 进行约束。另一个主要约束与

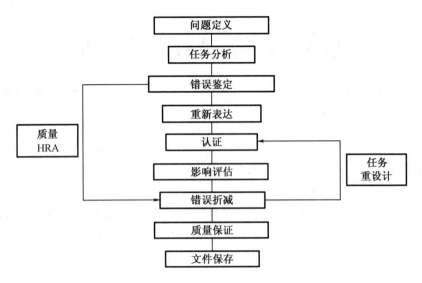

图 33.1　HRA 过程(Kirwan, 1994)

资源相关,是项目寿命周期的不同阶段。因为很多的关于操作任务和设备的细节要求是不可用的,所以寿命周期的阶段越早,任务分析和人为失误鉴定就越难。

33.2.2　任务分析

任务分析是一个描述和分析操作人员怎样影响系统和其他人员的基础方法(Kirwan 和 Ainsworth, 1992)。HRA 必须首先定义任务如何执行,这要求做任务分析。任务分析定义了一种这样的模型:

(1)正确表现;

(2)使用 HRA 技术来确定任务执行的多个步骤中会发生哪些失误;

(3)这样的失误发生的可能性有多大;

(4)任务是否足够安全(定量或定性)。

HRA 中任务分析主要包括两阶段:数据收集和任务表征。数据被整理和分类后,任务必须被正式描述和表征出来,以说明正确表现是什么。

33.2.3　人为失误鉴定

在 Reason(1990)中,人为失误被分为 3 类:

(1)小失误——例如按错按钮或在较长程序中忘记了其中一步。这些是可预测的失误,通常以不准确的表现来描述。这类失误的主要特点是目的正确、执行错误。

(2)过失——例如由于操作者的误解发生的过失,特点是目的错误导致行为错误。

(3)违规——这些失误包括一些违反程序准则的行为和冒险因素,大概有 3 种基本类型:第一种是普通违规,如在程序中走捷径;第二类是在违规情况下执行任务,如人员短缺;第三种是极端违规,如某些人想要测试系统在正常操作下能够推进多远或者使安全联动系统失效等。

应该注意的是有很多种失误还没有被分类,这些错误可能会导致更严重的后果。这些人员管理问题对安全级别产生严重的影响,这是继续研究的主要原因。

下面是一些众所周知的人为失误鉴定的方法(Kirwan 和 Ainsworth,1992):

HUMAN HAZOP　　人为失误危险和操作性研究(Kletz, 1974)

SRK MODEL　　　基于技术、规则和学科知识的方法(Rasmussen 等,1981)

THEW　　　　　　人为失误率预测技术(Swain 和 Guttmann, 1983)

SHERPA　　　　系统的人为失误减少方法和预测方法(Embrey, 1986)

GEMS　　　　　一般失误模拟系统(Reason, 1987, 1990)

HRMS　　　　　人员可靠性管理系统(Kirwan, 1990)

但是,没有哪个单一技术能够解决一个系统内全部潜在的人为失误。相反的,只有某些工具,能够处理特殊类型或者某系列的潜在人为失误。值得关注的是,小失误可能已由上述提到的 HEI 技术准确认定,而人员参与的其他领域的失误(特别是错误行为和违规行为等)可能还不能确定。因此,显然需要新的方法,特别用来处理认知错误,同时也用来验证和完善这些方法。

3.2.4　表述

表述应把人员对风险的贡献与其他相关的贡献(硬件、软件和环境的)以逻辑的量化形式结合起来。表述使系统的整体风险水平得到准确的评估,并使 HRA 分析师认识到人的相关贡献(参见本书 33.3.2 节"影响评估")。

表述中需要考虑两个基本问题,第一个问题是表述的格式问题,通常使用两种格式,即故障树和事件树格式;第二个是分解表述程度的问题,即什么时候应停止把人为失误更加细化。

33.3　人为失误分析

33.3.1　人为失误的鉴别

一旦潜在的人为失误被提出,下一步就是量化人为失误发生的可能性。人为失误概率(HEP)的定义为

$$HEP = \frac{误差出现的次数}{所有有可能发生误差的次数}$$

实际上,由于在现实复杂的任务中估计失误概率数据十分困难,而且人们也不愿意公开这样的数据,所以记录人为失误概率的数据很少。

人为失误量化技术依靠于专家的判断或对数据和心理模型的组合,该评价对人类的活动有重要的影响。在人为失误量化领域的主要技术包括(Kirwan,1994):

APJ　　　　　　　绝对概率判断(Seaver 和 Stillwell, 1983)

THERP　　　　　　人为失误率预测技术(Swain 和 Guttmann, 1983)

SLIM – MAUD　　使用多重分布因数分解可能性指标法(Embrey 等,1984)

HEART　　　　　　人为失误评估和减少失误技术(Williams, 1986)

在提出人为失误和量化它们频率时,人为失误的依赖性是一个重要的问题。例如,第一次警报的反应和第二次警报的反应,很明显,如果同一个人都参与这两种情况,那么与这

些事件有关的每一个错误都不可能独立。处于该水平的依赖性,可用条件概率来处理。

33.3.2　影响评估

若将人为失误概率(HEPs)量化并分配到事故树的事件中,整个系统的风险级别就可以用数字评估,即用高频率事件的(意外)频率计算。此时,个别人为失误以及整体人为失误对事故频率的影响也可以确定下来,例如:可以通过失误分布树交集分析来计算。然后,计算出的事故频率与事故预定义标准进行比较。如果频率违反标准,个人事件(人员、硬件、软件、环境或任何组合)对事故的发生频率有很大影响,必须被及时鉴定出来,减少这些高风险事件发生的可能性。然后要重新计算风险等级,直至达到可以接受的风险等级,或风险等级低至合理可行(ALARP 原则)。实际上,这是一个反复的过程。

33.4　人为失误降低

33.4.1　失误降低

尽管其已经达到了目标风险准则,但如果人为失误对系统的风险等级的影响重大,那么就有必要减少人为失误,或提高系统的安全级别。降低失误的方法有下面几种(Kirwan,1994):

(1)减小危害;

(2)切断失误途径;

(3)加强失误校正。

实际上,HRA 分析师常认真考虑加强失误校正的过程,因为这种技术很容易实现,例如:修改少量的过程或进行团队培训。即使某些风险水平已符合要求,这种做法也是可取的。

33.4.2　文件和质量保证

在 HRA 的最后阶段,做出的假定、采用的方法和取得的结果要记录下来。由 HRA 小组提出的所有假设,应该向运行系统的项目小组做明确的解释。此外,评估的结果应该以文件的形式发到作业人员手中,其使用范围将扩大到系统全部生命周期中,而不仅仅是一旦用完就放入档案的文件。

HRA 中的质量保证(QA)要确保 HRA 质量已被执行(即该项目在其范围内,实现其目标,没有错误),而且保证人为失误减少措施仍然有效,并且实现了潜在失误降低的效果。

33.5　用于海洋系统设计的工效学

近年来,工效学和设备设计中的噪音控制引起了人们的关注,对于工作场所,就是要减少其设计引起的人为失误,减少人的疲劳和不适因素以提高生产率。ASTM(1988,1995)在1988 年颁布了《海洋系统、设备和设施的人体工程学设计标准》,并在 1995 年进行了更新。ASTM 标准已经被石油和天然气工业运用到海洋结构设计上。

ABS(1998)颁布的《海洋系统工效学的应用规范指导》包括以下几个部分:

（1）报警、显示、控制器及其一体化；

（2）阀门安装高度和方向；

（3）标签面板、管道、电气系统、构件、危险标志；

（4）楼梯、直梯、过道和平台；

（5）住宿空间、通风、温度、湿度、照明和噪声；

（6）设计中工效学的应用。

规范建议设计中工效学的应用分为 4 个步骤，包括：

（1）定义设计中人员操作设备、系统的任务要求。举例来说，人员必须站立或坐下来执行操作，人员必须采取能够显示的视觉信息与他人沟通以完成这项任务。

（2）确定设备、系统的用户，来说明由性别、种族和地域所导致的身高差别和其他身体特征的差异。通常设计是用于 5% ~95% 的人。

（3）确定环境因素，如温度、噪声，以优化人员的表现。

（4）确定操作的最恶劣条件，例如极端温度和噪音。

这 4 步的目标是设计恰当的形状、尺寸、安排、布局、标志、颜色等，从而使人员可以安全有效地执行第 1 步中定义的任务。

33.6　质量保证和质量控制（QA/QC）

质量保证（QA）是指在设计过程中确保质量在可接受的层面上的一种实践过程。质量控制（QC）是质量保证实践过程中的执行和认证。

质量的一般参照标准由 Berfman 和 Kjedsjo 在 1994 年编制。本书所讨论的是质量在商业风险中的重要性，以及产品质量控制在满足消费者需求方面的重要性，通过讨论可以推断出领导如何影响过程和提高质量。

Bea 等（1997）给出有关 QA/QC 策略上的全面讨论。它适用于导管架结构和海洋结构的安全操作以及服务期间的检查与维修，这源于挪威的海洋作业。他们也强调了国际安全管理规范（ISM），尤其是提到了安全和质量信息系统。

QA/QC 过程包括：

（1）作业前就位——预防；

（2）作业期间——自我检测、同事队伍的检查和上级认证；

（3）作业结束——检验；

（4）制造以后——测试；

（5）海洋结构物开始运营——检查。

正如后面章节所讨论的，QA/QC 过程是降低人为失误的重要部分。

33.7　海洋结构的人为因素和组织因素

33.7.1　概述

Bea（2001,2002）把海洋结构体系定义为 6 个相互作用的主要组成部分，并确定相关的故障：

（1）作业团队　与系统的设计、建造、运行、维护和退役直接接触的人。通信是操作故障中的主导因素。其他故障包括故意侵害、忽视、不适或未受相关训练、过度疲劳、压力和失误。

（2）组织　告知操作人员如何进行作业，并为这些作业的进行提供资源。组织的故障，包括缺乏有效的交流、不恰当的目标和激励机制等。

（3）程序和软件　正式和非正式的、书面和不成文的做法都应符合操作性能。不准确的和不正确的程序、软件和其他文档可能造成人为失误。

（4）硬件/设备　结构和设备的性能直接影响操作性能的好坏。设计不当的结构和设备难以建造、操作和维护，并可能带来人为失误。

（5）环境　包括风、温度、照明、通风、噪音、运动和社会因素（如价值观、信仰等），这些环境特点可能对作业团队和组织的性能特点产生重要影响。

（6）界面　包含于上述情况中。

海洋结构系统的检测主要基于两种类型的标准：

（1）质量　由适用性、安全性、耐用性和兼容性组成。

（2）可靠性　从设计阶段到退役，保证质量合格的可能性。

质量管理系统主要由三个基本部分组成：

（1）质量管理程序　为质量管理指定要求和程序的文件。

（2）审核员　由体系中的人（经营者、经理、工程师、监管机构）和对系统非常熟悉且经验丰富的顾问组成。

（3）评估　质量评估小组指定每一部分因素的等级（正常、最好、最坏等），同时给出改进建议。

质量管理体系实施可以减少故障危害和其发生的可能性，提高故障检测率和校正率。进行系统风险分析，可以表征人员和组织因素及其对系统性能的影响，如：

（1）HazOp（危险操作）和 FMEA（失效模式和影响分析）等；

（2）概率风险分析；

（3）定量风险评估；

（4）结构可靠性评估。

33.7.2　减少设计中人为失误和组织失误

为了保证海洋结构设计的质量，采用以下三种风险管理方法：

（1）主动　减少故障发生；

（2）反应　增加故障检测率，及时纠正；

（3）互动　降低故障的发生概率和影响范围。

以下几种方法可应用于减少人为失误：

（1）组织变革　①避免质量和可靠性之间的妥协，同时管理上追求更大的生产率和效率；②防止由于企业效益不好而裁员的影响，经验表明，这将增加结构性破坏的可能性；③建立政策，积极改善人的表现（例如鼓励员工自我改进和积极向上）；④发展安全文化。

（2）提高作业团队素质　①培训人员，避免由错误和不当沟通引起的过失；②采取 QA/QC 措施，减小失误出现率，发现失误并及时更正。自我检查、独立检查和第三方检查都可能是 QA/QC 措施的有效手段。

　　(3)硬件/设备更换　①提供与人基本能力相应的设备(例如标签,可以在合理的距离内读取到数据);②消除人为失误的机会(例如简化控制和显示,尽量减少潜在的混乱,并提供更清晰的信息)。

　　(4)程序改进和软件认证　①确保使用主流且精确的程序;②消除程序和指导中的错误;③避免嵌入式无效指导方针的使用。第三条适用于软件的第三方认证。

　　(5)环境变化　提供与操作人员的身体要求相适应的环境(舒适的温度、充足的照明和受限的噪音)。

参考文献

[1] ABS. Guidance Notes on the Application of Ergonomics to Marine Systems[M].[S.l.]:American Bureau of Shipping,1998.

[2] ASTM. ASTM F1166 - 95a:Standard Practice for Human Engineering Design for Marine Systems, Equipment and facilities[S]. Washington D C:American Society of Testing and Materials,1988.

[3] Basra G,Kirwan B. Collection of offshore human error probability data[J]. Reliability Engineering & System Safety,1998,61(1):77 - 93.

[4] Bea R G. The Role of Human Error in Design,Construction,and Reliability of Marine Structures[R]. California univ berkeley dept of civil engineering,1994.

[5] Bea R G. Quality,reliability,human and organization factors in design of marine structures[R]. American Society of Mechanical Engineers,New York,NY(United States),1995.

[6] Bea R G. Quality Assurance for Marine Structures,Report of Specialist Panel V.1[R]. The International Congress of Ship and Offshore Structures. 1997.

[7] Bea R G. Human Factors and Risk Management of Offshore Structures[C]. Proceedings of the International PEP-IMP Symposium on Risk and Reliability Assessment for Offshore Structures,Mexico City,Dec.3 - 4,2001.

[8] Bea R. Human & organizational factors in design and operation of deepwater structures[C]//Offshore Technology Conference. Offshore Technology Conference,2002.

[9] Barrett J D. Quality From Customer Needs to Customer Satisfaction[J]. Technometrics,2004, 46(1):118.

[10] Cacciabue P C,Decortis F,Drozdowicz B,et al. A cognitive model in a blackboard architecture: synergism of AI and psychology[J]. Reliability Engineering & System Safety,1992,36(3):187 - 197.

[11] IACS. Draft Guidance on Human Reliability Analysis(HRA)within the Formal Safety Assessment [R]. IMO MSC 71/Wp.15/Add.1.1999.

[12] IMO. MSC/Circ. 829 & MEPC/Circ. 335,Interim Guidelines on the Application of Formal Safety Assessment(FSA)to the IMO Rule-Making Process[R]. International Maritime Organization,1997.

[13] Lorenzo D K. A manager's guide to reducing human errors:Improving human performance in the chemical industry[M].[S.l.]:Chemical Manufacturers Association,1990.

[14] Moore W H. The grounding of Exxon Valdez:An examination of the human and organizational factors [J]. Marine Technology Society Journal,1994.

[15] A guide to task analysis:the task analysis working group[M].[S.l.]:CRC press,1992.

[16] Kirwan B. A guide to practical human reliability assessment[M].[S.l.]:CRC press,1994.

[17] Kletz T A. Hazop and Hazon-Notes on the Identification and Assessment of Hazards[J]. 1992.

[18] Rasmussen J,Pedersen O M,Mancini G,et al. Classification system for reporting events involving

human malfunctions[R]. 1981.

[19] Reason J. Human error[M]. [S. l.]: Cambridge university press, 1990.

[20] Reason J T, Reason J T. Managing the risks of organizational accidents[M]. Aldershot: Ashgate, 1997.

[21] Swain A D. Comparative evaluation of methods for human reliability analysis [M]. Gesellschaftfür Reaktorsicherheit, 1989.

[22] Swain A D, Guttmann H E. Handbook of human-reliability analysis with emphasis on nuclear power plant applications. Final report[R]. Sandia National Labs. , Albuquerque, NM (USA), 1983.

[23] Woods D D, Roth E M, Pople M. An artificial intelligence based cognitive model for human performance assessment[M]//Nureg/CR 4862. USNRC Washington DC, 1987.

第 34 章　基于风险评估的维护

34.1　引言

34.1.1　概述

海洋维护包括各种从海底到顶部的海洋设施和设备的工程任务。任务包括日常维护、设施的检查和修理，以及厂房与设备的修理、加强。

海洋设施的维护有许多特殊的困难，通常不会在陆地上遇到，主要因素包括：

（1）安全法规要求非常严格；

（2）不当的维护往往会导致安全问题、环境问题、生产和物质损坏，造成重大损失；

（3）维护费用相当高，与人力、海洋储藏、陆海之间运输的高成本等有关；

（4）在波浪散布区和海底执行维护任务非常困难；

（5）维护活动经常受季节的限制（如不利的天气情况）；

（6）海洋后勤是要解决实际维护任务的最大问题。

因此，海洋设备操作员通常建立好维护方案以确保生产方案满足安全性、可靠性、适用性、质量和供应数量的要求。

预期的（提前的）维护主要包括两类：

（1）预防性维护　维护任务频率由已知的时间（周期数、利用率、使用年限等）和可靠性（磨损、腐蚀、疲劳的存在可能性等）之间的关系来确定。

（2）预测性维护　基于条件的维护任务是根据某些常规测量条件的实现来安排的。P－F 时间间隔定义为潜在的失效点到实际发生的失效点之间的间隔（Moubray，2000）。时间间隔少于 P－F 间隔时，必须进行基于条件的维护任务。

本章以海洋装置设施维护来描述风险分析的运用。它主要包括初步风险分析（PRA）和可靠性集中维护（RCM）。PRA 和 RCM 的基本观念、原则及其应用被引入到一个有效的海上设施预防性维修计划的发展中，PRA 和 RCM 以结构化和系统化的形式被用作维修策略的开发和优化方法，在过去的几年，它们被用于许多工业领域，如核电厂、飞行器和海洋工业等。

34.1.2　应用

本章意在指导维护策略的开发和优化。在维护过程中 PRA 和 RCM 的作用在图 34.1 中进行了说明（Rausand 和 Vatn，1997）。如图 34.1 所示，PRA 分析用在了筛选和评价维护项目中。然后，对推荐采取预防性维护的项目进行 RCM 分析。这说明 RCM 过程是把重点放在重要项目维护上（MSI），剩余项目可根据更传统的方法进行维护。然而，所有的计划维护任务最终将会归结到日常维护计划和控制系统中。

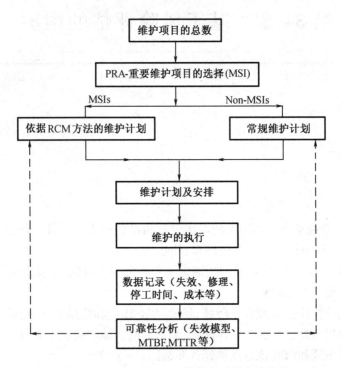

图 34.1　PRA 和 RCM 在维护过程中的作用

34.1.3　RCM 发展历史

在 20 世纪 60 年代后期,商用飞机制造业首先应用了 RCM(Jones, 1995;Rausand 和 Vatn, 1997)。它开始是作为用可靠性方法对收集到的两架美国客机的数据进行分析得到的结果。例如,他们计算过期构件的失效概率。通过计算发现,大约只有 10% 的构件变得不可靠,处于危险期。这不是因为间隔不够短,或检验不够充分,而是和期待相反,对许多项目,失效率不会随工作年限而增加。因此,无论年限是多少,最大工作年限的维护方针对失效率有很小影响或几乎没有影响。这迫使他们重新考虑预防维护(PM)的基础,包括高成本的随时监测。

负责管理美国航空公司的联邦飞航管理局(FAA)工作受挫,因为在 PM 方法中不能通过任何可行的改变来控制发动机的失效率。因此,在 1960 年成立了一个工作队,由 FAA 和航空公司的代表组成,调查预防维护的能力。

这项任务得出的 FAA /工业可靠性方法在 1961 年 11 月出版,该方法对推进引擎可靠性做了明确规定。20 世纪 60 年代对新飞机的 PM 计划发展做了更多的工作,这些工作表示通过用符合逻辑的决策过程可发展更多有效的方法。这一工作由维护指导小组(MSG - 1, 1968)执行,小组人员包括来自飞机制造业、航空公司和 FAA 的代表。

这个小组开发了第一版 RCM,并在 1968 年作为指导手册发行。这种新的维护理论称为 MSG - 1,并且作为波音 747(大型喷气式客机)PM 计划的发展基础来使用。在恰当的时代背景下,RCM 观念通过用于飞机制造业而得到更深入的发展。其间,对其做了两次校订工作,并在 1970 年发行了 MSG-2 文件,在 1980 年发行了 MSG-3。

在宽体飞机开始使用 (Boeing 747, DC 10, L1011 Tristar)之后,这种方法被改进,并用于欧洲的飞机制造业(Concorde, Airbus A300)和美国最新型飞机中(如 Boeing 757, 767)。

在 20 世纪 70 年代早期,美国海军开始在新式和在役飞机上使用 RCM 方法。随后不久,海军系统指挥部把 RCM 应用到水面舰艇。在 1980 年 RCM 成为全部新式海军水面舰艇确定 PM 方案的必备方法。随后加拿大海军也采用了相同的做法,美国陆军和空军也采用了 RCM 方法。

1983 年,在美国电力研究所 (EPRI)做了一个初步研究,开始测试该方法应用于核电站的可靠性,他们评估已经成功应用于飞机和船舶的维护方法是否适用于核电站。从系统角度看,全部都是过度复杂而且有较高可靠性的,他们全部由政府机关管理(定期航线由 FAA 监管,军队由国会监管,核电站由原子能监管委员会控制)。EPRI(1985)证明,RCM 用于核电站是有希望的。劳动力和物质的加强维护任务在 RCM 应用前是以特定的时间间隔进行的,而现在只有在设备降级到可测的情况下才能进行。储蓄通过减少维护费用和提高可靠性来达到。

在 Jones (1995)中讨论了 RCM 应用于海洋工业、太阳能接收装置和煤矿的相关问题。

34.2　初步风险分析(PRA)

34.2.1　目的

PRA 方法的目的概括如下:
(1)生产中使用荧屏操作系统来确定高危险区域;
(2)根据统一的方法确定每个设备的危险等级。

34.2.2　PRA 程序

海洋设施中 PRA 的运用是一种定性的方法。它使用的后果和频率的概念与前一章描述的定量分析相同。除此之外,它不需要更多细节就能非常快地执行。它得出的结果不如定量分析精确,但它能根据每一项目的潜在危险为合理化维护提供基础。

该方法首先对区域失效后果进行分类,然后对失效频率进行分类。表 34.1 和 34.2 举例说明了相关定义。

表 34.1　失效后果分类

后果分类	对健康、安全或环境造成的影响
Ⅰ-灾难性的	可能引发死亡或者严重的环境影响
Ⅱ-临界的	可能引发严重的伤害或者严重的职业病,或者对环境造成较大的影响
Ⅲ-边缘的	可能引起较小的伤害或者较轻的职业病,或者对环境产生较小的影响
Ⅳ-可忽略不计的	没有引起重大伤害、职业病或者对环境产生影响

表 34.2　失效率分类

频率分类	每年的概率名义范围
A——经常	$> 10^{-1}$
B——偶尔	$10^{-1} \sim 10^{-2}$
C——不太可能	$10^{-2} \sim 10^{-3}$
D——从不	$< 10^{-4}$

在定义后果和频率的分类后,把它们合成风险矩阵,产生风险等级,如图 34.2 所示。

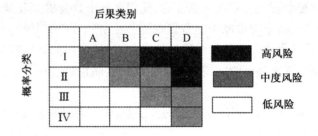

图 34.2　定性风险矩阵

可能性分类由影响失效发生的评估因素所决定。每个因素均能被评定,而且他们的组合会产生可能性。影响可能性的因素包括:

(1)潜在损害机制;

(2)当前设备条件;

(3)过程的本质;

(4)装备设计基础;

(5)润滑、清洗和检查等基础服务的适当性。

后果分类可由影响危险级别的因素所决定,例如:

(1)失效可能发生的固定趋势;

(2)作业条件;

(3)从轻微升级到严重情况的可能性;

(4)现场的工程保障措施;

(5)损害的暴露程度。

在风险矩阵上划分了失效的后果和频率分类后,根据它们来评估单元的风险等级。

PRA 方法为各单元确定了风险等级:高、中或低。风险等级常常被称为危险程度。相关的 PRA 方法也叫作危险程度分析。相应的风险等级用来将维护项目分为三类:

(1)低等级风险项目　这些项目属于可承受的风险区域。因此,它们可能使用传统维护方法或者"分解"维护策略进行维修。

(2)中风险等级项目　中级风险等级项目由 RCM 程序进一步分析,以降低风险达到合理可行(ALARP),这将在下面的章节给出详细说明。

(3)高风险等级项目　高风险等级项目属于无法承受的危险区域,这些项目将进一步详细地分析有关设计、工程、风险或维护项目。

可能的决策包括设计或工程的变更,保护措施的增加和盈余,以及各种预防性维护措施的应用,比如环境监控、检查等。

34.3　RCM 过程

34.3.1　引言

根据电力研究所的研究(EPRI),RCM 是"一个系统要考虑系统功能(这个功能可失效),并且优先考虑安全性和经济性,来定义适用的有效的 PM 任务。"

RCM 被定义为确定如何保证设备和装备能够按照使用者期待的那样继续运行的过程。RCM 主要关注系统功能,而不是系统硬件。

34.3.2　RCM 分析程序

在开始实际的 RCM 分析之前,组建 RCM 项目研究团队。团队至少包括一个从事维护功能的人和一个从事操作功能的人,还要有一个 RCM 专家,为服务商提供 RCM 程序。

RCM 研究团队将定义工作的目的和范围。需求、政策和可承受标准应该明确健康、安全和环境的关系(NPD,1991)。RCM 分析针对于改进 PM 策略。RCM 项目研究团队应清楚地定义分析的范围。RCM 分析过程可分为如下 6 个步骤进行 (Rausand 和 Vatn,1997;Jones,1995):

第 1 步:系统选择和定义

RCM 分析的第一个问题是哪些系统可以使用 RCM 方法进行分析? 因为需要合理的理由来进行 RCM 分析,这个问题通常在确定 RCM 分析程序之前回答。理由是一些系统常常失效,并/或导致一些安全、环境保护和生产方面的严重后果。

系统被分为彼此不相干的子系统。技术层次水平系统的定义包括:

(1)车间　由系统构成,为各种原料的输入提供产出的功能,例如,海洋油气生产平台可以作为车间予以考虑。

(2)系统　由子系统或主要设备构成,将执行一系列主要功能,这是车间必需的。例如,油气生产平台上的注水和气体压缩系统。

(3)子系统或主要设备　由设备单位构成,主要执行某个功能,例如:注水设备和气体压缩设备。

(4)设备或工具　由构件构成,可以作为单机项目执行至少一个重要功能,例如:水泵、阀和压力计。

(5)构件　权件是设备在不发生损伤或破坏的情况下能分解到的最低水平,例如:水泵的叶轮、气体压缩机的轴承。

RCM 研究团队会决定在 RCM 过程的开始阶段进行什么水平的分析,这是很重要的问题。该问题有些限制,例如:方案的时间表、有关失效的资料的可用性、维护成果和成本、可利用的经验和相关系统的技术。在理想条件下,进行 RCM 分析应该从系统水平延伸到构件水平,功能和失效分析应该用于构件水平以上的所有水平,而失效模式和原因应该用于构件水平。

第2步:功能失效分析

功能失效指的是一个子系统无法实现其功能。功能失效分析的任务包括:

(1)定义和描述系统、子系统、设备的必备功能。

(2)描述系统运行的输入界面。

(3)定义系统功能失效的可能方式。

一个系统可能有不同的作用,可用不同的方式分类,例如:

1.基于重要性的分类

(1)主要(基本)功能:这些是实现主要设计服务的必需功能。一个主要功能经常通过项目名称来反映。比如,水泵的主要功能是抽取液体。

(2)辅助功能:这些功能是支撑主要功能所必需的功能。通常它们不如主要功能明显,但是在特定的情况下,可能和主要功能一样重要。泵的一个附加功能是储存液体。

2.基于功能性的分类

(1)保护功能:如安全、环境保护。

(2)信息功能:情况监控,各种测量、警报等。

(3)界面功能:为讨论的项目和其他项目提供交流界面。

注意:功能分类仅以清单形式使用,以确保清晰显示所有的相关功能。一个系统通常有几个操作模式,每个操作模式有几个功能。主要功能通常是很明显的,而且容易建立,而其他功能可能很难展现。

然后,使用各种类型的功能图来描述已知的系统功能。最常见的框图是原理框图。图34.3是水泵的一个简单原理框图。

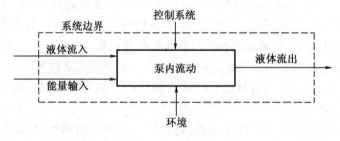

图34.3　水泵原理框图

如图34.3所示,一个功能图包括所有的输入(控制信号和能量供给)和输出。通常不需要为所有系统功能建立原理框图。图表通常可以有效地说明系统边界的输入/输出界面。

功能失效分析的最后一项任务是确定和描述系统功能如何失效。根据RCM的大部分参考文献,功能失效可以分为三类:

(1)全部功能丧失:在这种情况中,功能根本无法实现,或功能不能达到预期的效果。

(2)部分功能损失:这类损失非常宽泛,范围从部分损失到功能的几乎全部丧失。

(3)功能错误:这意味着项目没有按初始目的执行,它经常执行与意愿相悖的功能。

第3步:失效模型与影响分析(FMEA)

主要失效模型是从失效模式和结果分析发展而来。FMEA确定的特殊情况需要预先维护。在定义系统功能和功能失效之后,下一个逻辑步骤是确定失效模式,它可能引起已知功能失效。例如,功能失效分析确认设计升压泵把水从入口的 5 bar(1 bar = 0.1 MPa)增加到出口的 25 bar(1 bar = 0.1 MPa),但有时无法达到 25 bar。因此,它有功能失效——功能部分损失。在 FMECA 步骤中,任务是找出功能失效的原因和采用措施来有效预防失效。

多种 FMECA 表格被用于 RCM 分析。图 34.4 是 FMECA 表格的一个例子。表格的各个专栏将在下面论述。

(1)MSI:项目编号(标签数字)。

(2)运作模式:如运转或备用。

(3)功能:如备用供水泵的功能是在需要时启动泵。

(4)失效模式:观察失效的方法,并定义为不能实现的设备功能。

(5)失效严重程度:描述为对安全、环保、生产损失或延迟和其他经济费用产生的"最坏影响"。使用与确定风险定性分析的结果类似的方法可以确定失效严重程度。

(6)失效可能性:定义为失效的"最坏情形"的可能性。在这个阶段中,定性分类是适合的。使用与确定风险定性分析的可能性类似的方法可以确定失效可能性。

(7)危险程度:来自于相关的失效的严重程度和可能性的综合考虑。过程类似于确定系统、子系统和设备的风险等级。不同的是危险程度要考虑失效模式。

单位描述			失效影响			危险程度	失效原因	失效机理	失效特征	维护方法	推荐时间间隔
MSI	运作模式	功能	失效模型	失效严重程序	失效可能性						
				S E P C	S E P C						

图 34.4　FMECA 表格

资料描述应该考虑所有的失效模式。目前遮蔽方法很适用,可以只给出关键失效模式。

关键失效模式需要考虑以下方面。

(1)失效原因:对每个失效模式来说,都可能不止有一个失效原因。注意在这一步要考虑所有的构件。例如,安全阀"无法关闭"的失效可能是由控制器里的弹簧坏掉引起的。

(2)失效机理:例如疲劳、腐蚀和磨损。

(3)失效特征:失效传播可分类如下。

①渐变失效:失效传播能通过监测技术来控制。

②老化失效:失效的产生与使用年限相关,比如磨损过程。

③突发失效：通过状态监测措施监测不能察觉的随机失效。

（4）维护方法：依第 5 步的逻辑找到该方法，这将在第 5 步完成。

（5）推荐的任务间隔：确定的维护应该推荐一个评估时间间隔，这将在第 5 步完成。

第 4 步：选择维护方法

设计和使用决策逻辑，通过问答过程来指导 RCM 团队。决策逻辑的输入是第 1 步中已知的主要失效模型。决策逻辑的设计原则是当预防性维护措施存在且比关键失效模式更有成本效益时，就应将它细化。

应用预防性维护措施一般有三个原因：

（1）早期发现失效从而有足够时间来计划和执行预防措施。

（2）防止设备失效产生严重后果。

（3）发现了隐藏的失效。

只有关键失效模式使用预防性维护方法。选择适当的维护方法取决于以下因素：

（1）失效原因和机理。

（2）失效特征。

（3）探测技术。

基本维护方法可以分类如下：

（1）预定条件任务。

（2）预定检查。

（3）预定替换。

（4）预定功能测试。

（5）运转失败。

下面将基本维护方法分类叙述如下：

（1）预定条件任务是指预定检查或者定期的状态监测，以发现潜在失效。预定条件任务应满足以下标准：

①潜在失效条件要清晰定义。

②潜在失效可以根据状态监测技术来检测。

③失效检测和预防要有合理、一致的时间间隔。

（2）预定检查是指在某一特定年限之时或之前检查。当符合以下条件时，可预定检查：

①特定年限后失效率迅速增加。

②通过检查可以恢复失效抗力。

（3）预定替换是指在某一特定年限之时或之前，预定地替换项目或它的部分。预定替换过程在下列情况使用：

①存在一个确定的年限，在这个年限之后失效率迅速增加。

②可以通过替换项目或它的部分来恢复失效抗力。

（4）预定功能测试是指隐藏失效的预定测试，该失效通常是按需失效。当符合以下条件时，可执行预定功能测试：

①日常工作期间，操作员对功能性失效不易察觉。

②其他预防性措施没有成本效益。

（5）运行失败是允许慎重决定一个项目运行失败。运行失败的主要原因可能是其他的预防措施都不可行或没有成本效益。

前面任务的标准只能作为选择适当预防措施的指导方针。RCM 决策逻辑的例子如图 34.5 所示。注意,这是决策逻辑的简化版本。这种决策逻辑不能包含所有的情况。例如,可通过综合计划更换和功能测试来避免隐藏的老化失效。

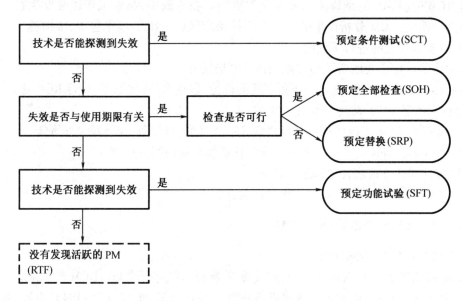

图 34.5 RCM 决策逻辑

第 5 步:确定维护时间间隔

在为每个关键失效模式选择预防性维修方法后,下一步就是确定维修任务的时间间隔。

维修时间间隔越短,维修费用就越高。另一方面,维修时间间隔越长,发生失效的风险就越高。最佳间隔应该设置为失效风险和维修成本总和的最小值。这是典型的效益成本分析。维修费用或多或少容易评估,但是维修作业的好处是难以评估的,因为它取决于以下参数。

(1)风险:失效的后果和可能性,可能对以下方面产生影响:

①安全;

②环境;

③生产和服务;

④物质损失;

⑤名誉。

(2)通过维护降低风险:

①失效原因;

②失效机理和分布;

③维修作业的特点,如 SCT,SOH,SRP 或 SFT。

优化维修任务的时间间隔通常需要定量分析。优化过程的详细说明不在本书讨论范围之内。

第 6 步：执行维护任务

执行的并不是 RCM 分析的直接任务。在大多数情况下,应执行 RCM 分析的结果。执行的必要基础是组织和技术功能完全理解并支持 RCM 分析的结果。

由 RCM 分析建议的维修工作通常是失败的。在实践中,维修工作通常发生在设备包或模块上。因此,RCM 分析产生的维护工作结果应该归入维护程序包中,维护程序包对何地、何时以及做什么都进行了说明。

下一步是分配必要的资源和技能来执行维护任务。

Moubray(2000)对 RCM 进行了更广泛的讨论,包括 RCM 决策图、执行 RCM 建议、应用 RCM 过程和测量 RCM 成就。实施过程包括:

(1)所有的 RCM 建议的维修任务由管理人员批准,对设备、设施负全面责任。

(2)在详细任务说明上对所有日常任务描述做清楚简明的记录。

(3)将日常任务描述合并到工作包中。

(4)工作包在系统上进行,以确保工作是否完成。

34.3.3 风险集中维护(Risk-CM)

1. 风险集中维护(Risk-CM)

RCM 开始于美国的商业航空业,对高度复杂的飞机进行维修。RCM 的危险程度根据安全、工作生产、经济和隐藏的失效等进行分类。Risk – CM 和 RCM 之间的差别是,RCM 的危险程度可以用 Rick – CM 的直接风险评估替换(Jones,1995)。直接风险评估给出比粗略评估(危险程度)更完整的描述。风险集中维护包括对每种失效模式的结果和频率的独立估计,根据风险概念提出排名机制。个别失效模式在计算风险时,有可能根据风险为维护作业排出优先顺序。定性风险评估非常适合于 Rick – CM,而相对风险则适合进行优先级排序。不需要精确地估计绝对风险,风险评估之间的一致性是很重要的。但是,应用 Risk – CM 时有两个困难:(1)风险观念在一些地区尚未完全被接受;(2)充分的风险评估缺乏数据,特别是对存在少量行业经验的一些新的领域的应用。

2. 操作风险评估

在处理关键设备和设施时使用操作风险评估。它的目标是集中最高风险车间的维修资源(资金和人力)。操作风险评估开始于数据收集和评估,操作风险评估所使用的数据通常是在设备、设施运作期间收集。

操作风险有 3 个主导因素:

(1)设备　毫无疑问,设备是操作风险的一个主导因素,人操作设备生产产品,维护行为在设备上进行。

(2)生产　生产损失(包括定期维修和改装)和产品质量不合格都是操作风险,生产损失可能是由于设备故障,原料供应缺乏,包装、海运和储存的不足造成的。

(3)人员　人员是操作风险的关键因素,人员经常引起系统故障,当设备失效和减产时产生成本,如劳动力成本。

3. 人为过失

人员是车间操作和维护的一个主要部分,并且要负主要责任。

主要有两种类型的人为过失(Jones,1995):

(1)主动过失　立即造成明显的影响。

(2)潜在过失　有一定的后果,但没有被注意到,直到相当长的一段时间后,与其他因素一起引起事故。

机器操作曾经需要更多的手工作业。随着计算机把人提升到更高层次,人们得到的信息是控制室的计算机显示信息,这种情况下潜在故障一般是主要因素。

疲劳和其他人为因素,如酒后操作,极有可能引起事故。当控制职责集中于少数人时,疲劳引起的风险变得更大。

34.3.4　RCM 方法——维护策略的连续改进

可以看出,前面部分的 RCM 方法是一个系统的过程,用于确定维护策略。这是通过合理化维护效果来发展初步维护策略的有力工具时,它也可用于现有维护策略的不断改进。事实上,当操作和维修的经验反馈到分析过程中时,就能实现 RCM 的全部优点。

改进 RCM 分析结果的方法很重要,主要因为:

(1)由于缺少可靠的数据,通常会根据一些假设来进行 RCM 分析;

(2)作业环境和设备状况随时间变化;

(3)真实可靠的数据、学科知识和专业知识随时间增长。

使用 RCM 方法,不断地改进维护策略,要遵循以下步骤:

(1)根据历史数据,确定设备、元件和失效的危险等级,如失效后果、维修费用等;

(2)比较改进后的危险等级和早期 RCM 研究得到的危险等级,用历史可靠性数据改进或替换假设;

(3)进行成本 – 效益分析,以确定现有维护策略在哪里修改可以提高可靠性并减少成本;

(4)修改现有维护策略,以增加维护策略的成本效益。

参考文献

[1] Application of reliability-centered maintenance to component cooling-water system at Turkey Point Units 3 and 4[M].[S. l.]:EPRI,1985.

[2] Jones R B. Risk-Based Management-A Risk Centered Approach [M]. Houston:Gulf Publishing Company,1995.

[3] Moubray J. Reliability centered maintenance[M].[S. l.]:Industrial Press,1997.

[4] Maintenance Steering Group. Handbook:Maintenance Evaluation and Program Development (MSG-1) [J]. Air Transport Association,Washington,DC,1968,10.

[5] NPD. Regulations Concerning Implementation and Use of Risk Analysis in the Petroleum Activities[M]. [S. l.]:Norwegian Petroleum Directorate,1991.

[6] Rausand M,Vatn J. Reliability centred maintenance [M]//Complex system maintenance handbook. London:Springer,2008:79 – 108.